ひと目でわかる

日経BP

Project 2019 & Project Online

デスクトップクライアント

大石 守［著］

Project 2019 の画面構成

Projectのウィンドウは、次の構成になっています。

クイックアクセスツールバー
頻繁に使う機能がボタンで配置されている。ボタンは自由に追加できる

タブ
リボンを切り替える

リボン
目的別に分類されたボタンが配置されている。関連する機能はタブでグループ化されている

ガントチャート
プロジェクトのスケジュールをビジュアルで表示する

タイムスケール
ガントチャートの上部にあり、時間の単位や日付形式などを指定できる

マイルストーン
プロジェクト内の重要なできごとに付ける目印

ガントバー
[ガントチャート] ビューでタスクの期間を表す線

ビュー
ガントチャート、リソースシート、タスク配分状況などを表示する

セル
テーブルのマス目

リボンの最小化

リボンにタブ名のみを表示して画面を広くする

グループ

関連する機能のボタンを分類する

操作アシスト

使用したい機能や操作に関する語句を入力することで、関連する機能や操作にすばやくアクセスできる

ダイアログ起動ツール

グループの機能を収めたダイアログを表示する。詳細な設定が可能

アカウント

Officeで使用するMicrosoftアカウントが表示される

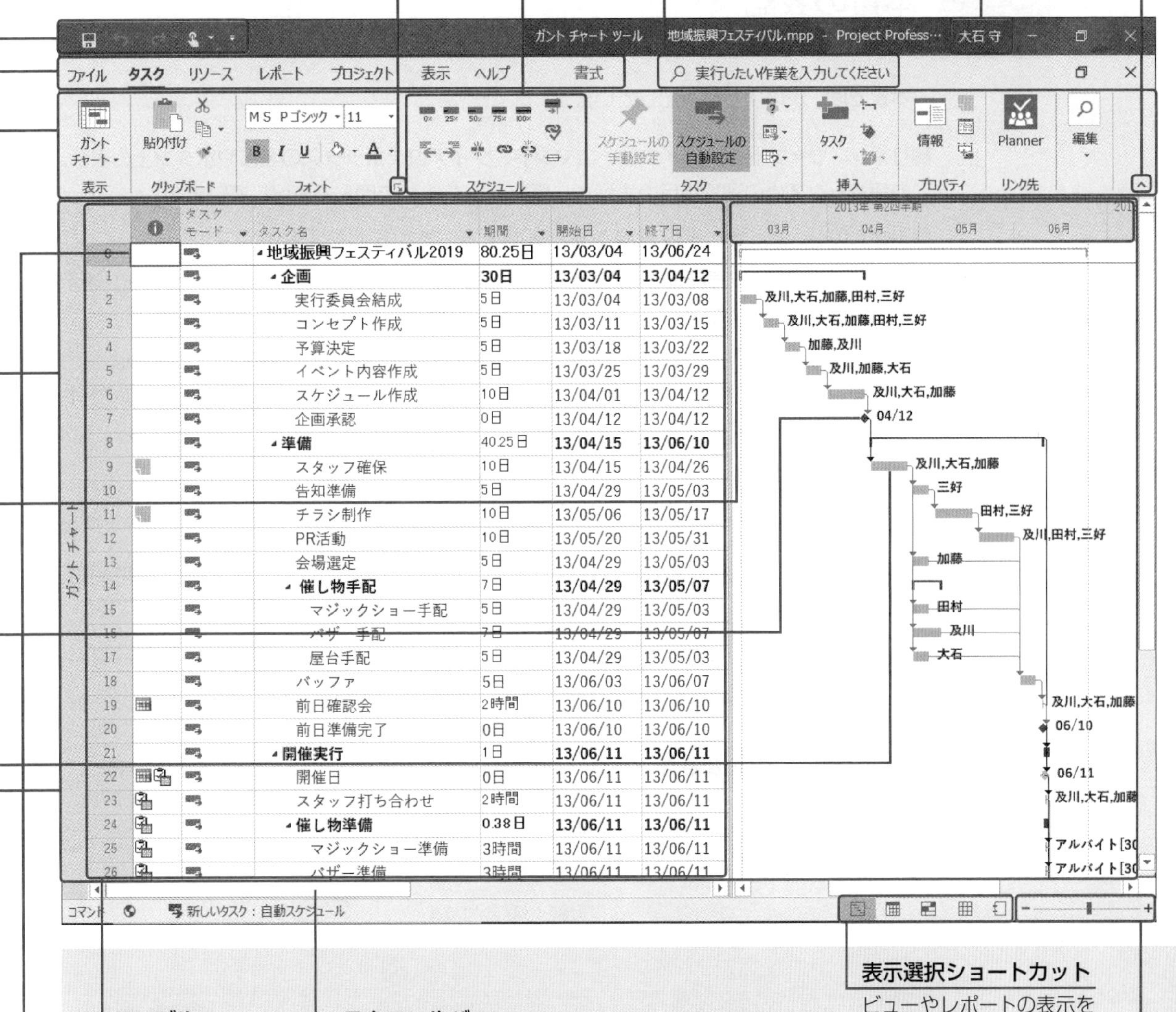

テーブル

行と列で表示したフィールドの集まり

スクロールバー

右端または最下行に表示されるバー。スクロールボックスをマウスでドラッグして移動するか、または両端の矢印ボタンをクリックすることにより、表示内容を目的の位置までスクロールする

表示選択ショートカット

ビューやレポートの表示を切り替える

ズームスライダー

タイムスケールの表示範囲を変更する

はじめに

本書は“知りたい操作がすばやく探せるビジュアルリファレンス”というコンセプトのもとに、Project 2019の基本機能を体系的にまとめあげ、設定・操作手順を豊富な画面でわかりやすく解説します。また、Project Onlineデスクトップクライアント、および新たに登場したProject for the Webにも対応し、アジャイルプロジェクトの管理における活用のコツも盛り込みました。

本書の表記

本書では、次のように表記しています。

■リボン、ウィンドウ、アイコン、コマンド、ダイアログボックスの名称やボタン上の表示、各種ボックス内の選択項目の表示を、原則として［ ］で囲んで表記しています。

■画面上の⌄、⌃、▾、▴のボタンは、すべて▲、▼と表記しています。

■本書でのボタン名の表記は、画面上にボタン名が表示される場合はそのボタン名を、表示されない場合はポップヒントに表示される名前を使用しています。

■手順説明の中で、「［○○］タブの［△△］の［××］をクリックする」とある場合は、［○○］をクリックしてタブを表示し、［△△］グループの［××］をクリックしてコマンドを実行します。

トピック内の要素とその内容については、次の表を参照してください。

要素	内容
ヒント	他の操作方法や知っておくと便利な情報など、さらに使いこなすための関連情報を紹介します。
用　語	初出の用語や専門用語をわかりやすく説明します。
注　意	操作上の注意点を説明します。
以前のOfficeからの変更点	Office 2016/2013/2010などの以前のOfficeとの間で、大きな変更が加えられている機能や操作について説明します。
参　照	関連する機能や情報の参照先を示します。 ※その他、特定の手順に関連し、ヒントの参照を促す「ヒント参照」、参照先を示す「手順内参照」もあります。

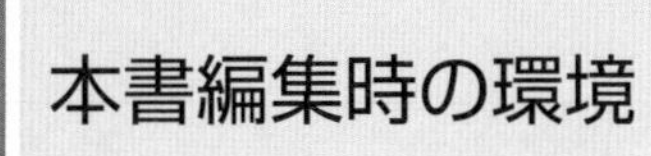

本書編集時の環境

使用したソフトウェアと表記

本書の執筆にあたり、次のソフトウェアを使用しました。なお、Office 365 Business※は、Word、Excel、PowerPoint、Outlookをインストールした状態です。

Windows 10 Home ………… **Windows 10、Windows**
Microsoft Office 365 Business※ ………… **Office 2019、Office**
Microsoft Project Onlineデスクトップクライアント ………… **Project 2019、Project**
Microsoft Project Online Plan 3 ………… **Project Online、Project for the Web**

※Office 365 Businessは2020年4月22日からMicrosoft 365 Apps for businessに名称変更されます。

本書に掲載した画面は、デスクトップ領域を1280×1024ピクセルに設定しています。ご使用のコンピューターやソフトウェアのパッケージの種類、セットアップの方法、ディスプレイの解像度などの状態によっては、画面の表示が本書と異なる場合があります。また、Officeのリボンのボタンは、ディスプレイの解像度やウィンドウのサイズなどによっては、形状が本書と異なる場合があります。あらかじめご了承ください。

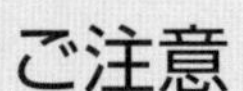

ご注意

本書の内容について

本書の内容は執筆時点の情報に基づいています。本書の発行後にOfficeのアップデートやWebサイトの変更が行われることにより、提供される機能や、操作手順および画面が、本書と異なる場合があります。あらかじめご了承ください。

訂正情報の掲載について

本書の内容については細心の注意を払っておりますが、発行後に判明した訂正情報については本書のWebページに掲載いたします。URLは下記のとおりです。
https://project.nikkeibp.co.jp/bnt/atcl/20/P86560/

本書のサンプルファイルについて

本書で使用しているサンプルファイルを、本書のWebページからダウンロードすることができます。上記に掲載したURLにアクセスし、［データダウンロード］の［サンプルファイルのダウンロード］をクリックすると、ダウンロードページに移動します。ダウンロード方法の詳細や、サンプルファイルを使用する際の注意事項を確認したうえでご利用ください（ファイルのダウンロードには日経IDおよび日経BPブックス＆テキストOnlineへの登録が必要になります。登録はいずれも無料です）。

第5章 タスクへのリソースの割り当て 101

第6章 プロジェクト計画の調整 123

第8章 プロジェクトの修正と再計画 183

第9章 レポートの作成とプロジェクト情報の共有 207

第10章 プロジェクト計画を使いやすくする機能 241

第11章 複数プロジェクトの統合とリソースの共有 285

第12章 アジャイルプロジェクトの管理 299

第13章 クラウド版Projectの活用 333

第1章 Projectの特長

この章では、本書のゴール、Projectの特長、さらにさまざまなエディションによる機能の違いについて説明します。また、初めてProjectを使用する際に知っておくとよいプロジェクト作成までの簡易的なステップについて説明します。

1 本書のゴール

本書では、以下の8つの内容が理解できることをゴールとしています。

1. Projectの基本的な特長が理解できる

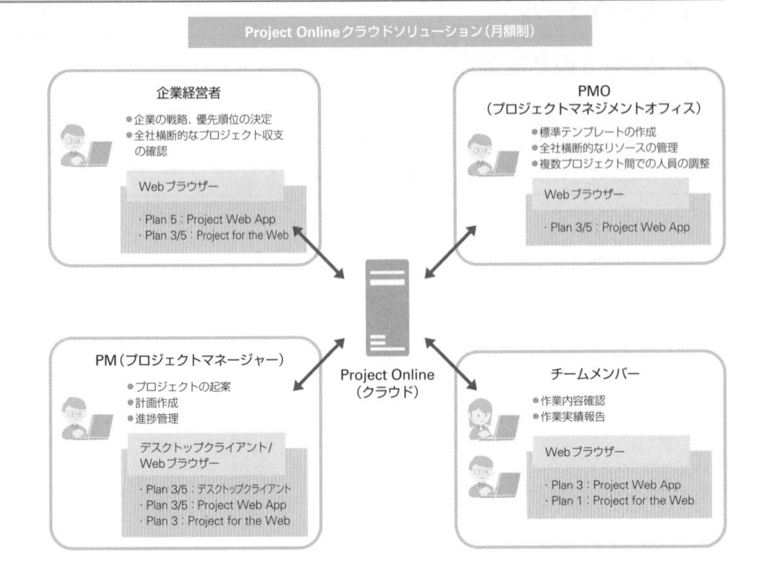

参照

Projectの特長

第1章

2. Projectの仕組みを理解できる

参照

Projectの基本情報の設定

第2章

プロジェクト計画のタスクの作成

第3章

プロジェクト計画のリソースの設定

第4章

タスクへのリソースの割り当て

第5章

プロジェクト計画の調整

第6章

プロジェクトの進捗管理

第7章

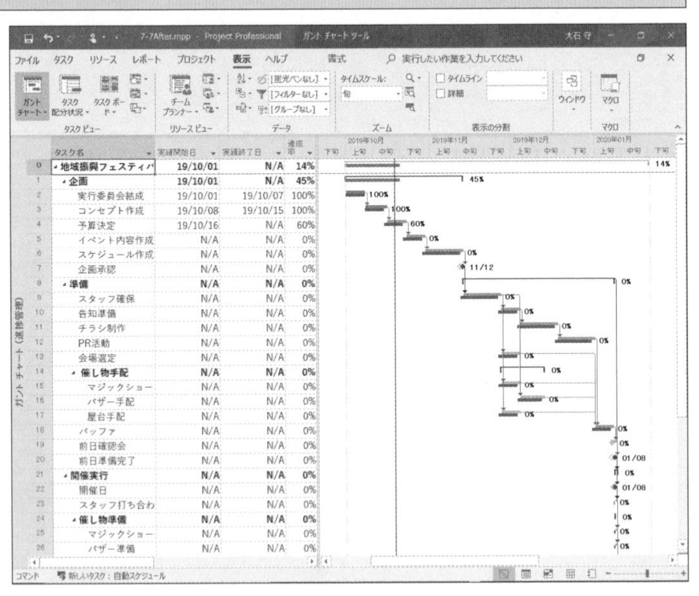

3. プロジェクト計画をゼロから作成できる

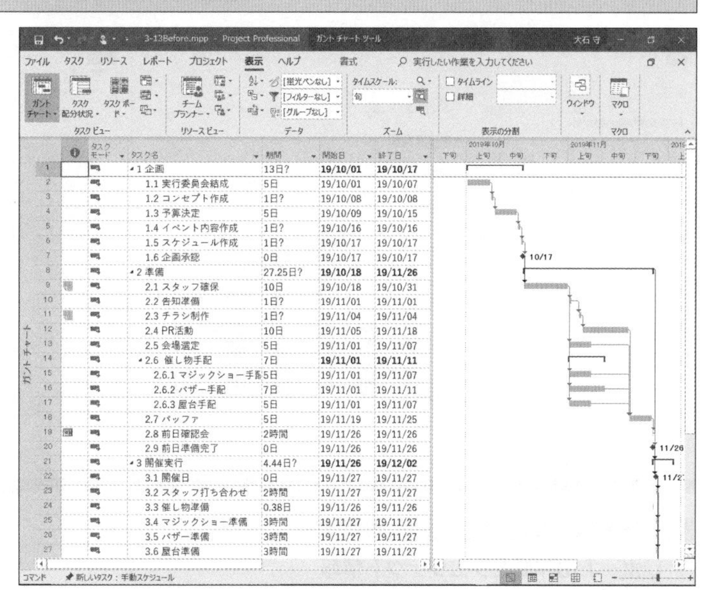

参照

プロジェクト計画のタスクの作成　**第3章**

プロジェクト計画のリソースの設定　**第4章**

タスクへのリソースの割り当て　**第5章**

4. プロジェクトの実績を入力して進捗管理ができる

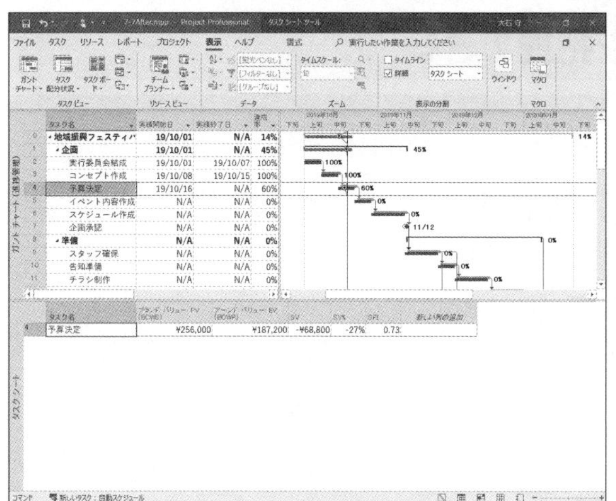

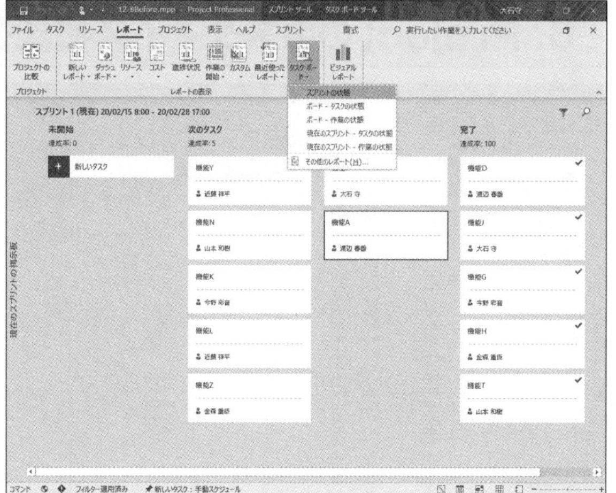

参照

プロジェクトの進捗管理　**第7章**

アジャイルプロジェクトの管理　**第12章**

5. プロジェクトの分析ができる

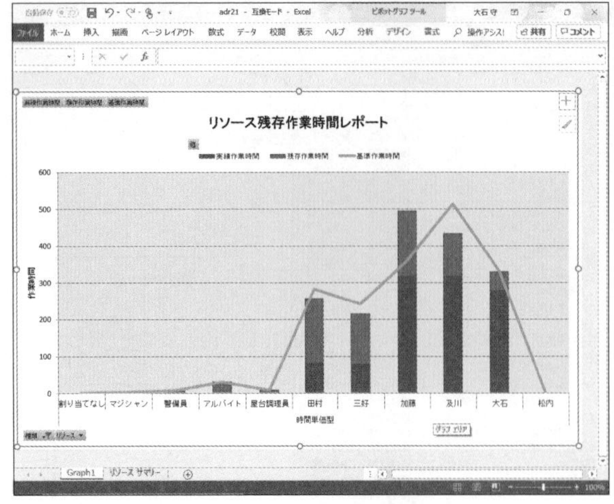

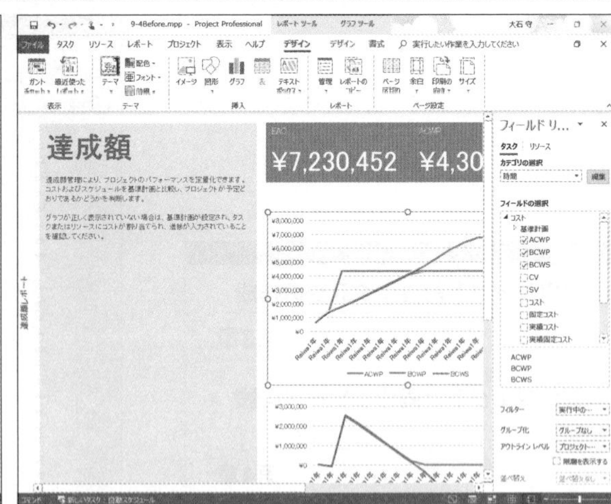

参照

レポートの作成とプロジェクト情報の共有

第9章

6. Projectのカスタマイズ機能を把握できる

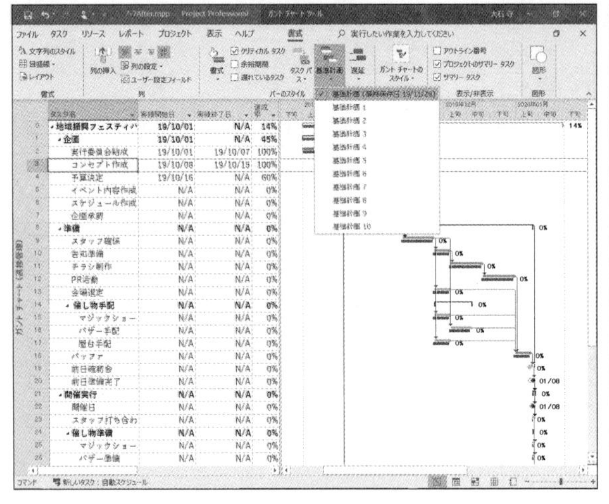

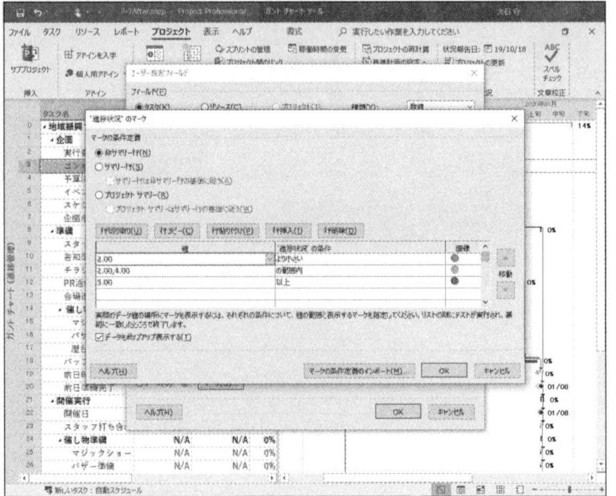

参照

プロジェクト計画を使いやすくする機能

第10章

7. アジャイルプロジェクトの管理ができる

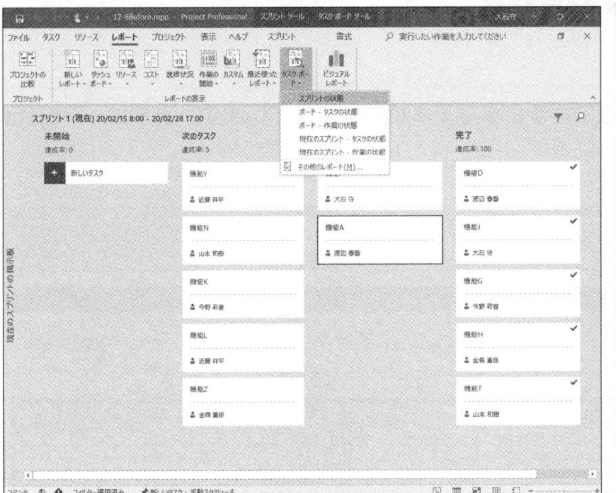

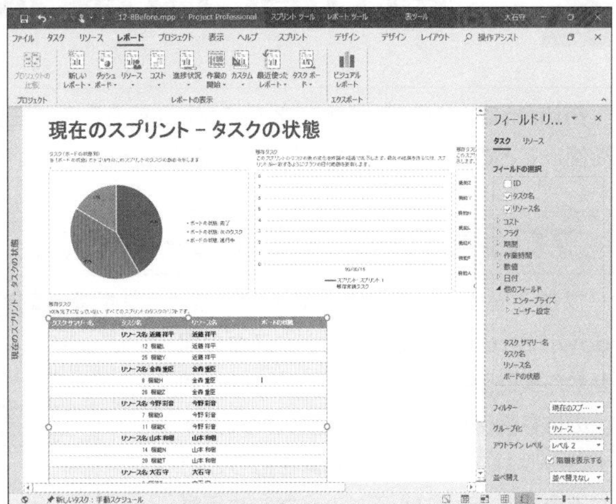

参照

アジャイルプロジェクトの管理

第12章

8. Project for the Webでシンプルなプロジェクトの管理ができる

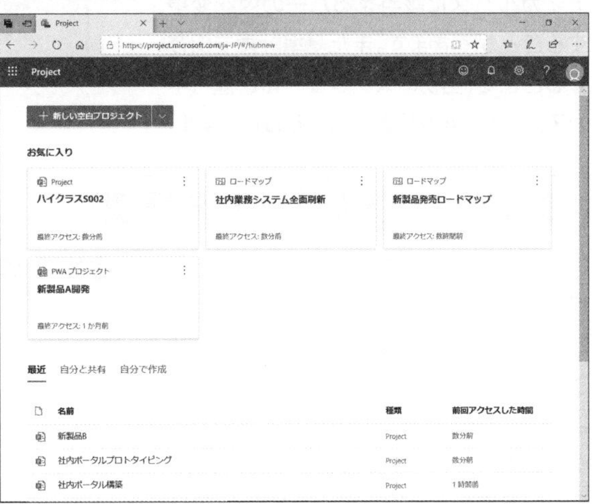

参照

クラウド版Projectの活用

第13章

2 Projectの基本機能

Projectは、プロジェクトマネジメントを行ううえで役立つさまざまな基本機能を備えています。まずは、Projectを使ってどのようなことができるのか確認しましょう。

プロジェクトのスケジュール作成

プロジェクトのWBS（Work Break down Structure）を定義し、タスクの期間や作業時間を見積もり、さらにタスク同士の依存関係を設定することにより、ダイナミックなスケジュール計算を行うことができます。テーブルではあらかじめ用意された表示項目のほかに、ユーザー独自の項目を作成したり、カスタマイズして信号機マークでタスクの状態を視覚的に表示したりすることができます。ガントチャートはスケジュールをバーで視覚的に表示するだけではなく、タスクの重要度やクリティカルパスに該当するバーの色を変更することができます。また基準計画を保存することで、当初のスケジュールと進行中のスケジュールを比較することもできます。

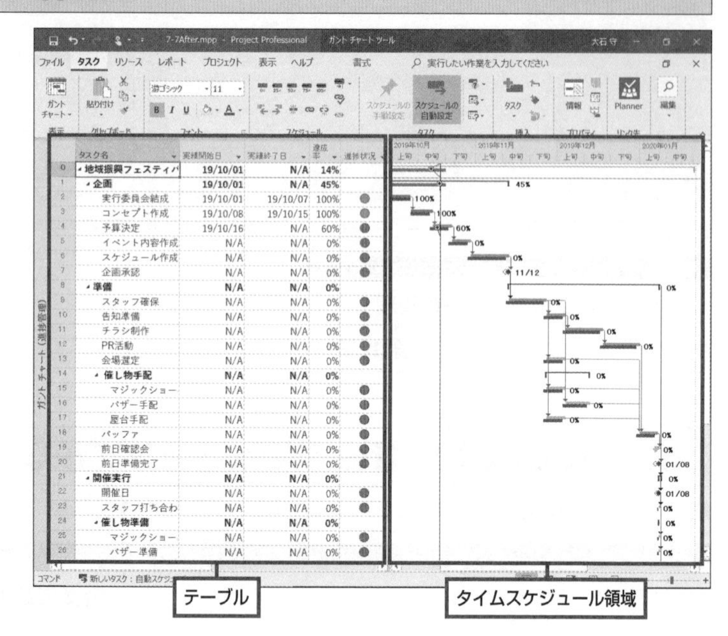

プロジェクトのリソース管理

プロジェクトに必要なリソース（人、材料、コストなど）の情報を登録することができます。タスクにリソースを割り当てることで、リソースの負荷状況を把握できるようになります。またリソースはプロジェクトのコストとも密接に関係しています。これらをきちんと設定することで、実際にプロジェクトがスケジュールの範囲内に完了できるのか、また予算内に収まるのか、といった妥当性を検証することができます。

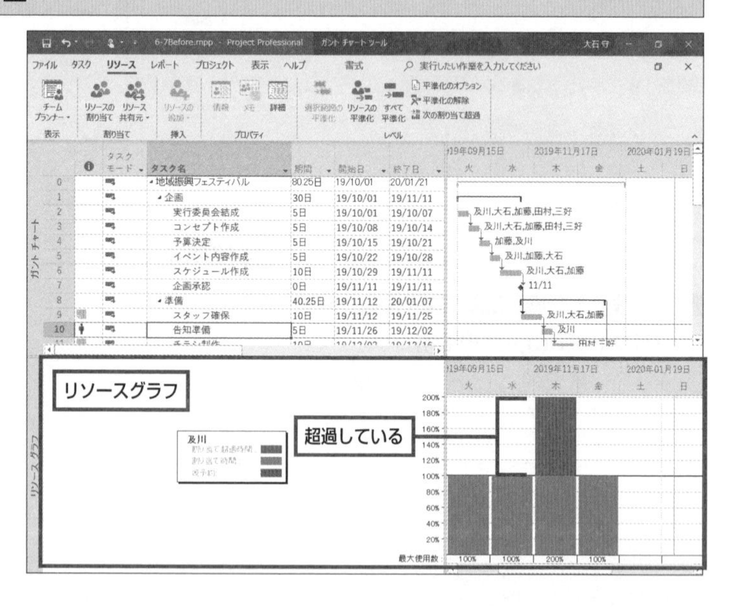

プロジェクトの進捗管理

タスクの実績情報を入力することで進捗を管理できます。Projectでは基準計画と実績を比較することで、プロジェクトに発生した差異を簡単に把握することができます。実績情報は、主に期間もしくは作業時間を入力する方法があります。

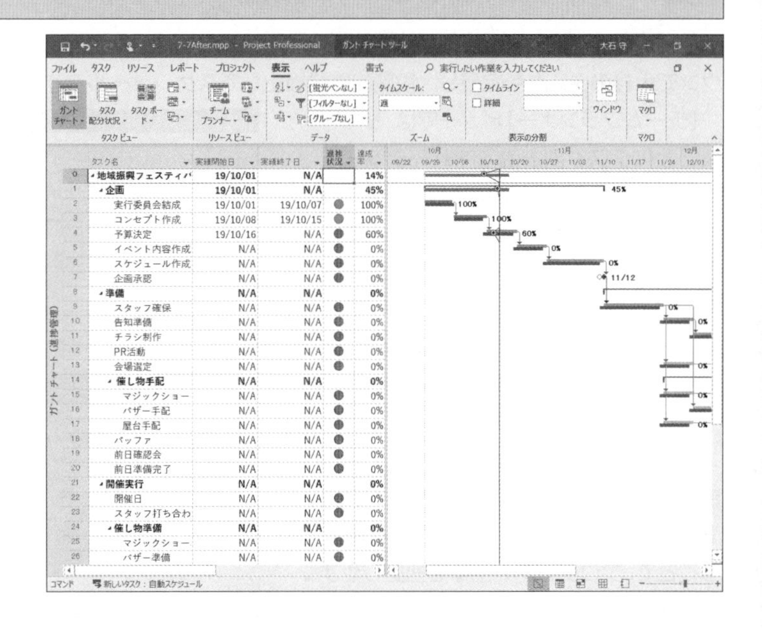

プロジェクトのレポート

Projectには、大きく分けて2種類のレポート機能があります。1つはProjectにビルトイン（組み込み）されたレポート機能、もう1つはExcelとVisioへデータをエクスポートするビジュアルレポートです。Project 2013から、特にビルトインのレポート機能が大幅に進化し、視覚的で動的なレポートを作成できるようになりました。作成したレポートはWordやPowerPoint、Excelのような他のOfficeアプリケーションにコピー/貼り付けを使用して共有することができます。またビジュアルレポート機能を利用することで、ProjectのデータをExcelのピボットテーブルやVisioの図形データにエクスポートし、さまざまに加工することができます。ビジュアルレポートのテンプレートは、Excel用が10種類、Visio用が6種類用意されています。

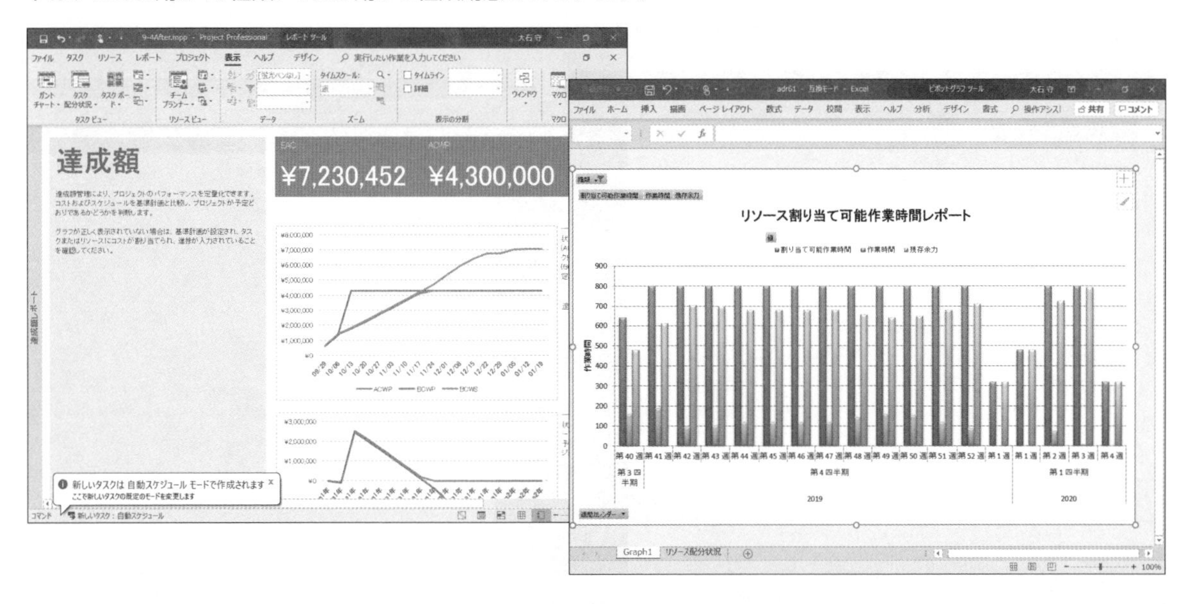

使いやすいスケジュール機能

Projectのスケジュール作成にはさまざまな方法があります。手動スケジュール機能を使うことによって、トップダウンで大枠のタスクを定義し、段階的に詳細化してスケジュールを作成することもできます。

［チームプランナー］ビューでは、リソースごとにタスク割り当てをバーチャートで表示したり、リソースにまだ割り当てられていないタスクを発見して割り当てることもできます。スケジュールの概要だけを把握したい場合は、［タイムライン］ビューで簡単にプロジェクト全体のスケジュールを見ることができます。

さらにProject 2016から、タイムラインに複数のバーを追加できるようになりました。スケジュールの概要を表すタスクやマイルストーンをより見やすく配置することで、プロジェクト全体を把握しやすくなっています。

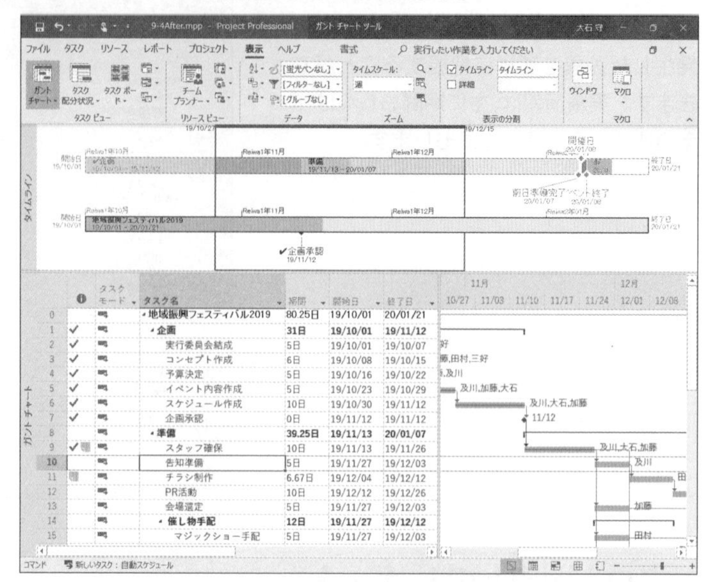

クラウド型サービスOffice 365と統合されたProject Online

クラウド型サービスであるOffice 365と統合されたProject Onlineを利用することで、Office 365のさまざまなサービスと連携が可能です。Project OnlineデスクトップクライアントからSharePointやPlannerのプロジェクトデータを連携することができます。またProject for the Web（Webブラウザーのみで利用できるProject）を利用することで、シンプルかつ容易に他のメンバーとビジネスのロードマップやプロジェクトのタスクを共有することもできます。

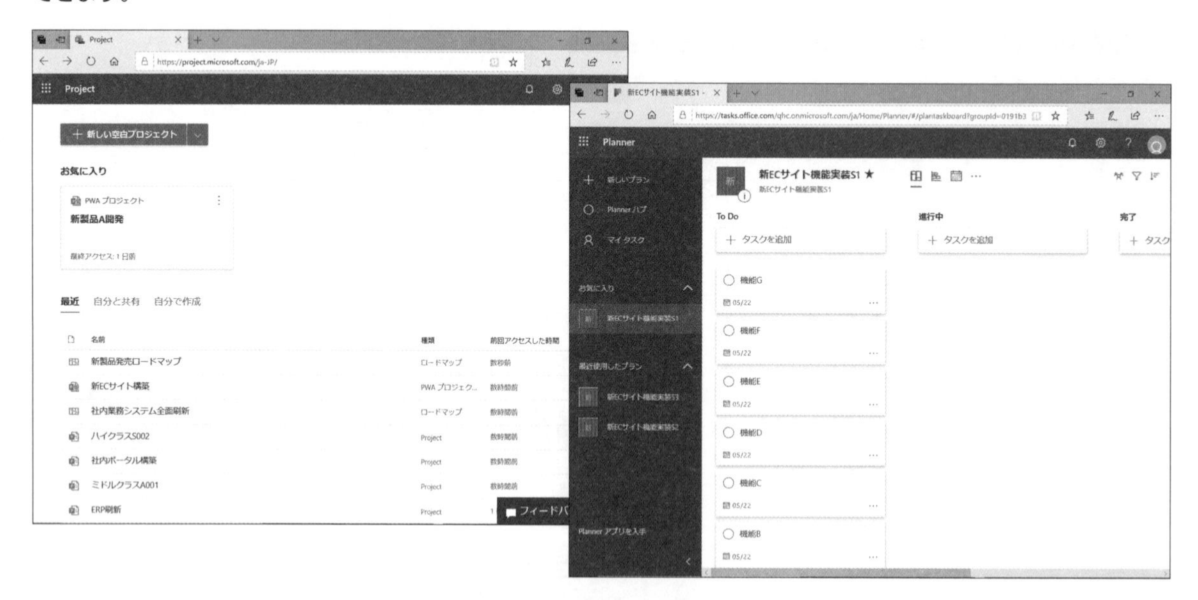

3 Projectを使うメリット

スケジュール表を作成する目的で、Excelを利用している場合が多いようです。Excelはユーザー数が多いため、使い慣れているうえに情報を共有しやすく、さらに追加のコストが必要ないというメリットがあります。では、Projectを使うメリットは何でしょうか。それはプロジェクトマネジメントのために用意されたツールと技法に基づいた機能が充実していることです。ここでは4つのポイントで相違点を紹介します。

1. プロジェクト計画作成時

■Excelの場合

各タスクにそれぞれ、開始日と終了日、期間を入力する。それに合わせてタイムスケールの表示を作成し、さらにバーチャートを作成する手間が発生する。タスク同士の依存関係性も表現しづらい。マクロを組んで自動化するとしても、タスクの依存関係は単純なものしか設定できない。さらに作成とメンテナンスの手間が発生する。

自分で入力する

ID	アウトラインレベル	WBS番号	タスク名	期間	開始日	終了日
0	0	0	地域振興フェスティバル	80.25日	2019/10/1	2020/1/21
1	1	1	企画	24.88日	2019/10/1	2019/11/11
2	2	1.1	実行委員会結成	5日	2019/10/1	2019/10/7
3	2	1.2	コンセプト作成	5日	2019/10/8	2019/10/14
4	2	1.3	予算決定	5日	2019/10/15	2019/10/21
5	2	1.4	イベント内容作成	5日	2019/10/22	2019/10/28
6	2	1.5	スケジュール作成	5日	2019/10/29	2019/11/11
7	2	1.6	企画承認	0日	2019/11/11	2019/11/11
8	1	2	準備	45.38日	2019/11/12	2020/1/7
9	2	2.1	スタッフ確保	10日	2019/11/12	2019/11/25
10	2	2.2	告知準備	5日	2019/11/26	2019/12/2
11	2	2.3	チラシ制作	10日	2019/12/3	2019/12/16
12	2	2.4	PR活動	10日	2019/12/17	2019/12/30
13	2	2.5	会場選定	5日	2019/11/26	2019/12/2
14	2	2.6	催し物手配	7日	2019/11/26	2019/12/11
15	3	2.6.1	マジックショー手配	5日	2019/11/26	2019/12/2
16	3	2.6.2	バザー手配	7日	2019/12/3	2019/12/11
17	3	2.6.3	屋台手配	5日	2019/11/26	2019/12/2
18	2	2.7	バッファ	5日	2019/12/31	2020/1/6
19	2	2.8	前日確認会	2時間	2020/1/7	2020/1/7
20	2	2.9	前日準備完了	0日	2020/1/7	2020/1/7
21	1	3	開催実行	1.19日	2020/1/8	2020/1/8
22	2	3.1	開催日	0日	2020/1/8	2020/1/8
23	2	3.2	スタッフ打ち合わせ	1.5時間	2020/1/8	2020/1/8
24	2	3.3	催し物準備	0.25日	2020/1/8	2020/1/8
25	3	3.3.1	マジックショー準備	2時間	2020/1/8	2020/1/8
26	3	3.3.2	バザー準備	2時間	2020/1/8	2020/1/8
27	3	3.3.3	屋台準備	2時間	2020/1/8	2020/1/8
28	2	3.4	開会式	0.5時間	2020/1/8	2020/1/8
29	2	3.5	イベント開催	8時間	2020/1/8	2020/1/8
30	2	3.6	閉会式	0.5時間	2020/1/8	2020/1/8

■Projectの場合

プロジェクトの開始日とカレンダーを決め、タスクの見積もり（期間や作業時間）を行い、タスク同士の依存関係を設定するだけで、自動的にすべてのタスクの開始日と終了日が自動で計算される。

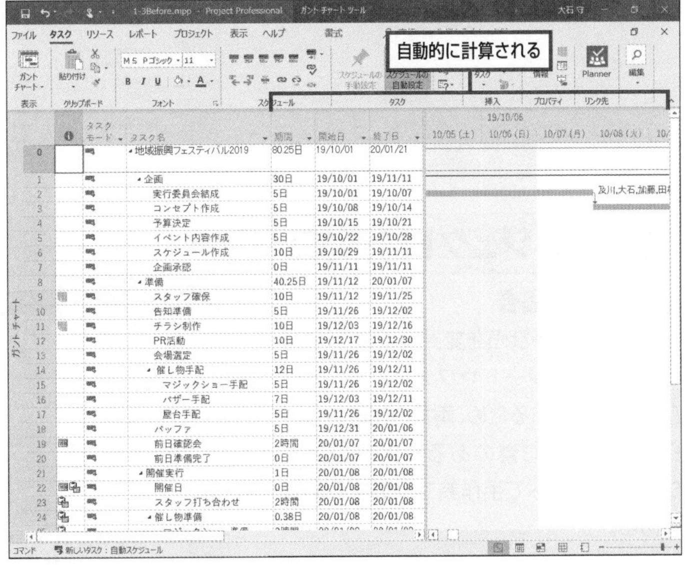

2. プロジェクト進行中

■Excelの場合

実績（進捗）やタスクの達成率をパーセントで入力したり、実際の開始日と終了日を入力する。その結果、それ以降のタスクのスケジュールが影響を受けるとしても何も変更されず、プロジェクト全体に対する影響はわからない。そのため実際のプロジェクトの状況が把握しづらく、後で挽回すればいいと考えがちになる。

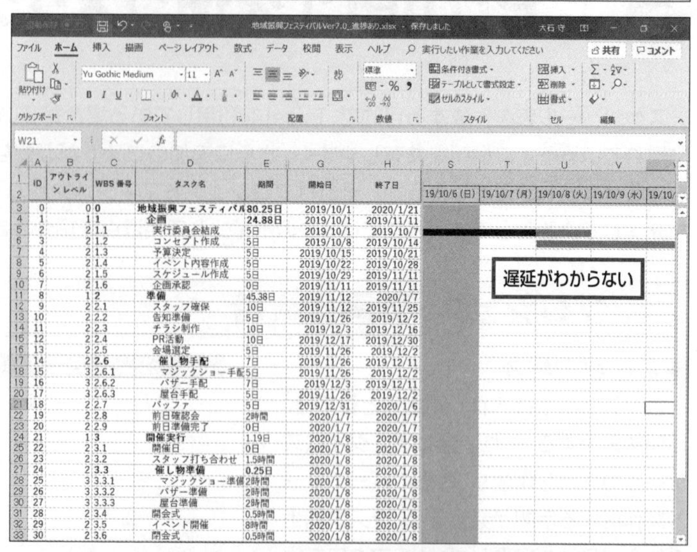

■Projectの場合

実績（進捗）として期間や作業時間を入力すると、スケジュールの再計算が行われ、個別のタスクのスケジュールやプロジェクト全体への影響を即座に把握することができる。

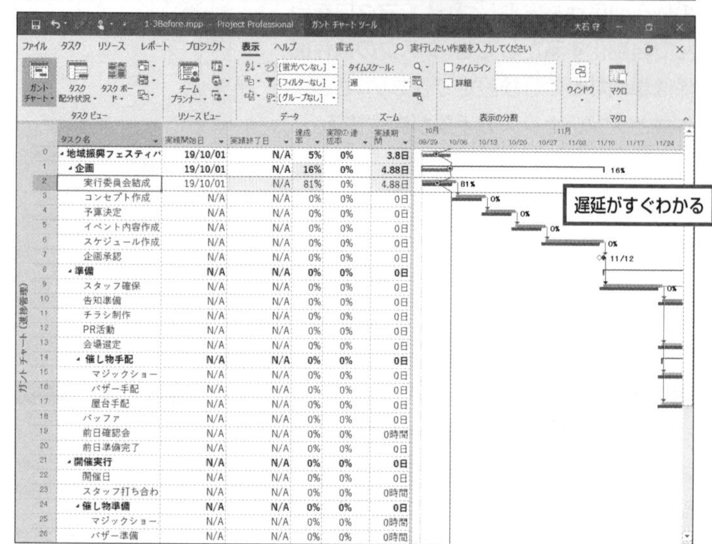

3. プロジェクト計画変更時

■Excelの場合

プロジェクト計画を変更する場合、当初の計画を別のシートやファイルとして保存する必要があるため、両社の比較がしづらい。また、影響のあるタスクのスケジュールをすべて手作業で変更する必要がある。

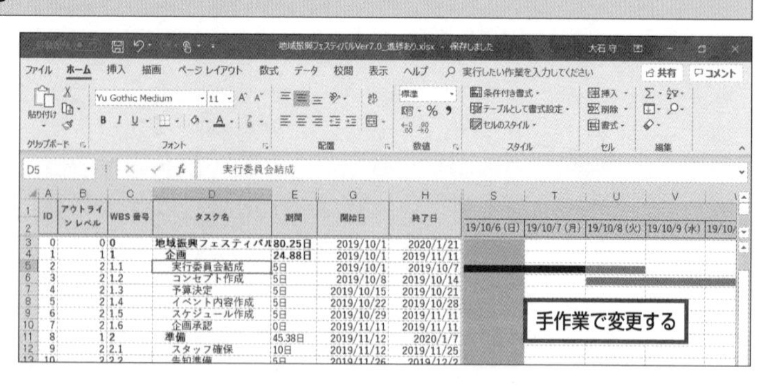

■Projectの場合

実績をきちんと入力することで、自動的にスケジュールが再計算されているため、常にスケジュールが現在の状況を表している。最初に基準計画が保存してあるため、いつでも当初の計画と現在の計画の差異を比較することができる。また、現在の状況では納期（予定の終了日）に間に合わない場合、警告が表示されるため、常に早い段階で対策を行うことができる。

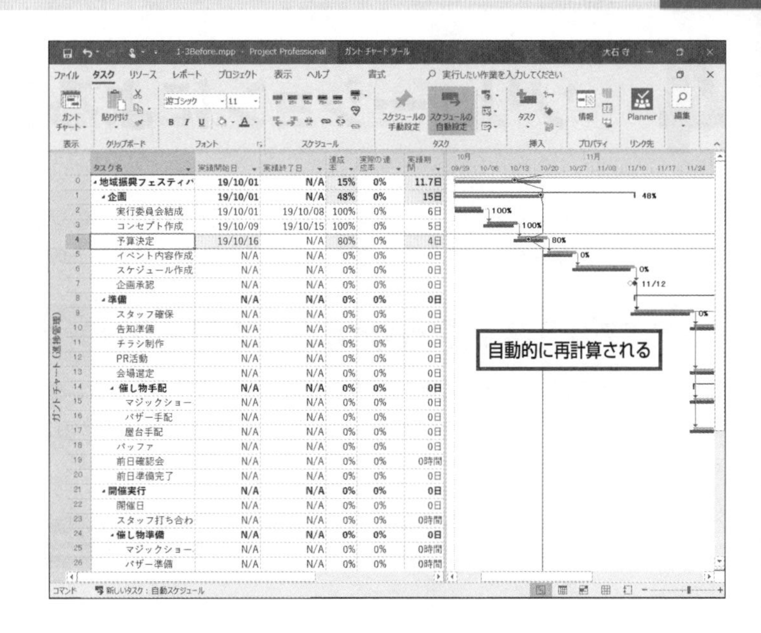

4. プロジェクト終了後

■Excelの場合

当初の計画情報、変更後の計画情報がファイルとして分散しがちになる。また、実績の累積的な詳細データがあるわけではなく、プロジェクト終結後に状況を分析することができないため、教訓としての利用価値が低い。

■Projectの場合

基準計画の情報、実績としての計画情報が同じファイル内に累積的な詳細データとして残っているため、標準機能であるビジュアルレポートなどを使用して分析を行うこともできる。それらの教訓を活かして、次の同種のプロジェクトのテンプレートとして利用することができる。

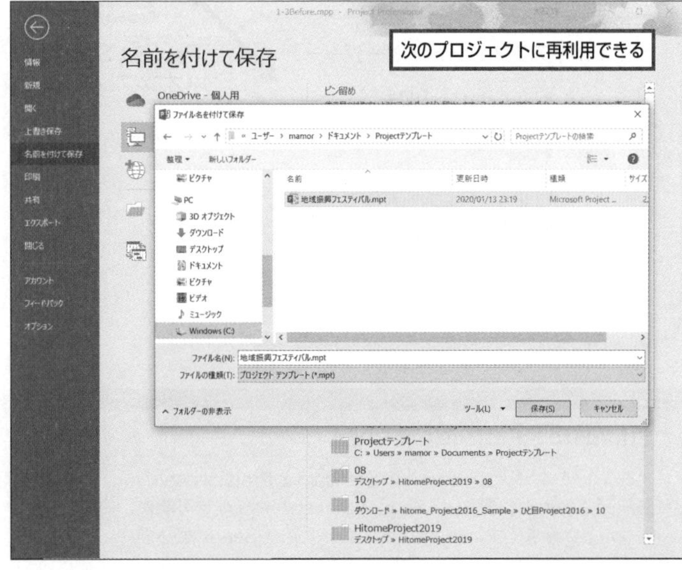

4 ソリューションによる構成の違い

ProjectもOfficeと同じようにオンプレミスとクラウドの2つのソリューションがあり、それぞれに複数のエディションやプランが存在します。ここでは、オンプレミスとクラウドのソリューションごとに違いを説明します。

オンプレミス版Projectのエディション

従来からの永続ライセンス版で、3つのエディションがあります。機能面ではデスクトップクライアントとサーバーに分かれます。デスクトップクライアントはProject ProfessionalおよびStandard、サーバーはProject Serverです。

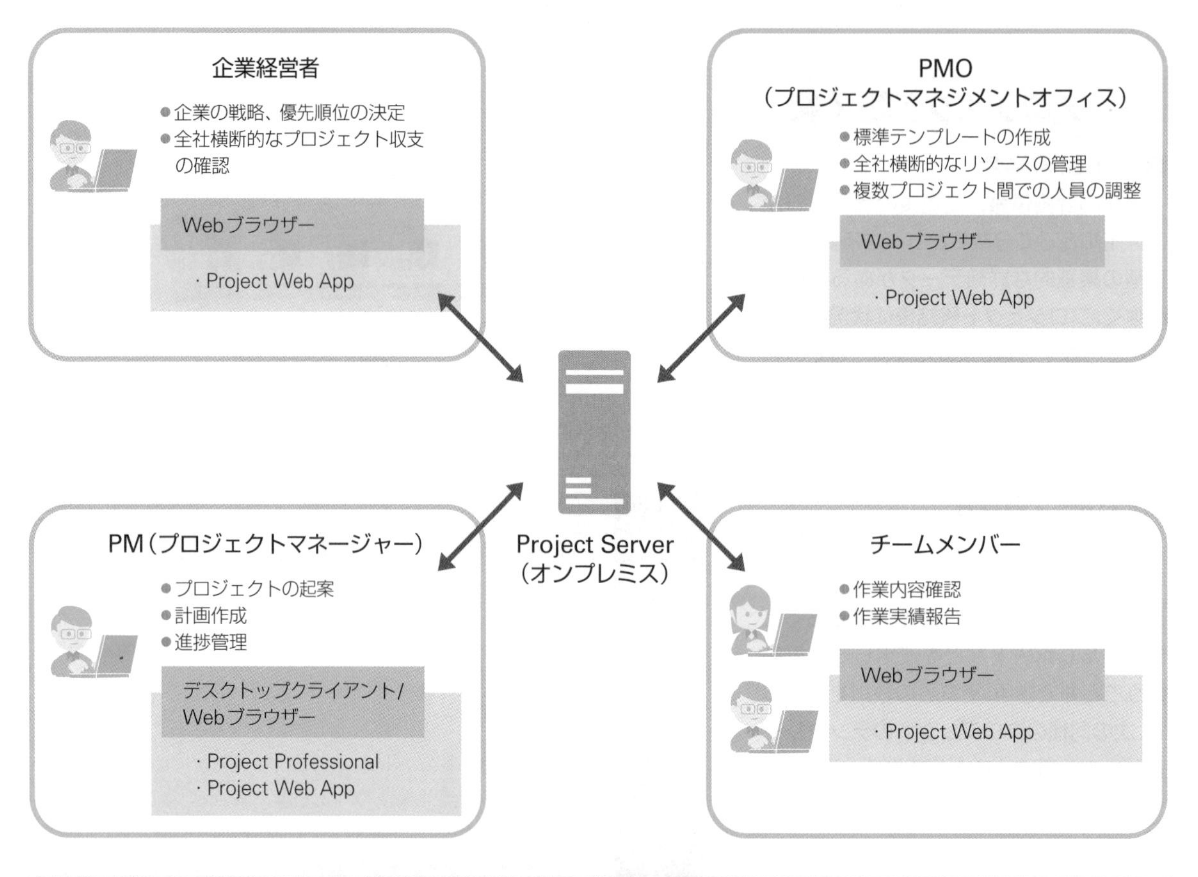

ヒント

StandardとProfessionalの違い

オンプレミスソリューションのStandardとProfessionalの機能面での大きな違いは、Project Serverへの接続が可能かどうかという点です。Standardでは、Project Serverが必要となる機能は使用できません。また、[チームプランナー]ビュー、タスクの無効化の機能は、Professionalでのみ使用できます。

クラウド版Projectのプラン

月額制のサブスクリプションで、3つのプランがあります。Plan 1は、Project for the Webのみを利用するユーザー向けです。新たにWebのみでシンプルなアジャイル型プロジェクトの管理が可能です。Plan 3は、それに加えてProject Web Appによる標準的なエンタープライズプロジェクトマネジメント機能をProject Onlineデスクトップクライアントと共に利用できます。Plan 5は、それらにエンタープライズリソース計画機能やプロジェクトポートフォリオマネジメント（PPM）機能が加わります。

参照
クラウド版プロジェクトの活用
第13章

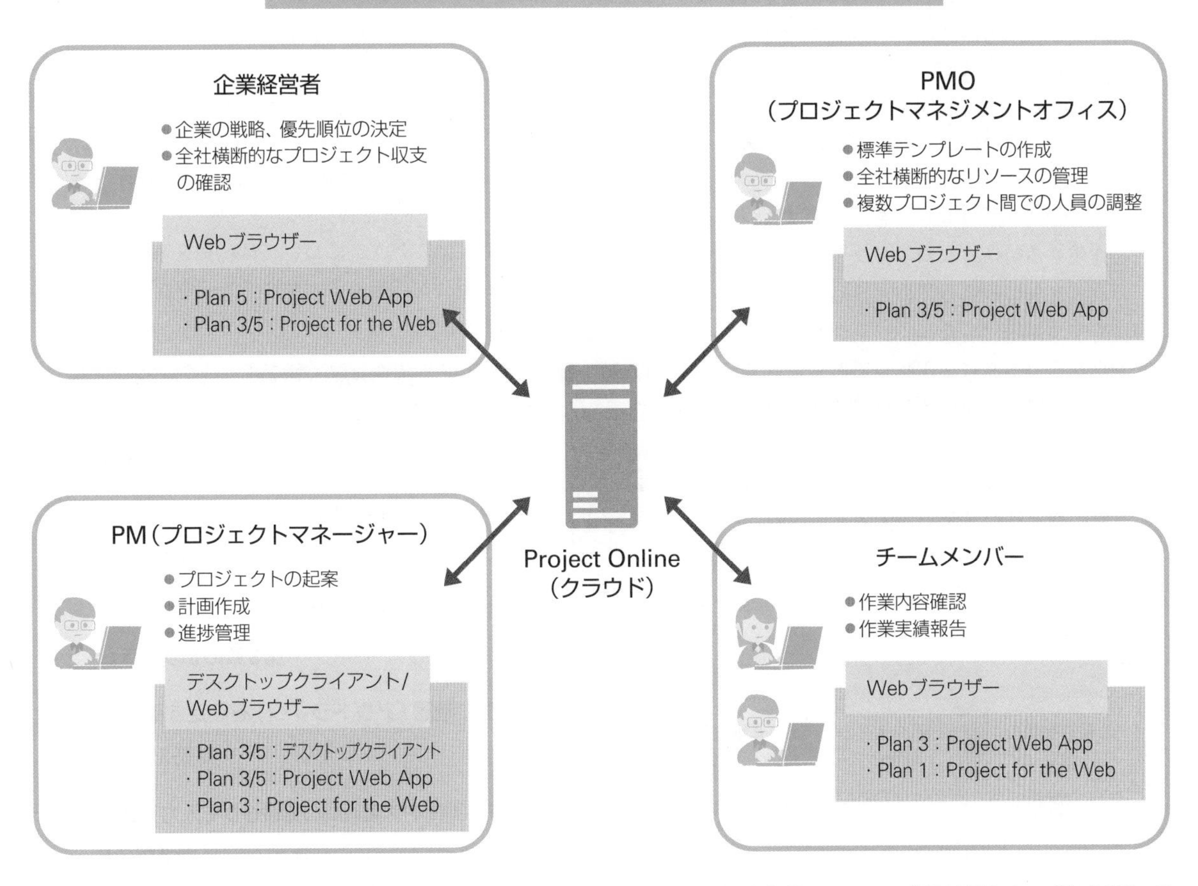

ソリューションによる機能の違いについては、日本マイクロソフト株式会社のProject製品情報ページも参照してください。

https://products.office.com/ja-jp/project/compare-microsoft-project-management-software

コラム

プロジェクト計画作成のはじめの一歩

読者の皆さんがProjectを使う目的は、プロジェクト計画の作成、進捗管理、さらにレポート作成をできる限り効率化して、プロジェクトマネジメントに役立てたいというものではないでしょうか。既にプロジェクトの経験が豊富だったり、PMBOKなどでプロジェクトマネジメントについて学習したりしていれば、プロジェクト計画の作成方法については、おおむね理解されていることでしょう。

しかし、実際にProjectを使用してプロジェクト計画を作成する際には、ツールの独特の作法があり、少々の慣れが必要です。また、これまでほとんど使用経験がない場合、何から始めて何をどのような順序で行えばいいのかわからないこともあるかもしれません。

そこで、実際にProjectを使ってプロジェクト計画を作成する前に、プロジェクト計画を作成するまでの流れを先に確認しておきましょう。ここではわかりやすく簡略化したステップを紹介します。ここで大まかにでも流れを確認しておくことで、後でプロジェクト計画を作成する際に作業の意味が理解しやすくなります。

次に示すのは、最初にプロジェクト計画を作成する際の簡易的なステップです。

1. 計算モードの設定 → 2. プロジェクト情報の設定 → 3. タスクの入力 → 4. 階層構造の設定 → 5. タスクの見積もり → 6. 依存関係の設定 → 7. リソースの割り当て

1. 計算モードの設定
   - 計算モードを自動スケジュールに設定
2. プロジェクト情報の設定
   - プロジェクト開始日の入力
3. タスクの入力
   - タスク名の入力
4. 階層構造の設定
   - WBS作成のためのアウトラインの設定
5. タスクの見積もり
   - タスクの期間の入力
6. 依存関係の設定
   - 先行タスクと後続タスクの設定
7. リソースの割り当て
   - タスクへの担当者（リソース）の割り当て

より詳細なステップについては、第2章の2のコラム「Projectを活用するための7ステップ」を参照してください。

参照

タスクの計算モードを設定するには
第3章の3

プロジェクト開始日を入力するには
第2章の3

WBS作成の手順と注意点
第3章の9のコラム

タスクに階層（アウトライン）を設定するには
第3章の4

タスクに期間や作業時間の見積もりを入力する
第3章の5

タスクの依存関係を設定するには
第3章の10

タスクにリソースを割り当てるには
第5章の1

Projectの基本情報の設定

第2章

この章では、まずProjectでプロジェクト計画を新規作成するにあたって、初めに行う基本情報の設定について説明します。またProjectを使用して1つのプロジェクト計画を完成させ、実際にプロジェクトの進捗管理を行い、プロジェクトの状況を分析するレポートを作成するなど、Projectを活用するための7つのステップについて解説します。

1 プロジェクトを新規作成するには

プロジェクトを新規作成する方法は、Projectの起動直後とその後では少し異なります。ここでは、それぞれの方法について説明します。

Projectの起動直後に新規作成する

❶ Projectを起動する。

❷ [お勧めのテンプレート]を選択し、[空のプロジェクト] をクリックする。

➡空のプロジェクトが作成され、[タイムライン付きガントチャート] が表示される。

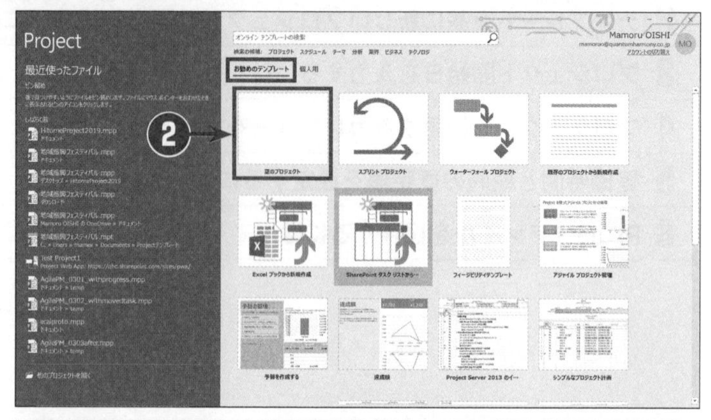

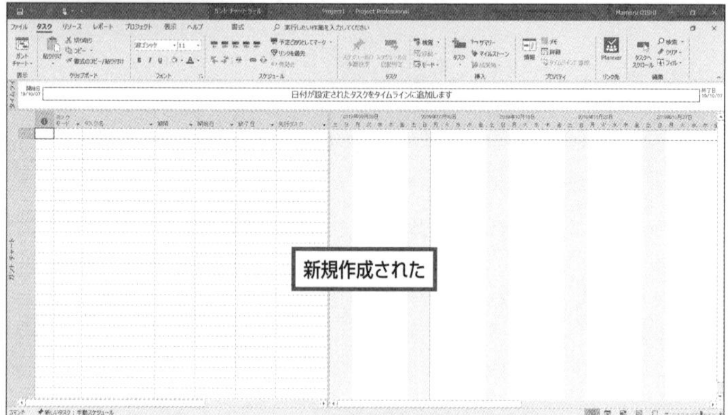

注意

[お勧めのテンプレート] が表示されない

組織のネットワークポリシーによっては、[お勧めのテンプレート] が表示されないことがあります。

ヒント

Projectの起動直後にすばやくプロジェクトを新規作成する

Projectの起動直後にEscを押すと、すぐに空のプロジェクトを作成することができます。

[ファイル] タブから新規作成する

❶ [ファイル] タブをクリックし、[新規] をクリックする。

❷ [お勧めのテンプレート] を選択し、[空のプロジェクト] をクリックする。

➡空のプロジェクトが作成され、[タイムライン付きガントチャート] が表示される。

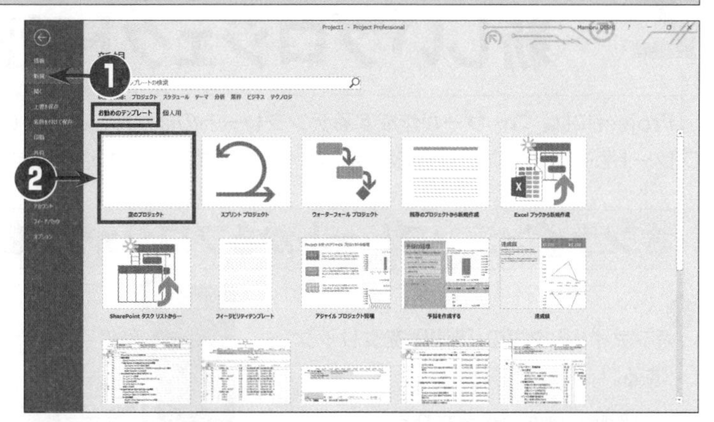

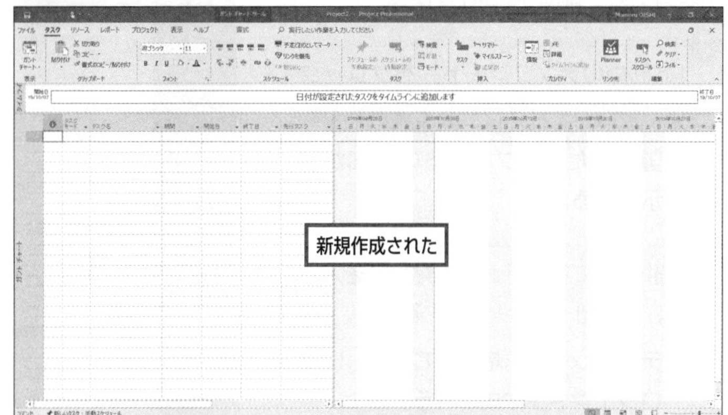

参照

テンプレートを基に新しい
プロジェクト計画を作成するには

この章の2

ヒント

[お勧めのテンプレート] から プロジェクトを新規作成する

マイクロソフトから提供されるさまざまなジャンルのテンプレートからプロジェクトを新規作成することができます。

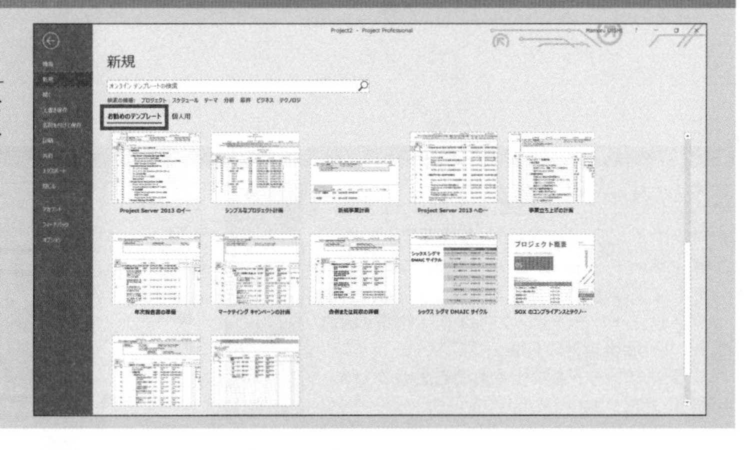

2 テンプレートを基に新しいプロジェクト計画を作成するには

Projectには、ユーザーが作成するテンプレートのほかに、あらかじめ用意されているさまざまなジャンルのテンプレートがあります。これらを利用して、独自のプロジェクトを作成することができます。

オンラインテンプレートからプロジェクトを作成する

❶ ［ファイル］タブの［新規］をクリックする。

➡［新規］画面が表示される。

❷ ［お勧めのテンプレート］をクリックし、目的のテンプレートを選択する。

➡選択したテンプレートの詳細が表示される。

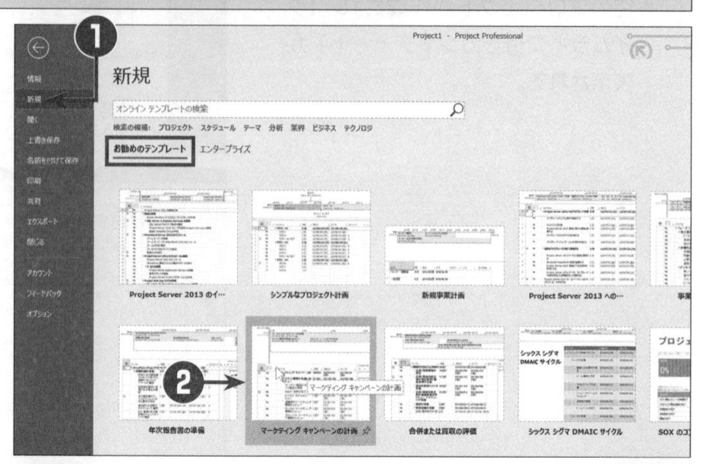

❸ ［開始日］にプロジェクト開始日を入力し、［作成］をクリックする。

➡テンプレートを基にして、新しいプロジェクトが作成される。

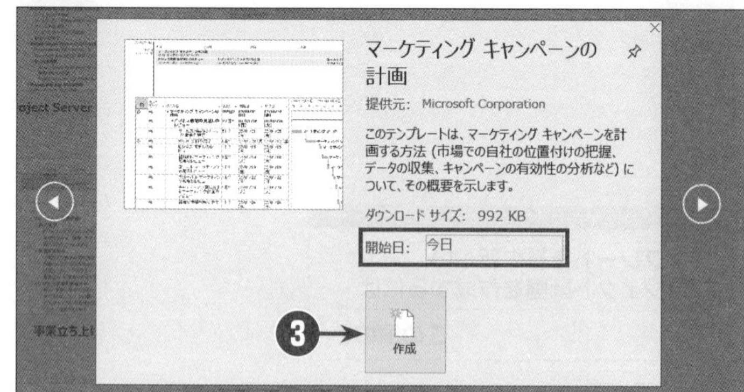

ヒント

テンプレートを検索する

オンラインのテンプレートを検索するには、インターネットに接続した状態で、［ファイル］タブの［新規］をクリックして検索ボックスにキーワードを入力します。検索の結果、Project以外のOfficeアプリケーションのテンプレートも抽出されることがあります。

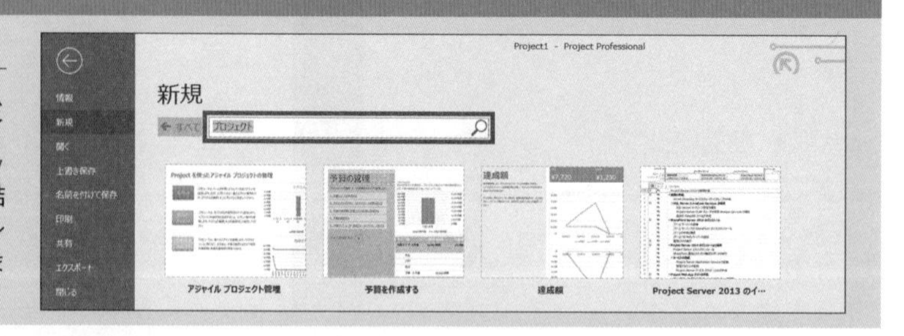

ユーザーが作成したテンプレートからプロジェクトを作成する

❶ [ファイル] タブの [新規] をクリックする。

➡[新規] 画面が表示される。

❷ [個人用] をクリックする。

➡ユーザーが保存したテンプレートファイルの一覧が表示される。

❸ テンプレートファイルのアイコンをクリックする。

➡選択したテンプレートの詳細が表示される。

❹ [開始日]にプロジェクト開始日を入力し、[作成] をクリックする。

➡テンプレートを基にして、新しいプロジェクトが作成される。

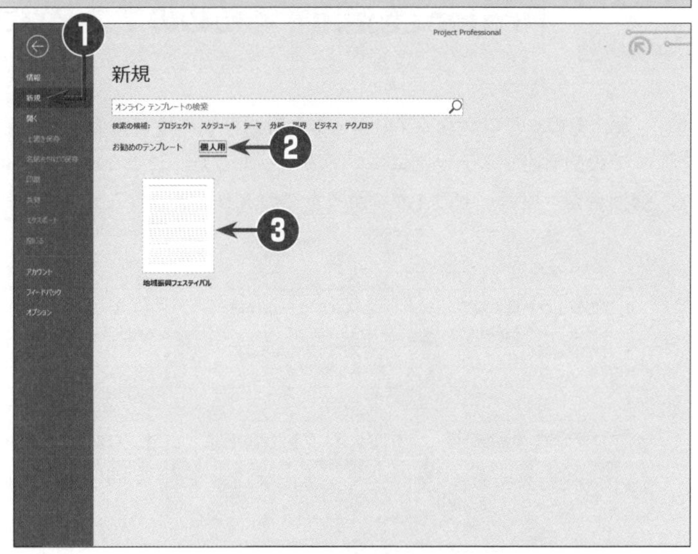

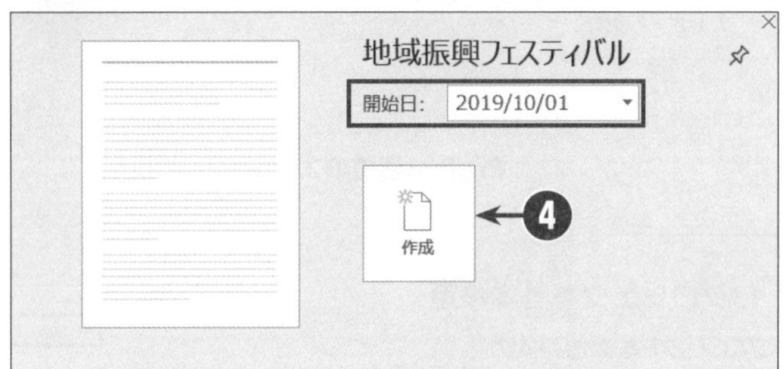

以前のOfficeからの変更点

個人用テンプレートを表示させるには

Project 2013以降では、[個人用テンプレートの既定の場所] の既定の設定が空白になっています。そのため、既定の設定では、[新規] 画面に [個人用] が表示されません。個人用テンプレートを表示させるためには、[Projectのオプション] ダイアログの [保存] で個人用テンプレートの保存先を設定しておいてください（そのための手順は、第9章の7のヒントを参照）。

既定では空白

Projectを活用するための7ステップ

第1章の4のコラム「プロジェクト計画作成のはじめの一歩」では、ひとまずプロジェクト計画を作成するまでの簡易的なステップについて説明しました。ここでは、さらにプロジェクト計画の作成から範囲を広げ、進捗管理、レポートの作成に至るまでの流れを7つのステップに分けて解説します。

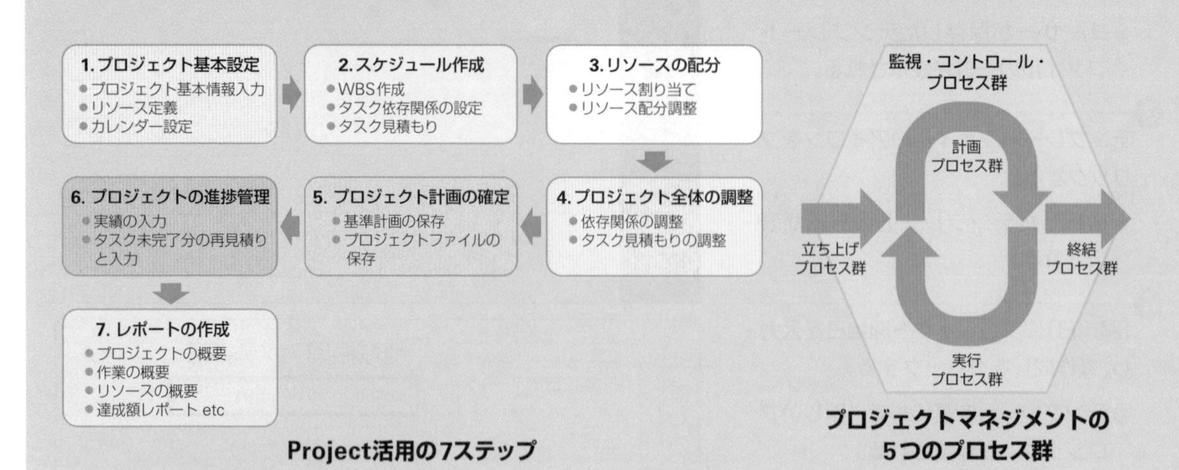

Project活用の7ステップ

プロジェクトマネジメントの5つのプロセス群

1. プロジェクト基本設定

プロジェクト基本情報入力

プロジェクトを新規に作成したら、最初にプロジェクトの基本情報として、次の3つを指定します。

- スケジュールの基点
- プロジェクトの開始日/終了日
- カレンダー

最初にスケジュール計算の基点となるプロジェクト開始日を入力します。Projectでは、スケジュール計算の基点はプロジェクト開始日とプロジェクト終了日の2つから選ぶことができますが、通常はプロジェクト開始日を使用します。さらにプロジェクトの稼働時間や休日を定義するカレンダーを指定します。これらは、[プロジェクト情報] ダイアログで指定します。[プロジェクト情報] ダイアログは、[プロジェクト] タブの [プロパティ] の [プロジェクト情報] で表示します。

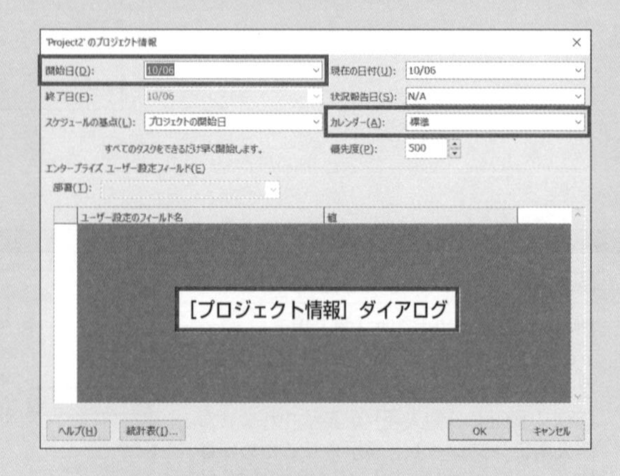

[プロジェクト情報] ダイアログ

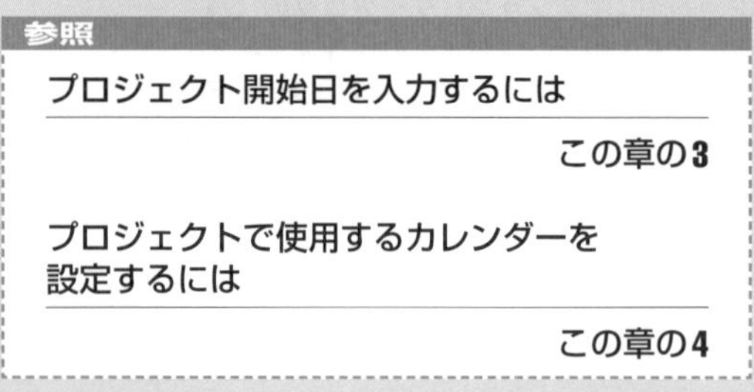
参照
プロジェクト開始日を入力するには
この章の3
プロジェクトで使用するカレンダーを設定するには
この章の4

リソース定義

プロジェクトを実行するには、リソースと呼ばれる、人、材料（資材）、コストが必要です。これらのリソースをあらかじめリソースシートで定義します。

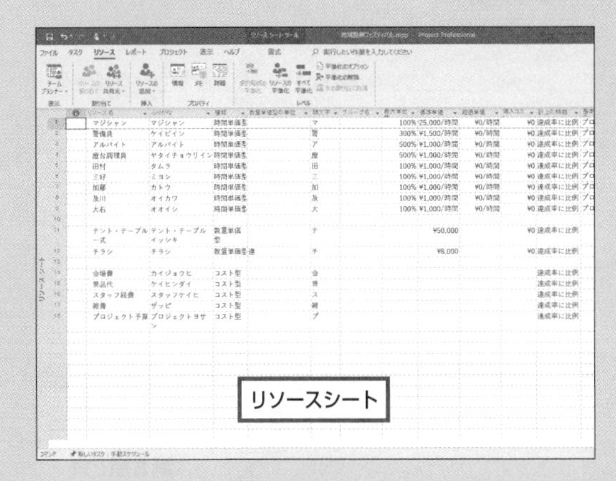

リソースシート

参照

リソース（人、材料、コスト）を作成するには
第4章の1

リソースの種類を設定するには
第4章の3

カレンダー設定

［プロジェクト情報］ダイアログで指定するプロジェクトのカレンダーの稼働時間、休日を設定します。Projectは、ここで指定するプロジェクトカレンダーに基づいてスケジュール計算を行います。そのため、カレンダーの設定は正確に行う必要があります。カレンダーは、[稼働時間の変更］ダイアログで指定します。［稼働時間の変更］ダイアログは、［プロジェクト］タブの［プロパティ］の［稼働時間の変更］で表示します。

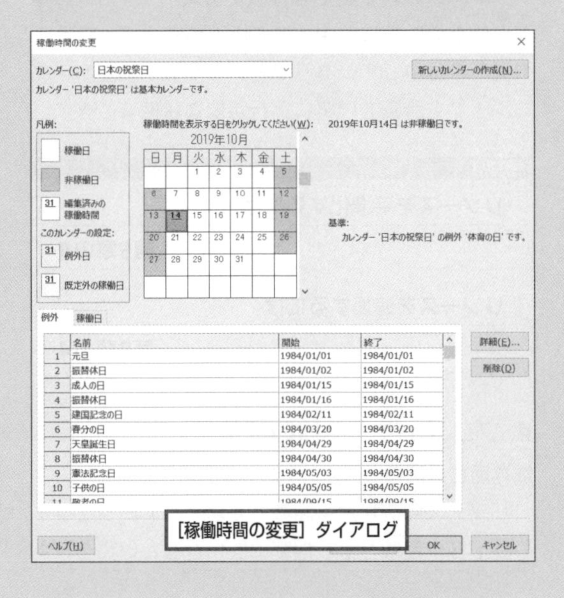

［稼働時間の変更］ダイアログ

参照

プロジェクトで使用するカレンダーを設定するには
この章の4

2. スケジュール作成

WBS作成

プロジェクト計画を作成するには、WBS（Work Breakdown Structure）と呼ばれる、プロジェクトの完成に必要なタスクを抜けや重複なく網羅した階層リストを定義します。一般的には3階層から5階層ぐらいの管理しやすいレベルで定義します。

参照

タスクを作成するには
第3章の1と2

アウトラインを設定するには
第3章の4

マイルストーンを設定するには
第3章の7

タスク依存関係の設定

Projectの特長として、ダイナミックなスケジュール計算が挙げられます。このダイナミックなスケジュール計算の基になるものが、タスクの依存関係と呼ばれるものです。これはタスクの実行順序のようなタスク同士のお互いの関係を表します。原則的に、すべてのタスクに対して依存関係を設定することで、タスクの変更に伴うスケジュールの再計算を自動化することができます。

参照

タスクの依存関係を設定するには

第3章の10

タスクの依存関係を変更するには

第3章の10

タスク見積もり

スケジュール計算の重要な要素として、タスク自体の見積もりが挙げられます。タスクの見積もりには大きく分けて、「期間」と「作業時間」という2種類の方法があります。またどちらの方法で見積もりを行うかによって、「タスクの種類」の設定も行います。

参照

タスクの期間を設定するには

第3章の5

既定のタスクの種類を設定するには

第3章の6

タスクの種類について詳しくは

第3章の6のコラム

3. リソースの配分

リソースの割り当て

タスクを実行するのに必要なリソースを、定義されているリソースの中から指定します。これをリソースの割り当てと呼びます。リソースの割り当てを行うことで、タスクの計算が行われます。タスクは常に、以下の計算式に基づいてスケジュールの計算が行われます。リソースの割り当てを行うことで、プロジェクトにおけるリソースの負荷状況を確認できます。リソースの割り当ては、[リソースの割り当て] ダイアログで行います。[リソースの割り当て] ダイアログは、[リソース] タブの [割り当て] の [リソースの割り当て] で表示できます。

作業時間＝期間×単位数(リソースの稼働時間/日)

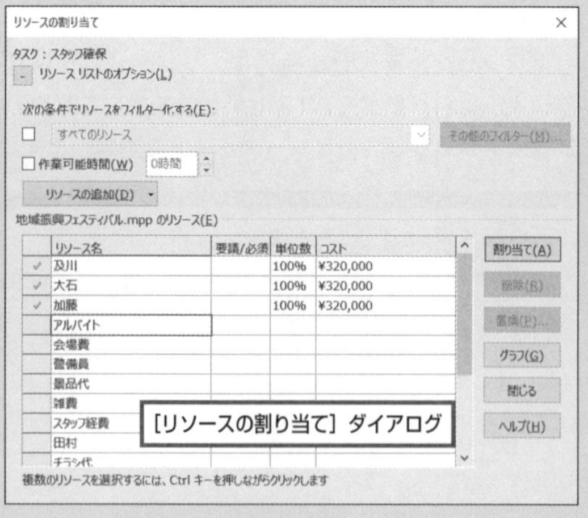

リソースの割り当て

タスク：スタッフ確保

リソース リストのオプション(L)

次の条件でリソースをフィルター化する(F):

すべてのリソース　その他のフィルター(M)...

作業可能時間(W) 0時間

リソースの追加(D)

地域振興フェスティバル.mpp のリソース(E)

	リソース名	要請/必須	単位数	コスト
✓	及川		100%	¥320,000
✓	大石		100%	¥320,000
✓	加藤		100%	¥320,000
	アルバイト			
	会場費			
	警備員			
	景品代			
	雑費			
	スタッフ経費			
	田村			
	チラシ代			

割り当て(A)　削除(R)　置換(P)...　グラフ(G)　閉じる　ヘルプ(H)

複数のリソースを選択するには、Ctrl キーを押しながらクリックします

[リソースの割り当て] ダイアログ

参照

タスクにリソースを割り当てるには

第5章の1

リソースのタスクへの割り当て状況を確認するには

第5章の5

各リソースのタスクの作業時間を確認するには

第5章の6

リソース配分調整

リソースの割り当てを行った結果、リソースの負荷が特定の時期に集中することがあります。これらの負荷の集中しているリソースの配分を調整し、プロジェクト計画を現実に実行可能な状態にします。

参照

リソースを平準化するには

第6章の8

リソースを追加するには

第8章の4

4. プロジェクト全体の調整

依存関係の調整

リソース負荷状況を調整した結果、プロジェクトの終了日が目標とする期限に間に合わない場合があ

ります。このような場合には、タスクの依存関係の調整を行います。

参照
クリティカルパスを確認するには
第6章の3
タスクの依存関係を調整するには
第6章の5と6

タスク見積もりの調整

依存関係の調整に加えて、タスク自体の見積もりを再度見直し、スケジュールの短縮ができるかどうか検討します。

参照
スケジュールの短縮について詳しくは
第6章の8のコラム

5. プロジェクト計画の確定

基準計画の保存

ここまでの作業で妥当なプロジェクト計画が完成し、ステークホルダー（利害関係者）の承認が得られた時点で、基準計画として保存します。承認済みのプロジェクト計画を基準計画として保存しておくことで、実際にプロジェクトが進行して差異が発生した際に両者を比較し現状を把握することができます。基準計画の保存は、[基準計画の設定] ダイアログで行います。[基準計画の設定] ダイアログは、[プロジェクト] タブの [スケジュール] の [基準計画の設定] で表示します。

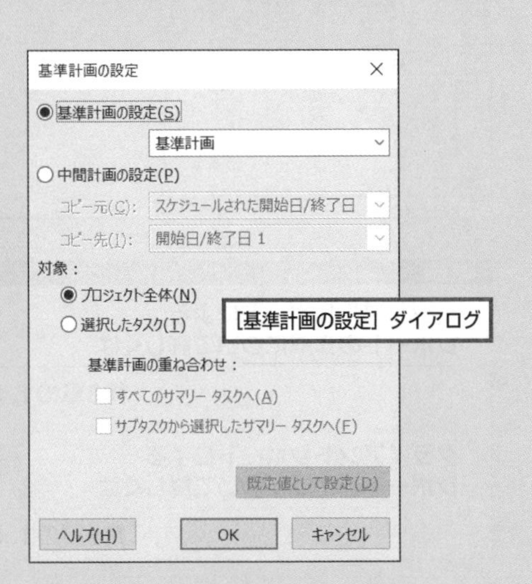

[基準計画の設定] ダイアログ

参照
基準計画を保存するには
第6章の10
基準計画について詳しくは
第8章の7のコラム

プロジェクトファイルの保存

基準計画の保存が完了したら、プロジェクト計画のファイルを保存します。

参照
Projectファイルを保存するには
この章の6

6. プロジェクトの進捗管理

実績の入力

実際にプロジェクトが開始されたら、一定の間隔で実績を入力します。一般的に週単位での進捗報告がよく行われています。この進捗報告のタイミングに合わせて、タスクに実績値を入力します。実績の入力は、大きく分けて「期間」もしくは「作業時間」で行います。実績を入力するには、どの時点における進捗なのかを明確にするために必ず先に状況報告日を設定します。

参照
状況報告日をガントチャートに表示するには
第7章の2
実績作業時間をプロジェクト計画に入力するには
第7章の5と6
作業実績を自動で入力するには
第7章の7

タスク未完了分の再見積もりと入力

実際に経過した「期間」もしくは使用した「作業時間」を入力したら、その時点で予想される残りの期間もしくは作業時間も合わせて入力します。これを行うことで、現時点でのプロジェクトの現実の姿が明らかになり、状況に応じた対策を早めに打つことができます。

参照

実績作業時間をプロジェクト計画に入力するには

第7章の5と6

Projectを使った進捗管理について詳しくは

第7章の10のコラム

7. レポートの作成

進捗状況を把握するためには、レポートを作成します。定期的に実績を入力することで、その時点での進捗状況が明らかになります。Projectには、データをExcelやVisioにエクスポートするビジュアルレポート、Projectだけで作成できるクライアントレポートの2種類のレポート機能があり、さまざまな角度からプロジェクトの状況を分析することができます。

これらのレポート以外にも、ガントチャートなどのProjectのビューをそのままレポートとして利用することもできます。

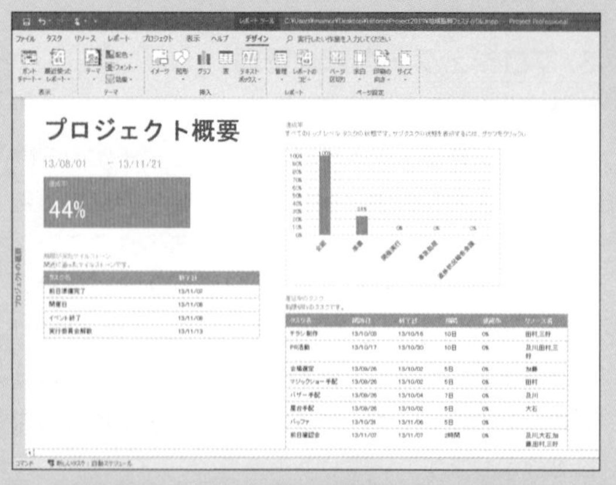

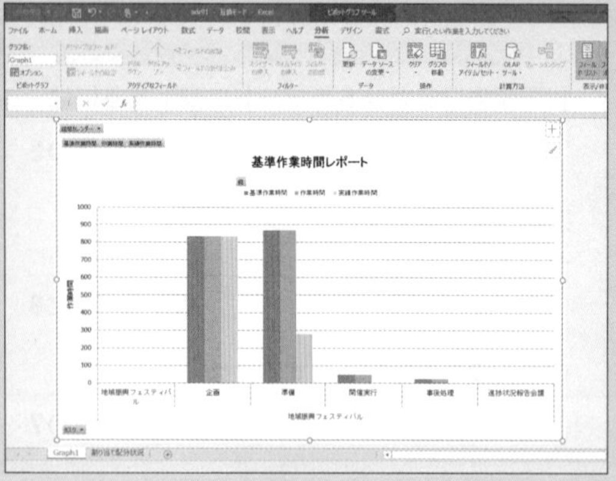

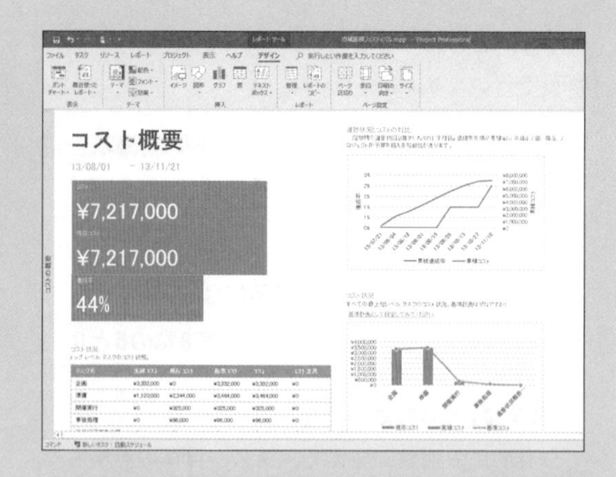

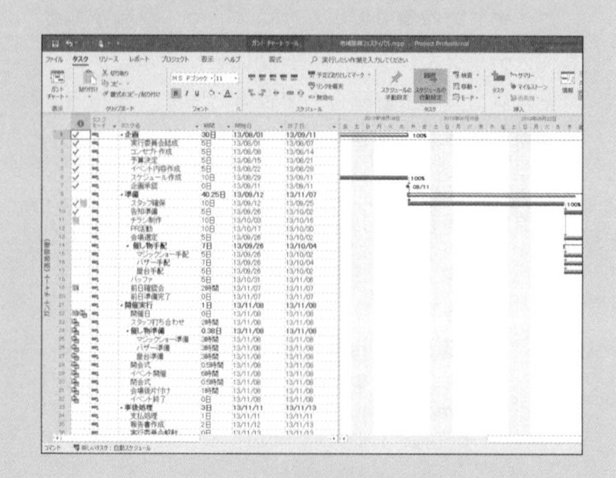

参照

ビジュアルレポートによるレポートの作成について詳しくは

第9章の1、3、4

クライアントレポートによるレポートの作成について詳しくは

第9章の1、2、3

3 プロジェクト開始日を入力するには

Projectでは、プロジェクト計画を作成する際に、［開始日］を基点にして［終了日］を計算するか、［終了日］を基点にして［開始日］を計算するかを選択することができます。多くの場合、［開始日］を基点にしてプロジェクト計画を作成します。

［プロジェクト情報］ダイアログで設定する

❶ ［プロジェクト］タブの［プロパティ］の［プロジェクト情報］をクリックする。

➡［'＜プロジェクト名＞'のプロジェクト情報］ダイアログが開く。

❷ ［スケジュールの基点］が［プロジェクトの開始日］になっていることを確認する。

❸ ［開始日］の▼をクリックし、カレンダーからプロジェクトの開始日を選択する。

❹ ［カレンダー］の▼をクリックし、プロジェクトに使用するカレンダーを選択する。

❺ ［OK］をクリックする。

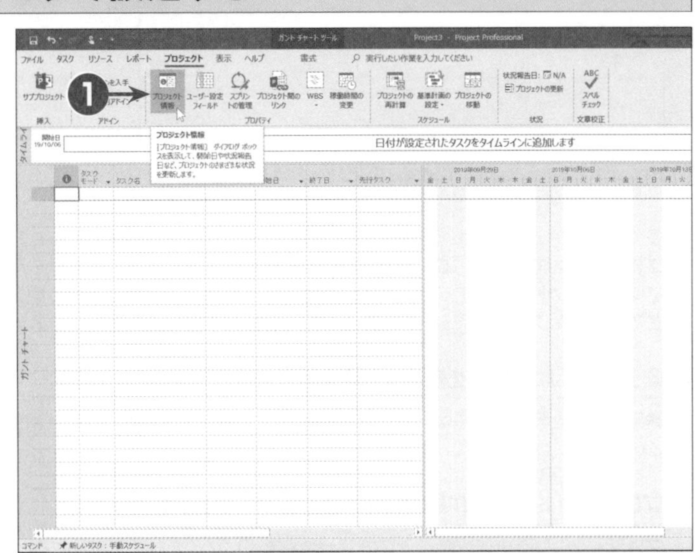

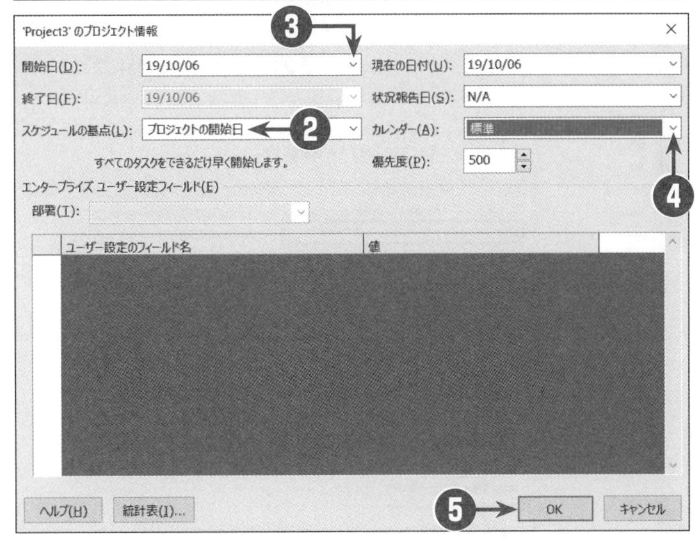

ヒント

実際にプロジェクトがスタートする日を設定する

スケジュールの基点を［プロジェクトの開始日］に設定すると、［開始日］ドロップダウンリストが有効になります。一方、［プロジェクトの終了日］に設定すると、［開始日］は淡色表示され、［終了日］が有効になります。既定では、プロジェクトの開始日を基点にプロジェクト計画を作成するように設定されており、［開始日］に現在の日付が指定されています。通常、プロジェクト計画を作成する場合、今日からスタートするプロジェクトの計画を今日から作成することはありません。実際にプロジェクトがスタートする日を［開始日］に設定します。

ヒント

スケジュールの基点について

スケジュールの基点を［プロジェクトの開始日］に設定した場合、すべてのタスクはできるだけ早く開始するようにスケジュールされます。スケジュールの基点を［プロジェクトの終了日］に設定した場合には、すべてのタスクはできるだけ遅く開始するようにスケジュールされます。

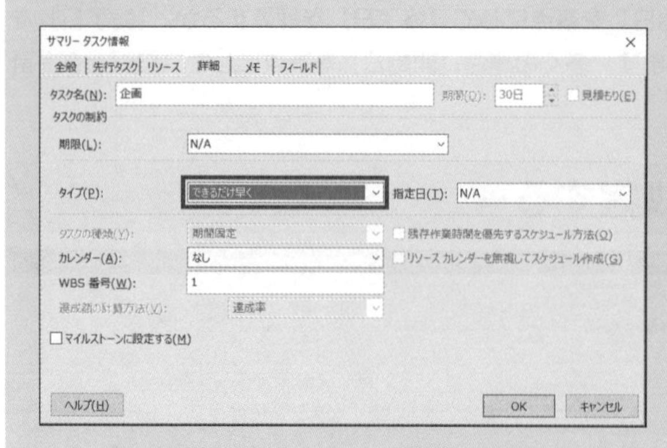

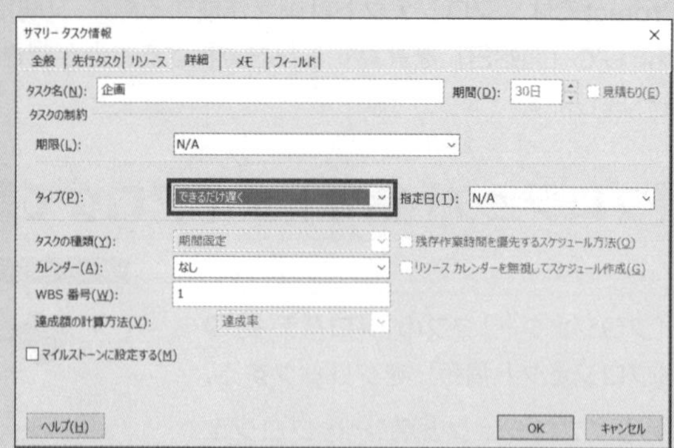

多くのプロジェクトでは、開始日を基点にしてスケジュールを作成することをお勧めします。終了日を基点にして計算されたプロジェクト開始日は、あくまでもプロジェクトが最短で完了する場合を示しているにすぎません。実際にそのスケジュールでプロジェクトを開始すると、遅延が発生した場合の対処方法はかなり限定的になります。プロジェクト開始日を基点することで、あらかじめスケジュールが変更された場合を考慮に入れたプロジェクト計画を作成することができます。

遅らせたくない納期を表示させるには

納期の期日を管理するには、マイルストーンに［期限］を設定します。［期限］の設定方法の詳細は第6章の1を参照してください。

プロジェクトの新規作成時に［プロジェクト情報］を表示する

プロジェクトの新規作成時に［プロジェクト情報］ダイアログを表示すると、情報の入力を促すことができます。

❶［ファイル］タブをクリックし、［オプション］をクリックする。

❷［詳細設定］をタブをクリックし、［新規プロジェクト作成時にプロジェクト情報を確認する］にチェックを入れる。

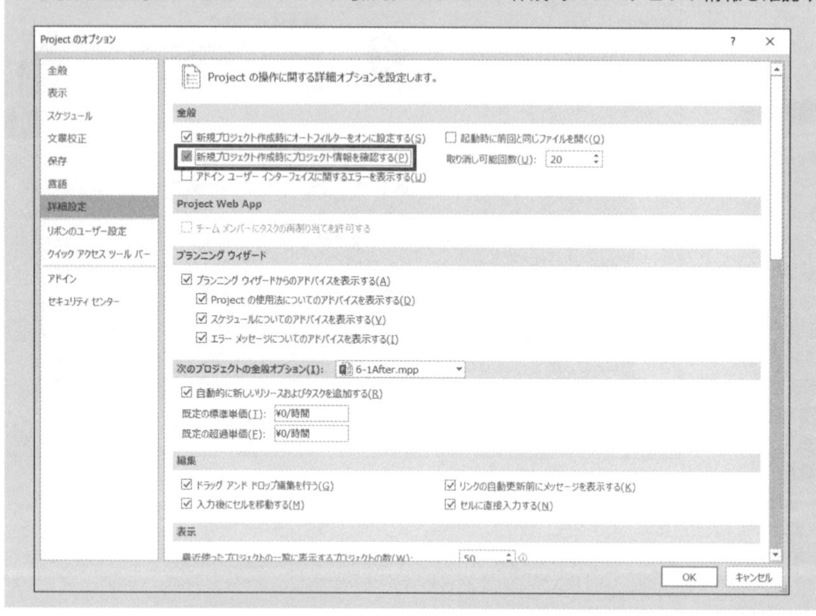

4 プロジェクトで使用するカレンダーを設定するには

Projectでは、カレンダーを使用してプロジェクトの稼働時間を簡単に設定できます。カレンダーには［プロジェクトカレンダー］［リソースカレンダー］［タスクカレンダー］の3種類があります。初めにプロジェクトの基本となる［プロジェクトカレンダー］に、組織に固有の休日と稼働時間を設定しましょう。

プロジェクトカレンダーを作成する

1

［プロジェクト］タブの［プロパティ］グループの［稼働時間の変更］をクリックする。

➡［稼働時間の変更］ダイアログが開く。

2

［新しいカレンダーの作成］をクリックする。

➡［新しい基本カレンダーの作成］ダイアログが開く。

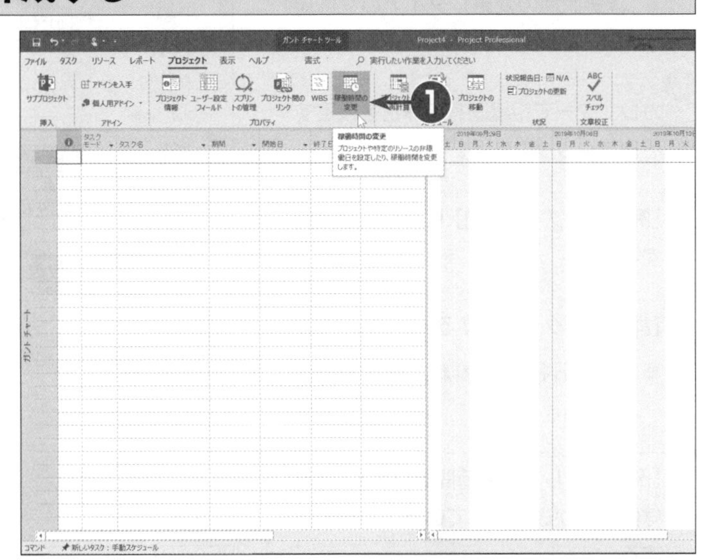

> **ヒント**
>
> **［標準］カレンダーの内容**
>
> ［標準］カレンダーは、土曜日と日曜日が非稼働日に設定にされています。稼働時間は、[8:00-12:00] と [13:00-17:00] の8時間となっています。

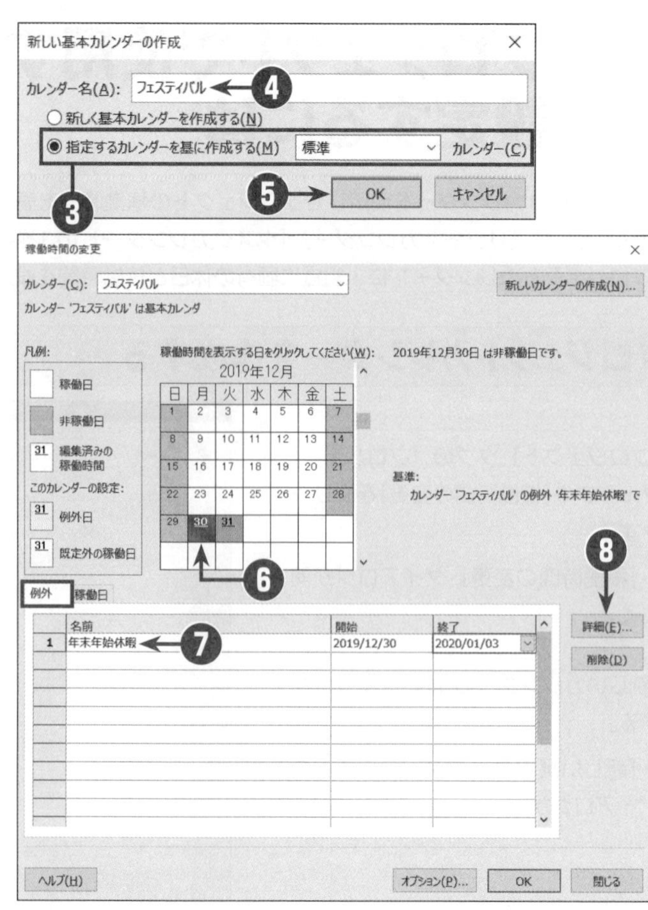

❸ [指定するカレンダーを基に作成する]をクリックし、[カレンダー] の▼をクリックして [標準] を選択する。

❹ [カレンダー名]に作成するカレンダーの名前を入力する。

❺ [OK] をクリックする。

➡[稼働時間の変更] ダイアログに戻る。

❻ カレンダーで組織固有の休日を設定する日をクリックする。

❼ [例外] タブで [名前] に休日名を入力する。

❽ [詳細] をクリックする。

➡「'＜休日名＞'の詳細」ダイアログが開く。

❾ [例外に対して稼働時間を設定] で [非稼働日] が選択されていることを確認する。

❿ 連続した休日を設定する場合は、[期間] の [終了日] をクリックし、休日の終了日を入力する。

⓫ [OK] をクリックする。

➡[稼働時間の変更] ダイアログに戻り、プロジェクトカレンダーが設定される。

⓬ [OK] をクリックして [稼働時間の変更] ダイアログを閉じる。

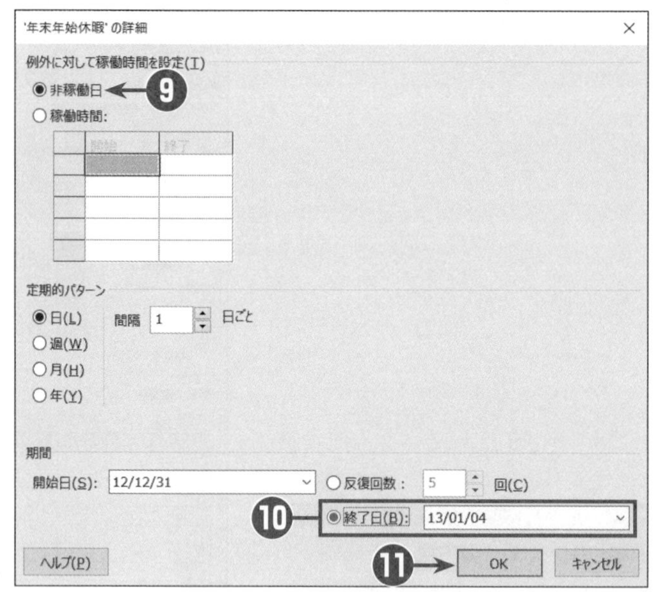

稼働時間を設定する

1 [プロジェクト] タブの [プロパティ] の [稼働時間の変更] ボタンをクリックする。

➡ [稼働時間の変更] ダイアログが開く。

2 [稼働日] タブをクリックし、[名前] の [既定] をクリックする。

3 [詳細] をクリックする。

➡ ['[既定]'の詳細] ダイアログが開く。

4 [曜日の選択] で [月曜日] をクリックし、Shiftを押しながら [金曜日] をクリックする。

➡ 月曜日から金曜日までが選択される。

5 [選択した曜日に指定の稼働時間を設定する] をクリックし、開始時刻と終了時刻を入力する。

6 [OK] をクリックする。

➡ [稼働時間の変更] ダイアログに戻り、稼働時間が設定される。

7 [OK] をクリックして [稼働時間の変更] ダイアログを閉じる。

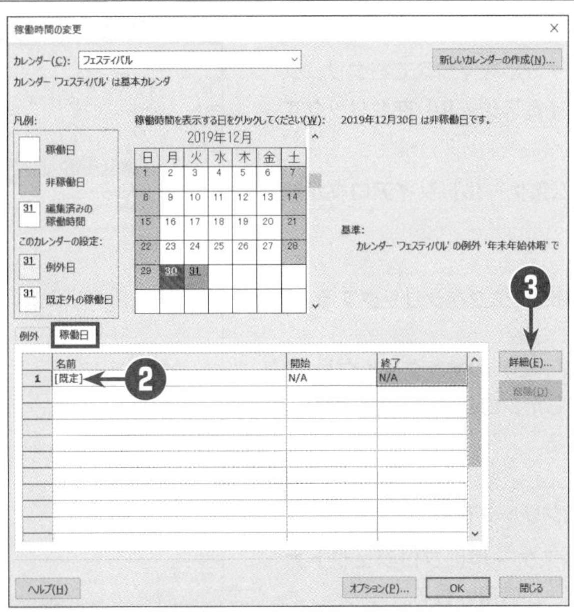

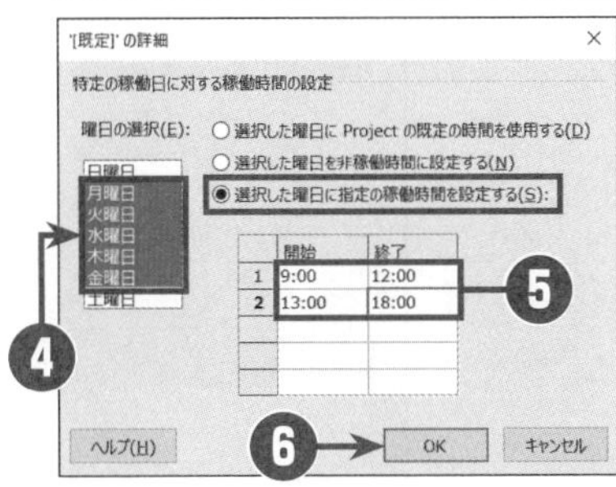

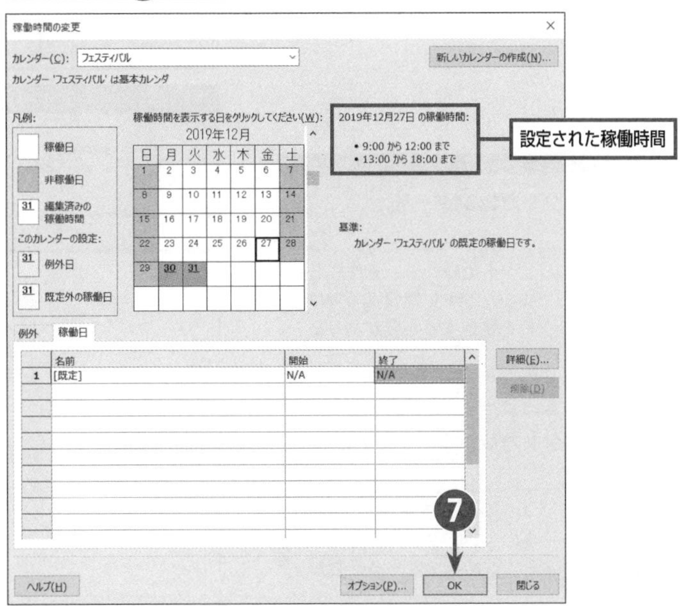

ヒント

稼働時間は既定の開始/終了時刻と一致させる

稼働時間を変更する場合は、[Projectのオプション] ダイアログの [スケジュール] タブで、[既定の開始時刻] [既定の終了時刻] [1日の稼働時間] の値も合わせて変更してください（この章の5を参照）。

ガントチャートにプロジェクトカレンダーを適用する

❶ タイムスケールをマウスで右クリックして、[タイムスケール] をクリックする。

➡ [タイムスケール] ダイアログが開く。

❷ [非稼働時間] タブをクリックする。

❸ [カレンダー名] の▼をクリックし、先ほど作成したプロジェクトカレンダーを選択する。

❹ [OK] をクリックする。

➡ タイムスケールにプロジェクトカレンダーが適用される。

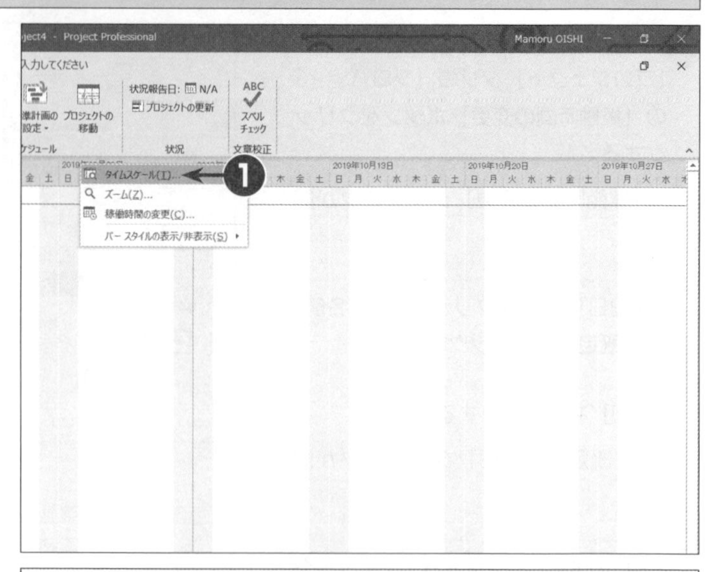

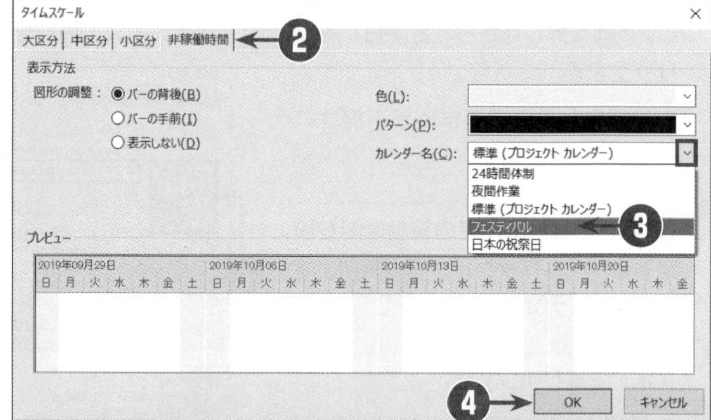

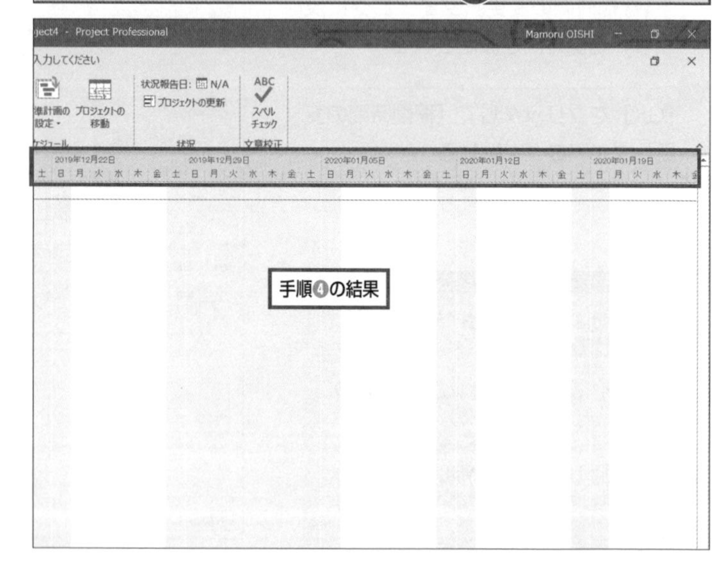

ヒント

プロジェクトカレンダーを設定する

新たにプロジェクトカレンダーを作成した場合は、[プロジェクト] 情報ダイアログでカレンダーを設定する必要があります。

ガントチャートのカレンダーはプロジェクトカレンダーとは別に設定する

プロジェクトカレンダーを変更しても、ガントチャートのカレンダーは自動的に変更されません。改めて設定する必要があります。

5 稼働時間と期間の既定値を設定するには

Projectで使用される時間の単位には、週、日、時間などがありますが、計算は時間に換算して行われます。そのため、1週間を何時間、1日を何時間と解釈するのか、あらかじめ定義する必要があります。併せて1日の［既定の開始時刻］と［既定の終了時刻］も設定します。

カレンダーオプションを設定する

❶ ［ファイル］タブの［オプション］をクリックする。

➡［Projectのオプション］ダイアログが開く。

❷ ［スケジュール］をクリックする。

❸ ［次のプロジェクトのカレンダーオプション］の［既定の開始時刻］、［既定の終了時刻］、［1日の稼働時間］に、プロジェクトカレンダーの開始時刻、終了時刻、1日の稼働時間と一致する値を入力する。

❹ ［1週間の稼働時間］、［1か月の稼働時間］の数値を確認し、適切な値を入力する。

❺ ［OK］をクリックする。

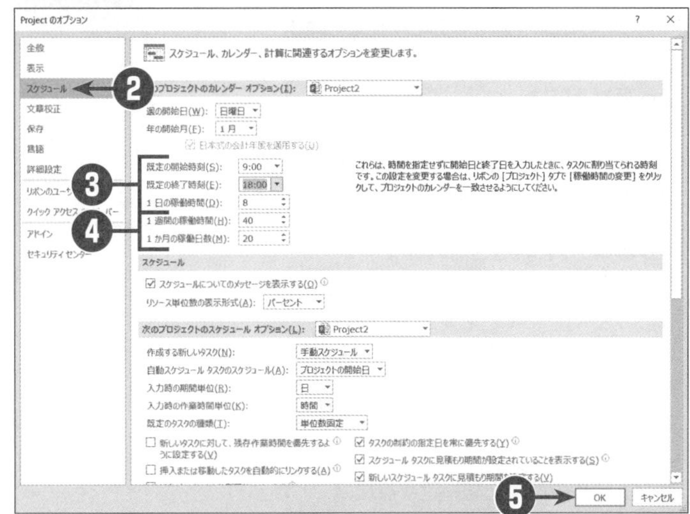

ヒント

カレンダーオプションの入力

企業によっては、稼働時間が「8：45～17：45」の場合や、1日の稼働時間が7時間45分の場合もあります。ただし、稼働時間のとおりに入力してしまうと、計算結果が小数になるため、管理が難しくなるおそれがあります。厳密な作業時間を管理する必要がなければ、整数の時間を設定しておくことをお勧めします。

6 Projectファイルを保存するには

ファイル名を付けて終了する

❶ [ファイル] タブの [名前を付けて保存] をクリックする。

❷ [参照] をクリックする。

➡[ファイル名を付けて保存] ダイアログが開く。

❸ 保存先のフォルダーを選択し、[ファイル名] にProjectファイルの名前を入力する。

❹ [保存] をクリックする。

➡Projectファイルが保存される。

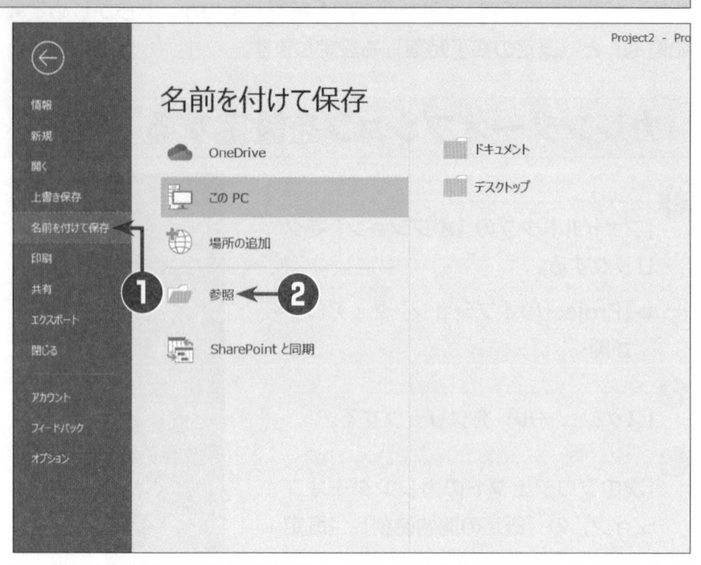

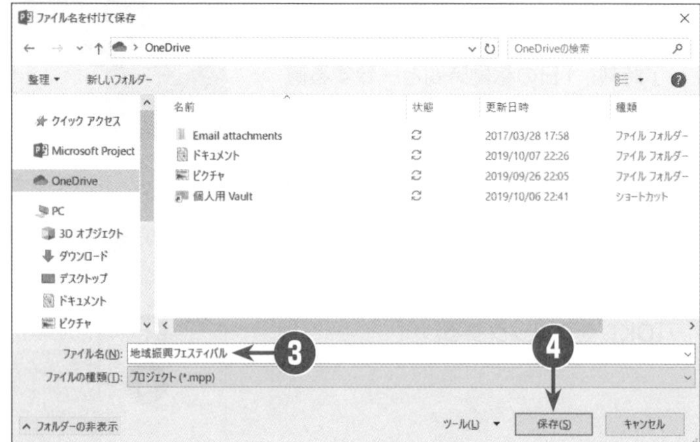

ヒント

作業中のProjectファイルを保存するには

[ファイル] タブの [上書き保存]、またはクイックアクセスツールバーの [上書き保存] をクリックします。

作業中のProjectファイルに別の名前を付けて保存するには

[ファイル] タブの [名前を付けて保存] をクリックし、保存先のストレージを選択して [参照] をクリックし、[ファイル名を付けて保存] ダイアログで別の名前を入力して [保存] をクリックします。

ファイルの保存先を指定するには

ファイルの既定の保存先は [ドキュメント] フォルダーです。[ファイル名を付けて保存] ダイアログの左側のフォルダー一覧で、保存先のフォルダーを変更することができます。

[保存オプション] を設定する

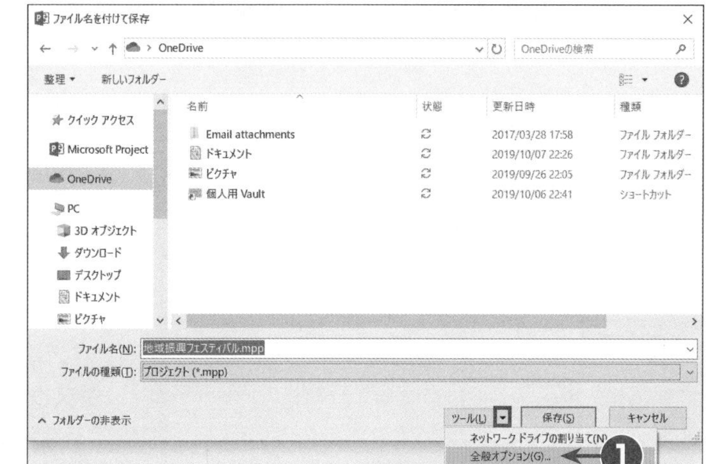

❶ [ファイル名を付けて保存]ダイアログの［ツール］の▼をクリックし、[全般オプション］をクリックする。

➡[保存オプション]ダイアログが開く。

❷ [バックアップファイルを作成する]にチェックを入れる。

➡Projectファイルを保存すると<ファイル名>.bakファイルがProjectファイルと同じフォルダーに作成されるようになる。

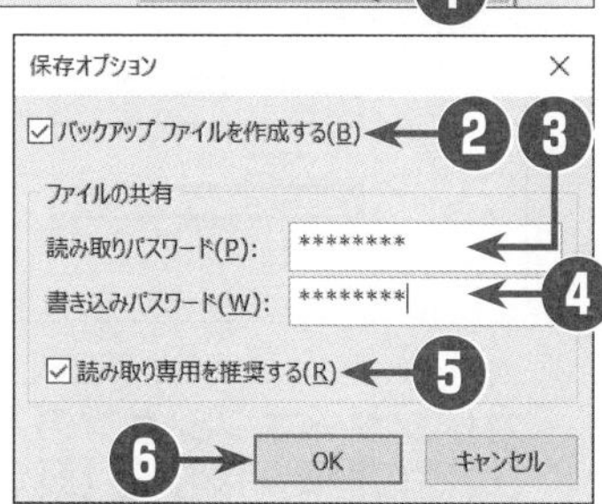

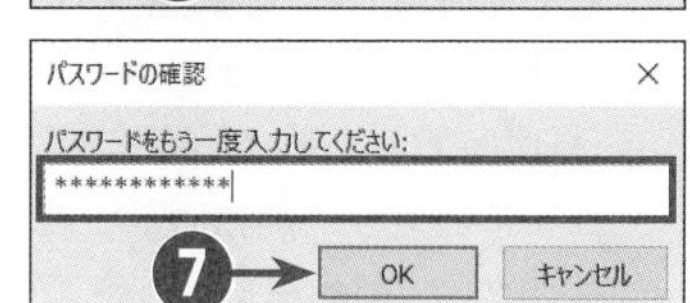

❸ ［ファイルの共有］の［読み取りパスワード］にパスワードを入力する。

➡Projectファイルを保存してファイルを閉じた後、次にProjectファイルを開くときに［パスワード］ダイアログが表示され、［読み取りパスワード］を入力した後にProjectファイルが開くようになる。

❹ ［ファイルの共有］の［書き込みパスワード］にパスワードを入力する。

➡Projectファイルを保存してファイルを閉じた後、次にProjectファイルを開くときに［書き込みパスワード］ダイアログが表示されるようになる。［書き込みパスワード］を入力してProjectファイルを開くと編集可能となる。［読み取り専用］をクリックすると、Projectファイルは読み取り専用で開く。

❺ ［読み取り専用を推奨する］にチェックを入れる。

➡Projectファイルを保存してファイルを閉じた後、次にProjectファイルを開くときに確認メッセージが表示されるようになる。［はい］をクリックすると、Projectファイルは読み取り専用で開く。

❻ 設定が終わったら［OK］をクリックする。

➡［パスワードの確認］ダイアログが表示される。

❼ パスワードを入力して［OK］をクリックする。

➡［読み取りパスワード］と［書き込みパスワード］の両方を設定した場合は、［パスワードの確認］ダイアログが2回表示される。

用語

読み取りパスワード

ファイルの閲覧を制限したい場合に使用します。読み取りパスワードを設定したファイルは、開く際にパスワードを入力した場合のみ開くことができます。

書き込みパスワード

ファイルの編集を制限したい場合に使用します。書き込みパスワードを設定したファイルは、開く際にパスワードを入力した場合のみ編集可能となります。

プロジェクト計画に合わせて考慮すべき3つのオプション

Projectを初めて使用する際に必ず設定すべき3つのオプションについて解説します。これらのオプションは、[Projectのオプション] ダイアログの [スケジュール] タブで設定します。

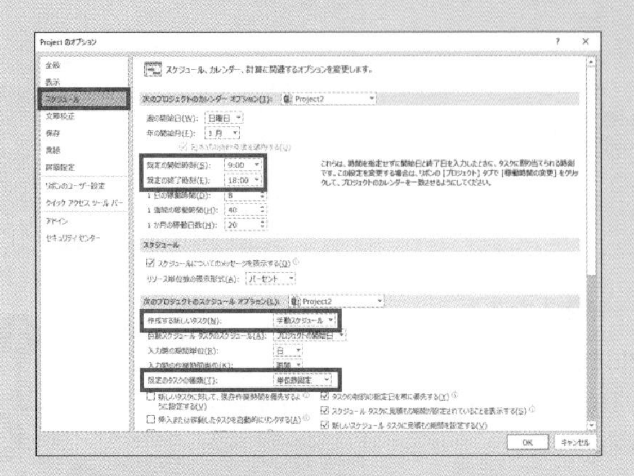

カレンダーオプションの[既定の開始時刻] と [既定の終了時刻]

[既定の開始時刻] および [既定の終了時刻] を、[稼働時間の変更] ダイアログでプロジェクトカレンダーに設定した開始時刻と終了時刻に合わせます。タスクに [開始日] と [終了日] を時間指定なしで入力した際、これらの時刻が自動的に付加されます。Projectが開始日/終了日を計算する場合は、プロジェクトカレンダーで指定した稼働時間に従います。そのため、ユーザーが開始日/終了日を指定したタスクと、Projectによって開始日/終了日が計算されたタスクで、開始時刻および終了時刻が異なるという状況が発生することがあります。多くの場合、意図せずにこの状況が発生するため、カレンダーオプションの [既定の開始時刻] および [既定の終了時刻] と、プロジェクトカレンダーの開始時刻および終了時刻は、同じ時間に合わせておく必要があります。

参照

プロジェクトで使用するカレンダーを設定するには

この章の4

カレンダーオプションを設定するには

この章の5

タスクの計算モード

Projectのタスクのスケジュール計算のモードは、既定では [手動スケジュール] に設定されています。手動スケジュールのタスクは、ユーザーが指定した開始日/終了日がそのまま使用されます。Projectのスケジュール計算を有効に活用するためには、必ず自動スケジュールに変更しましょう。

参照

タスクの計算モードを変更するには

第3章の3

タスクの種類

既定ではタスクの種類は [単位数固定] に設定されています。プロジェクトの性質に合わせて、[期間固定] もしくは [作業時間固定] に変更しましょう。タスクの見積もりを作業時間（工数）で行うことが多い場合は [作業時間固定]、期間で行うことが多い場合は [期間固定] に設定します。

参照

Projectの活用のキモとなるタスクの見積もり方法による計算の違い

第3章の6のコラム

プロジェクト計画のタスクの設定

第3章

プロジェクトを新規作成し基本情報を設定したら、いよいよ実際にタスクを入力して、プロジェクト計画を作成していきます。Projectには、タスクやマイルストーンを含むWBSを定義する機能に加えて、クリティカルパスメソッド（CPM）といったプロジェクトマネジメント特有の手法を使ってプロジェクトのスケジュールを自動計算するための、タスク間の依存関係、時間差、制約タイプ、期限などの機能が用意されています。さらに、タスクのスケジュールを手動で決めることができる機能も用意されています。

1 プロジェクトの主要なタスクを入力するには

Projectでは、タスクをトップダウンで作成することができます。「手動スケジュール」という計算方法のタスクを使用することで、サマリータスクにあらかじめ期間を指定して作成することができます。これは、プランニングの段階において、まずは大枠のフェーズなどを決めておきたい、といった用途に非常に便利です。ここでは、大枠のサマリータスクを「手動スケジュール」で作成しましょう。

プロジェクトの主要なタスクを入力する

1. [タスク] タブの [表示] の [ガントチャート] ボタンの▼をクリックし、[ガントチャート] をクリックする。

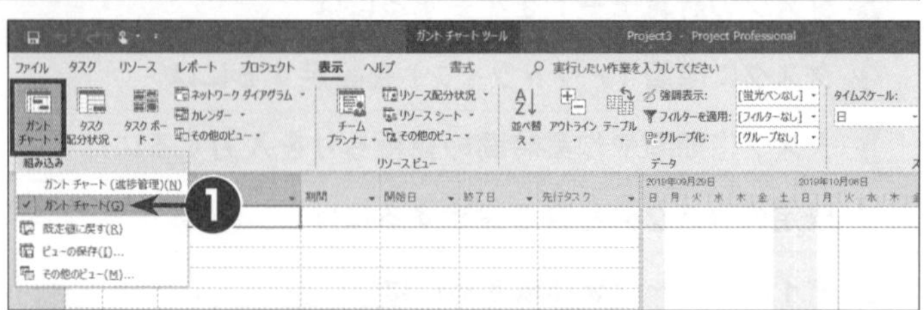

2. [タスク名]フィールドのタスクを入力するセルをクリックする。

3. サマリータスクのタスク名を入力し、Enterを押す。

➡[タスク名] だけが表示され、手動スケジュールのタスクが作成される。

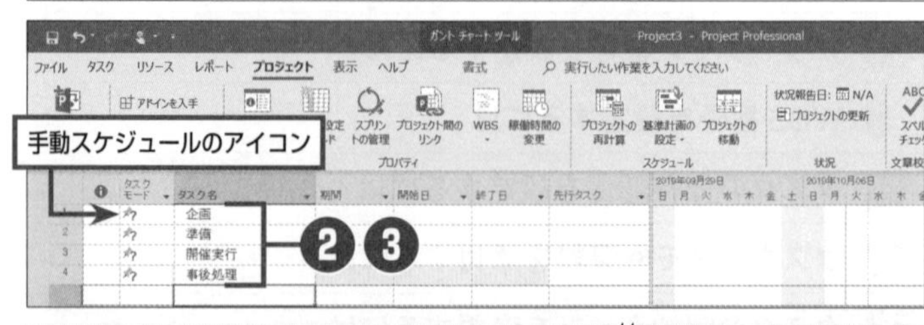

4. [期間] を入力する。

➡右側のチャート部分にバーが表示される。

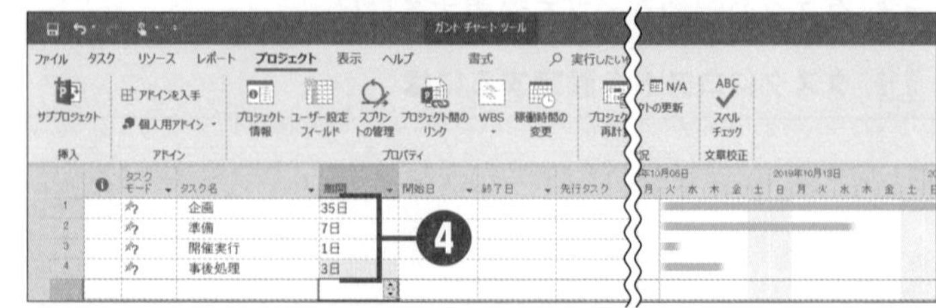

ヒント

手動スケジュール

既定では、タスクの計算方法は手動スケジュールに設定されています。手動スケジュールのタスクの場合、タスク名を入力した段階では、[期間] [開始日] [終了日] といった、タスクの計算に関係するフィールドは表示されません。また [期間] のみを入力しても、日程が確定していないため、ガントチャートのバーは仮の状態で表示されます。ユーザーが [開始日] もしくは [終了日] を入力する必要があります。

さらに、下の階層にサブタスクを作成しても、一度入力したサマリータスクの [期間] はそのまま保持されます。ここが自動スケジュールとの決定的な違いです。当初設定したサマリータスクの期間内に、サブタスクのスケジュールを収めるといった現実的なスケジュール作成にも対応できます。

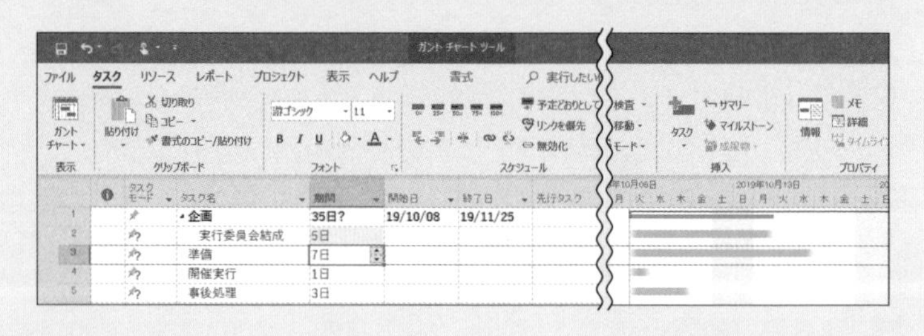

2 詳細なタスクを作成するには

Projectにおけるタスクとは、開始と終了のある1つの作業のことです。タスク名を入力した後に、アウトラインの設定、順番の並べ替えや不要なタスクの削除などを簡単に行うことができます。WBS（Work Breakdown Structure）を作成することを念頭に上位階層のタスクを入力した後、それらを細分化したタスクを入力しアウトラインを設定することができます。その際、抜けや重複がないように注意します。

タスクを挿入する

❶ ［タスク］タブの［表示］の［ガントチャート］ボタンの▼をクリックし、［ガントチャート］をクリックする。

❷ ［タスク名］フィールドのタスクを挿入する位置にあるセルをクリックする。

❸ ［タスク］タブの［挿入］の［タスク］ボタンの▼をクリックする。

➡タスクが挿入され、[<新しいタスク>]と表示される。

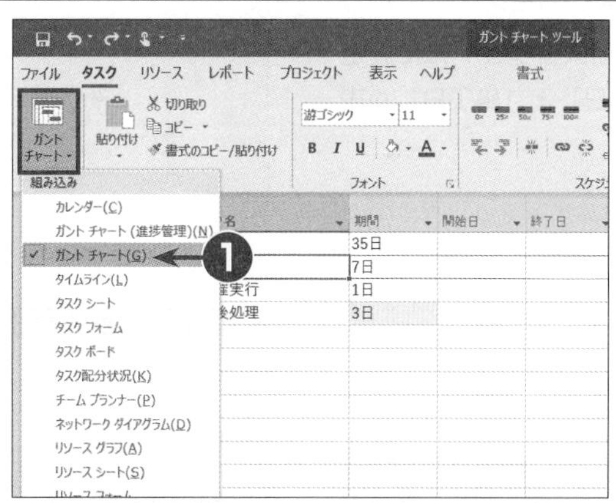

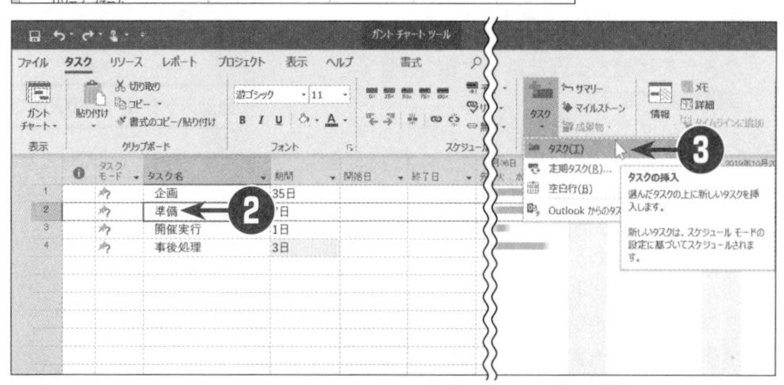

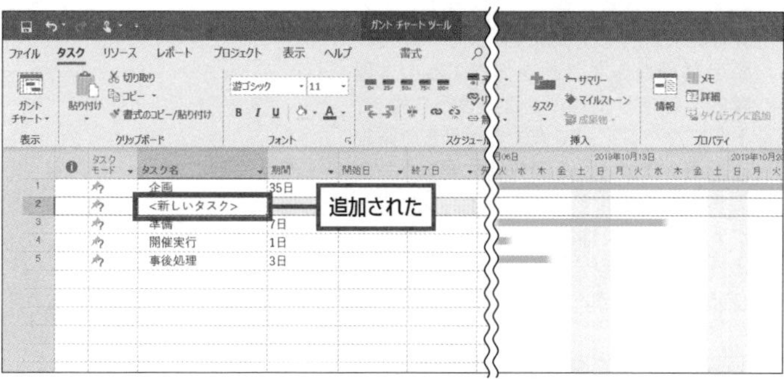

ヒント
タスクの開始日

手動スケジュールタスクの場合、タスク名を入力した段階では、［期間］［開始日］［終了日］は設定されません。自動スケジュールタスクの場合、［期間］は「1日?」と表示され、［開始日］にはプロジェクトの開始日が設定されます。［期間］の見積もりについてはこの章の5で解説します。［開始日］は、基本的には入力する必要はありません。タスクの期間と依存関係を指定すると、Projectが自動的にタスクの［開始日］と［終了日］を計算します。
なお、［制約タイプ］を使ってタスクの［開始日］［終了日］を明示的に指定する方法もあります。手順については、この章の12を参照してください。

続く→

4
[<新しいタスク>] にタスク名を入力し、Enterを押す。

▶[タスク名] が設定される。

5
[期間] を入力する。

▶[期間] が設定され、仮のバーが表示される。

6
[タスク] タブの [タスク] の [スケジュールの自動設定]をクリックする。

▶タスクが自動スケジュールに設定され、[開始日] と [終了日] が表示される。

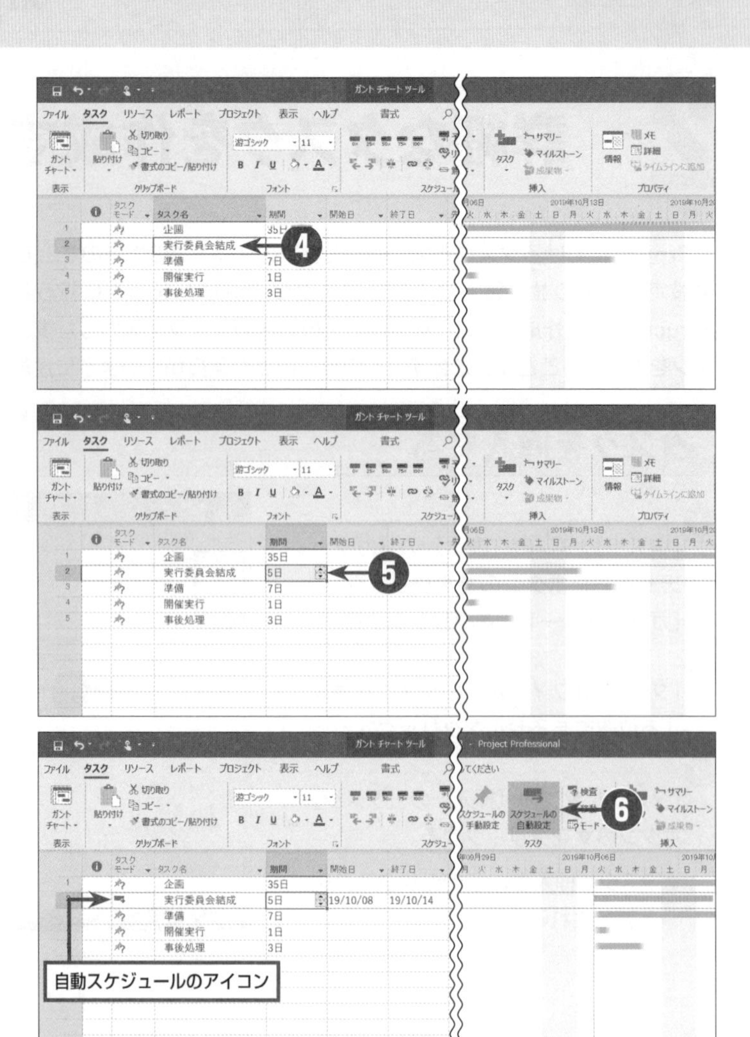

ヒント

タスクを定義する方法

タスクを定義する方法は、大きく分けて2種類あります。

- トップダウン方式：最初に主要フェーズを洗い出してから、各フェーズを詳細なタスクに分割していきます。
- ボトムアップ方式：必要なタスクをすべて列挙してから、フェーズごとにグループ化します。

プロジェクトが長期にわたり未知の領域が多い場合、一度にすべてのタスクを定義するのは困難な場合があります。たとえば研究開発の分野において、1年後以降の詳細な作業計画を作成するのは現実的ではありません。このような場合、トップダウン方式で直近3か月まで詳細な計画を作成し、その先は主要フェーズのまま詳細化せずにおきます。プロジェクトが進み、具体的な作業計画が作れるようになった時点で詳細化を行います(段階的詳細化)。

Insertを使ってタスクを挿入する

タスクを挿入するセルをクリックしてキーボードからInsertを押すと、新しいタスクが挿入されます。

タスクを削除する

❶ 削除するタスクの行番号を右クリックし、［タスクの削除］をクリックする。

➡ タスクが削除される。

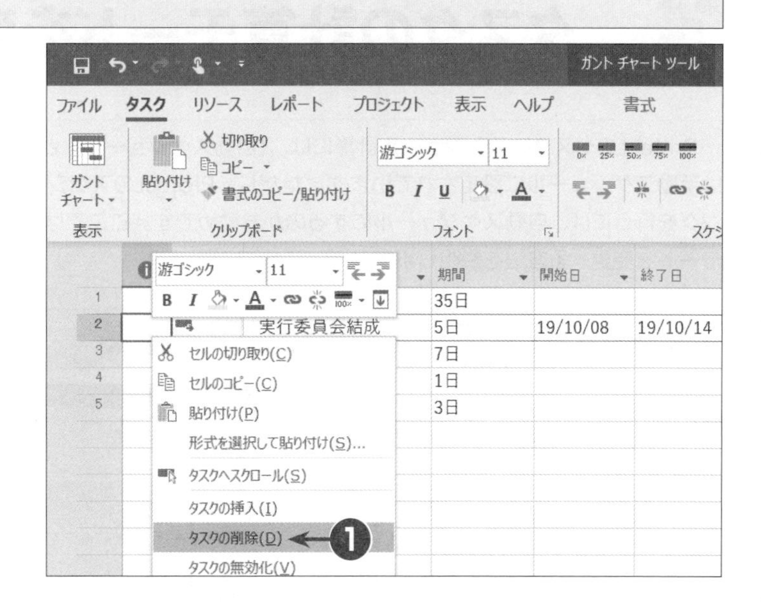

ヒント

タスク名のみ削除した場合

Delete でタスク名だけを削除すると、タスクに設定されているタスク名以外の期間などの情報はそのまま残ります。このとき表示されるスマートタグの▼をクリックして、［タスク名を削除する。］［タスクを削除する。］のいずれかを選択することができます。

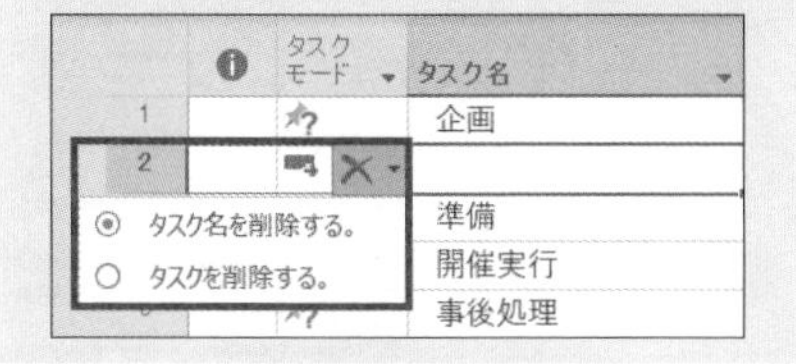

タスクを移動する

❶ 順番を変更するタスクの行番号をクリックする。

➡ マウスポインターの形が四方向矢印に変わる。

❷ 移動先へマウスをドラッグし、挿入位置でドロップする。

➡ タスクが移動する。

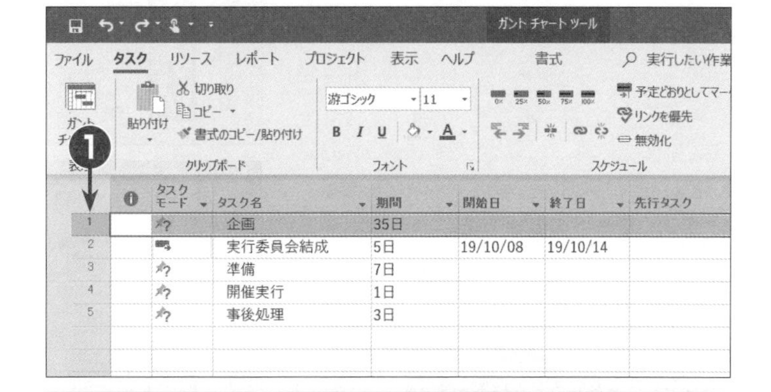

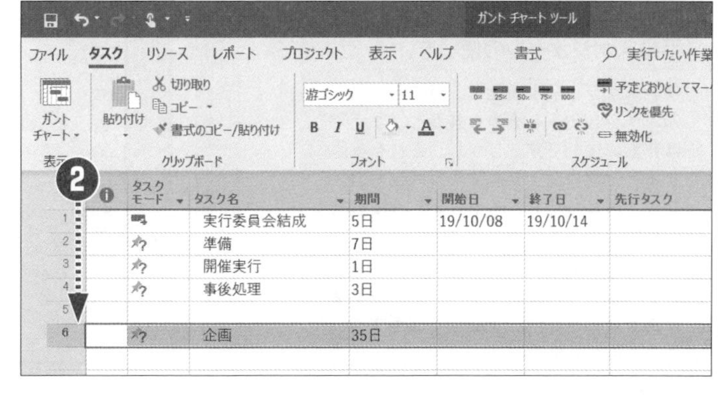

ヒント

空白行はタスクとは異なる

［タスクモード］列にアイコンが表示されていない行にもIDは振られますが、タスクではなく空白行になります。

3 タスクの計算モードを変更するには

Projectのタスクのスケジュール計算には、［自動スケジュール］と［手動スケジュール］の2種類があり、既定では手動スケジュールに設定されています。ただし、Projectのスケジュール計算機能を活かして動的なスケジューリングを行うには、自動スケジュールにするのがお勧めです。ここでは、既定の計算モード、さらにタスクごとに計算モードを変更する方法を説明します。

タスクの計算モードを自動に設定する

❶ 計算モードを変更したいタスクを選択する。

❷ ［タスク］タブの［タスク］の［スケジュールの自動設定］をクリックする。

➡タスクの計算モードが［自動スケジュール］に変更される。

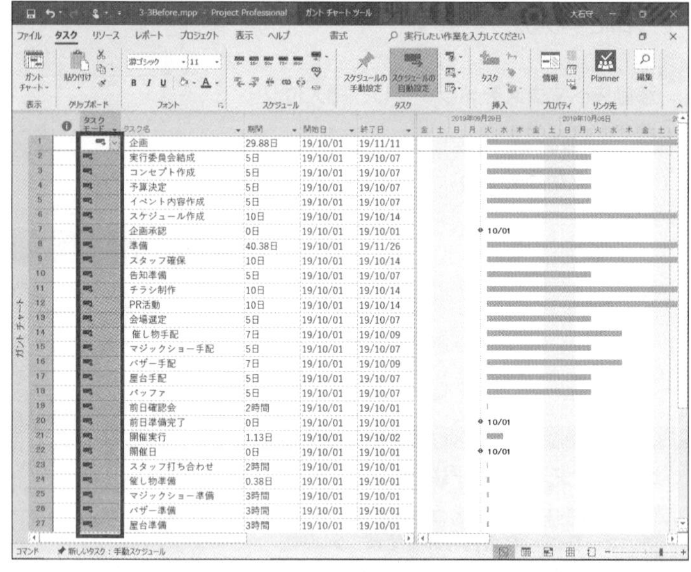

ヒント

タスクモードの変更方法

テーブルの［タスクモード］列のアイコンは、［タスク］タブの［タスク］グループの［スケジュールの手動設定］および［スケジュールの自動設定］と同じです。どちらかを変更すると連動します。

手動スケジュールの使い方

手動スケジュール機能は、自由にタスクのスケジュールを決められるという点では非常に便利です。しかし、これを多用すると、プロジェクトマネジメントのスケジュール技法であるクリティカルパスの動的な計算を阻害することになりかねません。手動スケジュールは、プランニング段階のみに使用するか、特別の事情があるタスクだけに限定して使用することをお勧めします。

新しいタスク（既定）の計算モードを変更する

1

ステータスバーの［新しいタスク：］の右側の［自動スケジュール］をクリックする

➡［新しいタスク］の一覧が表示される。

2

［手動スケジュール］をクリックする。

➡既定の計算モードに［手動スケジュール］が選択される。

3

［タスク名］列にタスク名を入力する。

➡［タスクモード］列に手動スケジュールのアイコンが表示される。

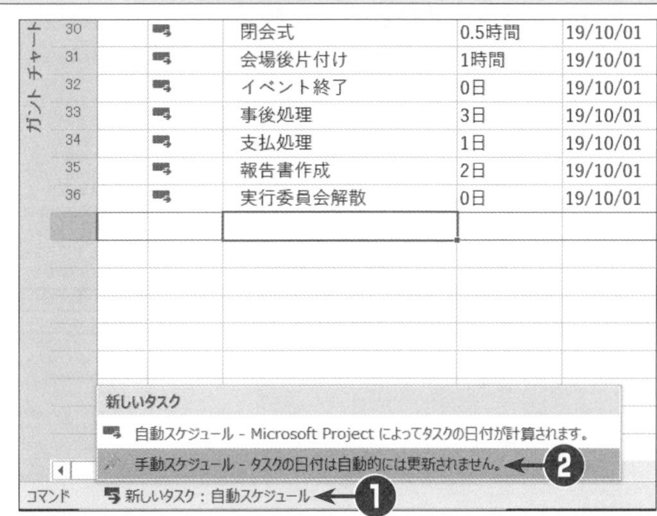

	タスク名	期間	開始日
30	閉会式	0.5時間	19/10/01
31	会場後片付け	1時間	19/10/01
32	イベント終了	0日	19/10/01
33	事後処理	3日	19/10/01
34	支払処理	1日	19/10/01
35	報告書作成	2日	19/10/01
36	実行委員会解散	0日	19/10/01

コマンド　新しいタスク：手動スケジュール

	タスク名	期間	開始日
30	閉会式	0.5時間	19/10/01
31	会場後片付け	1時間	19/10/01
32	イベント終了	0日	19/10/01
33	事後処理	3日	19/10/01
34	支払処理	1日	19/10/01
35	報告書作成	2日	19/10/01
36	実行委員会解散	0日	19/10/01
37	タスクA ← 3		

コマンド　新しいタスク：手動スケジュール

ヒント

既定の計算モードとタスクの計算モードの違い

既定の計算モードは、これから作成するタスクに対して適用されます。タスクの計算モードは、個別のタスクに対してのみ適用されます。

ヒント

[Projectのオプション] ダイアログで既定の計算モードを設定する

[Projectのオプション] ダイアログの [スケジュール] タブでも既定の計算モードを設定できます。

[次のプロジェクトのスケジュールオプション] について

[次のプロジェクトのスケジュールオプション] リストには、[すべての新規プロジェクト] 以外に現在開いているプロジェクトファイルが表示されます。プロジェクトファイルを選択すると、そのプロジェクトに対してのみ設定が適用されます。

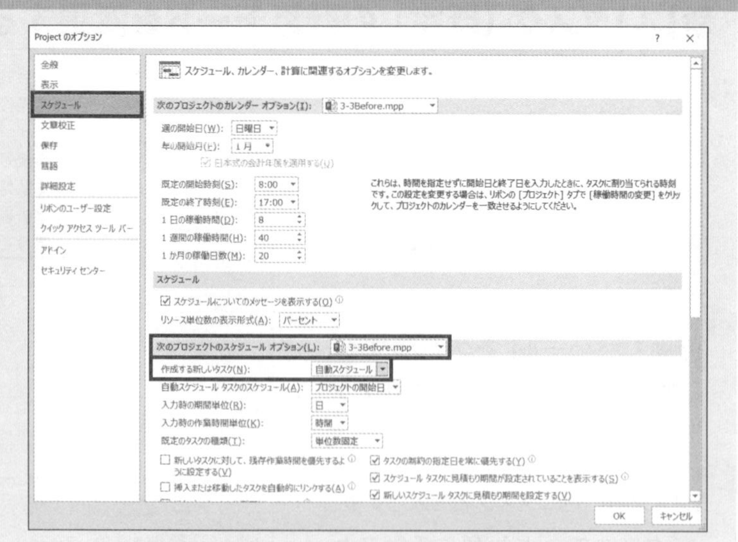

コラム

手動タスクと自動タスクの使い分け

Projectを使うメリットであるスケジュール計算の機能を活かすには、すべてのタスクを自動スケジュールに設定し、タスク間に依存関係を設定することをお勧めします。なぜならば、どこかのタスクに変更があった際、プロジェクトのスケジュール全体への影響が即座に反映されるからです。これを**ダイナミックスケジューリング**と呼んでいます。

一方で、現実のプロジェクトでは、さまざまな要因からタスクのスケジュールを固定して使いたいことがあります。そのような場合には手動スケジュールを使用します。ここでは、2つのケースで実際にタスクを作成して動きを見てみましょう。

ケース1：手動スケジュールのサマリー タスクと自動スケジュールのサブタスク

手動スケジュールのタスクを作成し期間を入力してから、その下の階層にサブタスクを作成することができます。

❶フェーズを表す「フェーズ1」を期間30日の手動スケジュールタスクとして作成します。その下の階層に期間10日の自動スケジュールのタスクを3つ作成し、順番に実行するよう依存関係を設定します。

➡サマリータスクの期間と3つのサブタスクの期間が一致します。

	タスク モード	タスク名	期間	開始日	終了日
1		**フェーズ1**	**30日**	**19/10/28**	**19/12/06**
2		タスクA	10日	19/10/28	19/11/08
3		タスクB	10日	19/11/11	19/11/22
4		タスクC	10日	19/11/25	19/12/06

❷「タスクA」の期間を15日に延長します。

➡「フェーズ1」の期間は「30日」のまま変わらず、サブタスクの期間がサマリータスクの期間より長くなり、サマリータスクのバーが期間の超過を示す赤に変わっています。

	タスク モード	タスク名	期間	開始日	終了日
1		**フェーズ1**	**30日**	**19/10/28**	**19/12/06**
2		タスクA	15日	19/10/28	19/11/15
3		タスクB	10日	19/11/18	19/11/29
4		タスクC	10日	19/12/02	19/12/13

このようにサマリータスクを手動スケジュールに設定すると、サブタスクが期間内に収まらなくなっても、そのままの状態を保持することができます。

たとえば、フェーズの期間が決まっていて、その期間内で実現可能なスコープを検討するといった使い方をしたい場合に便利です。

ケース2：自動スケジュールのサマリータスクと手動スケジュールのサブタスク

サマリータスクは自動スケジュールに設定し、サブタスクに手動スケジュールのタスクを設定することができます。ここでは、1つのタスクを手動スケジュールに設定してみましょう。

❶「フェーズ2」を自動スケジュールタスクとして作成します。その下の階層に期間10日のサブタスクを3つ作成し、順番に実行するよう依存関係を設定します。2番目の「タスクE」だけ手動タスクに設定します。

➡サマリータスクの期間と3つのサブタスクの期間が一致します。

	タスク名	期間	開始日	終了日
1	フェーズ2	30日	19/10/28	19/12/06
2	タスクD	10日	19/10/28	19/11/08
3	タスクE	10日	19/11/11	19/11/22
4	タスクF	10日	19/11/25	19/12/06

❷「タスクD」の期間を15日に延長します。

➡「フェーズ1」の期間は「30日」のまま変わらず、「タスクD」と「タスクE」の期間に重なりが発生します。「タスクE」が手動スケジュールなので移動しないためです。

	タスク名	期間	開始日	終了日
1	フェーズ2	30日	19/10/28	19/12/06
2	タスクD	15日	19/10/28	19/11/15
3	タスクE	10日	19/11/11	19/11/22
4	タスクF	10日	19/11/25	19/12/06

このように手動スケジュールに設定したタスクは、依存関係を設定していても計算によってタスクの開始日が変更されません。たとえば、外注先にタスクを依頼した場合など、開始日と終了日が決まっており動かしたくないといった使い方をしたい場合に便利です。

手動スケジュールのタスクは、依存関係に従って自動でスケジュールを計算されることはありません。したがって、ダイナミックスケジューリングの観点からは阻害要因となるため注意が必要です。先行タスクが遅延し、スケジュールに矛盾が発生した場合には、改めて開始日を設定する必要があります。その場合は［リンクを優先］を使用し、スケジュールを変更することができます。

❶タスクEを選択し、［タスク］タブで、［スケジュール］の［リンクを優先］をクリックする。

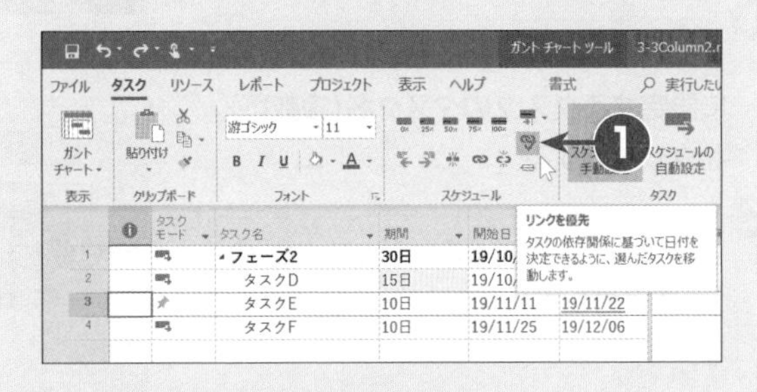

➡「タスクE」の開始日が変更され、以降の日付も連動して変更される。また、「フェーズ2」の期間が「35日」に延長される。

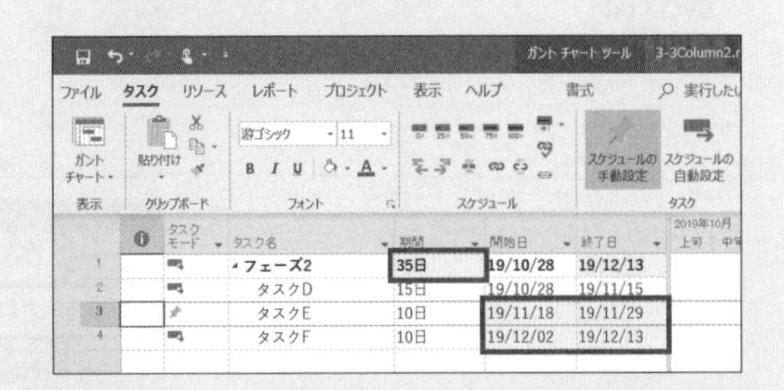

さらに、サブタスクをすべて手動スケジュールで作成すると、ダイナミックスケジューリングのメリットは失われますが、あえて現在計画のスケジュールの更新タイミングを手動でコントロールすることが可能になります。この場合も、上記の［リンクを優先］を使用することで、スケジュールを再計算できます。手動スケジュールによって、さまざまな使い方の幅が広がるので、ぜひ活用してみてください。

4 タスクに階層（アウトライン）を設定するには

アウトラインを設定すると、タスクが階層化されます。各階層のレベルを、「アウトラインレベル」と言います。アウトラインによって、上位レベルの「サマリータスク」と下位レベルの「サブタスク」を表現することができます。

アウトラインを設定する

❶ [ガントチャート]ビューでサブタスクに設定するタスクのタスク名(複数可)をクリックする。

❷ [タスク] タブの [スケジュール] の [タスクのレベル下げ] をクリックする。

➡ サブタスクがインデントされ、サマリータスクのタスク名の左にアウトラインを示す三角のボタンが表示される。

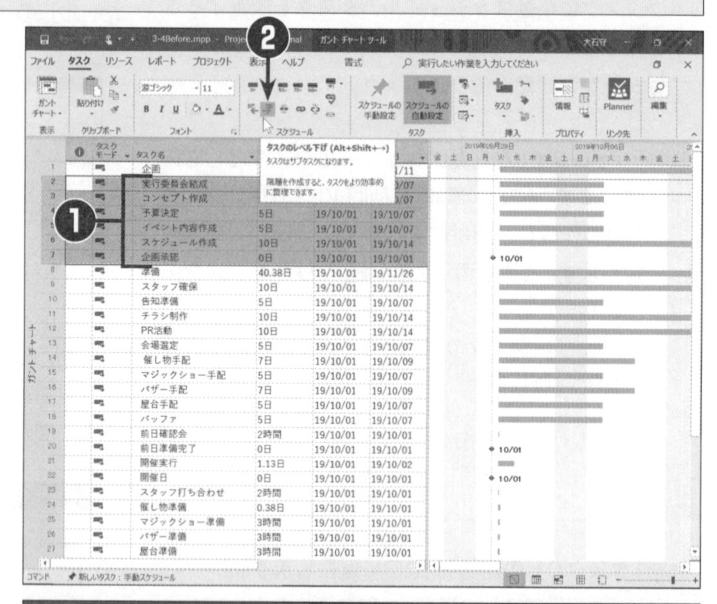

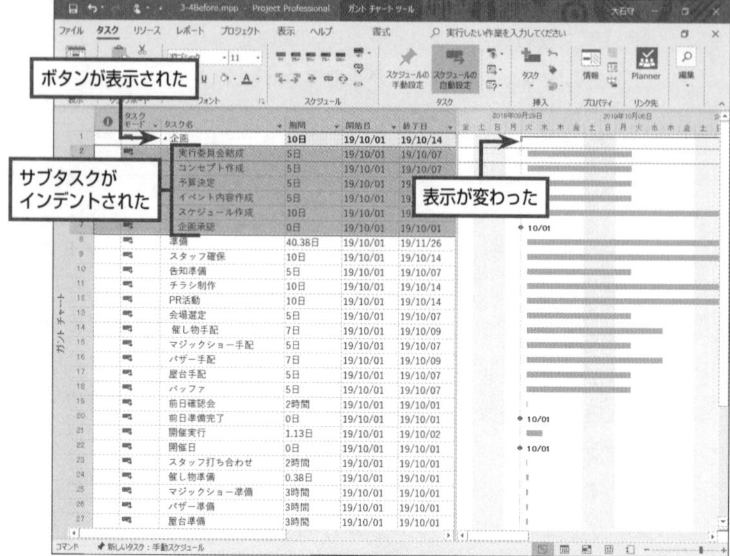

用語

サマリータスクとサブタスク

アウトラインによって階層化されたタスクの中で、上位の親タスクにあたるのがサマリータスク、下位の子タスクにあたるのがサブタスクです。サマリータスクはサブタスクで構成されます。サブタスクの概要を表すのがサマリータスクです。

ヒント

適正なアウトラインレベル

一般的なプロジェクト計画で使用するアウトラインレベルは5段階程度までが適正と言われています。これ以上深くなると、管理が難しくなるためです。

アウトラインレベルを上げる／下げる

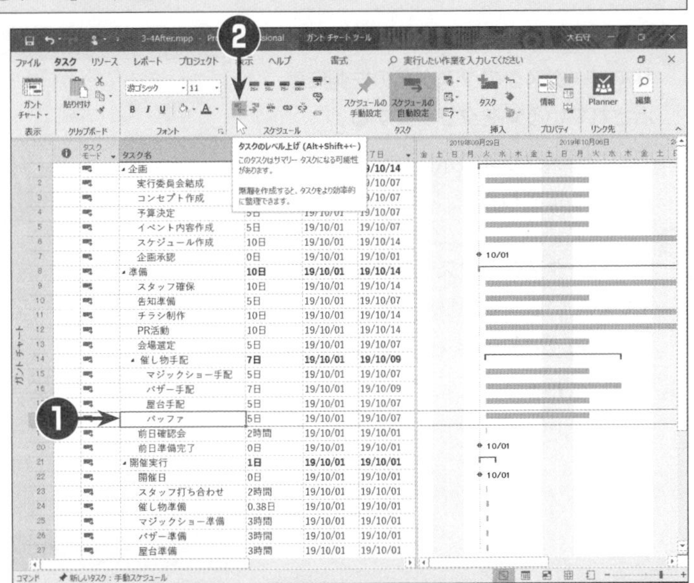

❶ アウトラインレベルを上げる（または下げる）タスクを選択する。

❷ ［タスク］タブの［スケジュール］の［タスクのレベル上げ］（または［タスクのレベル下げ］）をクリックする。

➡ タスクのアウトラインレベルが変更される。

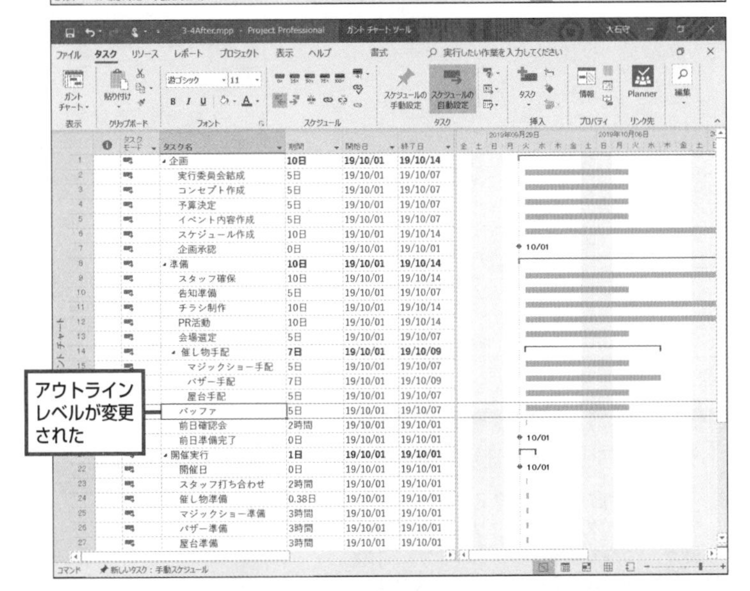

注意

最上位のタスクはレベルを上げられない

最上位のアウトランレベルにあるタスクは、それ以上レベルを上げることができません。誤ってアウトラインレベル1のタスクに対して［レベル上げ］を設定した場合、［プランニングウィザード］ダイアログで警告が表示されます。

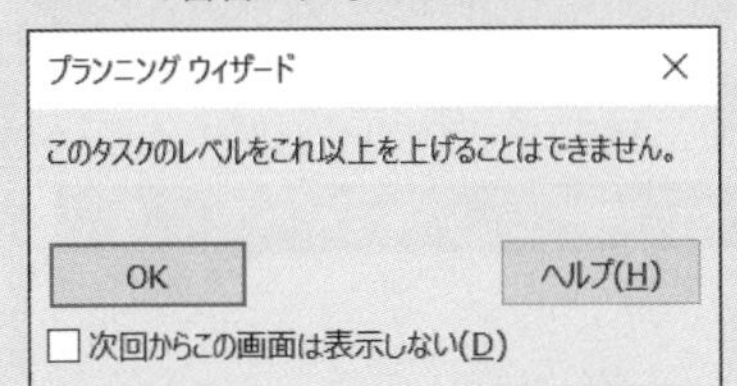

ヒント

［アウトラインレベル1］だけ表示する

［表示］タブの［データ］の［アウトライン］をクリックし、［レベル1］を選択すると、一番上のアウトラインレベルのタスクが選択され、プロジェクト計画の大日程のみが表示されます。

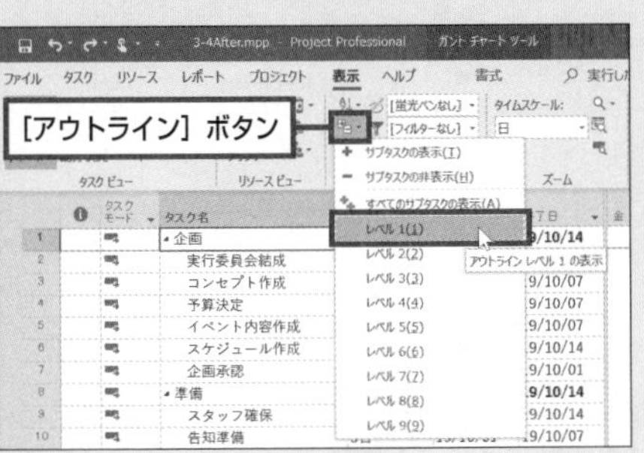

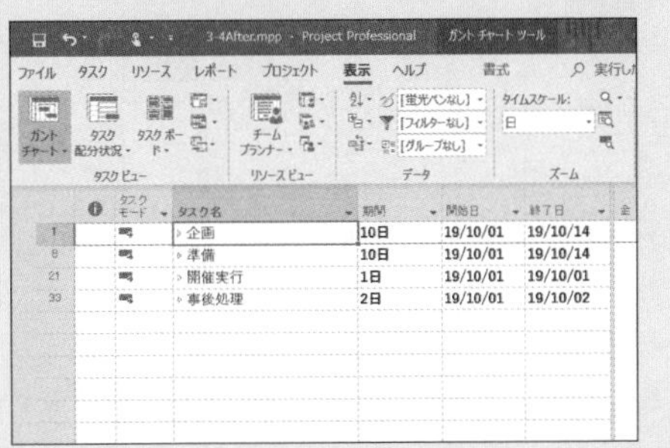

サブタスクを表示する／非表示にする

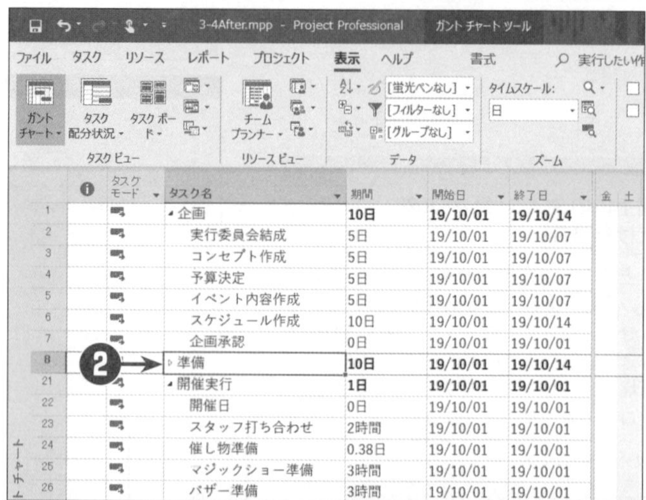

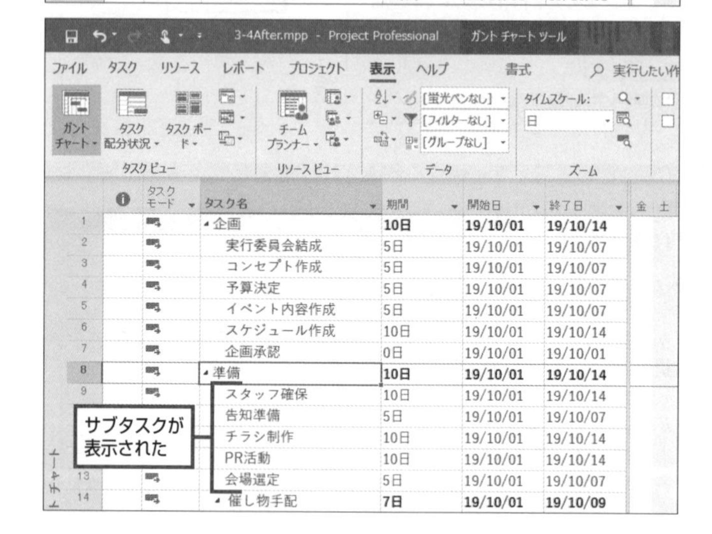

❶ サマリータスクのタスク名の左側に表示されている▼をクリックする。

➡ サブタスクが非表示になり、▼の表示が△に変わる。

❷ サマリータスクのタスク名の左側に表示されている△をクリックする。

➡ サブタスクが表示され、△の表示が▼に変わる。

ヒント

タスクサマリー名を表示する

WBSの階層が増えてタスク数が多くなると、サブタスクのサマリータスクの確認がしづらくなることがあります。このような場合は、テーブルに［タスクサマリー名］列を追加すると確認しやすくなります。

タスク名	期間	開始日	終了日	タスク サマリー名
▴企画	10日	19/10/01	19/10/14	
実行委員会結成	5日	19/10/01	19/10/07	企画
コンセプト作成	5日	19/10/01	19/10/07	企画
予算決定	5日	19/10/01	19/10/07	企画
イベント内容作成	5日	19/10/01	19/10/07	企画
スケジュール作成	10日	19/10/01	19/10/14	企画
企画承認	0日	19/10/01	19/10/01	企画
▴準備	10日	19/10/01	19/10/14	
スタッフ確保	10日	19/10/01	19/10/14	準備
告知準備	5日	19/10/01	19/10/07	準備
チラシ制作	10日	19/10/01	19/10/14	準備
PR活動	10日	19/10/01	19/10/14	準備
会場選定	5日	19/10/01	19/10/07	準備
▴催し物手配	7日	19/10/01	19/10/09	準備
マジックショー手配	5日	19/10/01	19/10/07	催し物手配
バザー手配	7日	19/10/01	19/10/09	催し物手配
屋台手配	5日	19/10/01	19/10/07	催し物手配
バッファ	5日	19/10/01	19/10/07	準備

5 タスクに期間や作業時間の見積もりを入力するには

タスクの見積もりを行うには、[期間] もしくは [作業時間] に値を入力します。タスクの種類が [期間固定] の場合は [期間]、[作業時間固定] の場合は [作業時間] に見積もりを入力します。手動スケジュールの場合は、[期間固定] と同じと考えてください。自動スケジュールのタスクを作成すると、[期間] フィールドには「1日?」と表示されます。「?」は期間が決定されたものではないことを表し、「見積もり期間」と呼ばれます。「?」は、ユーザーが [期間] を入力するまで表示されます。手動スケジュールのタスクの場合は、タスク名を入力しただけでは、[期間] は設定されません。個々のタスクの [期間] フィールドに、見積もり期間を入力します。

タスクの期間を入力する

❶ [ガントチャート] ビューで期間を入力するタスクの [期間] フィールドをクリックする。

❷ 数字で日数を入力し、Enterを押す。

参照
Projectの活用のキモとなるタスクの見積もり方法による計算の違い
この章の6のコラム

ヒント

[期間] フィールドの入力方法

[期間] フィールドに数値のみを入力した場合は、単位が「日」と設定されます。期間の入力には、他に分 (m)、時間 (h)、日 (d)、週 (w)、月 (mo) が使用できます。たとえば、「1w」と入力した場合は、「1週間」と設定されます。

	タスクモード	タスク名	期間	開始日
1		A	5分	
2		B	5週間	
3		C	5日	
4		D	5週間	
5		E	5月	

ヒント

新しいタスクを作成したときに見積もり期間を設定しない（「?」を表示しない）方法

❶ [ファイル] の [オプション] をクリックする。

❷ [Projectのオプション] ダイアログで [スケジュール] をクリックし、[次のプロジェクトのスケジュールオプション] で [新しいスケジュールタスクに見積もり期間を設定する] のチェックを外す。

❸ [OK] をクリックする。

同じタスクの期間を連続で入力する

❶ コピー元のセルをクリックして、セルの右下端の■をマウスでポイントする。

➡マウスポインターの形が十字形に変わる。

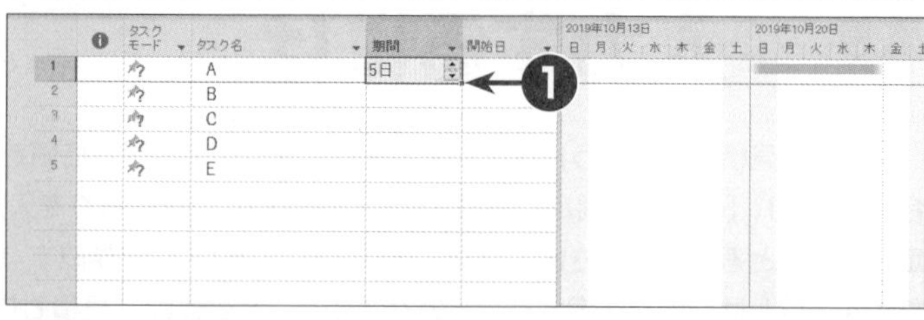

❷ コピー先の最後のセルまでドラッグする。

➡同じ期間が連続して入力される。

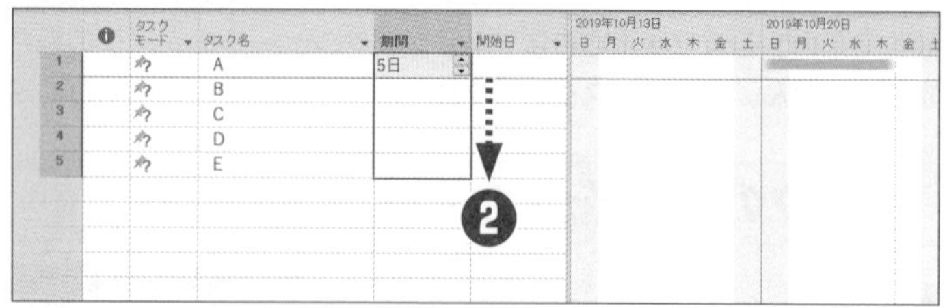

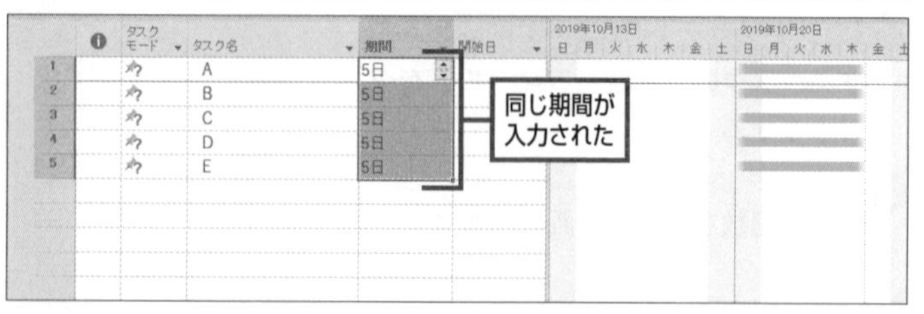

ヒント

他の方法で複数のタスクに同じ期間を入力するには

複数のセルを選択してコピーすることも可能です。

❶コピー元のセルを選択して、[タスク] タブの [クリップボード] の [コピー] の▼をクリックして [コピー] をクリックする。

❷貼り付け先のセルを選択して、[タスク] タブの[クリップボード] の [貼り付け] の上部をクリックする。

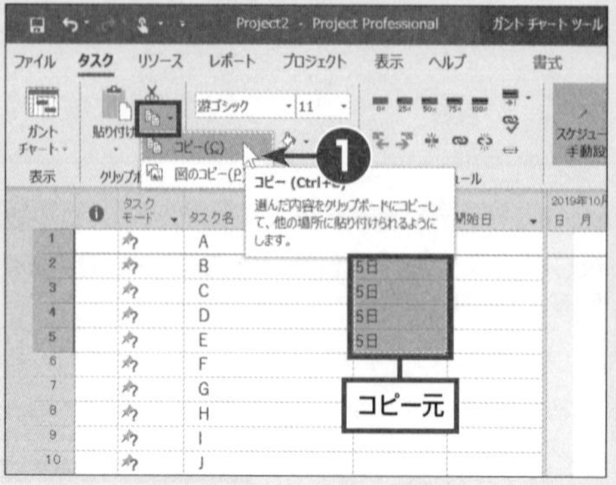

ヒント

サマリータスクの期間

自動スケジュールの場合、サマリータスクの期間は、サブタスクの期間を基にProjectが計算します。サブタスクの期間を入力すると、サマリータスクの [期間] フィールドには、一連のサブタスクが要する期間の最大値が表示されます。手動スケジュールの場合、サマリータスクの期間は、ユーザーが入力した値になります。

最大値

	タスク名	期間	開始日	終了日
1	◢企画	30日	19/10/01	19/11/11
2	実行委員会結成	5日	19/10/01	19/10/07
3	コンセプト作成	5日	19/10/08	19/10/14
4	予算決定	5日	19/10/15	19/10/21
5	イベント内容作成	5日	19/10/22	19/10/28
6	スケジュール作成	10日	19/10/29	19/11/11
7	企画承認	0日	19/11/11	19/11/11
8	◢準備	40.25日	19/11/12	20/01/07
9	スタッフ確保	10日	19/11/12	19/11/25

タスクの作業時間を入力する

❶ ［ガントチャート］ビューで［期間］フィールドの先頭を右クリックし、表示されたメニューから［列の挿入］をクリックする。

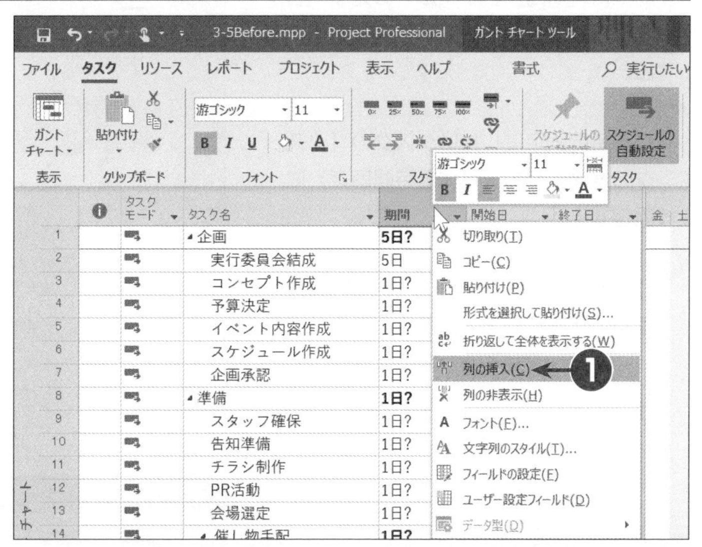

❷ 挿入された列の先頭の［列名の入力］の部分に「タスクの種類」と入力して Enter を押す。

➡［作業時間］フィールドの左側に［タスクの種類］列が挿入される。

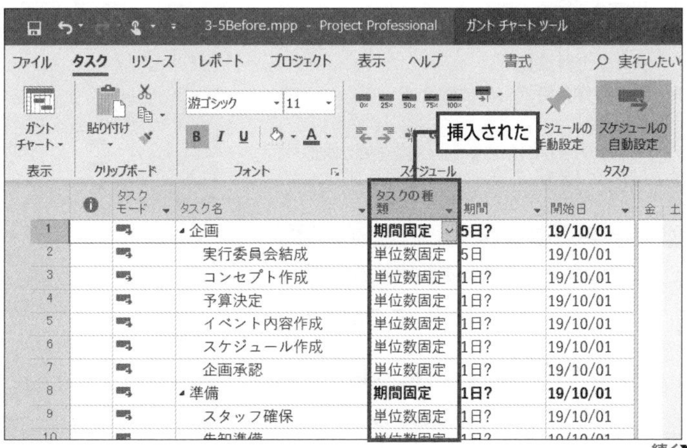

ヒント

作業時間と期間の違い

作業時間はタスクの完了に必要な工数です。人日/人月で表されるものに相当します。1日あたり8時間稼働のリソースが2人で5日稼働する必要がある場合、タスクの作業時間は80時間（10人日）となります。

8時間×5日×2人＝80時間（10人日）

期間はタスクの完了に必要な期間です。日数や週の数で表されます。上記と同条件のタスクの場合、タスクの期間は5日となります。

続く

❸ 同様に［期間］フィールドの先頭を右クリックし、［作業時間］列を追加する。

❹ 作業時間固定にしたいタスクの［タスクの種類］セルを［作業時間固定］に設定する。

❺ 作業時間固定のタスクの［作業時間］セルに作業時間を入力する。

ヒント

作業時間固定のタスクに作業時間を入力する

作業時間固定のタスクに作業時間の見積もりを入力しても、リソースを割り当てていない場合は、期間が計算されません。リソースを割り当てると、期間が計算されます。

タスクの種類

タスクの種類とは、タスクの計算の際にどのフィールドの値を固定して行うかを決めるための設定です。［単位数固定］［期間固定］［作業時間固定］の3種類があります。［単位数］［期間］［作業時間］は、タスクの計算を行うための3要素で、Projectのタスクの計算は、以下の式に基づいて行われます。

タスクの計算式：
期間＝作業時間÷単位数

＊単位数とは、リソースのマンパワーを表し、タスクの計算時には1日あたりの稼働可能な時間数になります。

参照

既定のタスクの種類を設定するには
この章の6

タスクの種類について詳しくは
この章の6のコラム

既定のタスクの種類を設定するには

Projectのタスクの計算は、［単位数］［期間］［作業時間］の3つのフィールドからなるタスクの計算式に基づいて行われます。「タスクの種類」とは、タスクの計算の際にこれらのどのフィールドの値を固定して行うかを決めるための設定で、［単位数固定］［期間固定］［作業時間固定］の3種類があります。この設定によって、タスクに複数のリソースを割り当てたときやタスクの実績を入力したときに、タスクの期間や時間をどのように再計算するか決まってきます。タスクを追加すると、既定のタスクの種類に従って、自動的に個々のタスクに設定されます。プロジェクトの性質を考慮して、既定のタスクの種類を設定しましょう。

既定のタスクの種類を設定する

❶ ［ファイル］タブの［オプション］をクリックする。

➡［Projectのオプション］ダイアログが開く。

❷ ［スケジュール］をクリックする。

❸ ［次のプロジェクトのスケジュールオプション］の［既定のタスクの種類］の▼をクリックして、適用するタスクの種類を選択する。

❹ ［OK］をクリックする。

➡［Projectのオプション］ダイアログが閉じる。

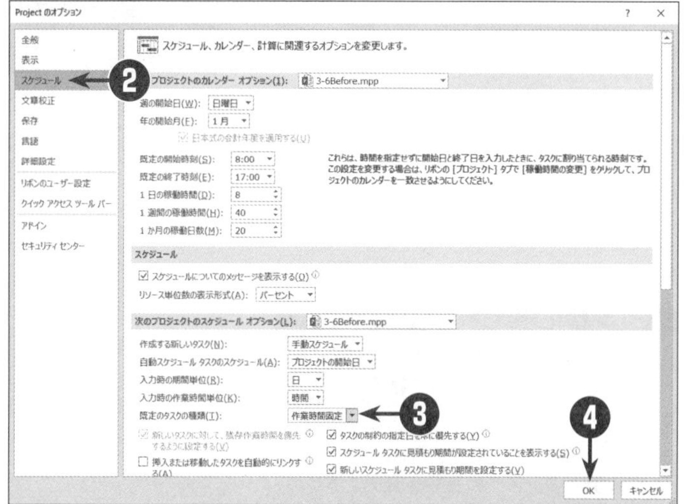

設定内容を確認する

❶

テーブルの［タスク名］をクリックし、タスク名を入力し、自動スケジュールのタスクを作成する。

➡テーブルに［タスクの種類］列が追加されている場合は、列のセルにタスクの種類が表示される。

❷

入力したタスク名をダブルクリックする。

➡［タスク情報］ダイアログが表示される。

❸

［詳細］タブをクリックする。

❹

［タスクの種類］に先ほど設定したタスクの種類が表示されていることを確認する。

❺

［キャンセル］をクリックして［タスク情報］ダイアログを閉じる。

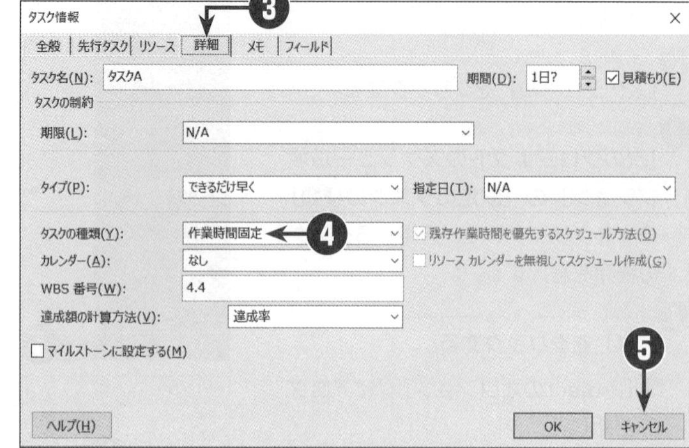

ヒント

既定のタスクの種類は変更後に作成したタスクに適用される

既定のタスクの種類を変更しても、既に作成済みのタスクには適用されません。作成済みのタスクの種類を変更するには、このページで紹介している方法で行ってください。

Projectの活用のキモとなる タスクの見積もり方法による計算の違い

タスクの見積もりを行うには、[期間] もしくは [作業時間] に値を入力します。基本的には、[期間] で見積もりする場合はタスクの種類を [期間固定] に、[作業時間] で行う場合は [作業時間固定] を使用すると考えましょう。

[期間固定] は、「塗装の乾燥」のような、リソースを追加投入しても期間を短縮することはできない性質のタスクに使用します。一方、[作業時間固定] は、「製品の梱包」のような、リソース（人や機械）を追加投入することで期間を短縮できる類のものに使用します。

タスクの種類には [単位数固定] [期間固定] [作業時間固定] の3種類があります。自動スケジュールのタスクのみ設定することができ、これによってタスクの計算の際に固定される対象が変わります。ちなみに手動スケジュールのタスクの場合は、[期間固定] と同じと考えてください。

ここで、Projectを使用する上で非常に重要である「タスクの計算式」について見てみましょう。タスクは常に以下の式に基づいて計算されます。

タスクの計算式：
期間＝作業時間÷単位数（リソースの稼働時間/日）
＊単位数＝リソースのマンパワーの割合
（%もしくは小数点で表される割合。実質的には1日8時間の稼働であれば100%稼働で8時間を表す）

つまり、タスクの種類とは、この計算式の3要素のうちどれを固定して計算を行うかを決定するためのものと言えます。それぞれのタスクの種類の特徴は以下のようになります。

単位数固定

単位数とは、タスクに割り当てられた担当者が、そのタスクに対して割くマンパワーの割合のことです。リソースの負荷を一定に保ちたいタスクに使用します。[単位数固定] の場合は、期間を変更すると作業時間が再計算され、作業時間を変更すると期間が再計算されます。既定では [単位数固定] が設定されています。

期間固定

主に決められた期間が必要になるタスクに使用します。たとえば、壁を塗装した後、乾燥させるまで一定の期間が必要、といったタスクに使用するとよいでしょう。[期間固定] の場合は、単位数を変更すると作業時間が再計算され、作業時間を変更すると単位数が再計算されます。

作業時間固定

主に作業の工数を見積もることができるタスクに使用します。たとえば、工事現場の足場の組み立てに40時間が必要、といったタスクに使用するとよいでしょう。[作業時間固定] の場合は、単位数を変更すると期間が再計算され、期間を変更すると単位数が再計算されます。

残存作業時間を優先するスケジュール方法とは

「残存作業時間を優先するスケジュール方法」とは、「タスクの種類で固定されている要素に加えて、作業時間も固定する」という機能です。具体的には、タスクにリソースを追加割り当てすると、作業時間を固定して計算します。したがって、[作業時間固定] の場合には、必ず有効になります。[期間固定] で有効の場合、[期間] と [作業時間] の両方が固定されます。[単位数固定] で有効の場合、[単位数] と [作業時間] の両方が固定されます。

そのため、[期間固定] と [単位数固定] のタスクでは、プロジェクト計画作成時は「残存作業時間を優先するスケジュール方法」を無効にしておくことをお勧めします。プロジェクト開始後、進捗管理を行う際に必要に応じて、このオプションを有効にする方がよいでしょう。

具体的に再計算の例で確認しましょう。

続く→

①リソースを追加して再計算する場合

［単位数固定］および［期間固定］に設定したタスクに、リソース「Aさん」を割り当てます。「1日8時間×5日＝40時間」のタスクです（リソース追加前）。同じ設定のタスクに、リソース「Bさん」を追加します（リソース追加後）。

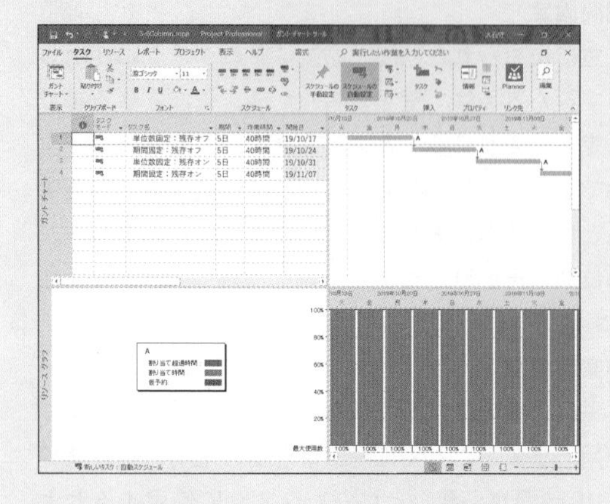

再計算の結果は次のとおりです。

［残存作業時間を優先するスケジュール方法］が無効の場合

- ［単位数固定］では、Aさんの作業は1日の単位数が8時間に固定されています。Bさんが追加で割り当てられたため、その分の作業時間40時間が上積みされ、倍の80時間に増加します。
- ［期間固定］では、必ず5日の期間をかけて行います。［単位数固定］の場合と同様に、Bさんが追加で割り当てされた分の作業時間40時間が上積みされ、倍の80時間に増加します。

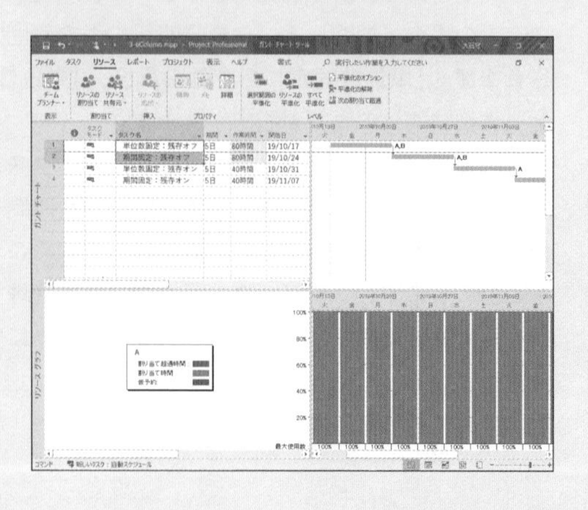

［残存作業時間を優先するスケジュール方法］が有効の場合

- ［単位数固定］では、Aさんの作業は1日の単位数が8時間に固定されます。加えて、作業時間も固定されるため、残りの要素である期間が変更されます。Bさんと2人で作業を分け合う形になるので、期間が5日から半分の2.5日に短縮されます。
- ［期間固定］では、必ず5日の期間をかけて行います。加えて、作業時間も固定されるため、残りの要素である単位数が変更されます。リソースが2倍になったので、タスク期間中のリソースの最大使用数が100%から半分の50%に軽減されます。

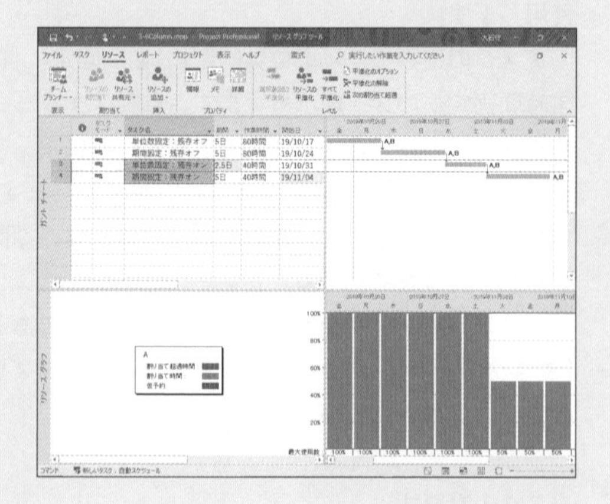

> **注意**
>
> **［リソースの割り当て］ダイアログでの単位数の表示について**
>
> ［期間固定］で［残存作業時間を優先するスケジュール方法］が有効のタスクに、リソースを追加で割り当てる際、［リソースの割り当て］ダイアログの［単位数］の値は100%のまま変更されません。しかし、実際の割り当ての比率は変更されています。リソースグラフなどで、［割り当て率］や［最大使用数］で確認することができます。

②実績作業時間を入力して再計算する場合

実績作業時間を入力した際の動作も確認しましょう。［単位数固定］［期間固定］［作業時間固定］に設定した3タスクに、リソース「Aさん」を割り当てます。「1日8時間×3日＝24時間」のタスクです。

［タスク配分状況］ビューで、タスクの実績作業時間を1日目と2日目にそれぞれ「4時間」と入力します。

再計算の結果は次のとおりです（［残存作業時間を優先するスケジュール方法］は有効/無効で同じ動作になります）。

- ［単位数固定］では、1日の単位数が8時間に固定されていますので、1日目と2日目に不足した作業時間の合計8時間は4日目にスケジューリングされ、期間が3日から4日に変更されました。

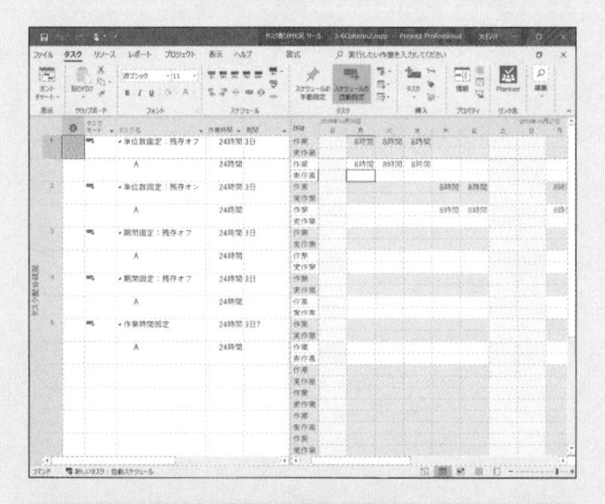

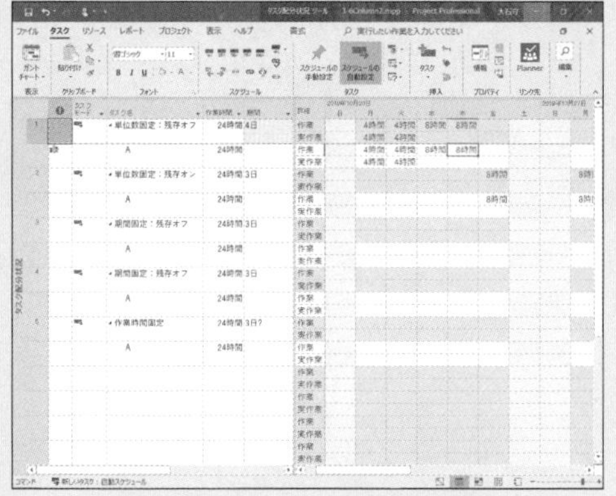

- ［作業時間固定］では、タスクの作業時間が24時間に固定されていますので、1日目と2日目に不足した作業時間の合計8時間は4日目にスケジューリングされ、期間が3日から4日に変更されました。

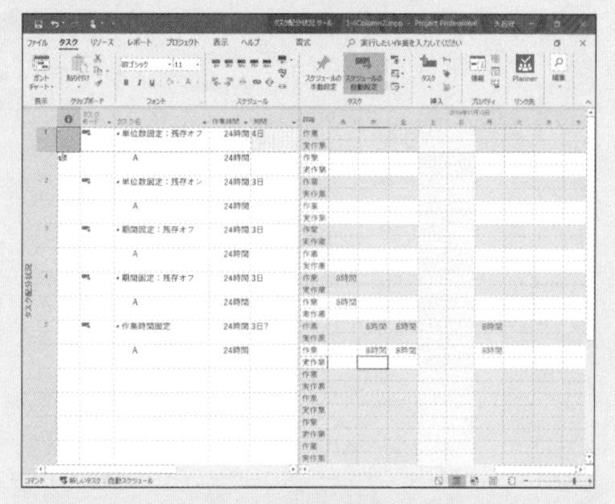

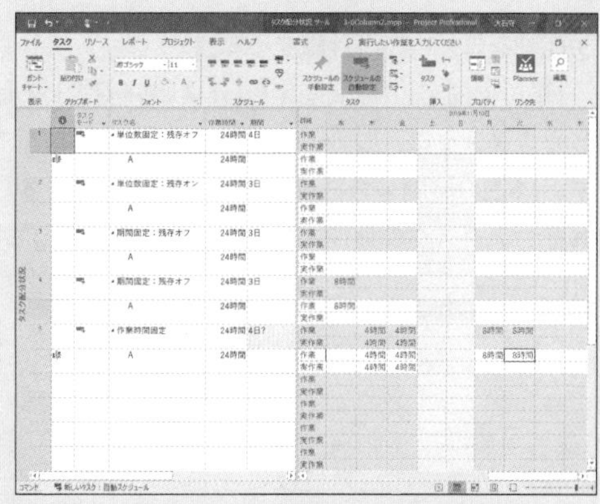

- ［期間固定］では、必ず3日間で終わらせなければならないため、1日目と2日目に不足した作業時間の合計8時間は、3日目にスケジューリングされ、3日目の作業時間は16時間に変更されました。

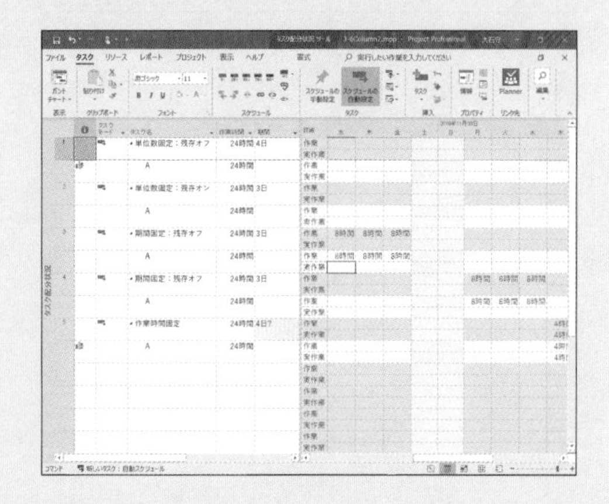

続く→

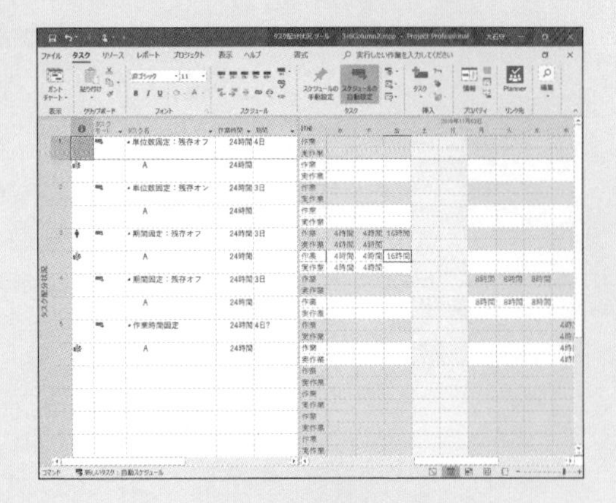

③期間を延長して再計算する場合

［単位数固定］［期間固定］［作業時間固定］に設定した3タスクに、リソース「Aさん」を割り当てます。「1日8時間×3日＝24時間」のタスクです。それぞれのタスクの期間を3日から5日に変更します。

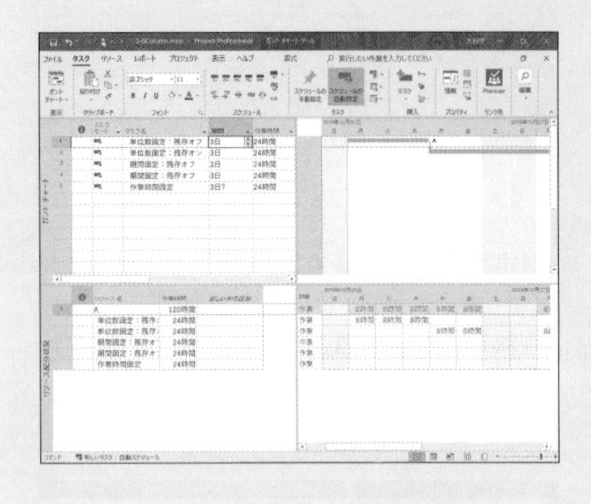

再計算の結果は次のとおりです。

- ［単位数固定］では、作業時間が40時間に延長されました。
- ［期間固定］では、作業時間が40時間に延長されました。
- ［作業時間固定］では、タスクの作業時間が24時間に固定されているので、リソース「Aさん」の単位数が100%から60%に変更されました。

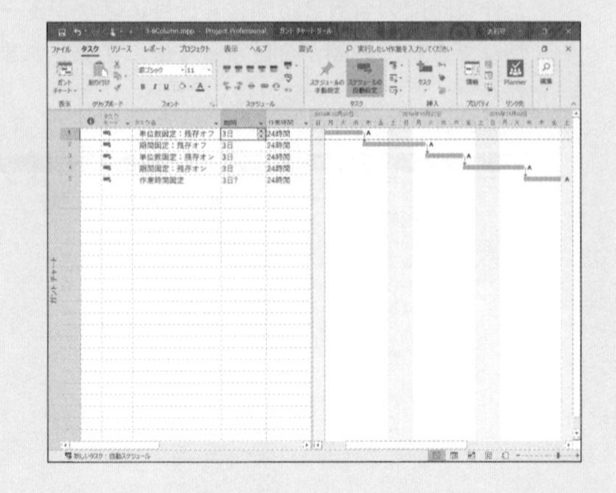

7 マイルストーンを作成するには

「マイルストーン」とは、プロジェクトの工程で遅延の許されないような重要な節目や区切りのことを意味します。マイルストーンの進捗状況を重点的に監視し、その達成度合いに応じてプロジェクト計画の修正を行いながらプロジェクトのマネジメントを行います。Projectにおけるマイルストーンは、一般的に上記の性質を持った期間が0のタスクを意味します。ガントチャート上で、マイルストーンはひし形◆で表示されます。

マイルストーンを設定する

1 [タスク] タブの [表示] の [ガントチャート] ボタンの▼をクリックし、[ガントチャート] をクリックする。

2 [タスク名]フィールドのマイルストーンを入力する位置にあるセルを選択する。

3 [タスク] タブの [挿入] の [マイルストーン] をクリックする。

➡マイルストーンが挿入され、[<新しいマイルストーン>] と表示される。

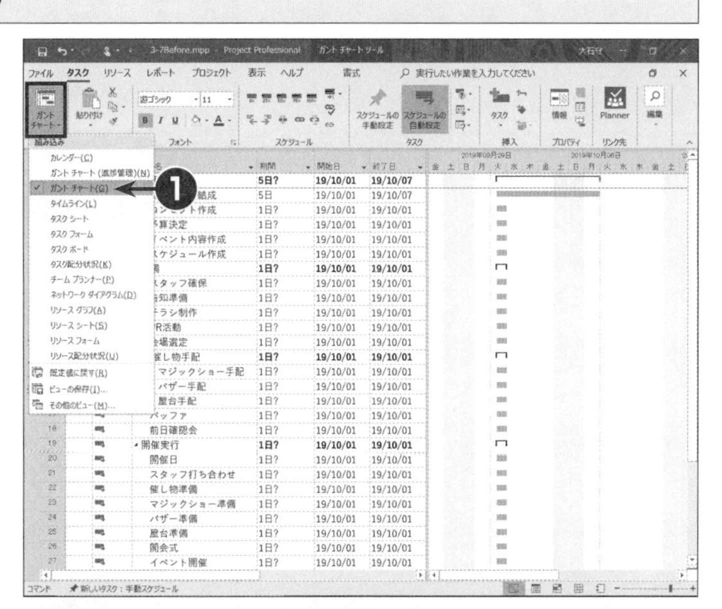

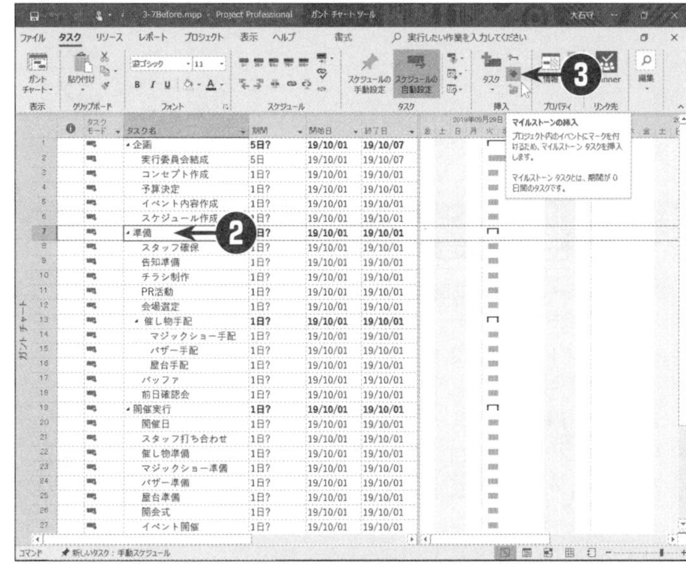

用語

マイルストーン

プロジェクトの重要な区切りに付ける目印のこと。プロジェクトの進捗を管理する際の重要な目安となります。たとえば、作業完了や成果物の完成などがマイルストーンになります。Projectでは、期間が「0」のタスクがマイルストーンになります。

❹ マイルストーンの名前を入力し、Enterを押す。

❺ 必要に応じて、［開始日］を設定する。

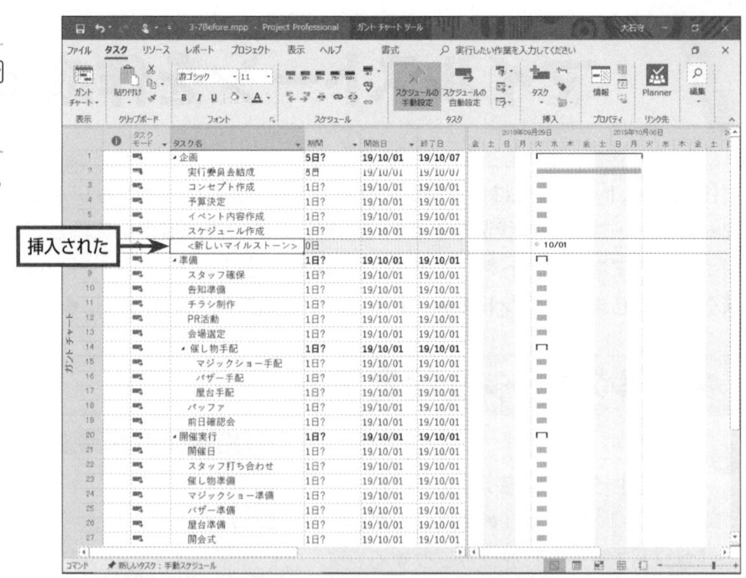

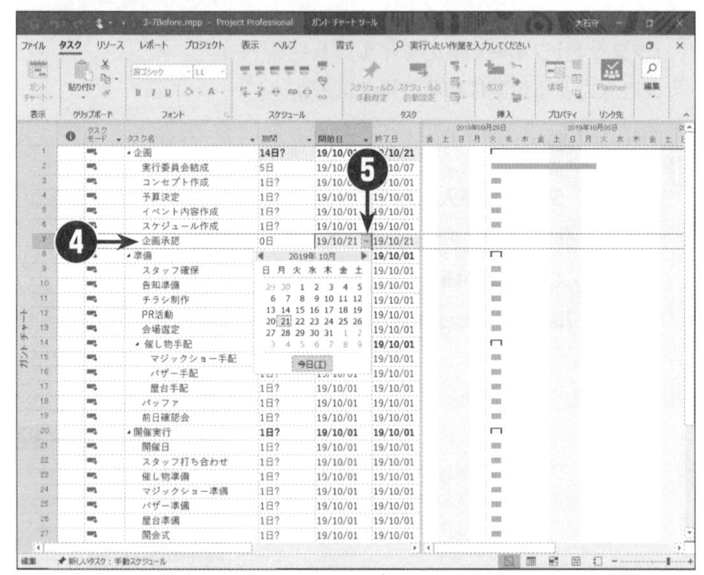

ヒント

マイルストーンを設定する他の方法

マイルストーンは通常［期間］を［0］にして設定しますが、次の手順でもマイルストーンを設定できます。

❶マイルストーンに設定するタスクのタスク名をダブルクリックする。

❷［タスク情報］ダイアログで［詳細］タブをクリックする。

❸［マイルストーンに設定する］にチェックを入れる。

❹［OK］をクリックする。

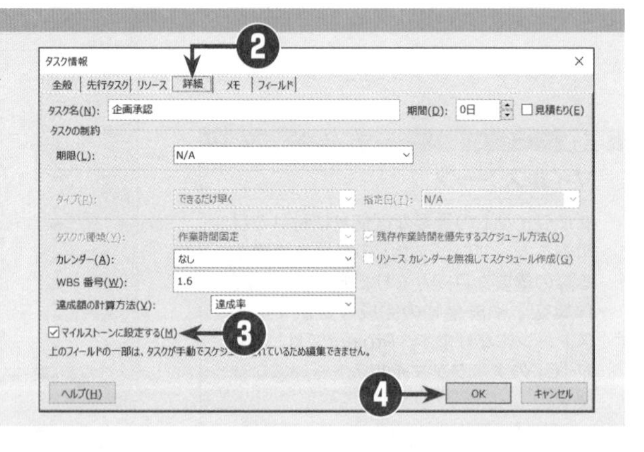

マイルストーンの色や形を変える

1. ガントチャート上を右クリックし、［バーのスタイル］をクリックする。
2. ［バーのスタイル］ダイアログで、［マイルストーン］を選択する。
3. ［バーの形］タブをクリックする。
4. ［左端］の［形状］の▼をクリックし、形状を変更する。
5. ［左端］の［色］の▼をクリックし、色を変更する。
6. ［OK］をクリックする。

　➡マイルストーンが指定した色と形に変わる。

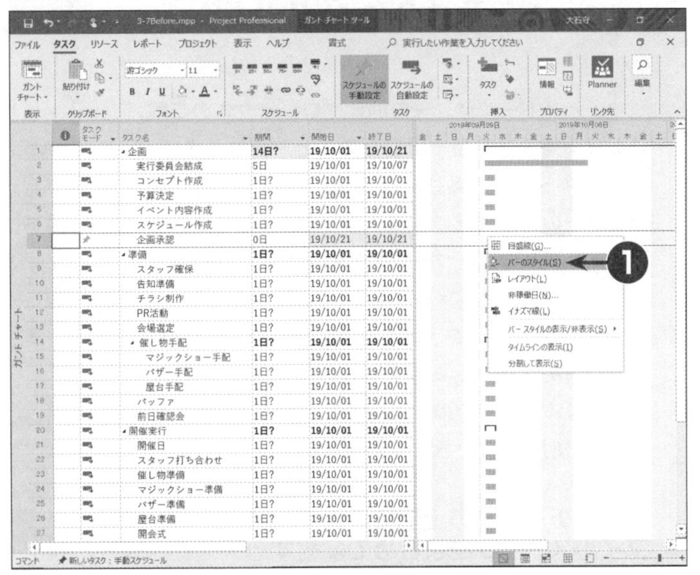

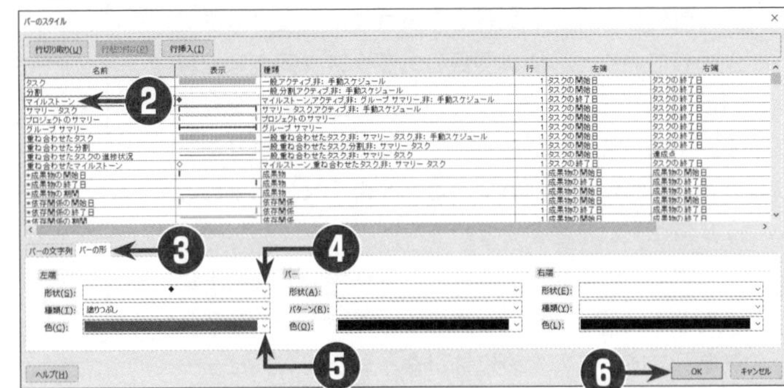

注意

マイルストーンのスタイル

マイルストーンには、自動スケジュール用と手動スケジュール用の2種類の定義があります。スタイルを変更する場合、それぞれに対して設定を行う必要があります。

マイルストーンの使い方

マイルストーンは、一般的にプロジェクトの工程における重要な節目や区切りのことを意味します。マイルストーンを区切りとして、それまでのプロジェクトの進捗状況や達成度合いを評価します。必要に応じてプロジェクト計画の修正を行いながらプロジェクトのマネジメントを行います。

マイルストーンをうまく活用することで、プロジェクトのスケジュールを管理しやすくなります。ここでは、そのためのマイルストーンのさまざまな使い方の例を見ていきましょう。

ガントチャートの上部にマイルストーンをまとめて配置する

一般的にタスクを実行する流れに沿ってタスクを作成していくと、依存関係のあるタスク同士は比較的近くに配置されることになることが多くなります。マイルストーンについても同様です。クリティカルパスの流れを把握することを考えれば、そのほうが望ましいと言えます。

一方で、主要なマイルストーンについては、上部にまとめて表示し把握しやすくしたいというニーズがあります。このためには、[タイムライン] ビューを使用するのが一般的な方法です。しかし、報告用に1枚の用紙に印刷したい場合は、ガントチャート上にマイルストーンの情報をまとめておく必要があります。この場合、表示上の目的のマイルストーンを作成し、ガントチャートの上部にまとめて表示するとよいでしょう。この場合は、マイルストーンを手動スケジュールのタスクとして作成すると便利です。

❶マイルストーンをまとめるサマリータスクを作成する。

❷表示したいマイルストーンをサマリータスクの階層下に手動スケジュールのタスクとして作成する。

❸マイルストーンをダブルクリックし、[タスク情報] ダイアログの [詳細] タブで [重ね合わせ] にチェックを入れる。

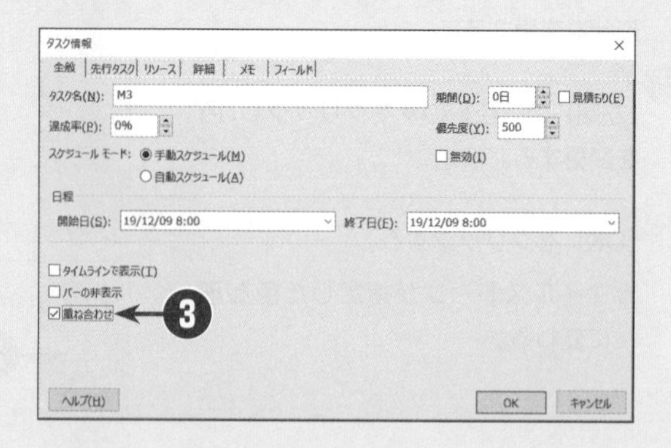

❹サマリータスクをダブルクリックし、[タスク情報] ダイアログの [詳細] タブで [バーの非表示] にチェックを入れる。

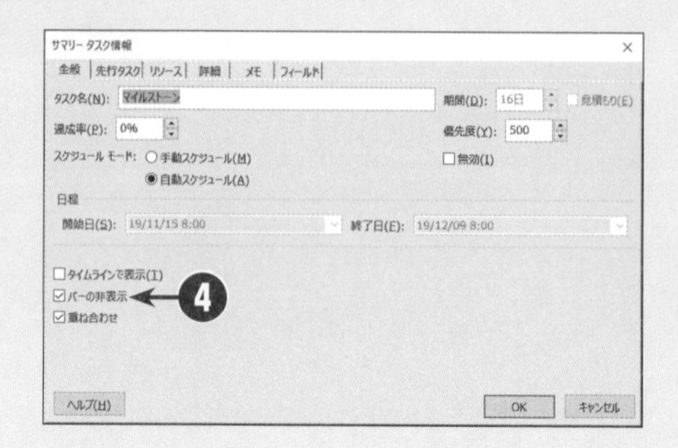

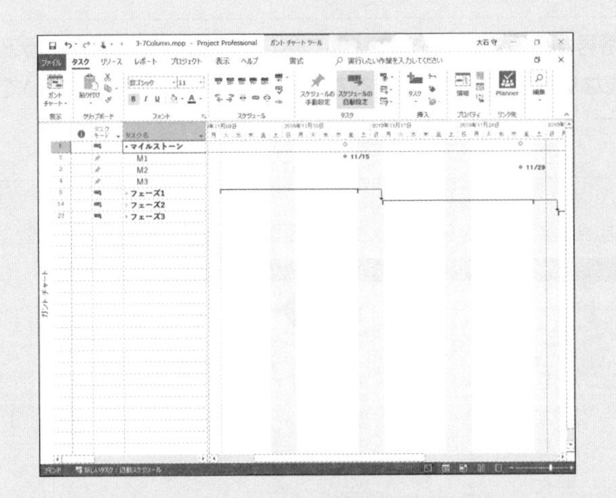

節目や区切りの目印としての活用

クリティカルパスの計算を行うには、基本的にすべてのタスクに依存関係が設定されている必要があります。プロジェクトを実施するうえで必要なタスクである以上、他のタスクと何らかの依存関係が発生しているはずです。その意味では、マイルストーンもその中のどこかに入ってくることになります。

たとえば、プロジェクトに複数のフェーズがある場合、フェーズ内のすべてのタスクが完了した時点で、フェーズが完了します。その際、フェーズの完了を表すためにマイルストーンを最後に配置することがよくあります。

すべてのタスクの完了がマイルストーンに収束されるように依存関係を設定することで、マイルストーンの完了がフェーズ内のすべての完了と一致することになります。

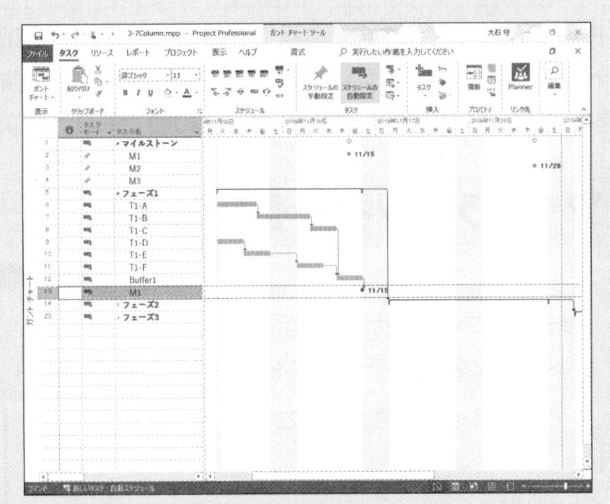

さらにマイルストーンの先行タスクとしてバッファータスクを配置すると、フェーズ内のタスクに遅延が発生した際に遅れを吸収する余裕を持たせることができます。あらかじめバッファーを用意しておくことで、遅延にリスクを軽減できるため、非常に有効な方法です。

8 アウトライン番号を表示するには

Projectでは、WBSの階層構造を表す目的で2種類の番号が用意されています。1つは、数字のみで構成されるアウトライン番号で、もう1つはユーザーが独自に設定可能なWBS番号です。ここでは、アウトライン番号について解説します。WBS番号については、次の節で取り上げます。

アウトライン番号を表示する

1. [書式] タブの [表示/非表示] の [アウトライン番号]にチェックを入れる。

➡アウトライン番号が表示される。

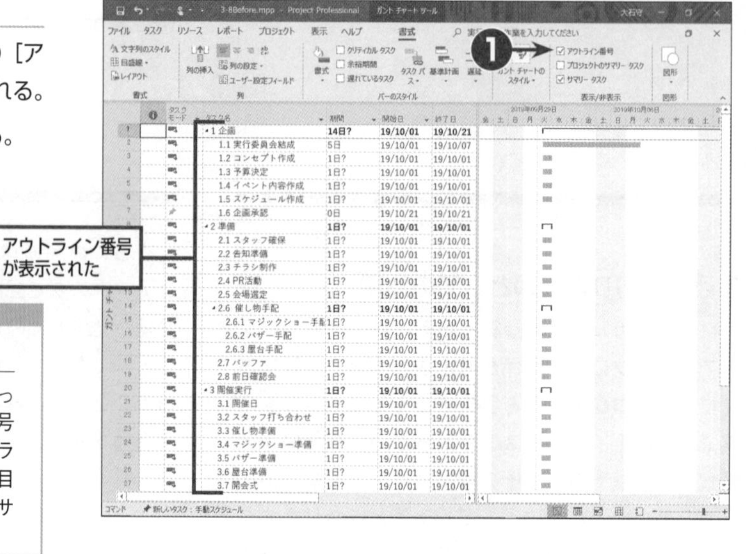

用語

アウトライン番号

アウトライン番号とは、階層構造になっているタスクの正確な位置を示す番号です。たとえば、「7.2」というアウトライン番号が付いているタスクは、7番目の最上位サマリーに含まれる2番目のサブタスクになります。

アウトライン番号をフィールドに表示する

1. アウトライン番号を挿入する列を選択し、右クリックして [列の挿入] をクリックする。

➡新しい列が挿入される。

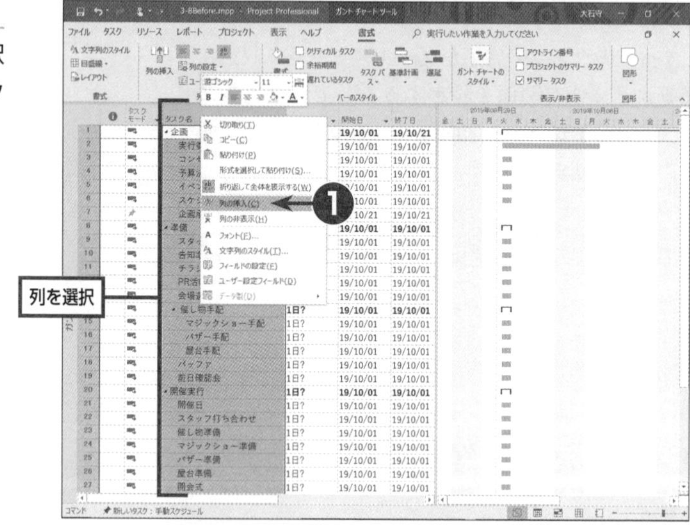

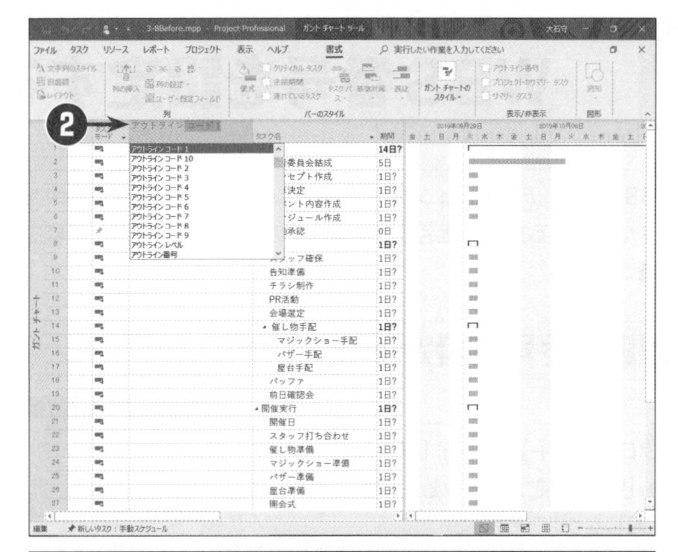

2

挿入された列の先頭の［列名の入力］の部分に「アウトライン」と入力する。

➡「アウトライン」で始まるフィールド名の一覧が表示される。

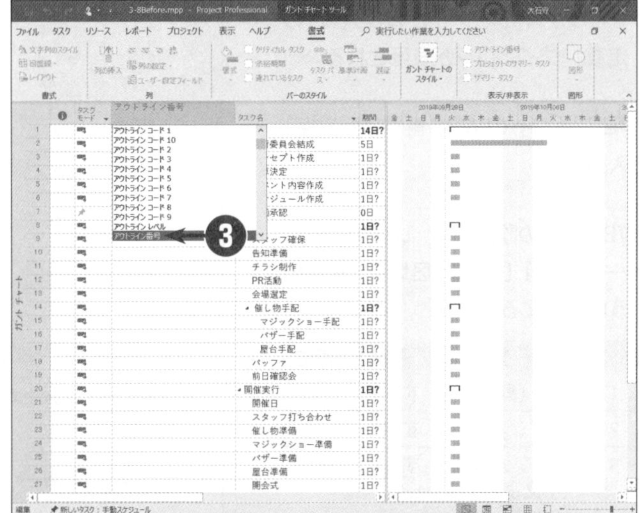

3

一覧から［アウトライン番号］をクリックする。

➡［アウトライン番号］フィールドが追加される。

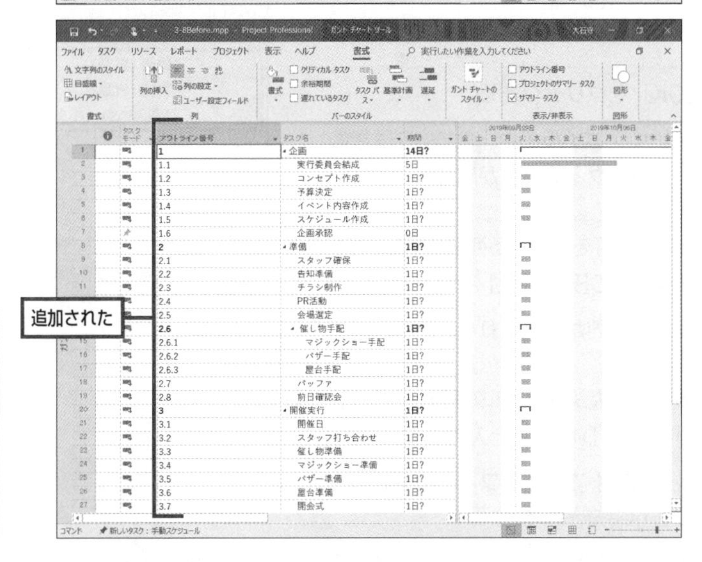

ヒント

アウトライン番号は自動で再付番される

タスクの階層構造を表すアウトライン番号は、タスクの追加や削除、レベルの上げ下げに伴って、常に自動で再付番されます。

9 WBS番号を設定するには

WBS番号は、アウトライン番号とは異なり、アルファベットの大文字や小文字、数字が使用できます。また、WBSのレベルを区切る文字も指定できます。この機能を使用して、組織独自のルールに則ったWBS番号を作成することが可能です。

WBS番号を設定する

❶ ［プロジェクト］タブの［プロパティ］の［WBS］をクリックし、［コードの定義］をクリックする。

➡ ['＜ファイル名＞' のWBS番号の定義］ダイアログが表示される。

❷ ［プロジェクトのWBS番号接頭文字］を入力する。

❸ ［WBS番号の設定］で、レベルごとに［シーケンス］［長さ］［区切り］を次のように設定する。

レベル	シーケンス	長さ	区切り
1	数値（昇順）	すべて	−
2	数値（昇順）	すべて	−
3	アルファベット（小文字）（abc順）	すべて	−

❹ ［OK］をクリックする。

➡ ['＜ファイル名＞' のWBS番号の定義］ダイアログが閉じる。

❺ WBS番号を挿入する列を選択し、右クリックして[列の挿入]をクリックする。

➡ 新しい列が挿入される。

❻ 挿入された列の先頭の［列名の入力］の部分に「WBS」と入力する。

➡ 「WBS」で始まるフィールド名の一覧が表示される。

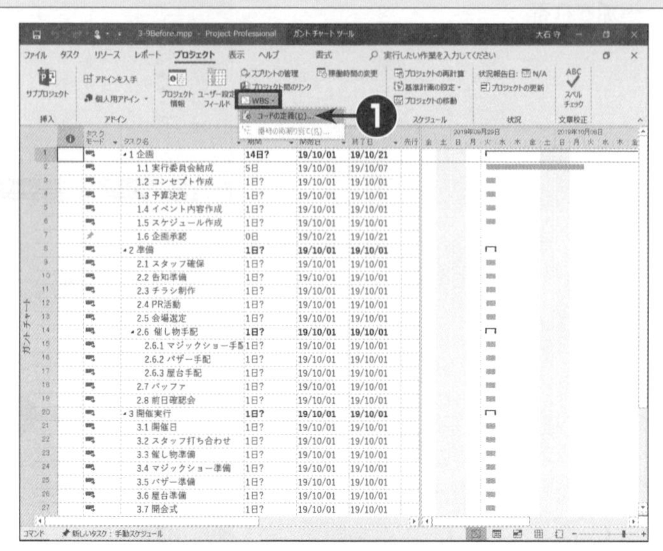

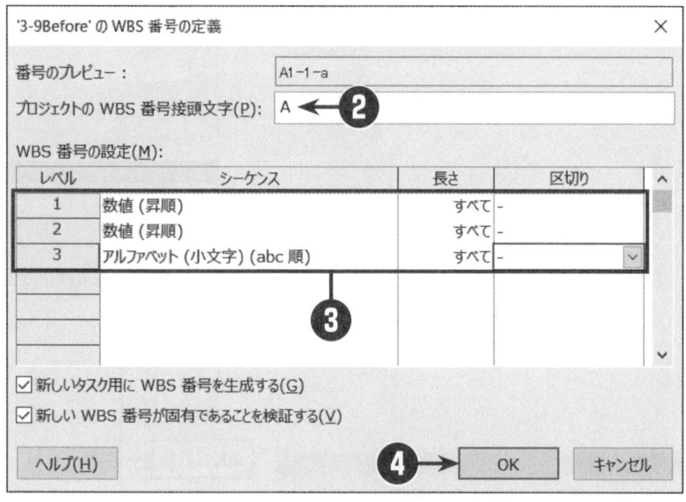

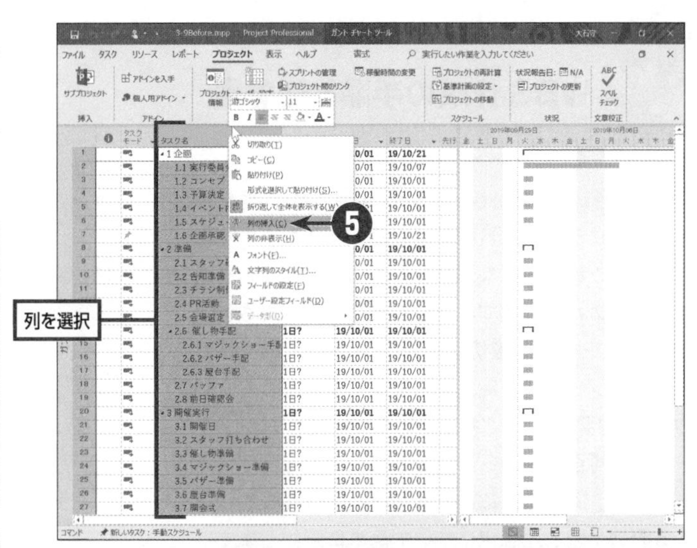

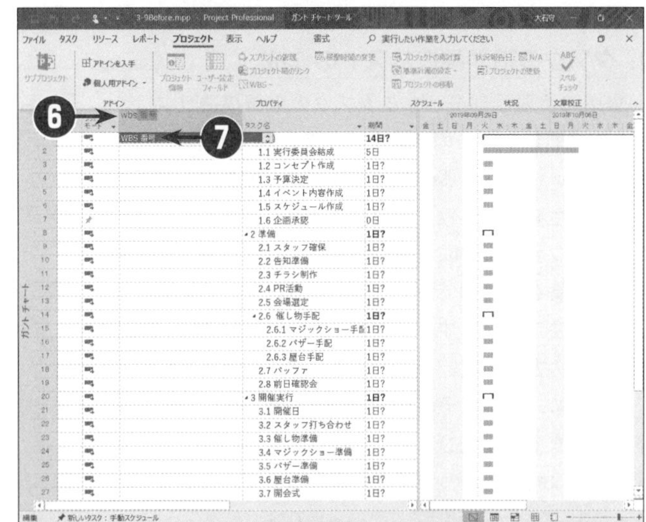

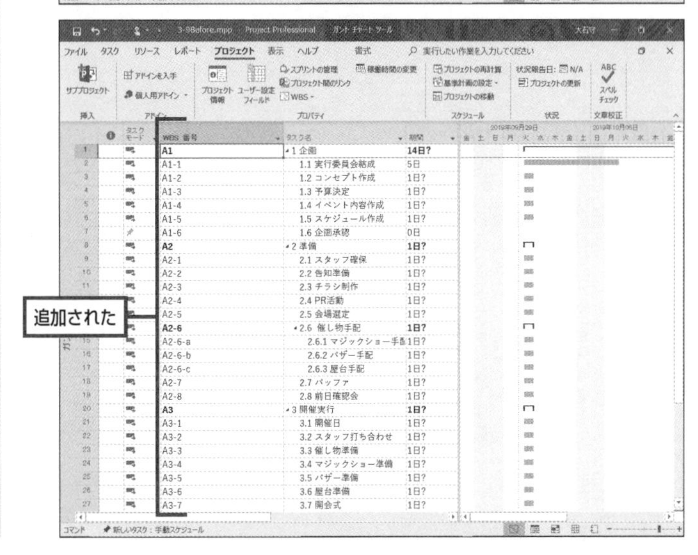

⑦
一覧から[WBS番号]をクリックする。

➡[WBS番号] フィールドが追加される。

用語

WBS（Work Breakdown Structure）

スケジュール報告またはコスト管理を行うために、タスクを整理する目的で使用される階層的構造。Projectでは、アウトライン番号、もしくはユーザーが独自に設定できるWBS番号を使用してWBSを表すことができます。

ヒント

タスク固有のID

プロジェクト情報を他のアプリケーションと連携させる場合、タスクに一度付与されたらずっと変更されない一意のインデックスが必要となる場合があります。Projectでは［固有ID］フィールドの値がこれに該当します。固有IDは、プロジェクト計画内での位置とは関係なく、作成された順番で付けられる番号です。

WBS番号を付け直す

タスクの移動、削除、並べ替えを行うと、ユーザー設定のWBS番号が連続的なものではなくなる場合があります。このような場合、次の手順でWBS番号を付け直すことができます。

❶［プロジェクト］タブの［プロパティ］の［WBS］をクリックし、［番号の再割り当て］をクリックする。

❷［WBS番号の再割り当て］ダイアログで［WBS番号再割り当ての対象］の［選択したタスク］または［プロジェクト全体］をクリックする。

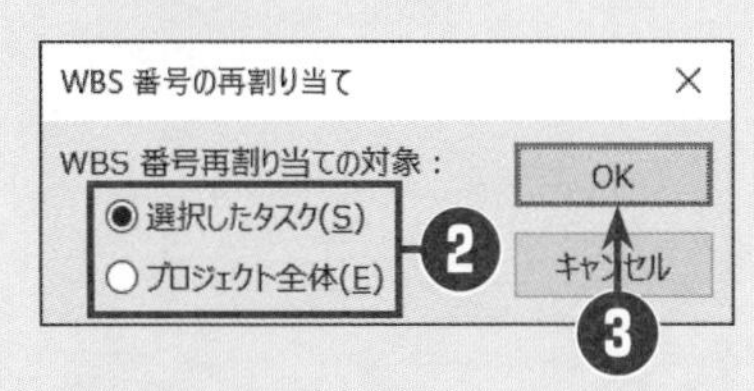

❸［OK］をクリックする。

❹警告のダイアログが表示された場合は［はい］をクリックする。

➡WBS番号が付け直される。

WBS作成の手順と注意点

WBS（Work Breakdown Structure）とは、簡単に言えばプロジェクト目標を達成し、必要な成果物を完成するために必要な作業をすべて列挙して階層構造にまとめたものです。つまり、ここで定義されている作業がすべて適切なタイミングで実施されれば、プロジェクトが完了するはずです。それぐらいWBSは重要なものであり、その精度にプロジェクト成功の可否がかかっていると言っても過言ではありません。そこで、ここではProjectでWBSを作成する際の手順と注意点について簡単に解説します。

1. タスクの階層構造リストの作成

WBSの主要な部分となるタスクの階層構造リストを作成します。このリストは作業に抜けや漏れ、重複がない状態にする必要があります。アプローチとして、主要な成果物を詳細なタスクに分解していく方法、フェーズや開発の工程といったプロセスに沿って作業を分解していく方法、さらにそれらを混合した方法があります。

いずれの方法を用いるにしても、まずは大きな括りから始め、実際にそのタスクの担当者が思い浮かぶレベルまで詳細化します。プロジェクトの規模や性質にもよりますが、管理や把握のしやすさという点から、一般的には3～5階層ぐらいまでが妥当です。

Projectでは、次の手順で階層構造リストを作成することができます。

①最上位レベルのタスクの入力
②第2階層以下のタスクの入力
③アウトラインレベルの設定

参照
プロジェクトの主要なタスクを入力するには
この章の1
詳細なタスクを作成するには
この章の2
タスクに階層（アウトライン）を設定するには
この章の4

2. タスクの見積もり

タスクの見積もりを行うには、実際にタスクを実施する担当者が見積もりを行う、過去の実績を参考にする、専門家に相談するなどのさまざまな手段があります。いずれにしても正確な見積もりを行うには、そのタスクに関する専門的な知識が必要です。

Projectでは、見積もりを行う対象に基づいて「タスクの種類」を選択し、主に最下層のサブタスクに見積もりの値を入力します。

見積もり対象	タスクの種類	見積もりの入力場所
期間	期間固定	[期間] 列
作業時間（工数）	作業時間固定	[作業時間] 列

＊ [作業時間固定] タスクの [作業時間] 列に見積もりを入力する場合、リソースを割り当てるまでは [期間] は計算されません。

参照
タスクに期間や作業時間の見積もりを入力するには
この章の5
タスクの見積もり方法による計算の違い
この章の6のコラム

3. タスクの依存関係の設定

依存関係とは、タスクを適切な順序と時期に実行する手順を決めるために使用します。タスクは必ず何かしら他のタスクと依存関係があると考えるのが自然です。依存関係を設定することによって、ProjectのCPM（クリティカルパスメソッド）のスケジュール計算を活用できます。これにより、どこかが変更されるとスケジュール全体に即座に反映されます。これを**ダイナミックスケジューリング**と呼んでいます。

依存関係で結ばれる2つのタスクは、先行タスクと後続タスクと呼ばれますが、そのまま順序を表すとは限りません。両者の関係において状況を支配している方が先行タスクになると考えるといいでしょう。

Projectでは、依存関係を設定する際には次の点に注意します。

- サマリータスクとサブタスクの間には依存関係を設定しない
- できる限り最下層のタスク間に依存関係を設定する
- 適切な依存タイプを設定する

参照
タスクの依存関係を設定するには
この章の10

10 タスクの依存関係を設定するには

Projectでは、タスク間の依存関係を「リンク」と呼んでいます。依存関係にある2つのタスクのうち、他のタスクのスケジュールに影響を与えるタスクを「先行タスク」、先行タスクのスケジュールの影響を受けるタスクを「後続タスク」と呼びます。クリティカルパスをはじめ、Projectのスケジュール計算の基本となる設定です。基本的にはすべてのタスクに依存関係を設定します。既定では、先行タスクが終了すると後続タスクを開始する「終了ー開始(FS)」という依存タイプが適用されますが、全部で4種類の依存タイプを設定できます。

リンクを設定する

❶ [ガントチャート]ビューで依存関係を設定するタスクを、先行タスク、後続タスクの順に選択する。

● 連続するタスクはShift、連続しないタスクはCtrlを押しながらクリックする。

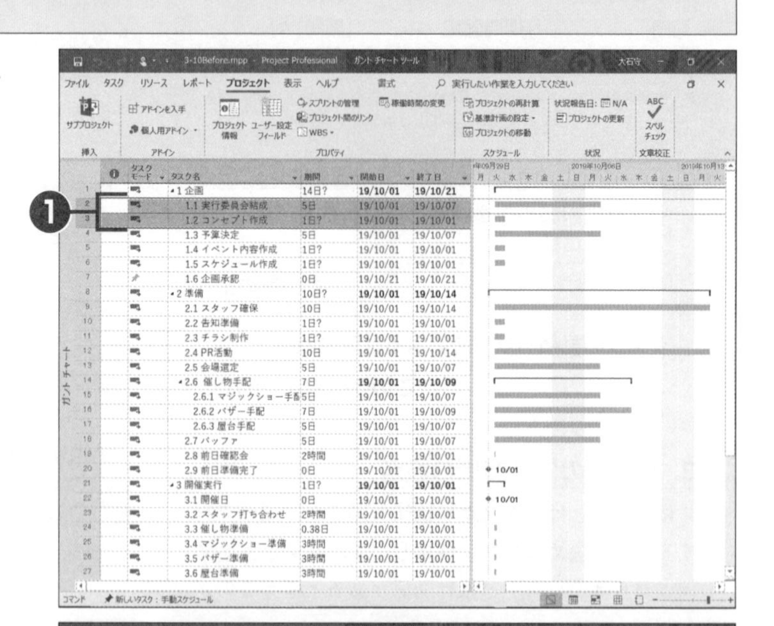

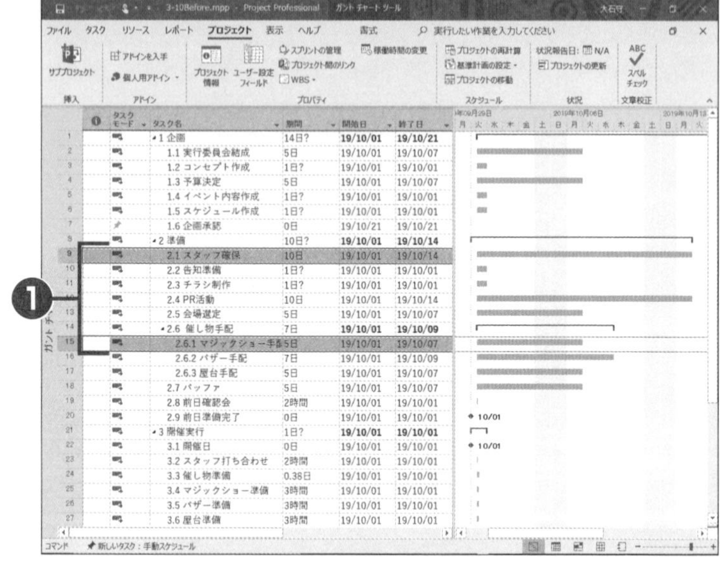

❷ ［タスク］タブの［スケジュール］の［タスクのリンク］をクリックする。

➡タスクの依存関係が設定される。

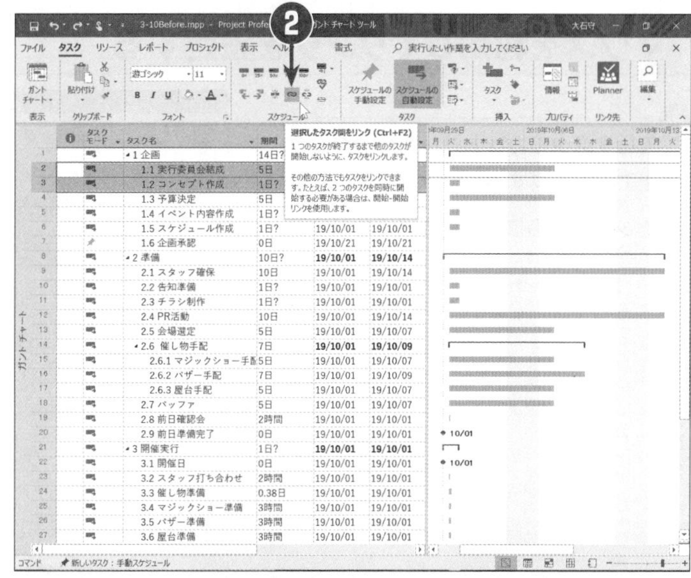

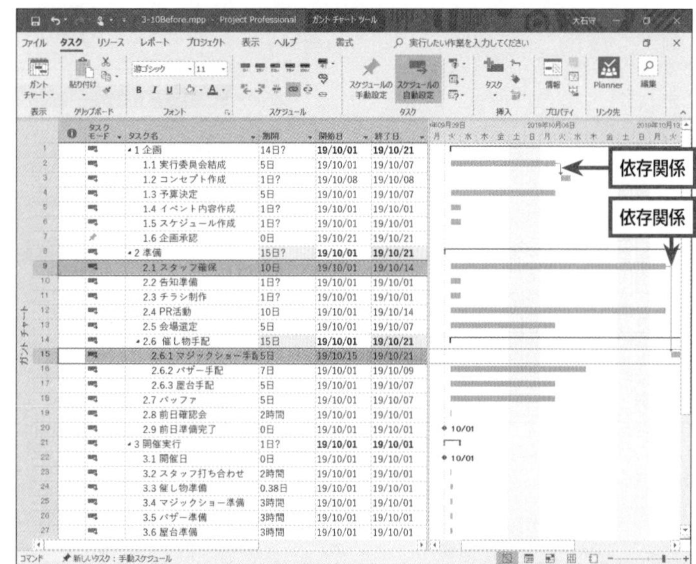

注意

タスクの順番

タスク名をクリックして選択する順番によって先行タスク、後続タスクが決定するので注意してください。たとえば、ID1のタスクをクリックした後、Ctrlを押しながらID3のタスクをクリックしてリンクを設定した場合は、ID1が先行タスク、ID3が後続タスクとなります。ID7 のタスクをクリックした後、Ctrlを押しながらID5のタスクをクリックしてリンクを設定した場合は、ID7が先行タスク、ID5が後続タスクとなります。

マウスを利用してリンクを設定する

❶ 先行タスクのガントバーを後続タスク上にドラッグする。

➡ タスク間の依存関係が設定される。

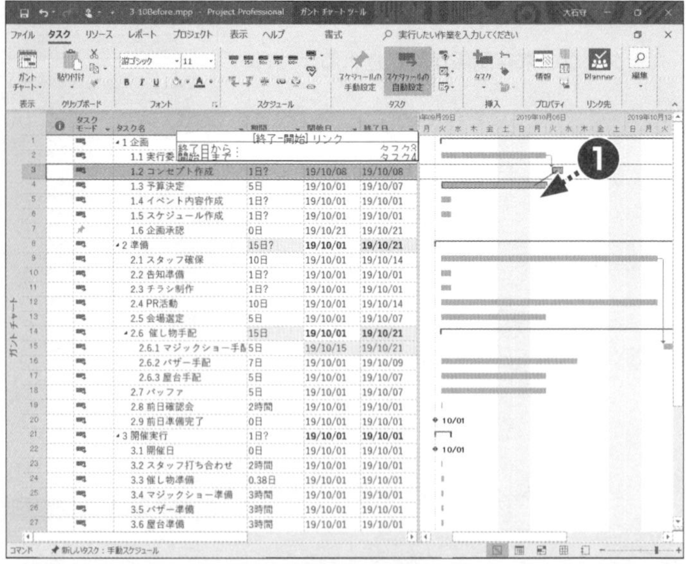

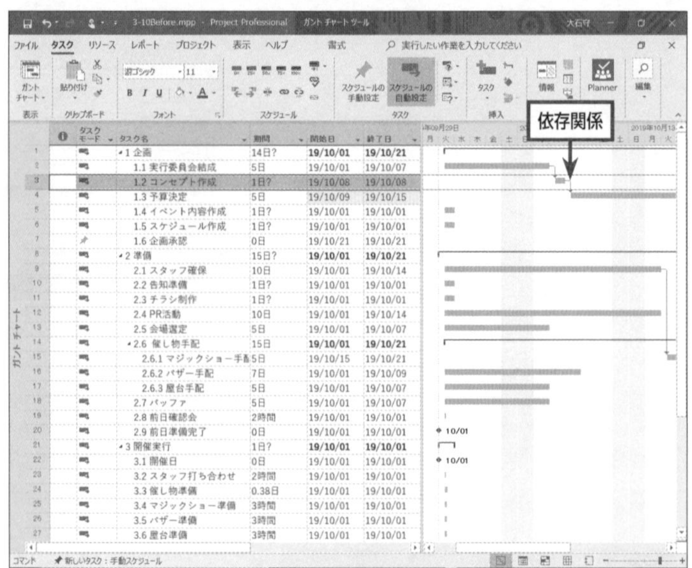

注意

マウスでリンクする際の注意点

先行タスクのガントバーから後続タスクのバー上ではなく空白部分にドラッグしてしまうと、後続タスクが新規作成されるので注意してください。

ドロップダウンリストでタスクをリンクする

❶ ［ガントチャート］ビューのテーブルで、依存関係を設定したいタスクの行の［先行タスク］列をクリックし、表示された▼をクリックする。

➡ ドロップダウンリストが表示され、タスクが階層構造で表示される。

❷ 先行タスクに設定したいタスクにチェックを入れ、リスト以外の場所をクリックする。

➡ タスク間の依存関係が設定される。

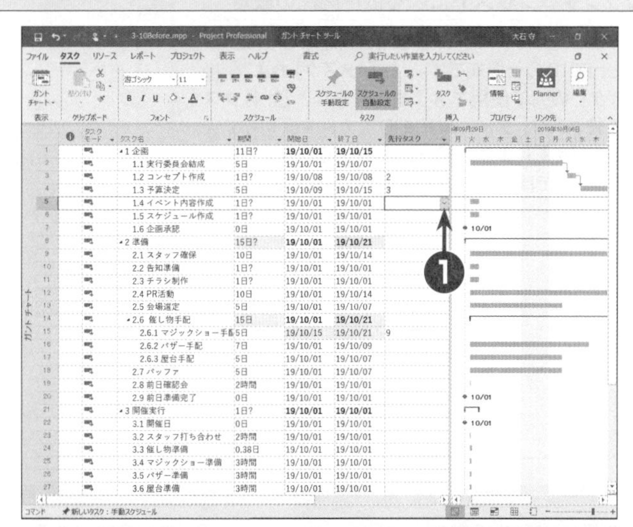

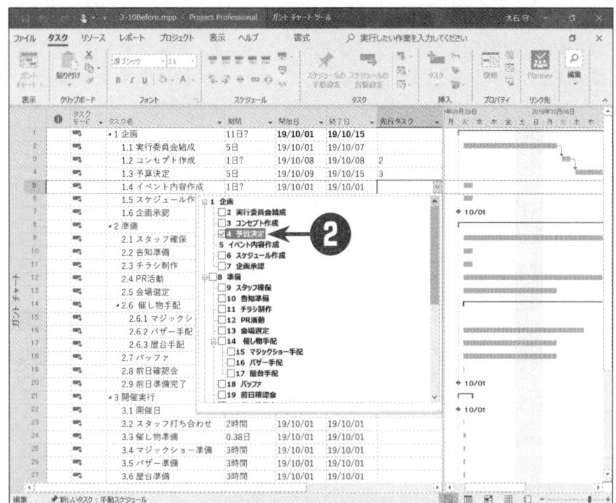

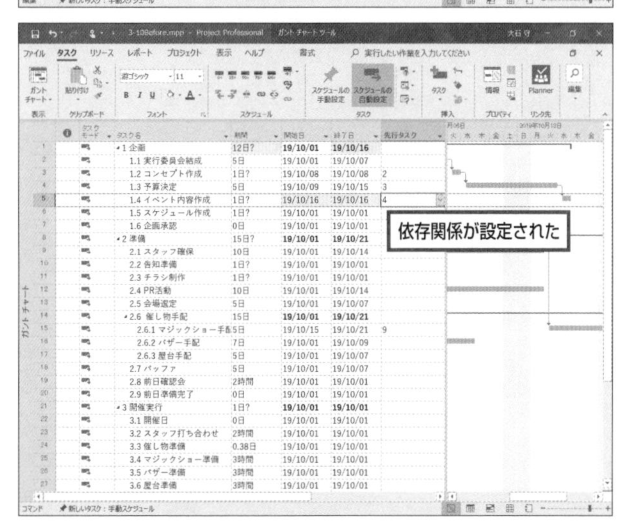

以前のOfficeからの変更点

ドロップダウンリストによる依存関係の設定

ドロップダウンリストによる依存関係の設定は、Project 2019の新機能です。［先行タスク］および［後続タスク］の列で使用できます。従来は、［先行タスク］［後続タスク］フィールドにIDをカンマ区切りで入力する必要がありましたが、ドロップダウンリストから選択することで簡単に入力できるようになりました。

タスク名	期間	開始日	終了日	先行タスク	後続タスク
1 企画	13日?	19/10/01	19/10/17		
1.1 実行委員会結成	5日	19/10/01	19/10/07		3
1.2 コンセプト作成	1日?	19/10/08	19/10/08	2	4
1.3 予算決定	5日	19/10/09	19/10/15	3	5
1.4 イベント内容作成	1日?	19/10/16	19/10/16	4	6
1.5 スケジュール作成	1日?	19/10/17	19/10/17	5	
1.6 企画承認	0日				
2 準備	15日?				
2.1 スタッフ確保	10日				
2.2 告知準備	1日?				
2.3 チラシ制作	1日?				
2.4 PR活動	10日				
2.5 会場選定	5日				
2.6 催し物手配	15日				
2.6.1 マジックショー手配	5日				
2.6.2 バザー手配	7日				
2.6.3 屋台手配	5日				
2.7 バッファ	5日				
2.8 前日確認会	2時間				
2.9 前日準備完了	0日				
3 開催実行	1日?				
3.1 開催日	0日				
3.2 スタッフ打ち合わせ	2時間				

1 企画
2 実行委員会結成
3 コンセプト作成
4 予算決定
5 イベント内容作成
6 スケジュール作成
7 企画承認
8 準備
9 スタッフ確保
10 告知準備
11 チラシ制作
12 PR活動
13 会場選定
14 催し物手配
15 マジックショー手配
16 バザー手配
17 屋台手配
18 バッファ
19 前日確認会

ヒント

依存関係に間隔を設定するには

タスク間の依存関係には、依存タイプに加えて間隔を設定することができます。

❶ガントチャートのバー同士を結んでいる依存関係の矢印線をダブルクリックする。

❷［タスクの依存関係］ダイアログの［間隔］に値を入力する。

❸［OK］をクリックする。

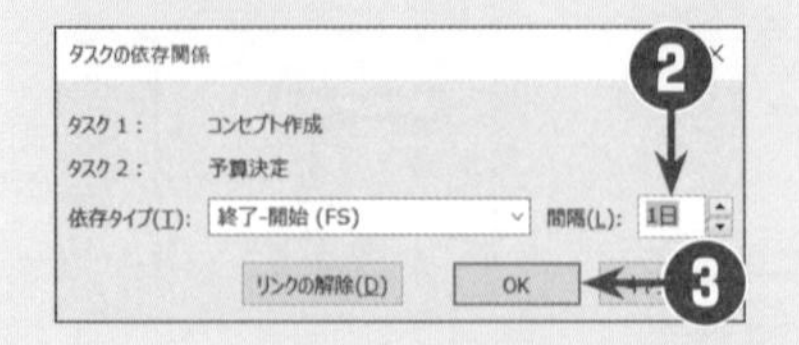

ヒント

リンクを解除するには

タスク名を選択し［タスク］の［スケジュール］の［タスクのリンク解除］をクリックします。

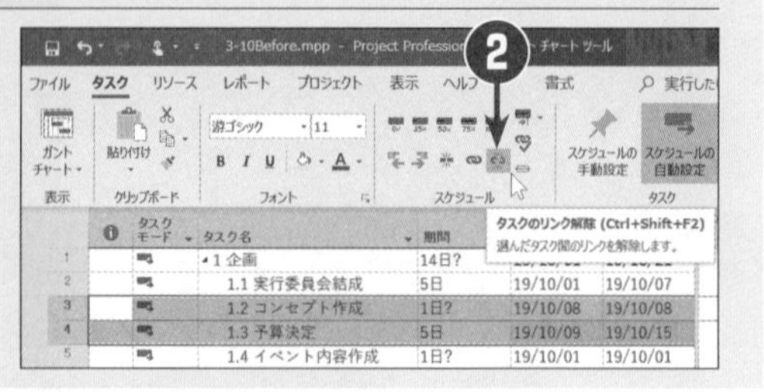

参照

タスクの依存関係を調整するには

第6章の5と6

依存タイプを変更する

1. [ガントチャート]ビューで依存関係を確認する後続タスクのタスク名をダブルクリックする。
2. [タスク情報] ダイアログで [先行タスク] タブをクリックする。
3. [依存タイプ]フィールドの▼をクリックして、依存タイプを変更する。
4. [OK] をクリックする。

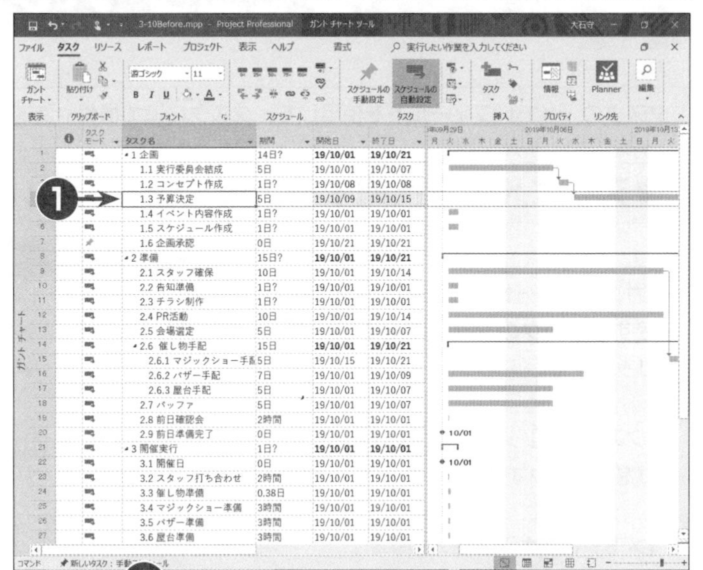

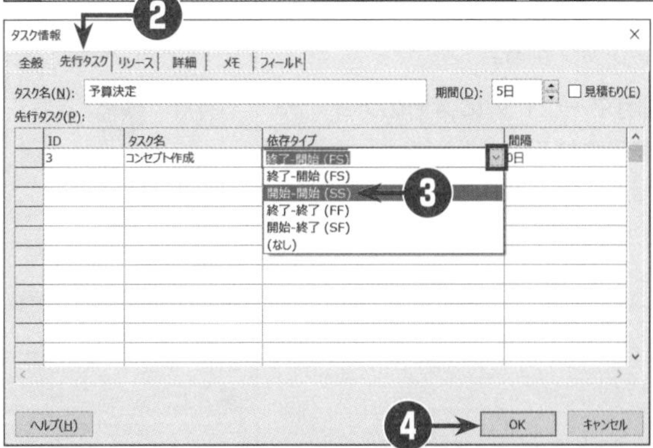

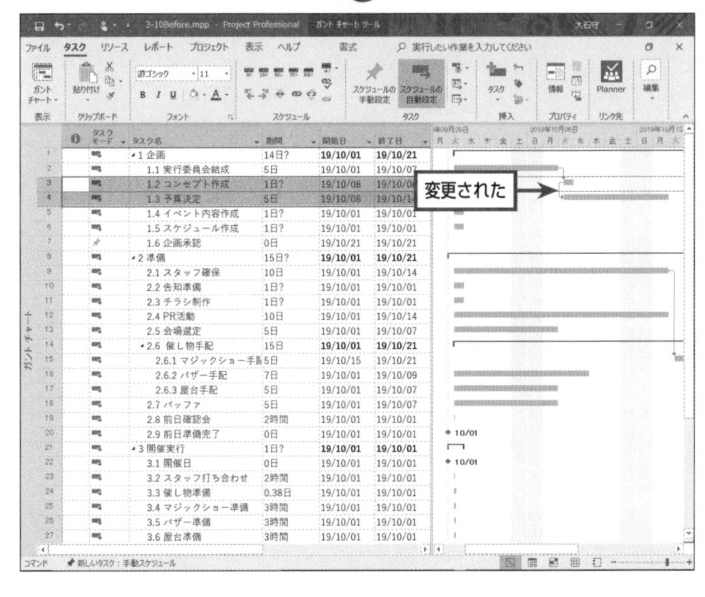

注意

依存関係と作業順

依存関係とは、タスク間の関係を表すもので、作業の順番を指定するものではないことに注意してください。

ヒント

4つの依存タイプ

Projectではタスクの関係に次の4つの依存タイプが設定できます。

依存タイプ	説明	表示
終了－開始(FS)(既定値)	先行タスクが完了するまで、後続タスクは開始できません。	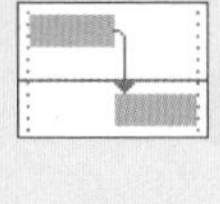
開始－開始(SS)	先行タスクが開始するまで、後続タスクは開始できません。	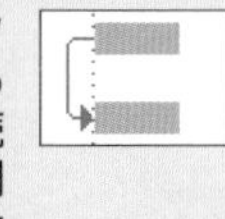
終了－終了(FF)	先行タスクが完了するまで、後続タスクは完了できません。	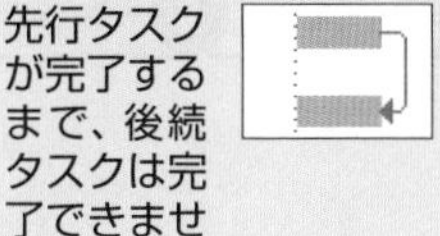
開始－終了(SF)	先行タスクが開始するまで、後続タスクを完了できません。	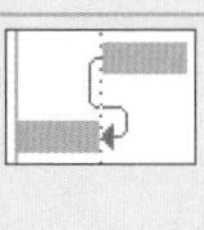

11 タスクにメモや資料を添付するには

タスクの［メモ］フィールドを使用して、タスクに追加情報や関連情報を含めることができます。

タスクにメモを追加する

1. ［ガントチャート］ビューで、メモを設定するタスクのタスク名をダブルクリックする。
2. ［タスク情報］ダイアログで［メモ］タブをクリックする。
3. ［メモ］にテキストを入力する。
4. ［OK］をクリックする。

➡［状況説明マーク］列にメモのアイコンが表示される。

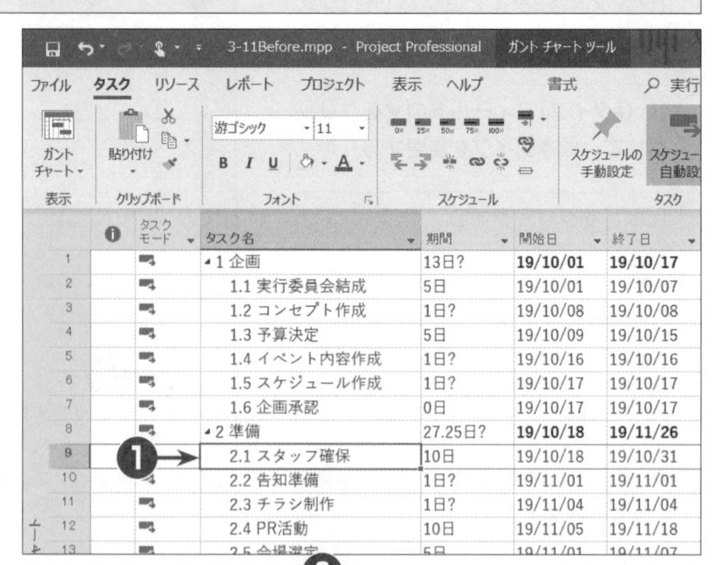

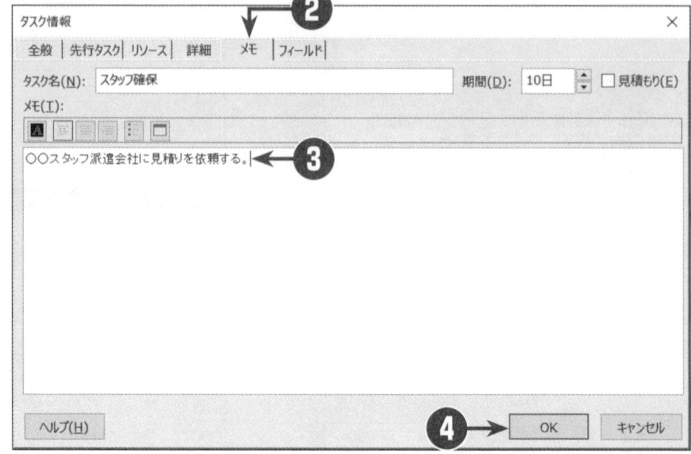

ヒント

タスク情報を開かずにメモを確認するには

タスクにメモが設定されている場合、[状況説明マーク] 列にメモのアイコンが表示されます。アイコンをマウスでポイントすると、[メモ] に入力したテキストが表示されます。ファイルを添付した場合にファイル名をテキストで記入しておくと、[状況説明マーク] 列でファイル名が確認できるため便利です。

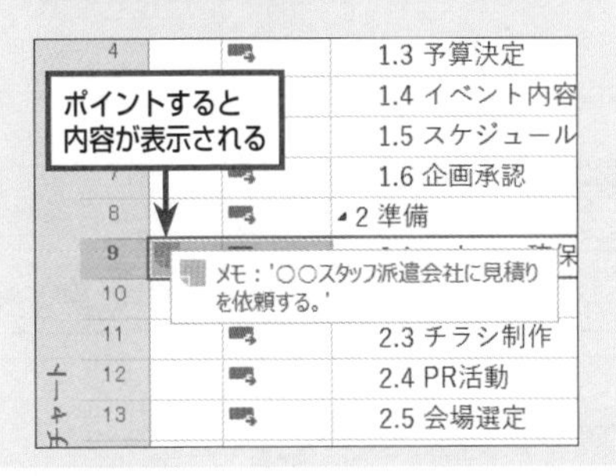

タスクに資料を添付する

1. 資料を添付するタスクをダブルクリックする。
2. [タスク情報] ダイアログで [メモ] タブをクリックする。
3. [オブジェクトの挿入] ボタンをクリックする。
4. [オブジェクトの挿入] ダイアログで [ファイルから] をクリックする。
5. [参照] をクリックする。
6. タスクに添付する資料を選択して [挿入] をクリックする。
   - [オブジェクトの挿入] ダイアログに戻る。
7. [アイコンで表示] にチェックを入れる。

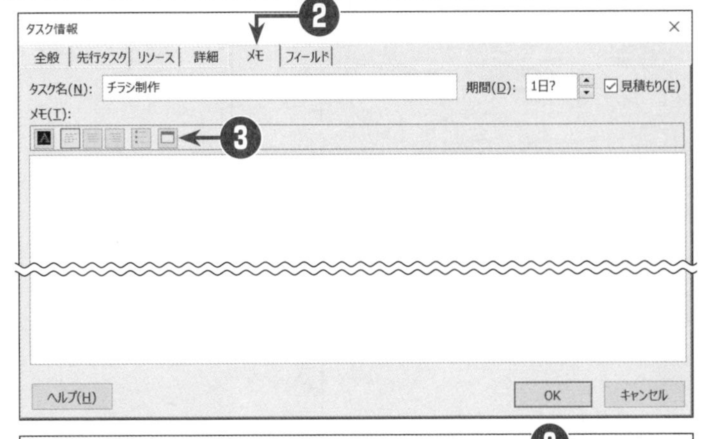

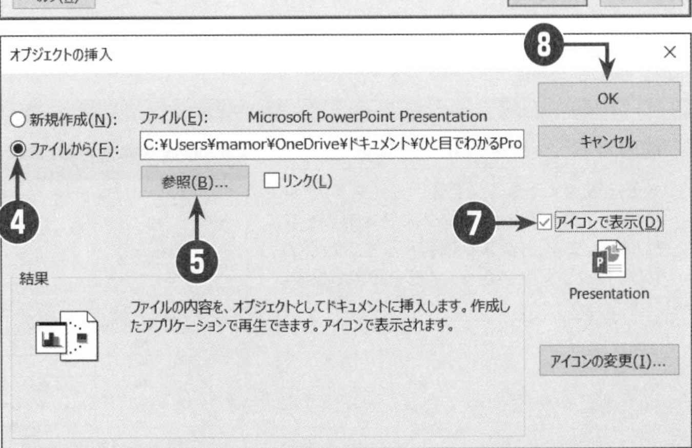

続く

❽ ［OK］をクリックする。

➡［タスク情報］ダイアログに戻り、［メモ］にファイルのアイコンが表示される。

❾ ［OK］をクリックする。

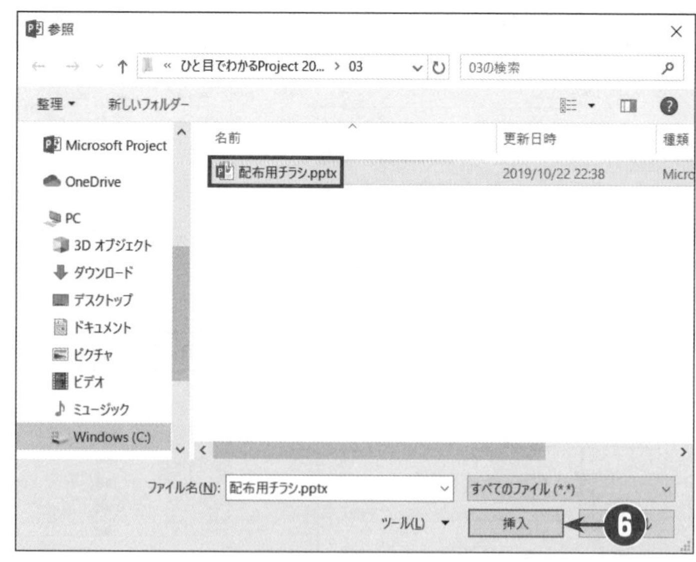

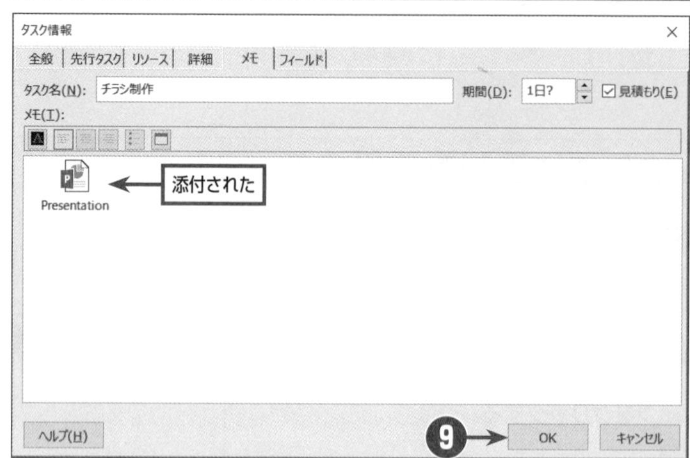

ヒント

メモに資料へのショートカットを貼り付ける

タスクに資料を添付する際に、タスクとの関連付けはするものの資料は別のファイルサーバーで管理したい場合があります。また、元の資料を変更したら、タスクに添付したファイルも同じく変更させたい場合があります。このようなときは、［リンク］を使用します。タスクに資料を添付する手順の❻で、［オブジェクトの挿入］ダイアログの［リンク］にチェックを入れます。リンクで添付された資料は、ショートカットのアイコンで表示されます。

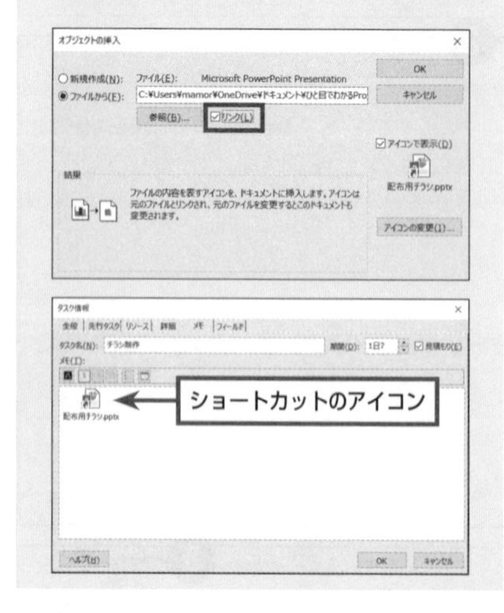

ヒント

他の方法でメモを設定するには

メモを設定するタスクを選択し、［タスク］タブの［プロパティ］の［タスクメモ］をクリックします。［タスク情報］ダイアログの［メモ］タブが開いたら、メモを設定します。

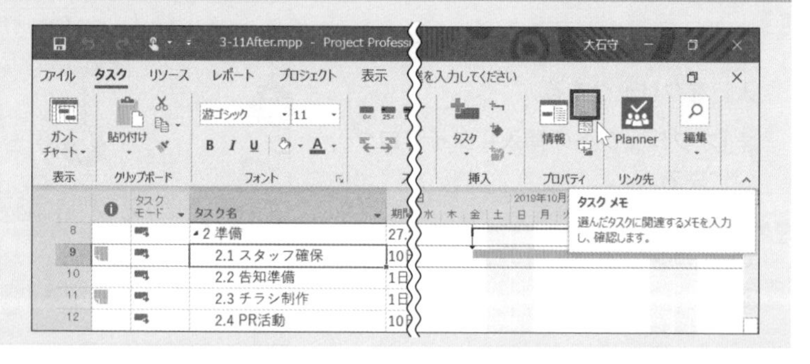

12 タスクの制約タイプを変更するには

Projectのスケジュール計算にかかわる重要な設定に［制約タイプ］があります。既定では、スケジュールの基点を［プロジェクトの開始日］とした場合には［できるだけ早く］、スケジュールの基点を［プロジェクトの終了日］とした場合には［できるだけ遅く］という制約が設定されます。これは弱い制約で、プロジェクトのスケジュール計算に柔軟性を持たせるためのものです。しかし、プロジェクトのタスクには、「どうしてもこの日に開始しなければならない」といった強い制約が必要な場合があります。Projectでは8種類の制約タイプが設定できます。

制約タイプを変更する

1. ［ガントチャート］ビューで、制約タイプを確認するタスクのタスク名をダブルクリックする。
2. ［タスク情報］ダイアログで［詳細］タブをクリックする。
3. ［タイプ］の▼をクリックし、制約タイプを変更する。
4. ［OK］をクリックする。

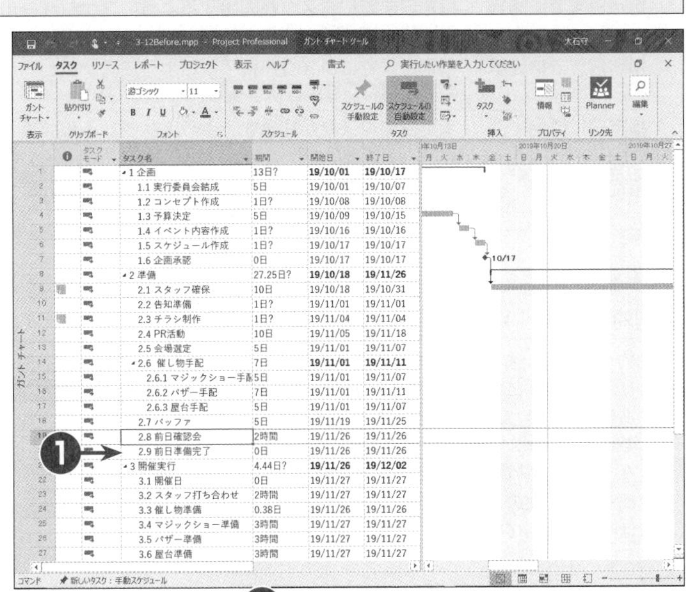

タスク情報
全般｜先行タスク｜リソース｜詳細｜メモ｜フィールド
タスク名(N):　前日確認会　期間(D):　2時間　□見積もり(E)
タスクの制約
期限(L):　N/A
タイプ(P):　指定日以後に開始　指定日(I):　19/11/26
できるだけ早く
できるだけ遅く
指定日に開始
指定日に終了
指定日までに開始
指定日までに終了
指定日以後に開始
指定日以後に終了
タスクの種類(Y):
□残存作業時間を優先するスケジュール方法(O)
カレンダー(A):
□リソース カレンダーを無視してスケジュール作成(G)
WBS 番号(W):
達成額の計算方法(V):
□マイルストーンに設定する(M)
ヘルプ(H)　OK　キャンセル

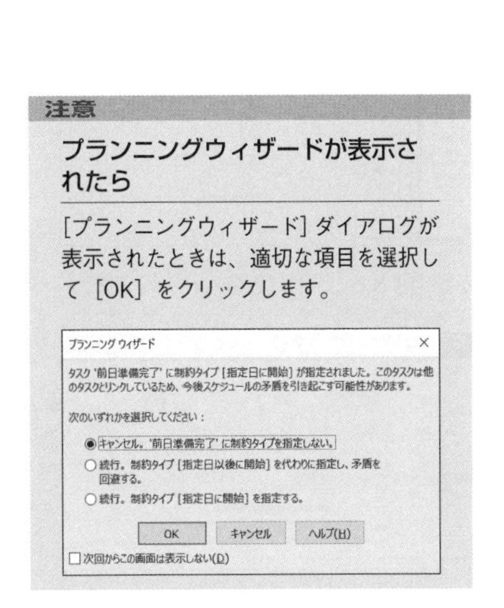

注意

プランニングウィザードが表示されたら

［プランニングウィザード］ダイアログが表示されたときは、適切な項目を選択して［OK］をクリックします。

ヒント

8つの制約タイプ

Projectではタスクに次の8つの制約タイプが設定できます。

制約タイプ	詳細	強さ	アイコン
できるだけ早く	常にできるだけ早く開始されるようスケジュール計算され、タスクの開始日が前にも後ろにも移動する。	弱い制約	なし
できるだけ遅く	常にできるだけ遅く開始されるようスケジュール計算され、タスクの開始日が前にも後ろにも移動する。		
指定日以後に開始	指定日以後にタスクが開始されるようスケジュール計算され、タスクの開始日は、指定日より前に移動しない。	やや強い制約	
指定日以後に終了	指定日以後にタスクが終了するようにスケジュール計算され、タスクの終了日は、指定日より前に移動しない。		
指定日までに開始	指定日までにタスクが開始するようにスケジュール計算され、タスクの開始日は、指定日より後ろに移動しない。	やや強い制約	
指定日までに終了	指定日までにタスクが終了するようにスケジュール計算され、タスクの開始日は、指定日より後ろに移動しない。		
指定日に開始	指定日にタスクが開始するようスケジュール計算され、タスクの開始日は、指定日から移動しない。	強い制約	
指定日に終了	指定日にタスクが終了するようスケジュール計算され、タスクの終了日は、指定日から移動しない。		

注意

制約タイプがいつの間にか設定されてしまう

制約タイプは、ちょっとした操作ミスにより、意図せずに設定されてしまう場合があります。うっかり制約タイプを設定してしまったタスクがあると、Projectのスケジュール計算の結果に大きな影響が出るので、次のような操作を行う場合には十分注意してください。

・ガントバーをマウスでドラッグする。

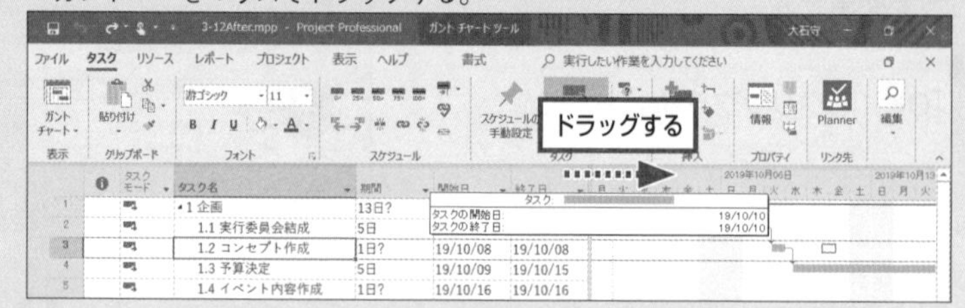

・[開始日][終了日]を入力する。

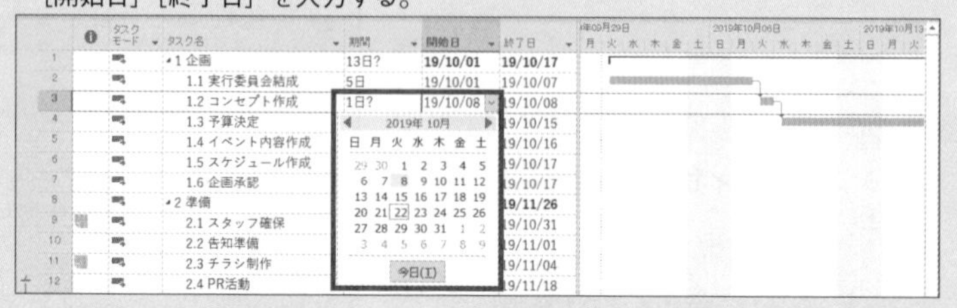

・タスクに既定値以外の制約タイプが設定されると、[状況説明マーク]列にアイコンが表示される。

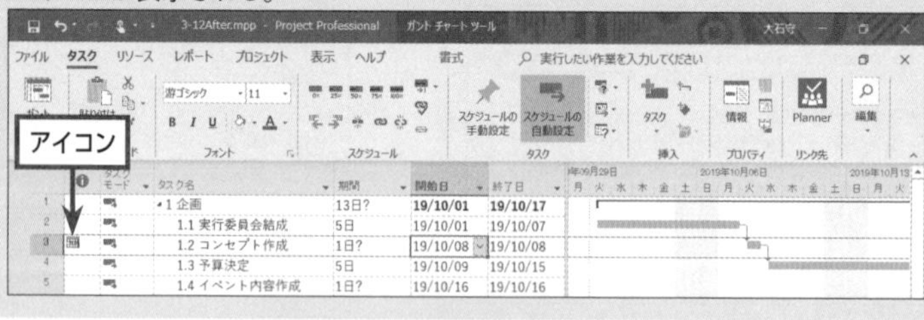

13 タスクにコストを設定するには

タスクのコストは、タスクの完了に必要な固定費である「固定コスト」と、割り当てたリソースによって発生する変動費の2種類からなっています。ここでは「固定コスト」の設定方法を見てみましょう。

タスクに固定コストを設定する

❶
［ガントチャート］ビューで、［表示］タブの［データ］の［テーブル］をクリックし、［コスト］をクリックする。

➡コストに関するフィールドが表示される。

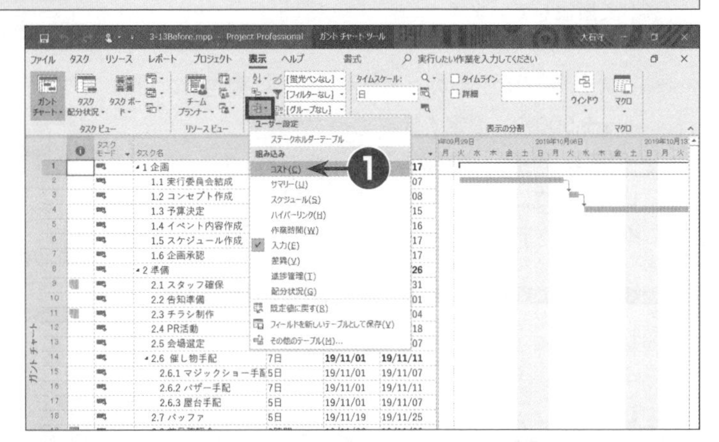

❷
固定コストを設定するタスクの［固定コスト］フィールドをクリックする。

➡フィールドが編集可能になる。

❸
［固定コスト］フィールドにコストの値を入力する。

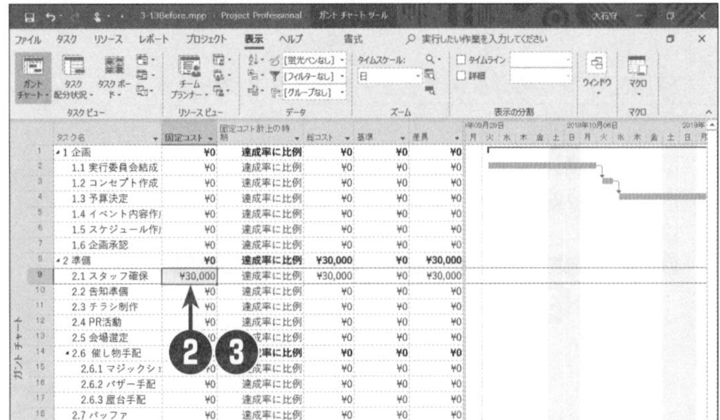

❹
［固定コスト計上の時期］を、［達成率に比例］［開始日］［終了日］から選択する。

次ページのコラム参照

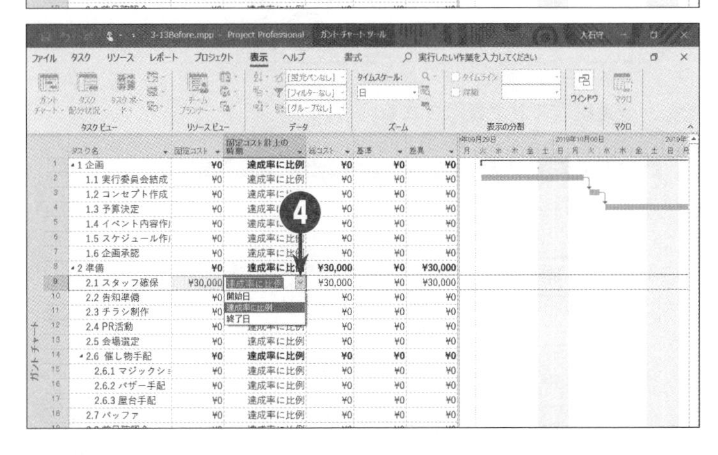

固定コスト計上の時期

固定コスト計上の時期は、[達成率に比例] [開始日] [終了日] から選択できます。達成率が100%となったときに、各タスクの固定コスト計上の時期の違いを確認しましょう。達成率については第7章で詳しく解説しています。

❶タスク1～3の3つのタスクを作成し、固定コストを5,000円に設定する。
❷[固定コスト計上の時期] フィールドを、タスク1は [達成率に比例]、タスク2は [開始日]、タスク3は [終了日] に設定する。

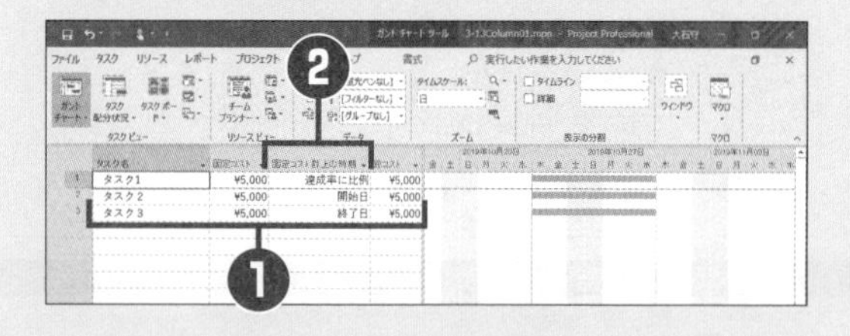

❸[表示] タブの [タスクビュー] の [タスク配分状況] の上部をクリックする。
❹[タスク配分状況] ビューの右側部分を右クリックして [実績コスト] をクリックする。

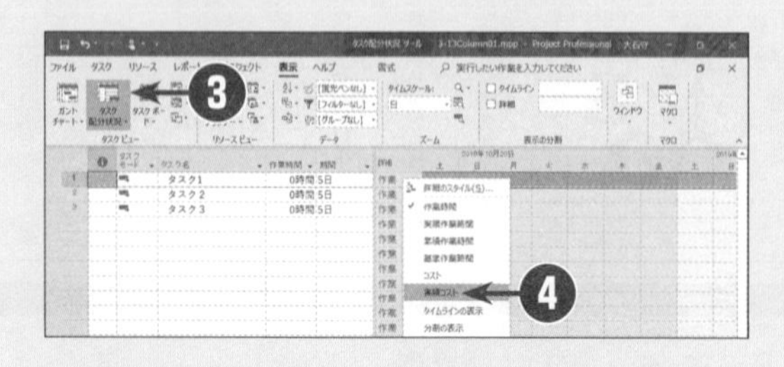

➡実績コストが表示される。

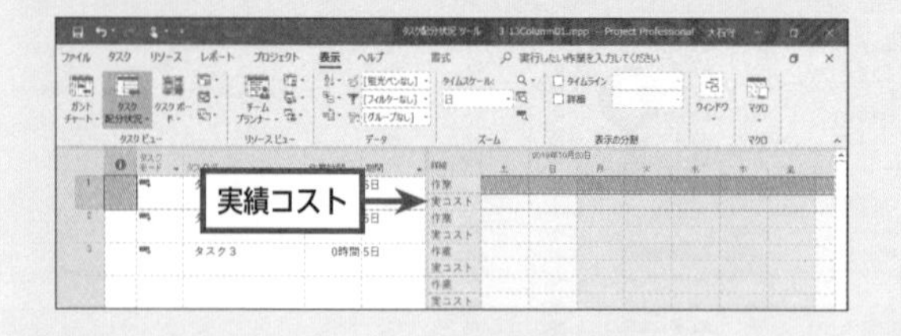

❺タスク1～タスク3を選択し、[タスク] タブの [スケジュール] の [100%] をクリックする。
➡固定コスト計上の時期によって実績コストが計上される時期が異なる

❻表示された実績コストを確認する。

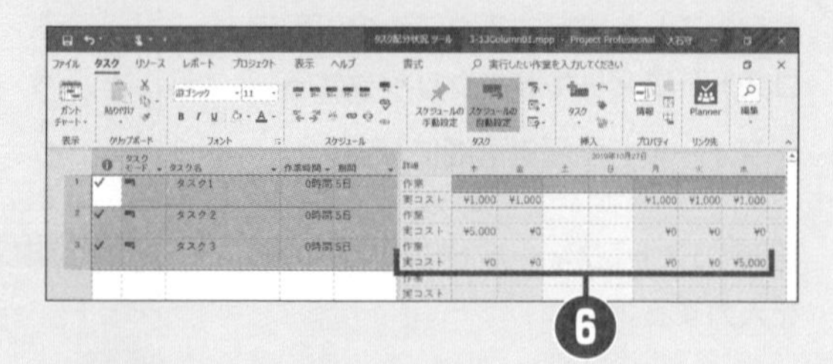

プロジェクト計画のリソースの設定

第4章

プロジェクトを実行するには、人、資材、コストといったリソースが必要になります。リソースの情報は、プロジェクト全体のスケジュール、コストを計算するうえで、大変重要なものです。Projectでも、これらのリソースを特徴に応じてモデル化して定義することができます。この章では、それらのリソースの種類の概念について、さらにリソースの稼働状況を決めるカレンダー設定方法やリソースのコストの設定方法について説明します。

1 リソース（人、資材、コスト）を作成するには

プロジェクト計画を実行するには、リソースと呼ばれる、人、資材、コストといった資源が必要になります。Projectでは、［リソースシート］ビューを使用して、これらのリソースの登録を行います。

リソースを作成する

❶ ［タスク］タブの［表示］の［ガントチャート］の▼をクリックし、［リソースシート］をクリックする。

➡［リソースシート］ビューが表示される。

❷ ［リソース名］フィールドをクリックし、登録するリソース名を入力してEnterを押す。

➡［ふりがな］［種類］［頭文字］の各フィールドが自動的に入力される。

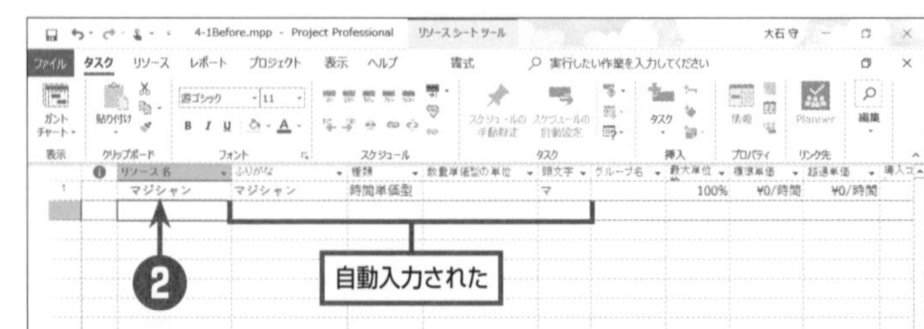

ヒント ［頭文字］フィールド

既定では、［頭文字］フィールドにはリソース名の最初の文字が表示されます。

ヒント ［ふりがな］フィールドについて

［ふりがな］フィールドの自動入力は、次の操作で既定の設定を変更できます。

❶［ファイル］タブの［オプション］をクリックする。

❷［Projectのオプション］ダイアログで［詳細設定］をクリックする。

❸［次のプロジェクトのふりがなのオプション］の［ふりがなの種類］の▼をクリックし［半角カタカナ］［全角カタカナ］［全角ひらがな］のいずれかを選択する。

❹［ふりがなフィールド］の［ふりがなフィールドに自動入力する］にチェックを入れる。

2 登録したリソースを削除するには

誤って登録したリソースを編集するには、そのフィールドを選択して F2 を押します。ただし、この方法で、[リソース名] のみ削除しても、そのリソースにかかわる他の情報は残ってしまいます。リソースを削除するには、次の2つのうち、どちらかの方法で行います。

スマートタグを使って削除する

❶ [リソースシート] ビューを表示し、削除するセルを選択して Delete を押す。

➡スマートタグが表示される。

❷ スマートタグをクリックし、[リソースを削除する。] をクリックする。

➡リソースが削除される。

行全体を選択して削除する

❶ 削除するリソースの行番号をクリックする。

➡行全体が選択される。

❷ 選択した行で右クリックし、[リソースの削除] をクリックする。

➡リソースが削除される。

3 リソースの種類を設定するには

Projectのリソースの種類には、[時間単価型][数量単価型][コスト型]の3種類があります。[時間単価型]は人や設備のように使用した時間に対してコストが発生するリソースです。[数量単価型]は、材料のように使用した量に対してコストが発生するリソースです。[コスト型]は作業時間に依存しないコスト自体を表すリソースです。[コスト型]リソースの使用方法は、次ページのコラムで詳しく解説します。

リソースの種類を設定する

❶ [タスク]タブの[表示]の[ガントチャート]の▼をクリックし、[リソースシート]をクリックする。

➡[リソースシート]ビューが表示される。

❷ [リソース名]フィールドをダブルクリックする。

➡[リソース情報]ダイアログが開く。

❸ [全般]タブで[種類]の▼をクリックし、リソースの種類を選択する。

❹ [OK]をクリックする。

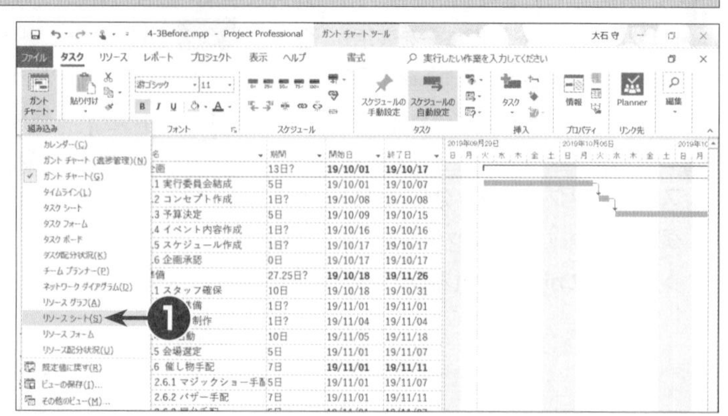

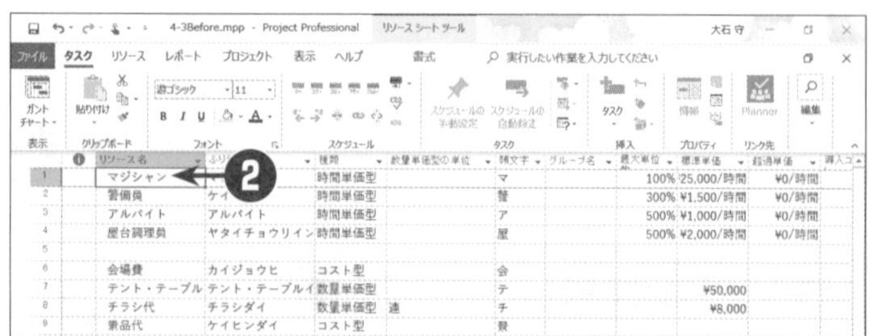

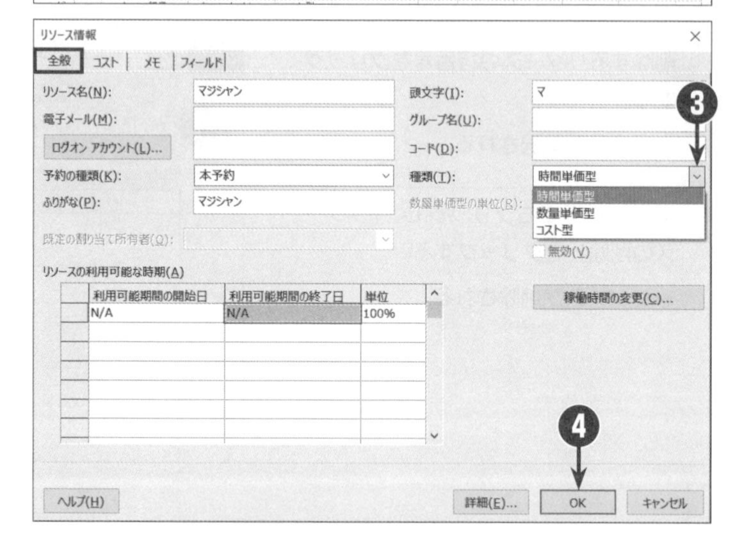

ヒント

リソース登録のさまざまな方法

リソースを作成するには、一から手入力する以外に、既に組織内で使われているディレクトリ情報を流用することも可能です。[リソース]タブの[挿入]の[リソースの追加]をクリックし、次の3つから選択できます。

- エンタープライズからチームを作成(Project Server使用時のみ)
- Active Directory
- アドレス帳

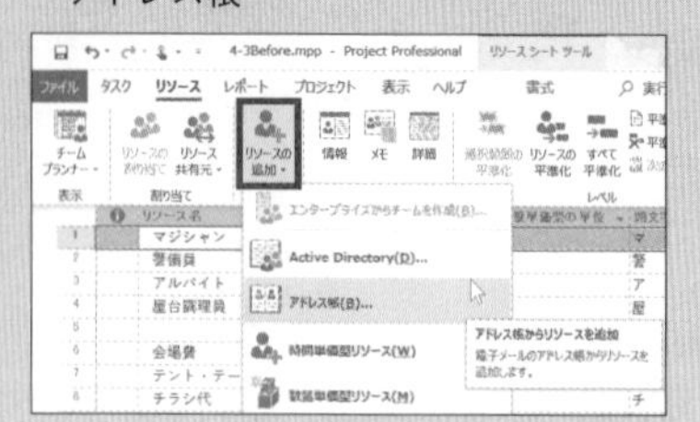

人、資材、コストをリソースとして定義する方法

［時間単価型］［数量単価型］［コスト型］、それぞれのリソースの詳しい使い方を見ていきましょう。例として、「コンクリート基礎を作る」という5日間のタスクを加藤さんに割り当てる場合のコストの算出方法を考えます。

加藤さんは、時間当たりの単価に基づきコストが算出される時間単価型リソースです。

❶加藤さんに、［標準単価］を¥40,000/日と設定する。［標準単価］フィールドの既定の単位は時間なので、「40000/日」と入力する。

❷加藤さんに「コンクリート基礎を作る」という5日間のタスクを単位数100%で割り当てる。「コンクリート基礎を作る」タスクのコストは「¥40,000×5日間＝¥200,000」と計算される。

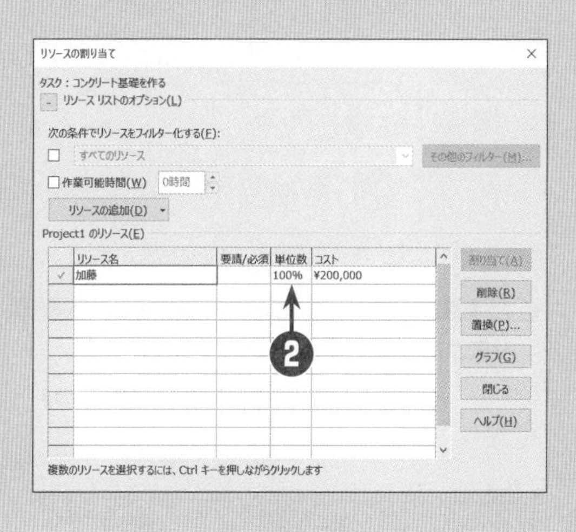

続いて、コンクリートは、リソースの単価に基づいてコストが算出される数量単価型リソースとします。

❸リソース「コンクリート」に、［数量単価型の単位］を「㎥」、［標準単価］を「¥2,500」と設定する。

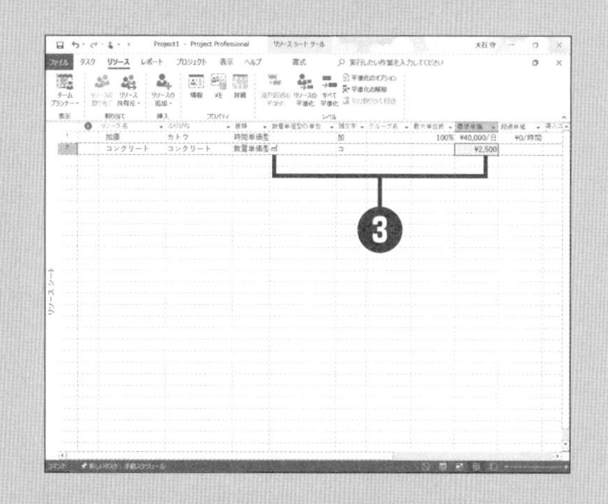

❹「コンクリート基礎を作る」というタスクに対して、リソース「コンクリート」の必要数「20㎥」を割り当てる。［リソースの割り当て］ダイアログで［単位数］に「20」と入力すると自動的に単位が付き、コストが「¥50,000」と計算される。

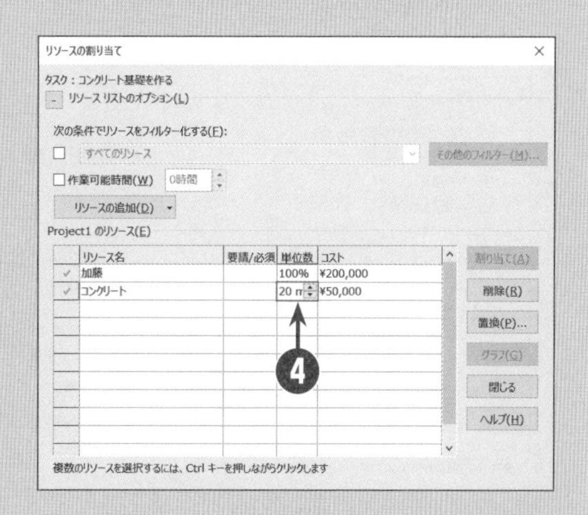

さらに、コンクリートを運ぶミキサー車は、一度の依頼ごとにコストが発生するコスト型リソースとします。

❺リソース「ミキサー車」に、リソースの種類として［コスト型］を設定する。

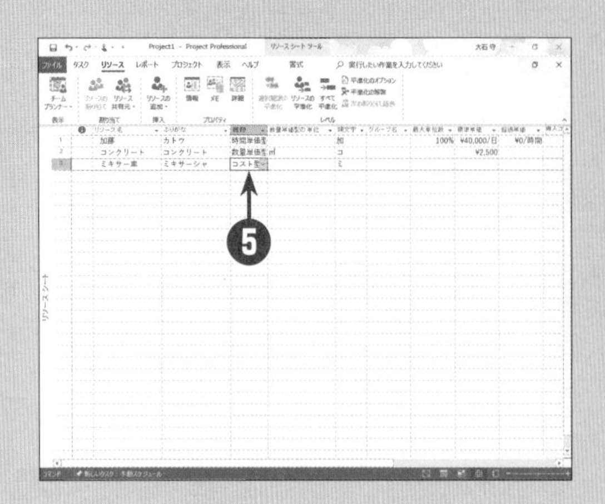

❻「コンクリート基礎を作る」というタスクに対して、リソース「ミキサー車」を割り当てる。［リソースの割り当て］ダイアログで［コスト］に「50000」と入力すると自動的に単位が付き、コストが「¥50,000」と表示される。

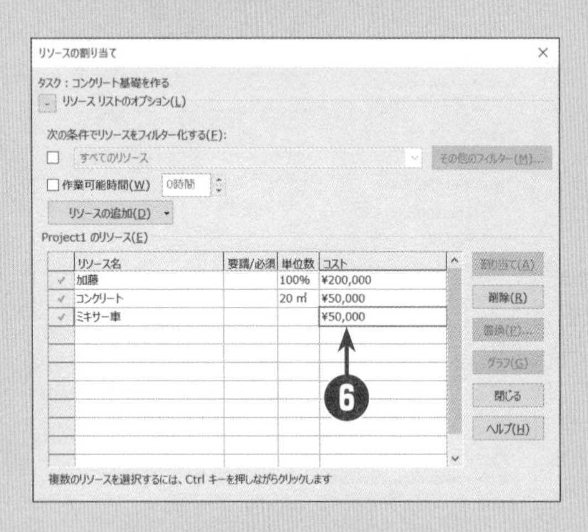

以上により、「コンクリート基礎を作る」タスクのコストは「（加藤さんの200,000円）＋（コンクリートの50,000円）＋（ミキサー車の50,000円）＝300,000円」と算出されました。

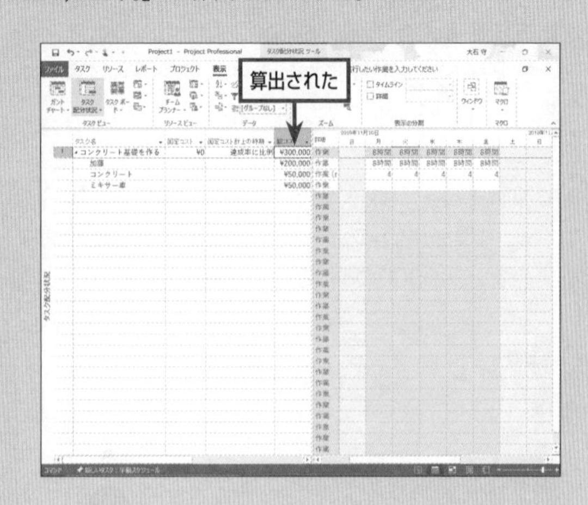

参照

タスクにリソースを割り当てるには

第5章の1

4 リソースの利用可能期間と単位を設定するには

［時間単価型］リソースは、利用できる期間が限定されていることがあります。たとえば、業務委託でビジネスパートナーのリソースを1年間限定で利用するといったケースなどが挙げられます。ここでは、リソースを利用することができる期間とその範囲で稼働できる割り当ての単位を設定します。割り当ての単位とは、リソースの1日当たりの標準稼働時間のうち、割り当てられたタスクの作業に携わる割合（マンパワー）をパーセントで表したものです。単位を50%とした場合、リソースがその期間にタスクに費やせる稼働時間の割り合い（単位数）は最大で50%となります。

リソースの利用可能期間と単位を設定する

❶ ［リソース］タブの［チームプランナー］の▼をクリックして［リソースシート］をクリックする。

➡［リソースシート］ビューが表示される。

❷ ［リソース名］フィールドをダブルクリックする。

➡［リソース情報］ダイアログが開く。

❸ ［全般］タブで［リソースの利用可能な時期］の［利用可能期間の開始日］と［利用可能期間の終了日］に日付を入力し、［単位］に数値を入力する。

❹ ［OK］をクリックする。

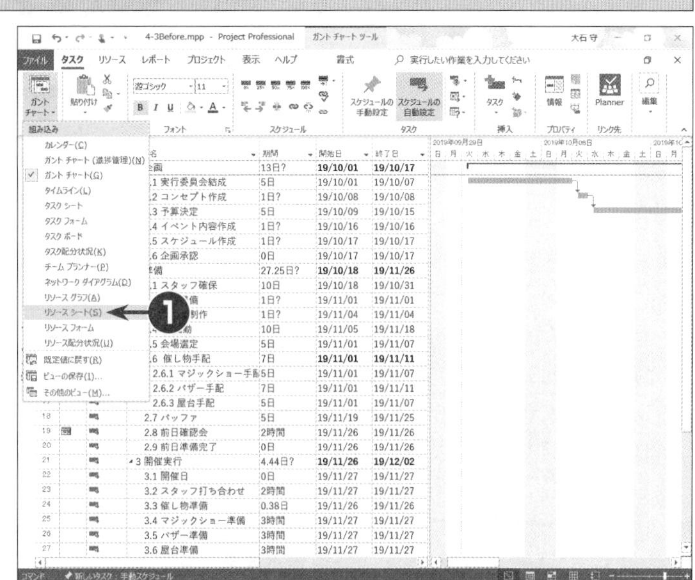

リソース情報

全般　コスト　メモ　フィールド

リソース名(N):　加藤　　頭文字(I):　加
電子メール(M):　　グループ名(U):　実行担当
ログオン アカウント(L)...　　コード(D):
予約の種類(K):　本予約　　種類(T):　時間単価型
ふりがな(P):　カトウ　　数量単価型の単位(B):
既定の割り当て所有者(O):　　□標準リソース(G)　□予算(B)　□無効(V)

リソースの利用可能な時期(A)

利用可能期間の開始日	利用可能期間の終了日	単位
2020/02/03	2020/02/07	50%

❸

稼働時間の変更(C)...

❹

ヘルプ(H)　詳細(E)...　OK　キャンセル

注意

リソースの割り当て可能単位数

リソースの割り当て可能単位数とは、あくまでも目安であり、タスクの割り当てを制約するものではないことに注意してください。たとえば、50%の単位数のリソースに対して、100%のタスクを割り当てることができます。プロジェクトマネージャーは、リソースグラフを見て、本来の割り当て可能単位数を超えていないかどうかをチェックし、超える場合は別のリソースを追加する、またはタスクの期間を延長する等の調整を行ってください。

リソースの利用可能期間と割り当て余力

リソースの利用可能期間は、複数設定できます。たとえば、及川さんが2月最終週は研修のため1週間プロジェクトの業務ができない場合、その間の単位数を0%に設定し、その前後は100%にするといった設定が可能です。

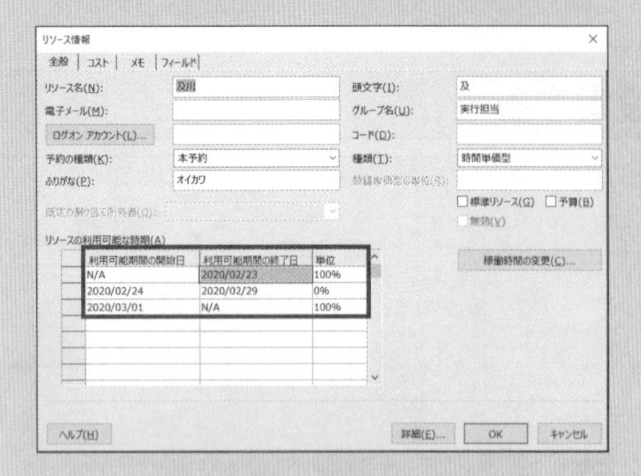

では、単位数を0%に設定した期間の及川さんの割り当て余力（割り当て可能な単位数）を見てみましょう。ビューを分割する詳しい手順は第10章の16を参考にしてください。

❶ビューを分割し、上に［リソースシート］ビュー、下に［リソースグラフ］ビューを表示する。

❷［リソースシート］ビューで及川さんを選択する。

❸［リソースグラフ］ビューのグラフ部分を右クリックし、［割り当て可能単位数］をクリックする。

➡割り当て可能単位数の表示に切り替わる。

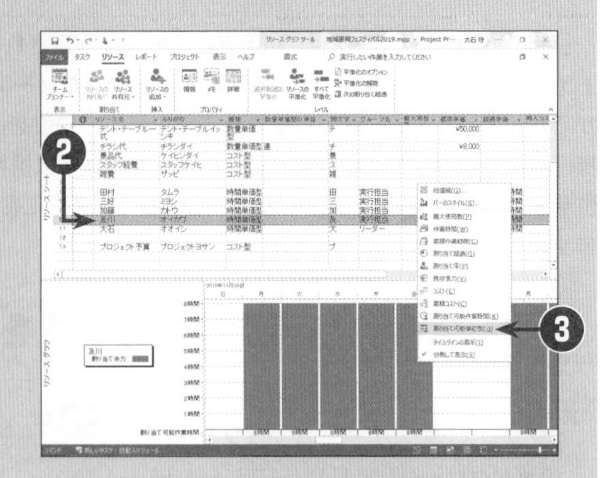

❹ズームスライダーの［−］または［+］ボタンを使用して、2月と3月が表示されるように調整する。

➡及川さんの［割り当て余力］が2月の最終週は0%、前後の週は100%と確認できる。

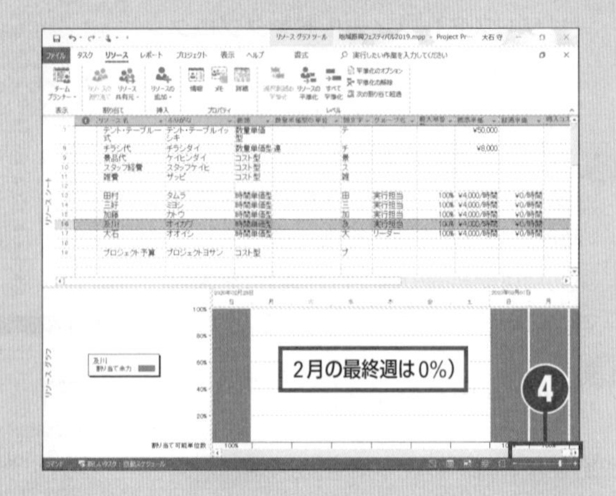

第3章の6のコラム「Projectの活用のキモとなるタスクの見積もり方法による計算の違い」で、「単位数とは、タスクに割り当てられた担当者が、そのタスクに対して割くマンパワーのこと」と説明しました。上記の手順でリソースに対して設定した単位数が、タスクに割くことができる最大のマンパワー（割り当て可能単位数の最大値）になります。

リソースにグループ名を設定するには

リソースには、グループ名を設定することができます。設定したグループ名を使うと、リソースのグループ化や、並び順の変更をすることができます。

グループ名を設定する

1. ［タスク］タブの［表示］の［ガントチャート］ボタンの▼をクリックし、［リソースシート］をクリックする。
   - ［リソースシート］ビューが表示される。
2. ［グループ名］フィールドをクリックし、グループ名を入力する。
3. 入力したグループ名を複数のリソースにコピーする場合は、グループ名を選択し、セルの右下の■をマウスでポイントして、下向きにドラッグする。
4. ［表示］タブの［データ］の［グループ化］の▼をクリックし、［リソースグループ］をクリックする。

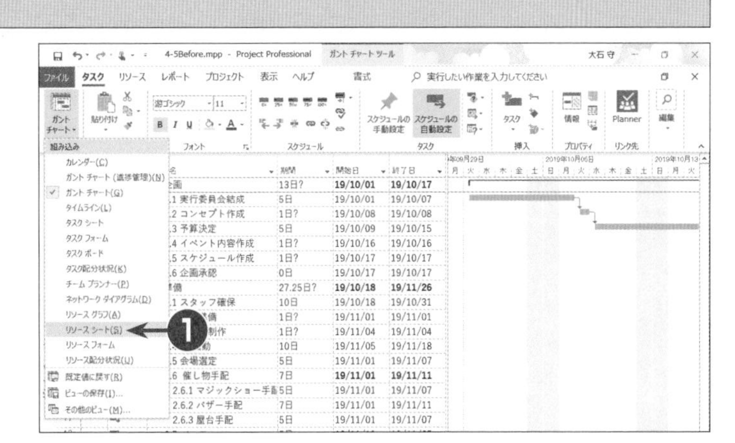

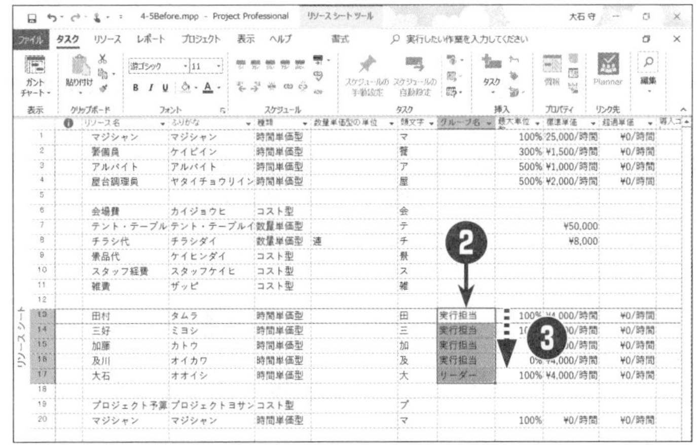

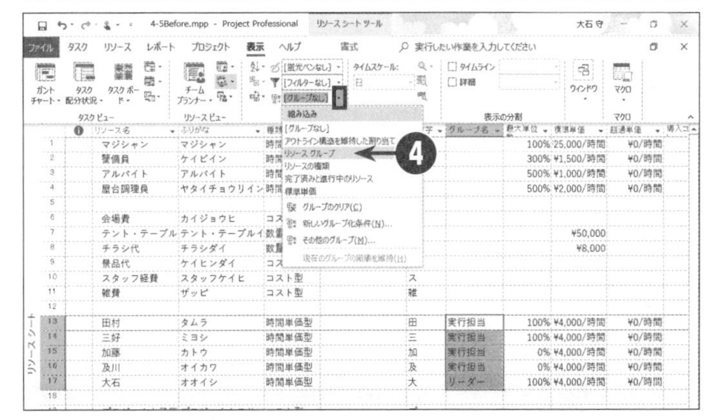

▶グループ名でリソースがグループ化される。

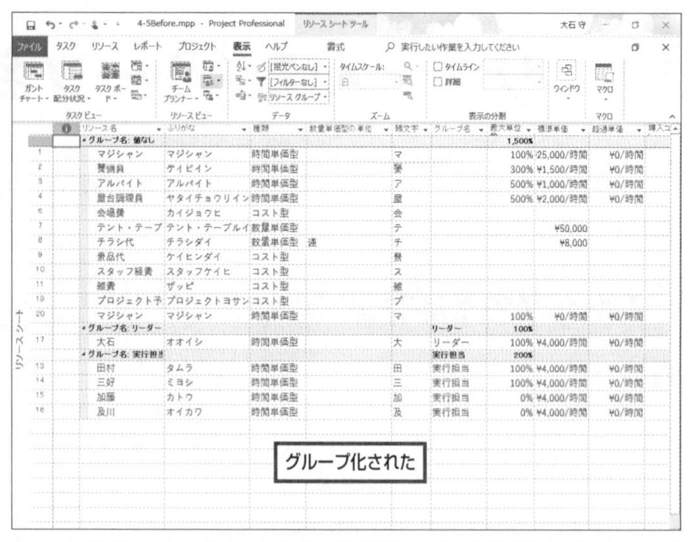

❺ グループ化を解除するには、[グループ化] の▼をクリックし、[グループなし] を選択する。

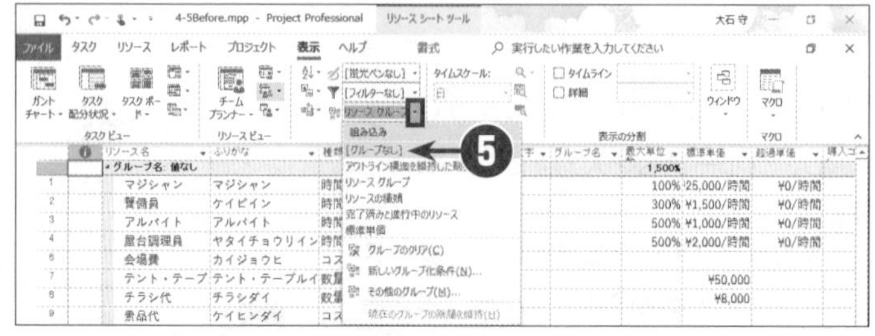

ヒント

リソースの並べ替え

リソースシートに登録するリソース数が増えた場合、指定したフィールドで並べ替えると、目的のリソースを探しやすくなり便利です。ここでは、[グループ名] フィールドでリソースシートを並べ替える方法を紹介します。

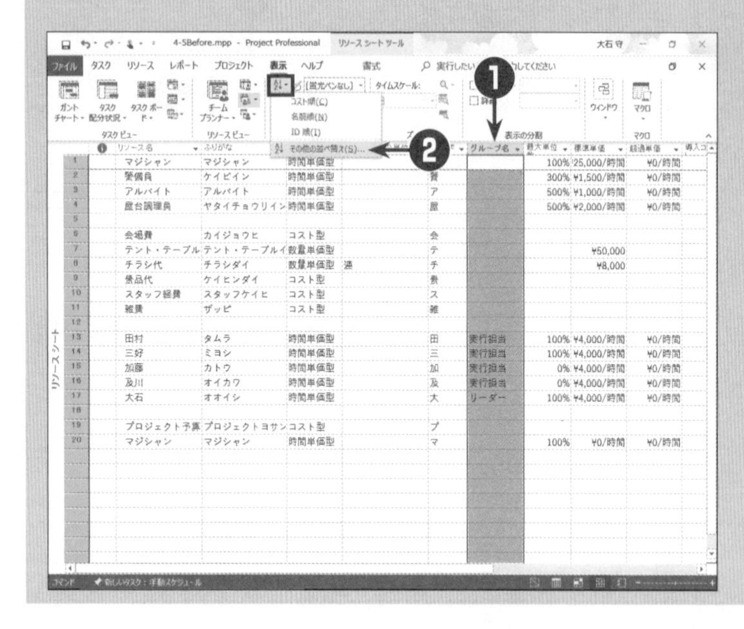

❶[グループ名] 列を選択する。

❷[表示] タブの [データ] の [並べ替え] をクリックし、[その他の並べ替え] をクリックする。

❸[並べ替え] ダイアログで [最優先されるキー] の▼をクリックし、[グループ名] を選択して [並べ替え] をクリックする。

▶リソースシートが [グループ名] で並べ替えられる。

❹並べ替えを元に戻すには、[並べ替え] ダイアログで [リセット] ボタンをクリックし、[並べ替え] をクリックする。

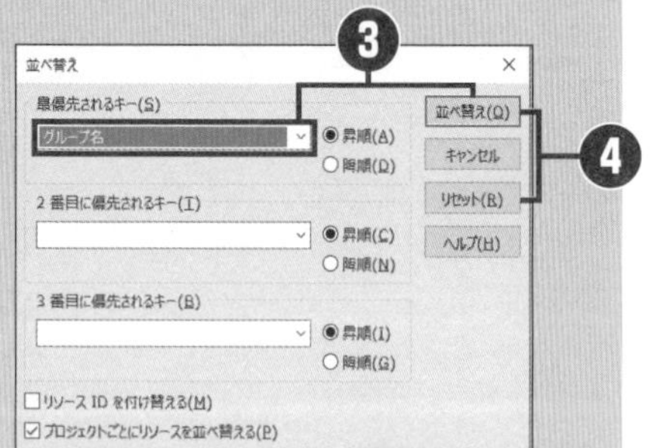

6 リソースのカレンダーを設定するには

時間単価型のリソースは、リソースによって稼働時間が異なることがあります。雇用形態によって勤務時間が異なる場合や、特定の担当者が休暇を取る場合などです。このような場合、リソースカレンダーを使用して、個別に稼働時間を設定する必要があります。ここでは第2章の4で設定した組織独自のカレンダーをリソースの基本カレンダーに設定し、さらにリソースごとにカレンダーを変更する手順を確認します。

リソースの休暇を設定する

❶ ［タスク］タブの［表示］の［ガントチャート］ボタンの▼をクリックし、［リソースシート］をクリックする。

➡［リソースシート］ビューが表示される。

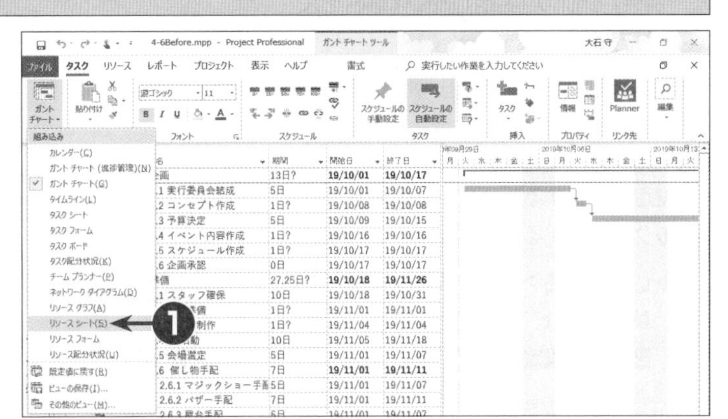

❷ 画面を右側にスクロールし、［基本カレンダー］フィールドを表示する。

❸ ［基本カレンダー］フィールドの▼をクリックし、一覧からカレンダーを選択する。

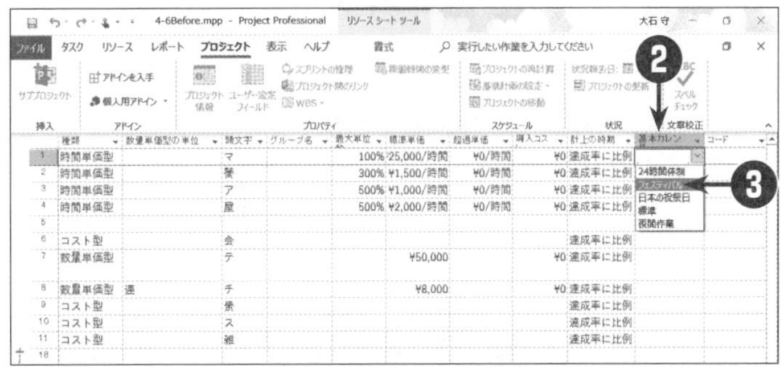

❹ カレンダーを設定するリソースを選択し、［プロジェクト］タブの［プロパティ］の［稼働時間の変更］をクリックする。

➡［稼働時間の変更］ダイアログが表示される。

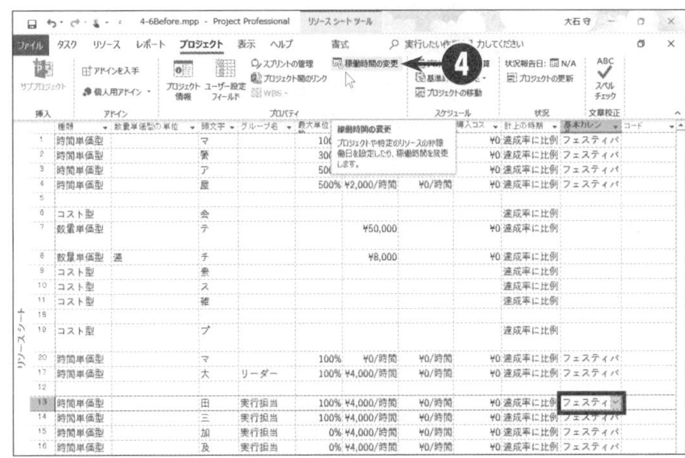

❺ カレンダーをスクロールし、休暇を設定する月のカレンダーを表示する。

❻ 休暇の最初の日をクリックし、Shiftを押しながら休暇の最後の日をクリックする。

➡休暇の期間に相当する日が選択される。

❼ [例外] タブの [名前] 列に休暇名を入力してEnterを押す。

➡選択した日が [開始] 列と [終了] 列に例外日として表示される。

❽ 設定を確認するために、休暇名をダブルクリックする。

➡['＜休暇名＞' の詳細] ダイアログが表示され、選択した期間が [非稼働日] に設定されている。

❾ [OK] をクリックして ['＜休暇名＞' の詳細] ダイアログを閉じる。

❿ [OK] をクリックして [稼働時間の変更] ダイアログを閉じる。

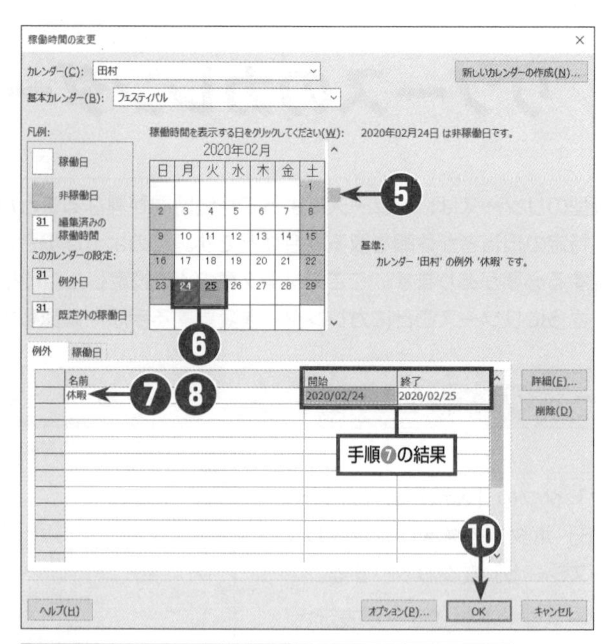

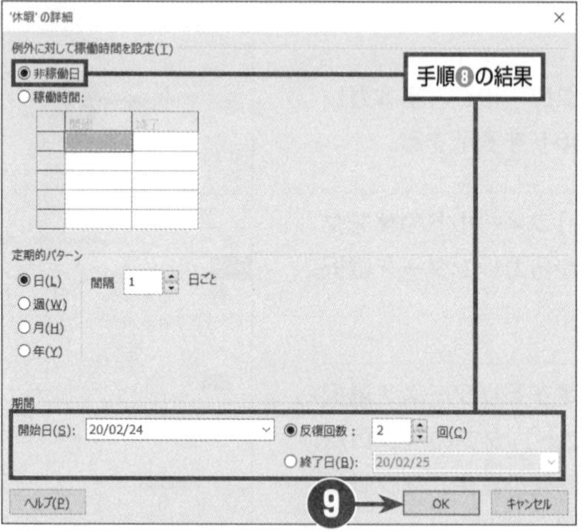

ヒント

他の方法で [稼働時間の変更] ダイアログを表示するには

❶[リソースシート] ビューの [リソース名] フィールドをダブルクリックし、[リソース情報] ダイアログを表示する。

❷[全般] タブ内の [稼働時間の変更] をクリックする。

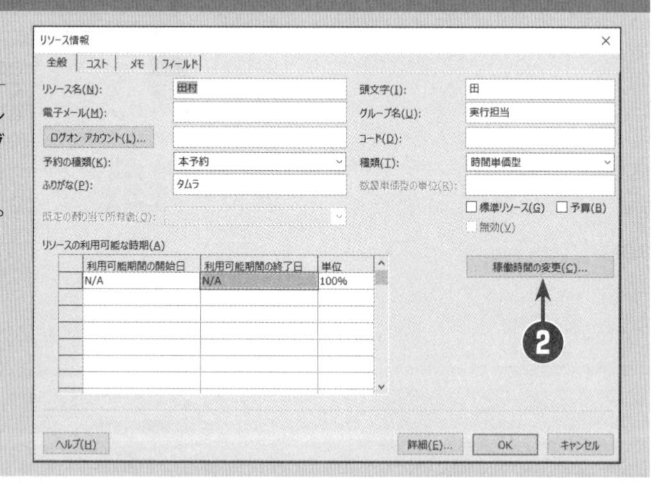

7 リソースにコストを設定するには

プロジェクトのコストの種類には、リソースのコスト、タスクのコスト、プロジェクト全体に対してかかるコストがあります。リソースに対して設定できるコストは［標準単価］［超過単価］［導入コスト］の3種類です。［標準単価］および［超過単価］は、新規にリソースを追加した際に自動的に設定される既定値を決めておくことができます。

リソースにコストを設定する

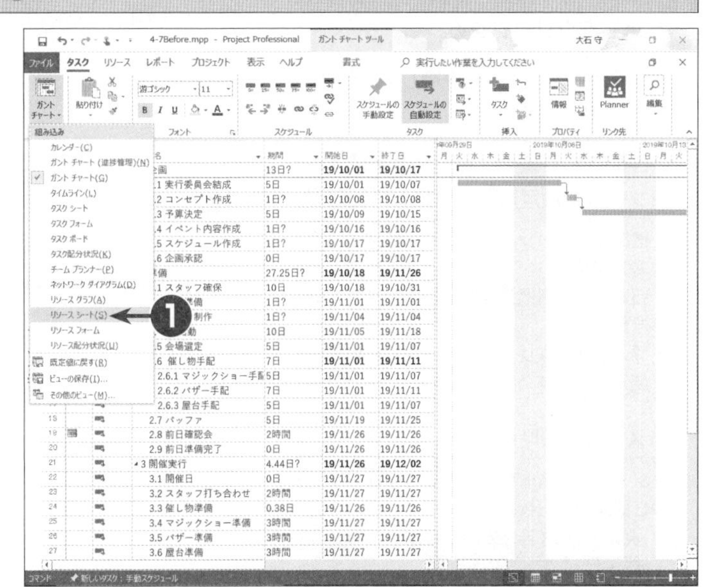

❶
［タスク］タブの［表示］の［ガントチャート］の▼をクリックして［リソースシート］をクリックする。

➡［リソースシート］ビューが表示される。

❷
コストを設定するリソース名をダブルクリックする。

➡［リソース情報］ダイアログが開く。

	リソース名	ふりがな	種類	数量単価型の単位	頭文字	グループ名	最大単位	標準単価	超過単価	導入コ
1	マジシャン	マジシャン	時間単価型		マ		100%	25,000/時間	¥0/時間	
2	警備員	ケイビイン	時間単価型		警		300%	¥1,500/時間	¥0/時間	
3	アルバイト	アルバイト	時間単価型		ア		500%	¥1,000/時間	¥0/時間	
4	屋台調理員	ヤタイチョウリイン	時間単価型		屋		500%	¥2,000/時間	¥0/時間	
5										
6	会場費	カイジョウヒ	コスト型		会					
7	テント・テーブル一式	テント・テーブルイッシキ	数量単価型		テ			¥50,000		
8	チラシ代	チラシダイ	数量単価型	連	チ			¥8,000		
9	景品代	ケイヒンダイ	コスト型		景					
10	スタッフ経費	スタッフケイヒ	コスト型		ス					
11	雑費	ザッピ	コスト型		雑					
12										
13	田村	タムラ	時間単価型		田	実行担当	100%	¥0/時間	¥0/時間	
14	三好	ミヨシ	時間単価型		三	実行担当	100%	¥0/時間	¥0/時間	
15	加藤	カトウ	時間単価型		加	実行担当	0%	¥0/時間	¥0/時間	
16	及川	オイカワ	時間単価型		及	実行担当	0%	¥0/時間	¥0/時間	
	大石	オオイシ	時間単価型		大	リーダー	100%	¥0/時間	¥0/時間	
19	プロジェクト予算	プロジェクトヨサン	コスト型		プ					
20	マジシャン	マジシャン	時間単価型		マ		100%	¥0/時間	¥0/時間	

❸ [コスト] タブをクリックする。

❹ [標準単価] [超過単価] [導入コスト] をそれぞれ入力する。

ヒント参照

❺ [コスト計上の時期] を設定する。

ヒント参照

❻ [OK] をクリックする。

➡ [標準単価] [超過単価] [導入コスト] が設定される。

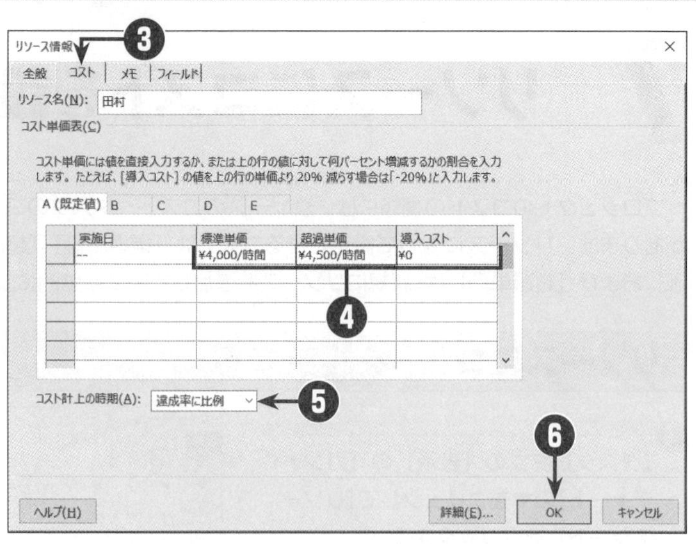

ヒント

リソースに設定可能なコストの種類

- 標準単価：リソースに対して設定する基準単価
- 超過単価：超過作業時間に適用される単価
- 導入コスト：リソースの使用ごとに一度だけ発生するコスト

コスト計上の時期

リソースのコストを計上する時期は、次の3種類から選択します。

- [開始日]：タスクの開始時
- [終了日]：タスクの終了時
- [達成率に比例]：達成率に比例させる。たとえば標準単価が¥1,000/時間のリソースを40時間のタスクに割り当てた場合、達成率が50%になると、実績コストは20,000円が計上される。

[標準単価] と [超過単価] の単位

[標準単価] と [超過単価] に数値を入力すると、単位は「/時間」と設定されます。単位は時間以外にも、分（/m）、日（/d）、週（/w）、月（/mo）、年（/y）が使用できます。たとえば、「30,000/mo」と入力すると、「¥30,000/月」と設定されます。

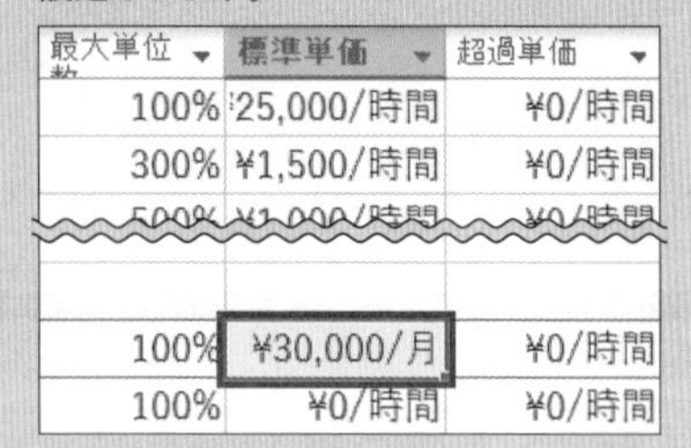

最大単位数	標準単価	超過単価
100%	¥25,000/時間	¥0/時間
300%	¥1,500/時間	¥0/時間
500%	¥1,000/時間	¥0/時間
100%	¥30,000/月	¥0/時間
100%	¥0/時間	¥0/時間

注意

超過単価は超過作業時間に対して適用される

Projectでは、[超過作業時間] を明示的に指定する必要があります。たとえば、あるリソースに40時間の作業時間が割り当てられているとします。このうち8時間が超過作業時間となる場合、[超過作業時間] に「8時間」と入力します。Projectはこの8時間に対して [超過単価] を適用します。

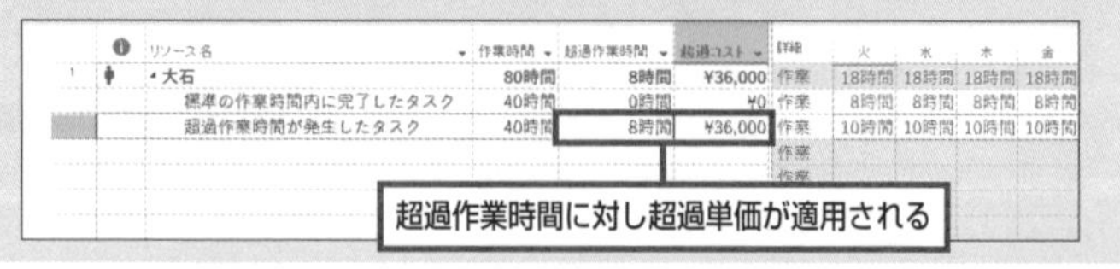

コストの既定値を設定する

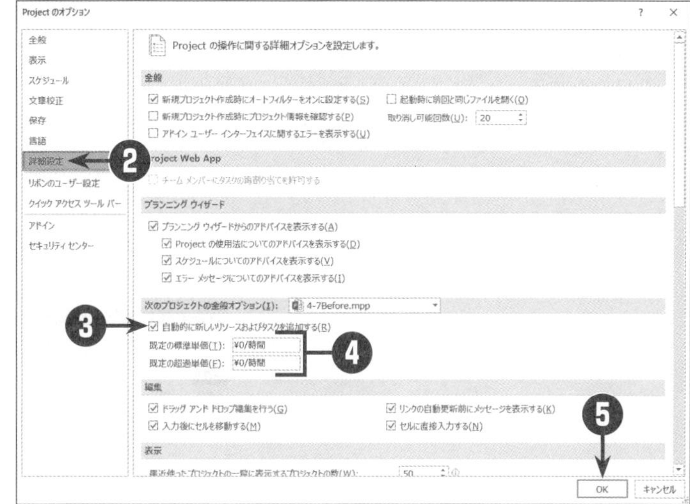

❶
[ファイル] タブの [オプション] をクリックする。

➡ [Projectのオプション] ダイアログが開く。

❷
[詳細設定] をクリックする。

❸
[次のプロジェクトの全般オプション] で、[自動的に新しいリソースおよびタスクを追加する] にチェックを入れる。

❹
[既定の標準単価] と [既定の超過単価] を入力する。

❺
[OK] をクリックする。

ヒント

コストの既定値とは

[Projectのオプション] でコストの既定値を設定すると、リソースを作成した際に [標準単価] と [超過単価] に自動的に適用されます。

8 リソースに複数のコストを設定するには

［コスト単価表］を使用すると、1つのリソースに複数のコストを設定し、適用する日付の範囲を変えたり、割り当てるタスクによって使い分けたりすることが可能です。単価を適用する日付の範囲を指定するには、［実施日］を使用します。割り当てるタスクによって単価を変えるには、複数のコスト単価表を作成して適用します。それぞれの設定方法について確認しましょう。

リソースにコスト単価表を設定する

❶ ［表示］タブの［リソースビュー］の［リソースシート］の▼をクリックして［リソースシート］をクリックする。

➡［リソースシート］ビューが表示される。

❷ コストを設定するリソース名をダブルクリックする。

➡［リソース情報］ダイアログが開く。

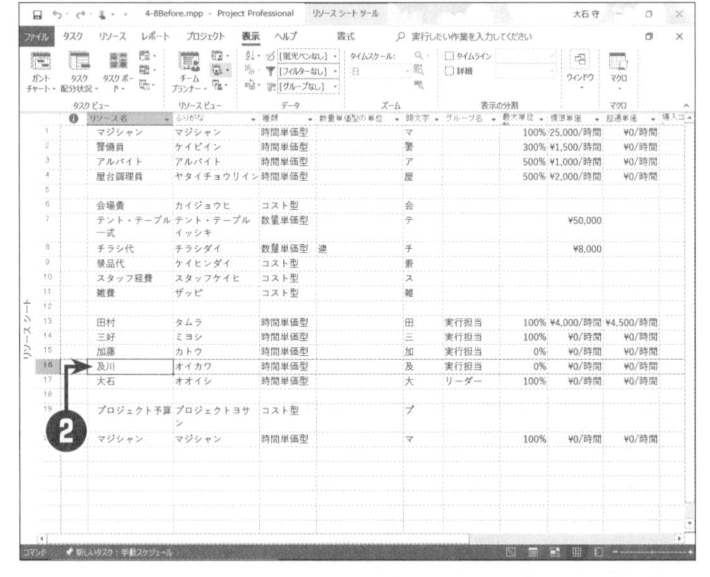

3
［コスト］タブをクリックする。

4
［A（既定値）］タブで、必要に応じて単価を有効にする日付を［実施日］に入力し、［標準単価］［超過単価］［導入コスト］を入力する。

5
割り当てるタスクによって複数のコスト単価表を設定する場合は、［B］～［E］のタブに同様に入力する。

6
［OK］をクリックする。

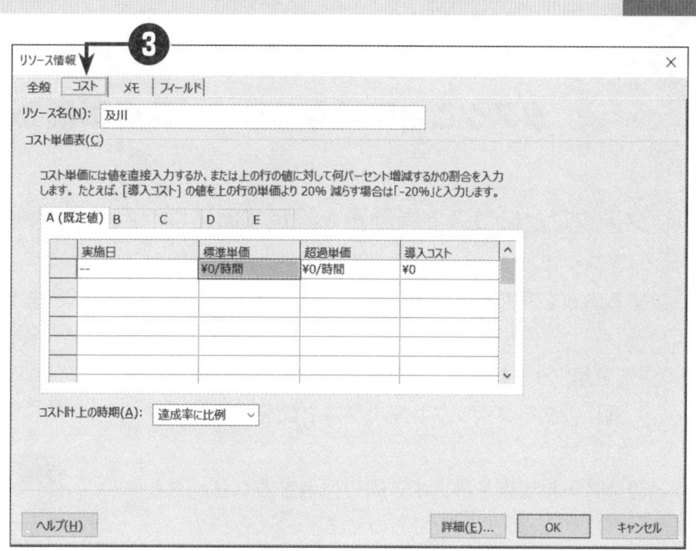

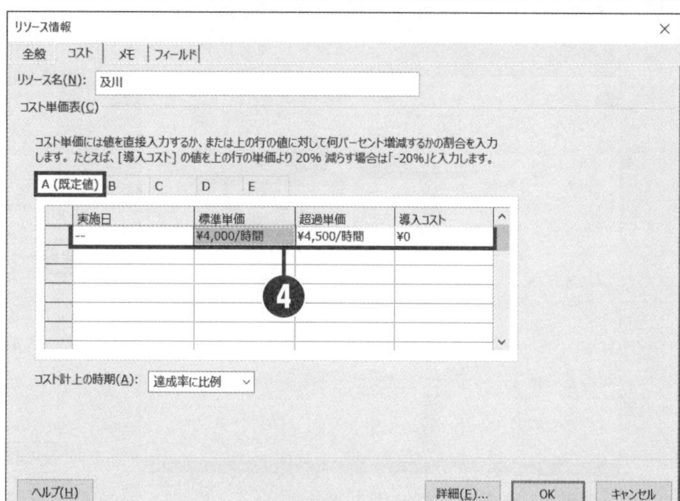

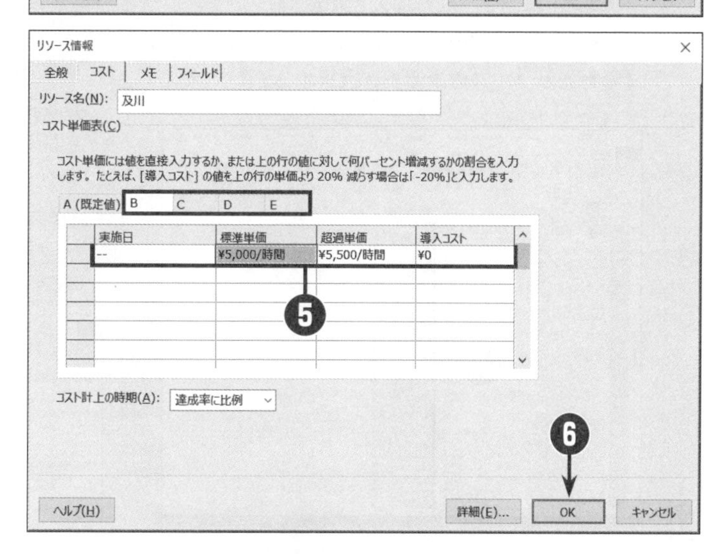

タスクごとに異なるリソースの単価を使用する方法

タスクごとにコスト単価表を設定するには

タスクごとにリソースのどのコスト単価表を使用するのかを設定する方法は次のとおりです。

❶[表示] タブの [タスクビュー] の [タスク配分状況] の▼をクリックして [タスク配分状況] をクリックする。

❷コスト単価表を挿入する列の列名を右クリックして [列の挿入] をクリックする。

❸[列名の入力] に「コスト単価表」と入力し、Enterを押す。

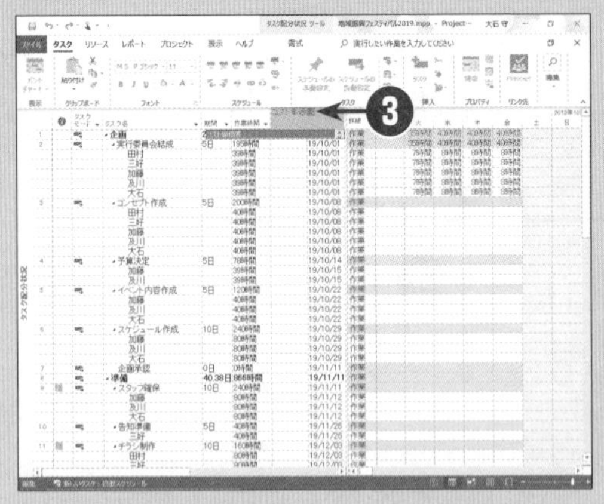

➡[コスト単価表] 列が挿入される。

❹[コスト単価表]列のフィールドでタスクに割り当てられたリソースの単価表を選択する。

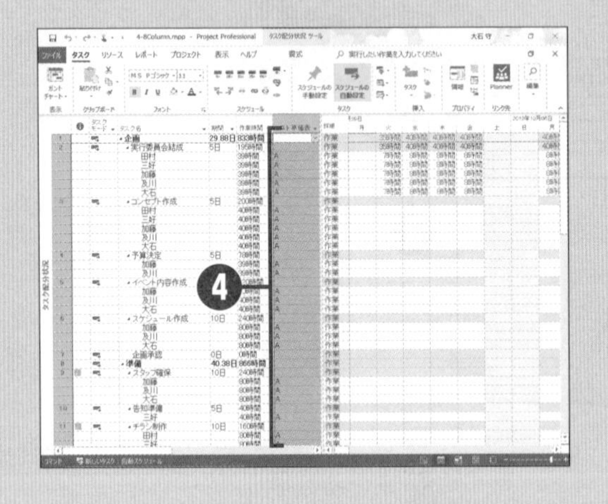

リソースのコスト単価表の適用を確認するには

Aさんに時期によって3種類の標準単価を設定し、タスクに割り当てて結果を確認します。

❶Aさんのコスト単価表を次のように設定する。

実施日	標準単価	超過単価	導入コスト
--	¥1,000/時間	¥0/時間	¥0
16/4/4(月)	¥2,000/時間	¥0/時間	¥0
16/4/11(月)	¥3,000/時間	¥0/時間	¥0

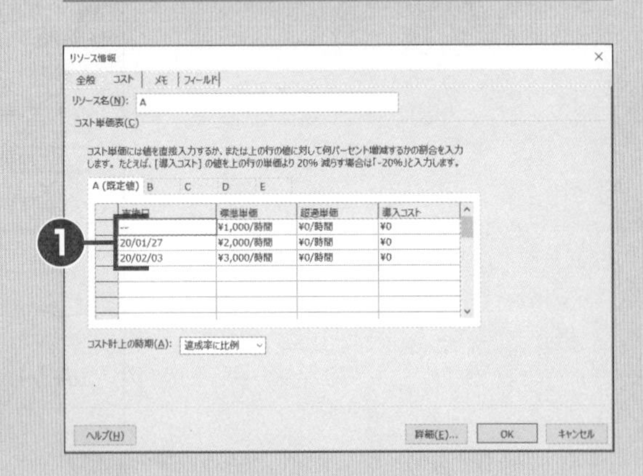

❷[ガントチャート] ビューに切り替え、次のタスクを作成する。

- タスク名：タスク1
- 期間：3週間（「3w」と入力する）
- 開始日：20/1/20
- リソース：「A」を割り当てる

❸[タスク] タブの [ガントチャート] をクリックして [タスク配分状況] をクリックする。

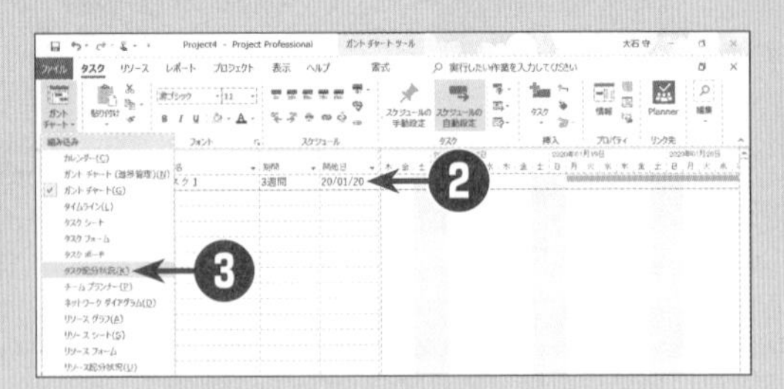

❹［タスク配分状況］ビューの右側のチャート部分を右クリックし、［コスト］をクリックする。

➡［コスト］行が表示される。

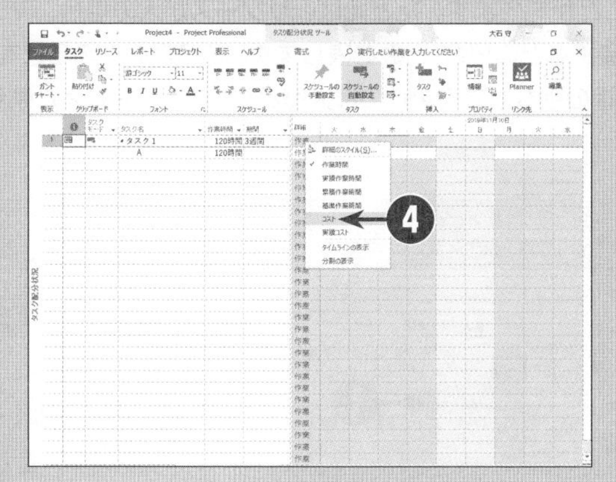

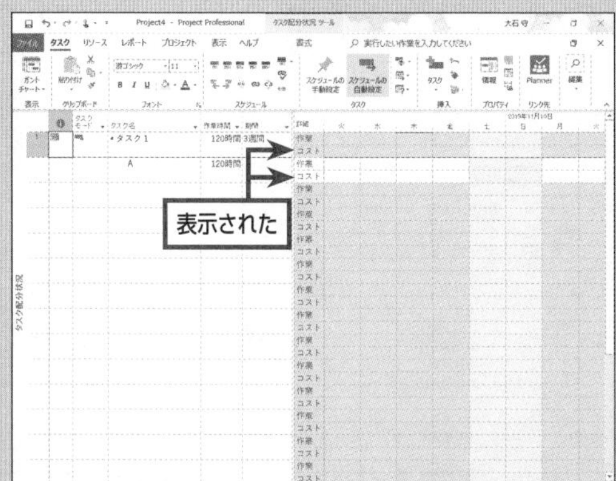

❺タイムスケールを右クリックし、［タイムスケール］をクリックする。

➡［タイムスケール］ダイアログが表示される。

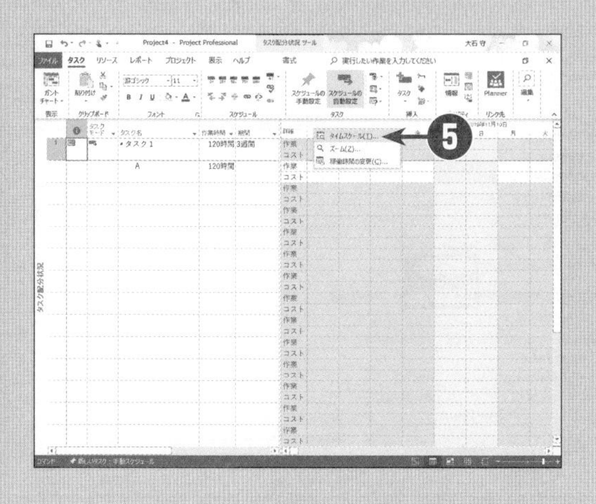

❻［中区分］タブをクリックし、［単位］の▼をクリックして［月］を選択する。

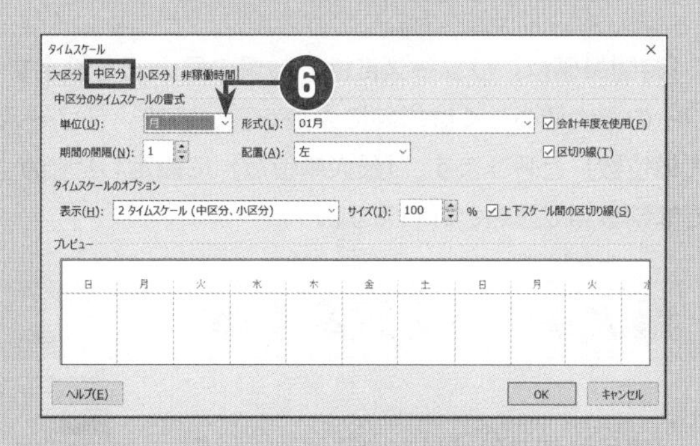

❼［小区分］タブをクリックし、［単位］の▼をクリックして［週］を選択し、［期間の間隔］に「1」と入力する。

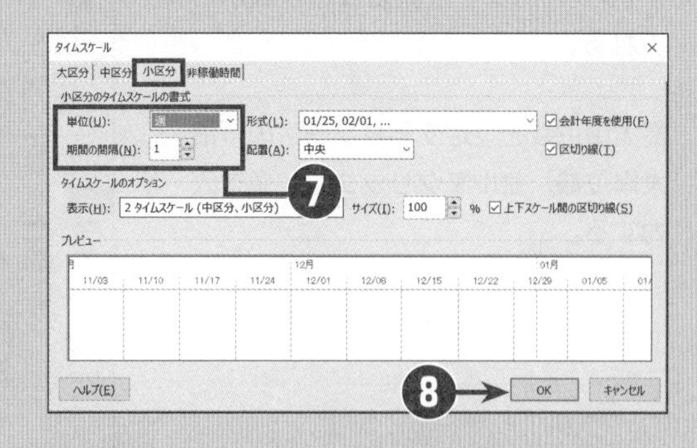

❽［OK］をクリックする。

➡単価表のとおりにコストが設定される。

週	作業時間	コスト	（参考）標準単価
1/19～	40時間	￥40,000	￥1,000/時間
1/26～	40時間	￥80,000	￥2,000/時間
2/2～	40時間	￥120,000	￥3,000/時間

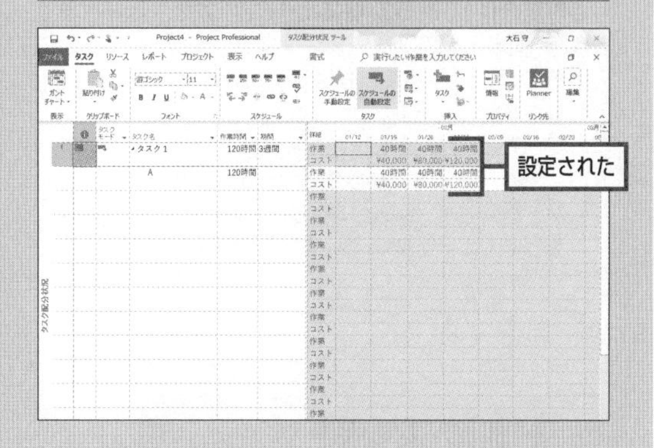

9 ［時間単価型］リソースの数量の最大値を設定するには

［時間単価型］リソースには、数量の最大値を設定することができます。たとえば、リソースが人の場合、マンパワーの最大値もしくは単純に人数を表します。リソースが機械などの場合、台数を表します。この最大値のことを［最大単位数］と呼びます。［最大単位数］に設定した値が、標準の割り当ての単位の最大値となり、これを超えた割り当ては割り当て超過となります。

最大単位数を設定する

❶ ［表示］タブの［リソースビュー］の［リソースシート］の▼をクリックして［リソースシート］をクリックする。

➡［リソースシート］ビューが表示される。

❷ 最大単位数を設定するリソースの［最大単位数］セルをクリックし、値を入力する。

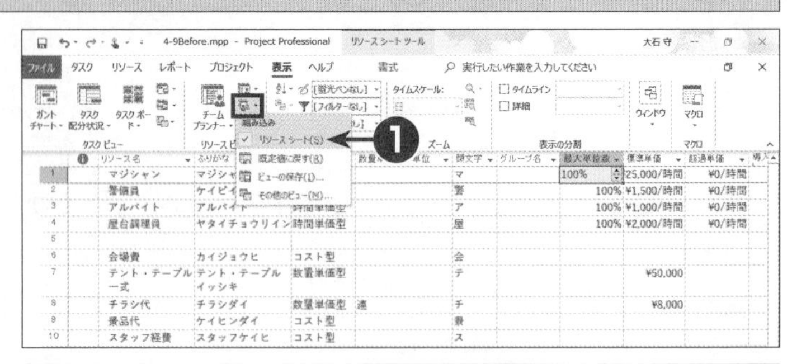

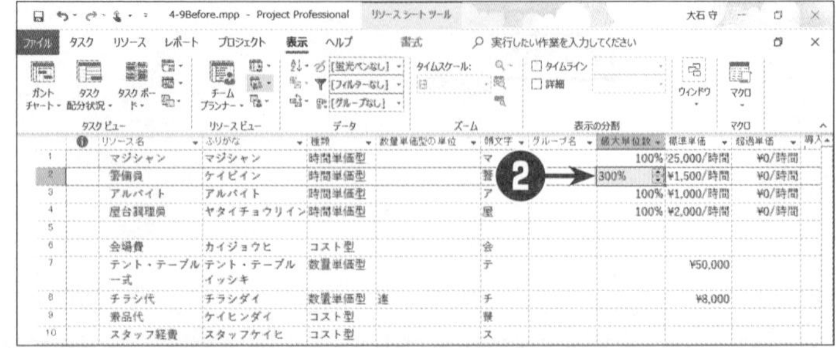

ヒント

リソースの単位数の表示形式

リソースの単位数の表示形式は、パーセントもしくは小数点付きのどちらかを選択できます。パーセントの場合は100%、小数点付きの場合は1.0が既定値になります。たとえば、時間単価型のリソース「警備員」が5人いる場合は、「500%」もしくは「5.0」と入力します。
なお、500%の「警備員」をタスクに単位数100%で割り当てるということは、5人のうち1人を割り当てたことになります。つまり、あと4人は手が空いている状態です。

タスクへのリソースの割り当て

第5章

プロジェクトのタスクを実行するには、担当者のような人材、さらに資材や機材などのリソースが必要です。この章では、登録したリソースをタスクに割り当てる基本的な操作に加えて、リソースの負荷状況を確認する方法について説明します。さらにプロジェクトの重要な要素であるコストを確認する方法、そして予算リソースの使用方法についても説明します。

1 タスクにリソースを割り当てるには

リソースを登録したら、いよいよタスクにリソースを割り当てます。実際にタスクを実行する担当者や機械、資材、お金などさまざまです。リソースを割り当てることにより、そのタスクを実行する担当者が決まります。また、そのタスクを完了するために必要な作業時間や期間が決まります。

タスクにリソースを割り当てる

❶ ［タスク］タブの［表示］の［ガントチャート］の▼をクリックし、［ガントチャート］をクリックする。

➡［ガントチャート］ビューが表示される。

❷ リソースを割り当てるタスクをクリックする。

❸ ［リソース］タブの［割り当て］の［リソースの割り当て］をクリックする。

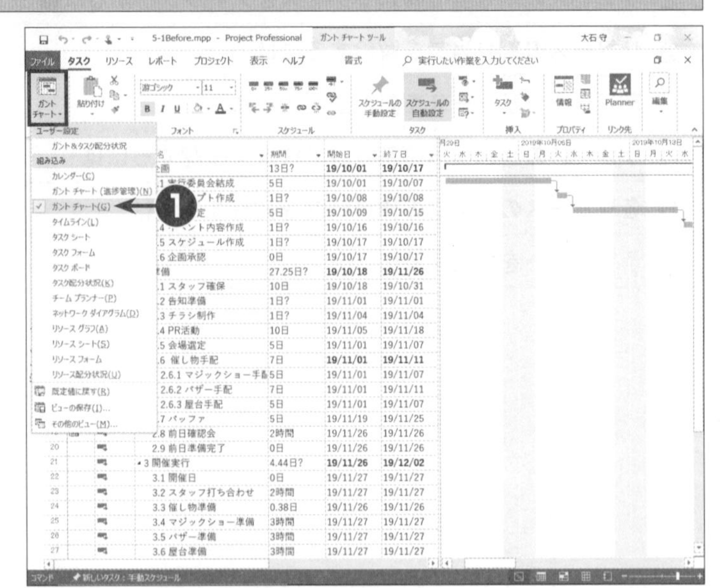

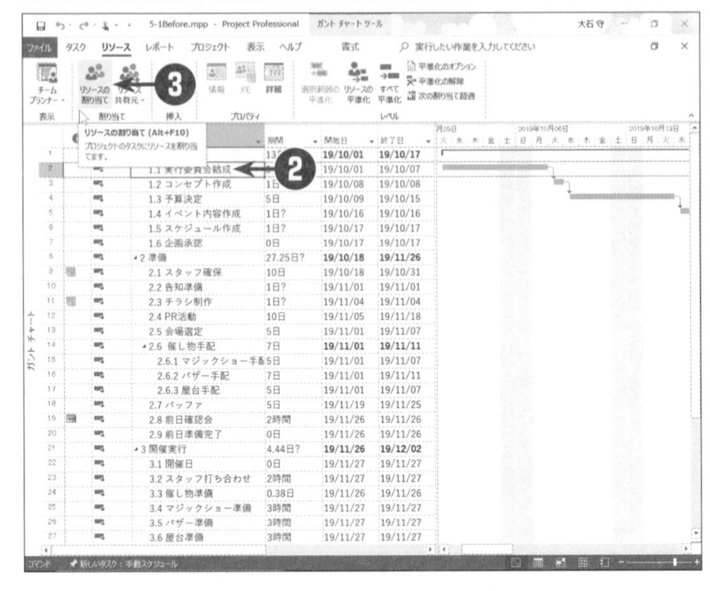

❹ ［リソースの割り当て］ダイアログの［'<ファイル名>'のリソース］でリソース名を選択する。

❺ ［割り当て］をクリックする。

➡タスクにリソースが割り当てられる。

❻ ［閉じる］ボタンをクリックする。

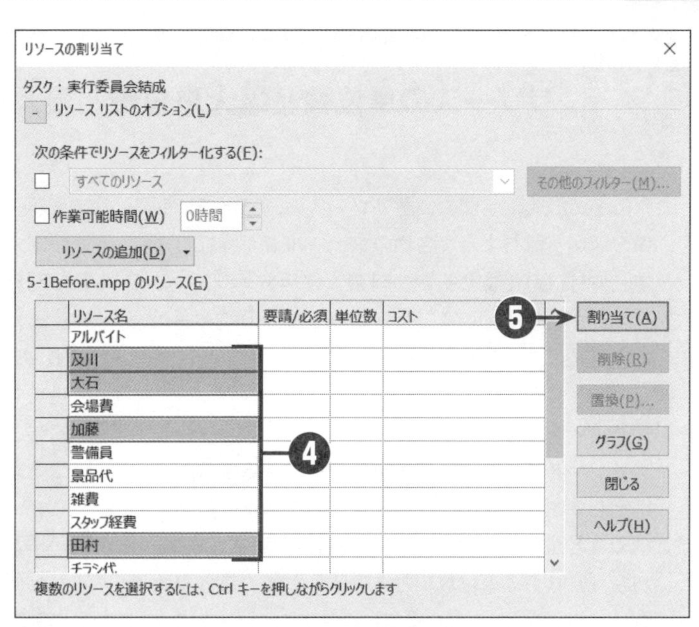

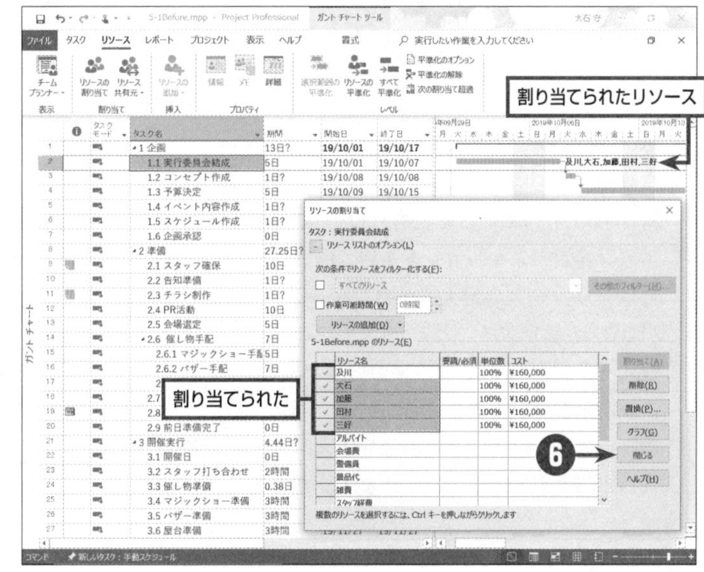

ヒント

タスクにリソースを連続して割り当てるには

リソースの割り当て後、続けて別のタスクにリソースを割り当てる場合、［リソースの割り当て］ダイアログを閉じる必要はありません。このダイアログを表示したまま、次のタスクを選択できます。

注意

意図しないリソースの登録

［リソースの割り当て］ダイアログでリソース名を入力すると、新たにリソースが作成されます。もともと存在するリソースとわずかに名前の異なるリソースが意図せずに追加されてしまうことがあります。リソースの入力はリソースシートで行うことをお勧めします。

リソースの単位数と最大単位数と最大使用数

Projectでは、時間単価型リソースの割り当てに関係の深い、似たような名称のフィールドが存在します。「単位数」「最大単位数」「最大使用数」の3つのフィールドです。ここでは、これら3つのフィールドの特長について解説します。

単位数

リソースをタスクに割り当てる際に「単位数」を指定します。これはリソースがそのタスクに対して割くことができる、マンパワーの割合を意味します。別名「割り当て単位数」とも呼ばれます。この単位数は、[リソースの割り当て] ダイアログ、[タスク情報] ダイアログの [リソース] タブ で主に使用します。

最大単位数

リソースの持つ最大のマンパワーを表します。通常は100% (1.0) です。例として、プログラマーのような特定のスキルセットを持つ標準リソースの場合は、リソースの最大単位数フィールドに1000% (10.0) と設定することで10人のプログラマーが存在すると想定する、という使い方もできます。リソースが特定の個人を表す場合、通常は100% (1.0) に設定します。一方で、この値を個人のスキル係数の代わりに使用することもできます。たとえば、特にスキルの高い人の場合、最大単位数を150% (1.5) に設定すると、タスクに対して150% (1.5) の単位数で割り当てを行っても、超過割り当てになりません。また [作業時間固定] のタスクの場合、150% (1.5) の割り当てを行うことで、タスクの期間を2/3に短縮することができます。つまり、最大単位数を150% (1.5) とすることで、リソースの能力を1.5倍に見立てることもできるわけです。

最大使用数

最大使用数は、「使用数」という言葉からわかるように実際にリソースをどれだけ使用しているかを表します。リソースシートに表示される最大使用数は、プロジェクトの全期間における最大の使用数を表します。リソースグラフなどのタイムスケール付きのビューでは、タイムスケールで表示される区分の期間内での最大の使用数を表します。タイムスケールの小区分が「日」であれば、その日のうちで最大の負荷を表します。たとえば、月曜日に割り当て単位数150% (1.5) でタスクに割り当てられ、さらに割り当て単位数100% (1.0) のタスクにも割り当てられている場合、合計で250% (2.5) の最大使用数ということになります。

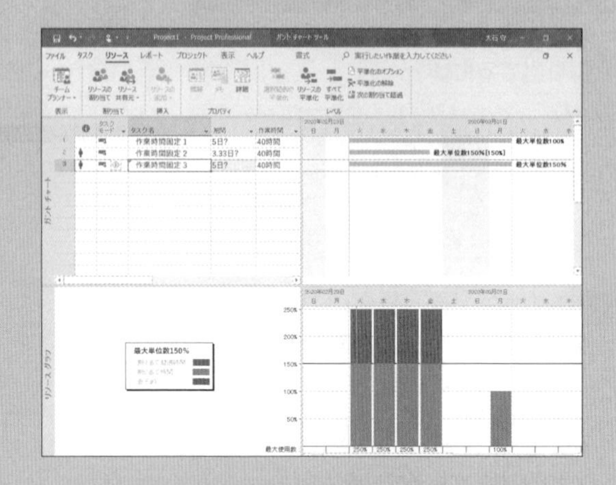

2 リソースの割り当て時にリソースをフィルターするには

リソースの数が多くなると、割り当ての際に目的のリソースを探すのに手間取ることがあります。［リソースの割り当て］ダイアログでは、フィルターを使用することで目的のリソースを見つけやすくすることができます。

リソースのフィルターを設定する

❶ ［ガントチャート］ビューでタスクを選択する。

❷ ［リソース］タブの［割り当て］の［リソースの割り当て］をクリックする。

➡［リソースの割り当て］ダイアログが表示される。

❸ ［リソースリストのオプション］の［+］をクリックする。

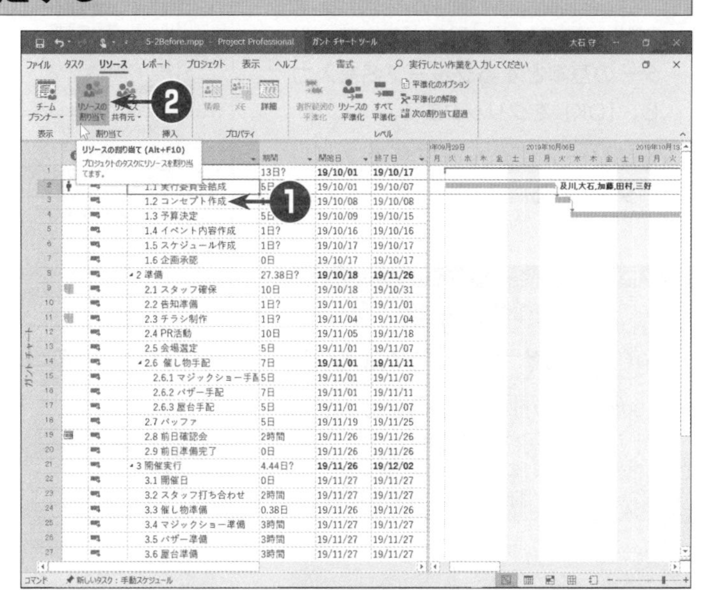

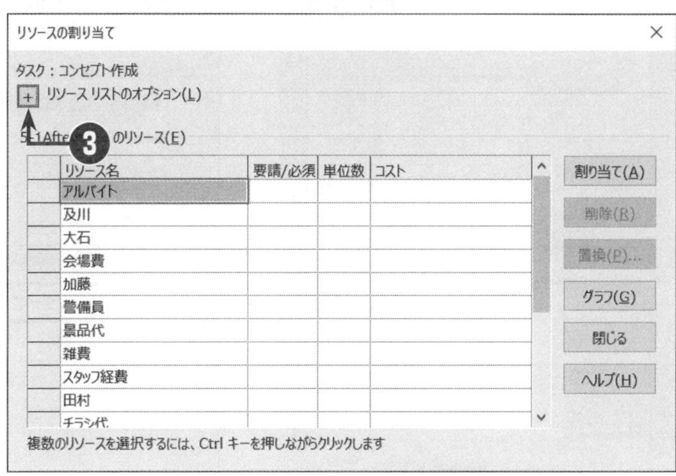

用語

フィルター

特定の性質のタスクやリソースを指定し、ビューの表示を絞り込む機能です。

4 ［次の条件でリソースをフィルター化する］にチェックを入れる。

5 フィルター名が表示されているボックスの▼をクリックして、フィルター化の条件を選択する。

●ここでは［グループ名］を選択する。

6 ［グループ名］ダイアログで、フィルターの基準とするグループ名を入力し、［OK］をクリックする。

➡リソースがグループ名でフィルターされる。

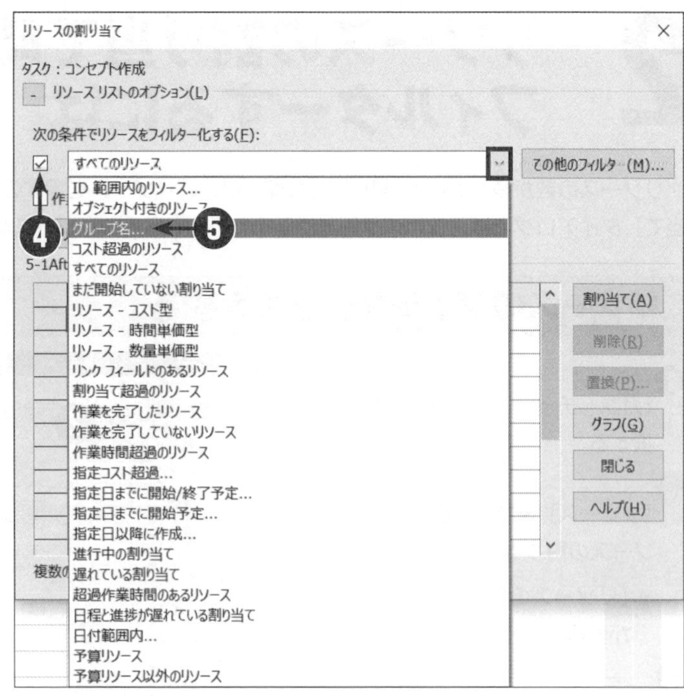

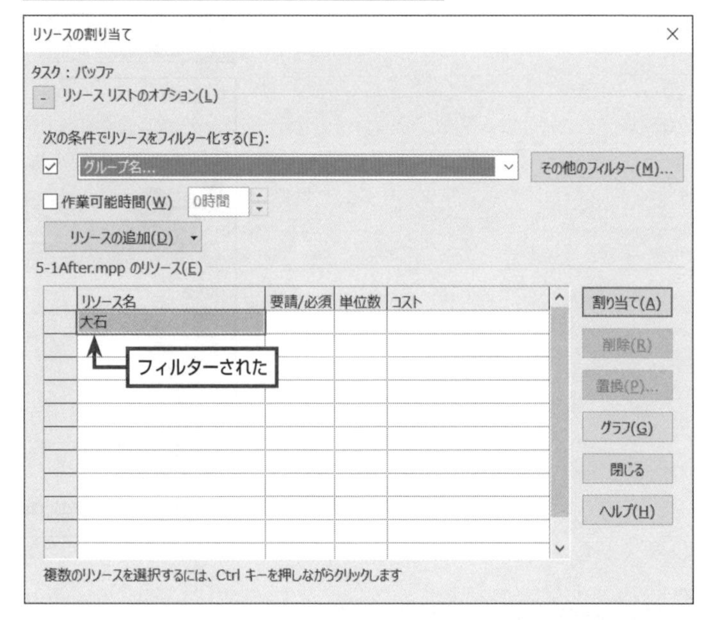

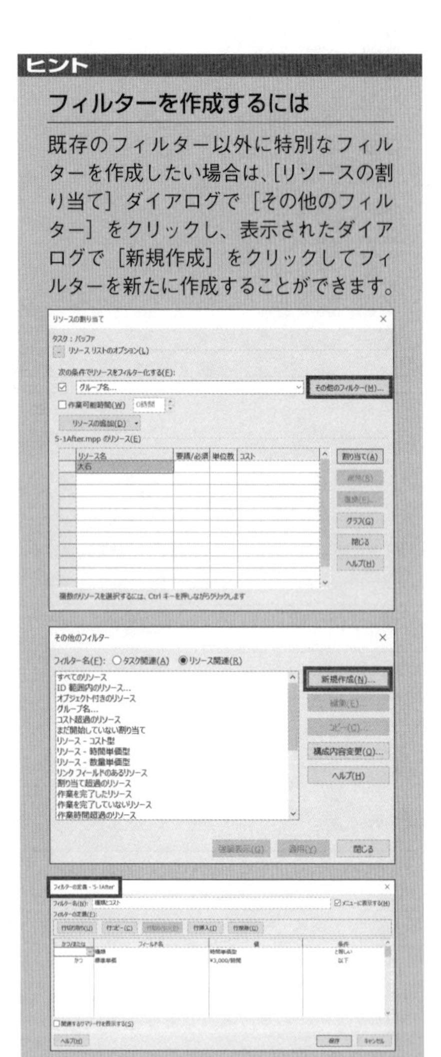

ヒント

フィルターを作成するには

既存のフィルター以外に特別なフィルターを作成したい場合は、［リソースの割り当て］ダイアログで［その他のフィルター］をクリックし、表示されたダイアログで［新規作成］をクリックしてフィルターを新たに作成することができます。

3 リソースの割り当てを解除するには

タスクにリソースを割り当てた後に状況が変わった場合、リソースの割り当てを解除することができます。

リソースの割り当てを解除する

❶ ［ガントチャート］ビューで、リソースの割り当てを解除するタスクをクリックする。

❷ ［リソース］タブの［割り当て］の［リソースの割り当て］をクリックする。

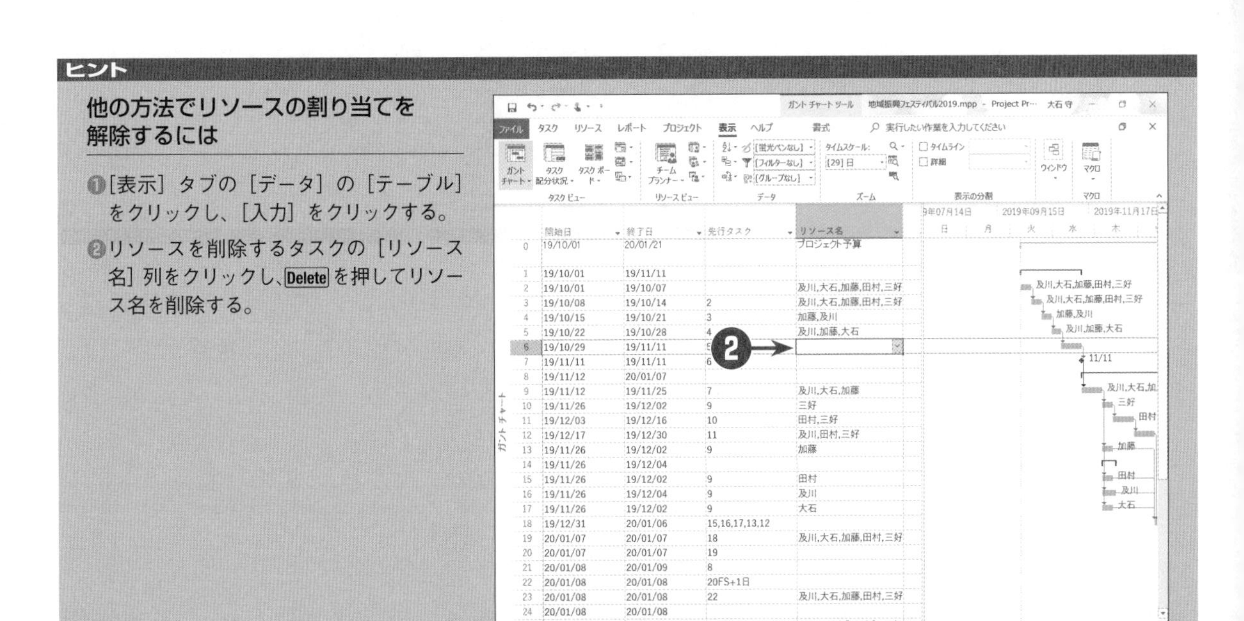

ヒント

他の方法でリソースの割り当てを解除するには

❶［表示］タブの［データ］の［テーブル］をクリックし、［入力］をクリックする。

❷リソースを削除するタスクの［リソース名］列をクリックし、Deleteを押してリソース名を削除する。

❸ [リソースの割り当て]ダイアログで現在割り当てられているリソース名を選択する。

❹ [削除] をクリックする。

➡リソースの割り当てが解除される。

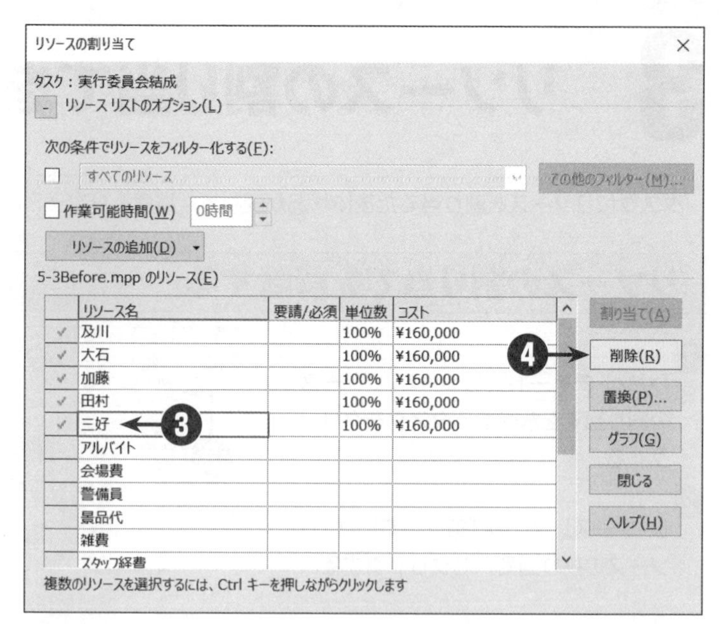

4 割り当てたリソースを置き換えるには

一度タスクに割り当てたリソースを他のリソースに変更する場合は、リソースの置き換えを行います。この作業にも［リソースの割り当て］ダイアログを使用します。

リソースを置き換える

❶ ［ガントチャート］ビューで、リソースを置き換えるタスクをクリックする。

❷ ［リソース］タブの［割り当て］の［リソースの割り当て］をクリックする。

❸ ［リソースの割り当て］ダイアログで現在割り当てられているリソースを選択する。

❹ ［置換］をクリックする。

❺ ［リソースの置換］ダイアログで置換後のリソースを選択する。

● 選択したリソースを複数のリソースで置き換えるには、Ctrlを押しながら置換するリソースをクリックする。

❻ ［OK］をクリックする。

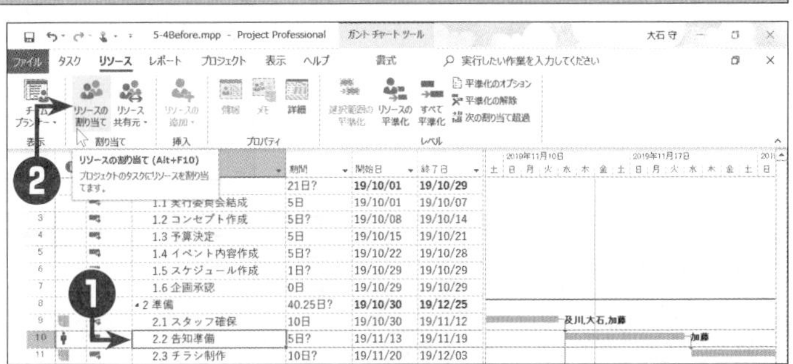

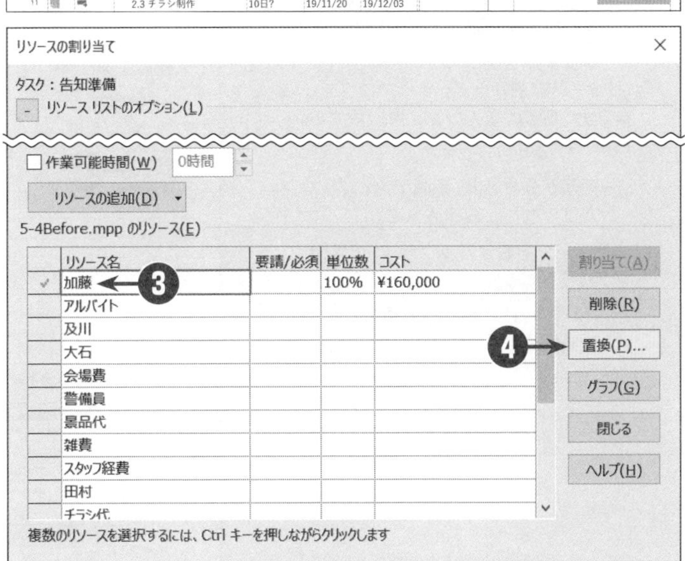

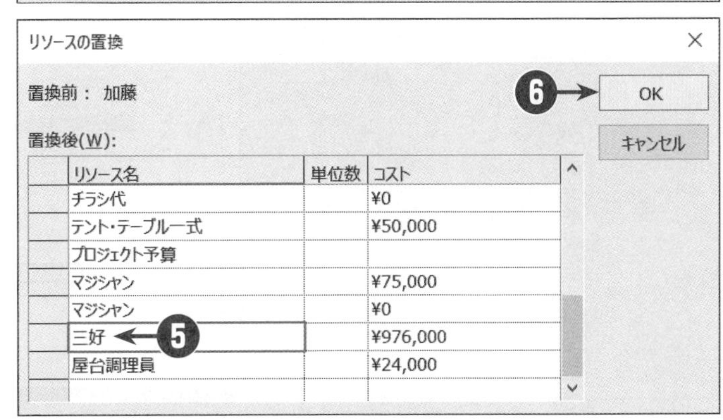

➡タスクのリソースが置き換えられる。

❼［リソースの割り当て］ダイアログで［閉じる］をクリックする。

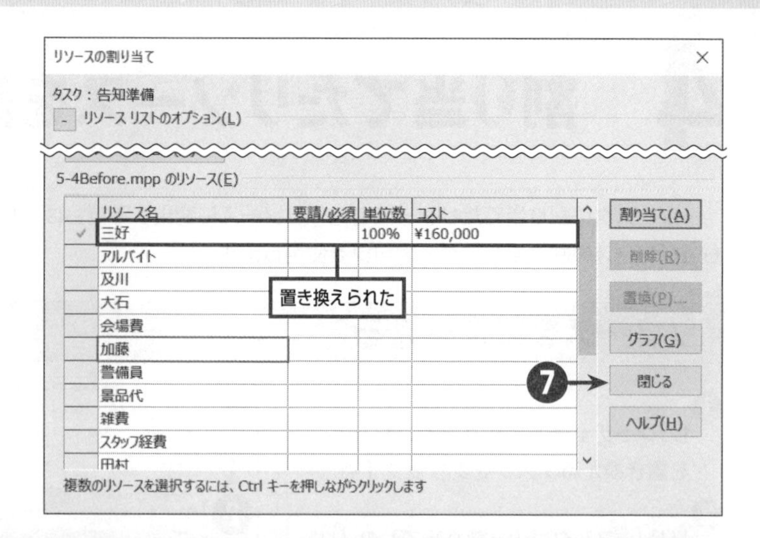

ヒント

リソースの残存余力

リソースを置き換える前に、そのリソースが特定の時期にどのくらい作業を実行できるか（残存余力）を確認することができます。

❶［リソースの割り当て］ダイアログで、残存余力を確認するリソースを選択する。

❷［グラフ］をクリックする。

➡画面が分割され、画面下段に［リソースグラフ］が表示される。

❸グラフ部分を右クリックし、［残存余力］をクリックする。

➡［残存余力］（割り当て余力）のバーが表示される。

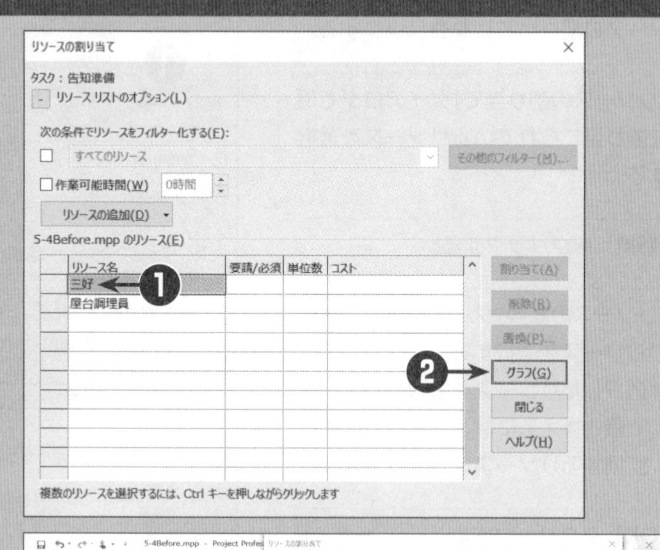

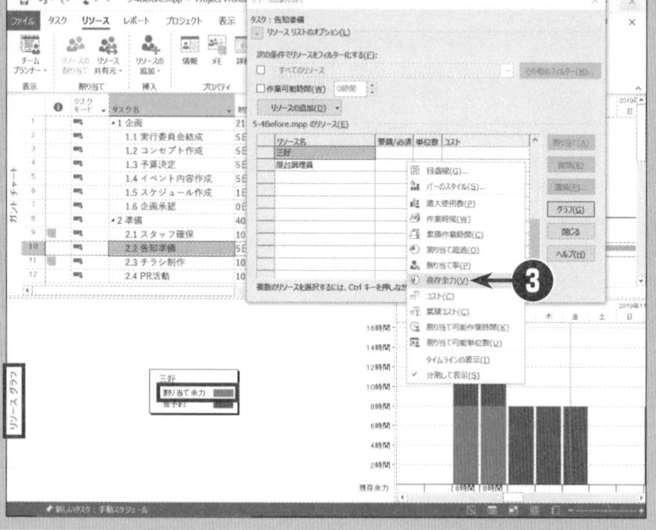

5 リソースのタスクへの割り当て状況を確認するには

リソースからタスクの割り当て状況を視覚的に確認するには、[チームプランナー]ビューを使用します。このビューは、いわばリソース側から見たガントチャートと言えるでしょう。どのリソースにどのタスクがいつ割り当てられているのかがひと目でわかるので、状況を把握しやすいという特徴があります。

リソースの割り当て状況を確認する

❶ [タスク] タブの [表示] の [ガントチャート] の▼をクリックし、[チームプランナー] をクリックする。

➡[チームプランナー] ビューに表示が切り替わる。

❷ [未割り当てタスク] に、リソースが割り当てられていないタスク数が表示されるので、それらのタスクを確認する。

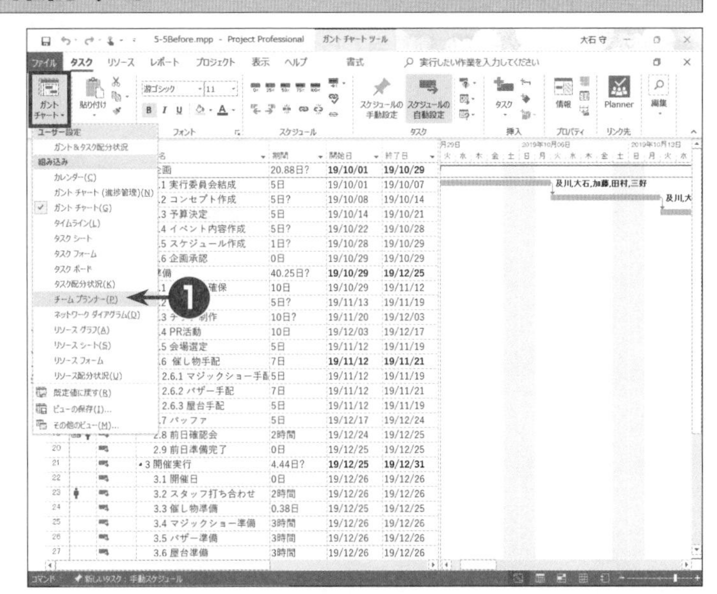

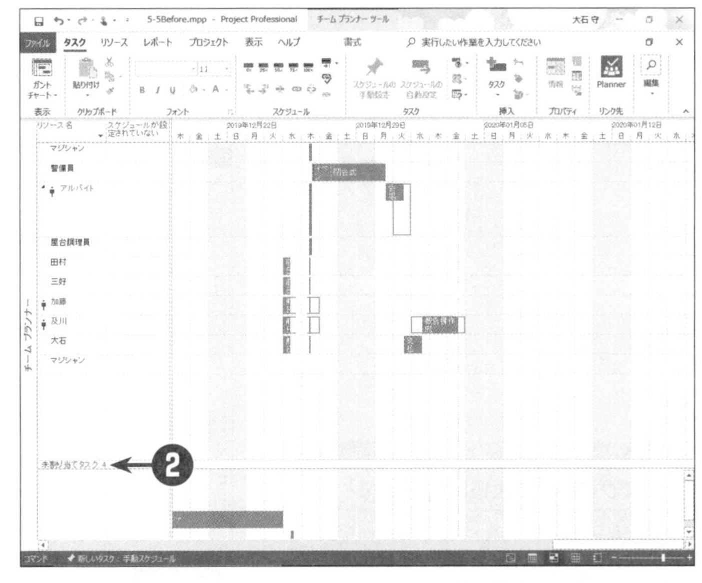

注意

エディションによる違い

チームプランナーは、Project Professionalでのみ使用できます。

❸

［未割り当てタスク］が表示されていないときは、［チームプランナーツール］の［書式］タブの［表示/非表示］の［未割り当てのタスク］にチェックを入れる。

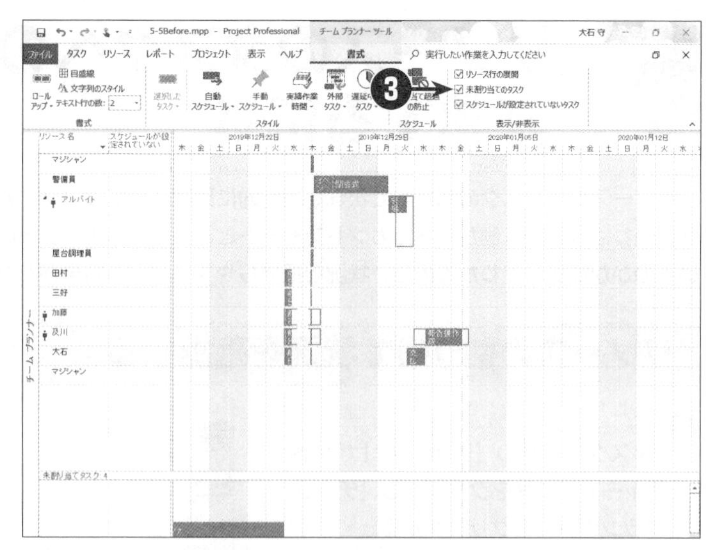

❹

未割り当てのタスクがある場合、そのタスクを割り当てたいリソースの行にドラッグアンドドロップする。

➡タスクがリソースに割り当てられる。

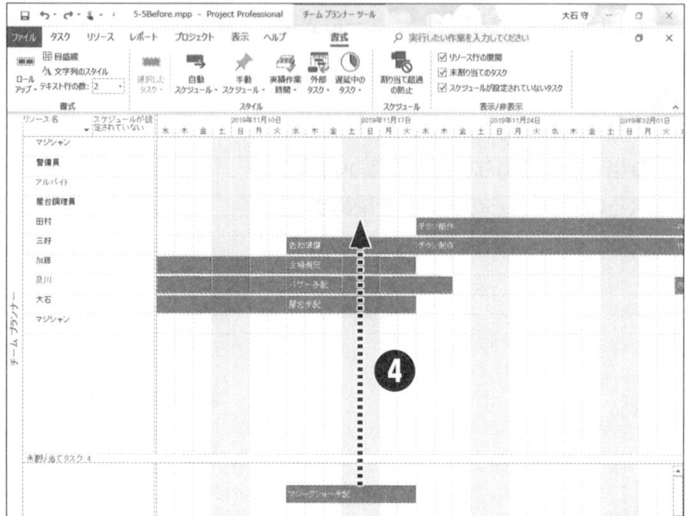

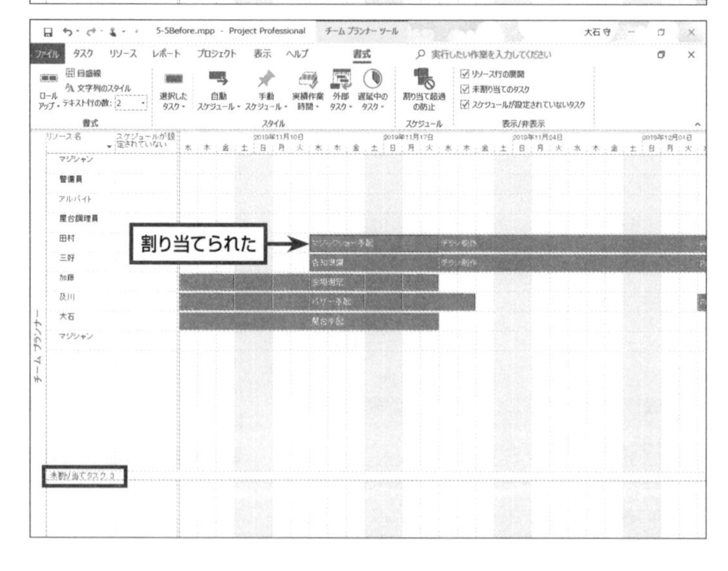

注意

タスクの移動による制約の付加

チームプランナーで、タスクのバーをドラッグして実施時期を移動すると「指定日以後に開始」の制約が設定されるため注意してください。

ヒント

タスクバーのロールアップ

既定では、リソースに割り当てられているタスクがすべてバーとして表示されます。もう少し概要のレベルで把握したい場合には、ロールアップという機能を使用します。

❶［チームプランナーツール］の［書式］タブの［書式］の［ロールアップ］をクリックする。

❷表示させたいアウトラインレベルをクリックする。

➡選択したアウトラインレベルのタスクが表示される。

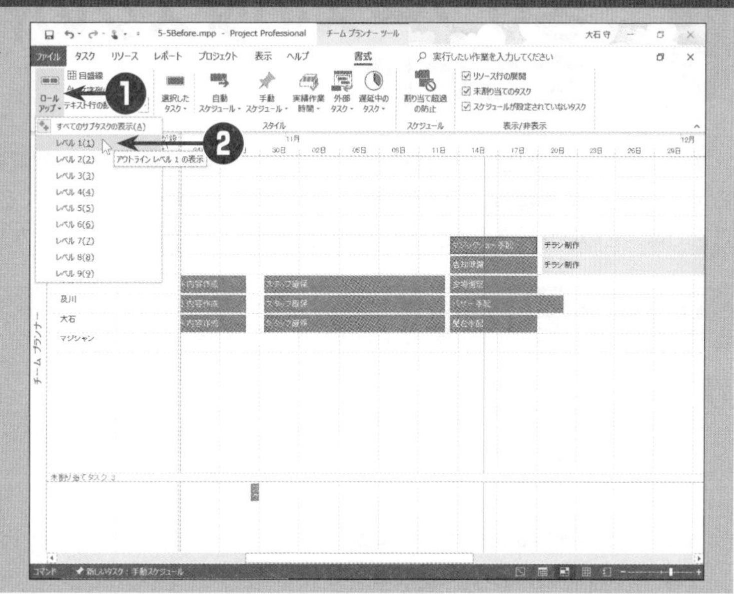

ヒント

割り当て超過リソース

割り当て超過が発生している場合、リソース名が赤色で表示され、チャートの該当部分にもタスクバーの内部に赤い線が表示されます。

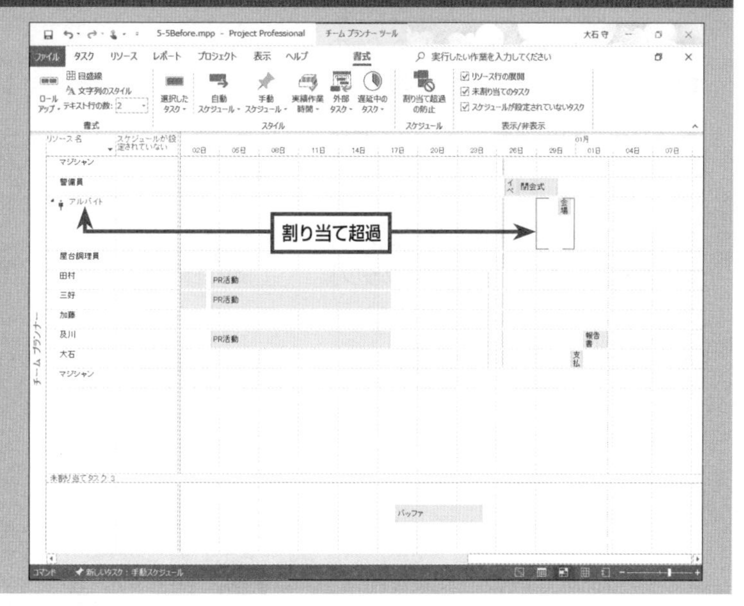

6 各リソースのタスクの作業時間を確認するには

すべてのタスクにリソースの割り当てが完了したら、[リソース配分状況] ビューでリソースの配分状況を確認しましょう。割り当てが超過しているリソースは調整する必要がありますが、その方法は第6章で詳しく解説しています。ここでは、どのリソースに割り当て超過が発生しているか確認する方法を説明します。

リソース配分状況を確認する

❶ [タスク] タブの [表示] の [ガントチャート] の▼をクリックし、[リソース配分状況] をクリックする。

➡ [リソース配分状況] ビューに表示が切り替わる。割り当てが超過しているリソースは赤色で表示される。

❷ [リソース] タブの [レベル] の [次の割り当て超過] をクリックする。

➡ 割り当て超過が発生している時期のタイムスケールが表示される。

❸ [リソース] タブの [チームプランナー] の▼をクリックし、[リソースグラフ] をクリックする。

➡ リソースグラフが表示される。

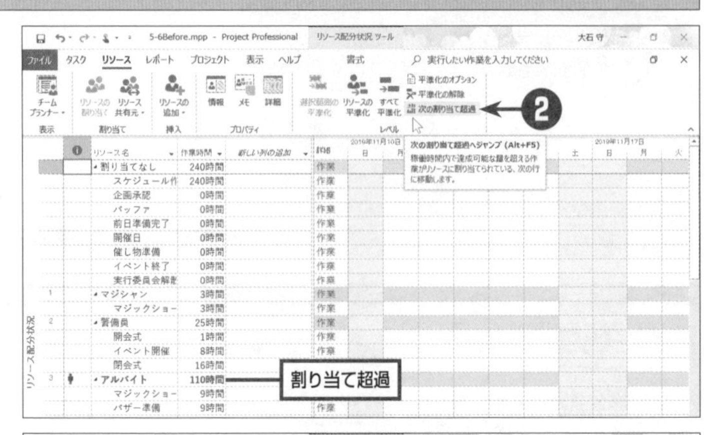

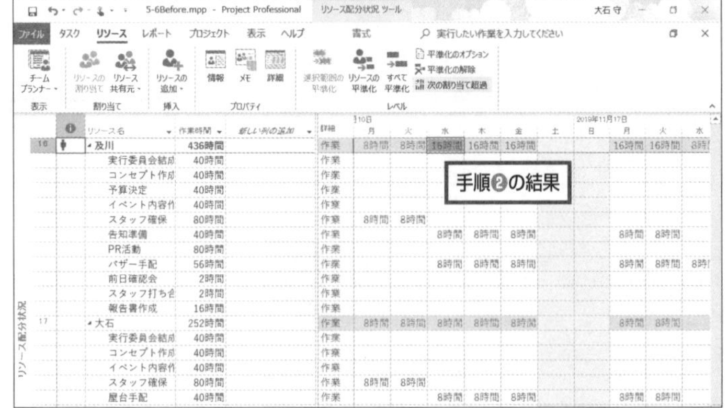

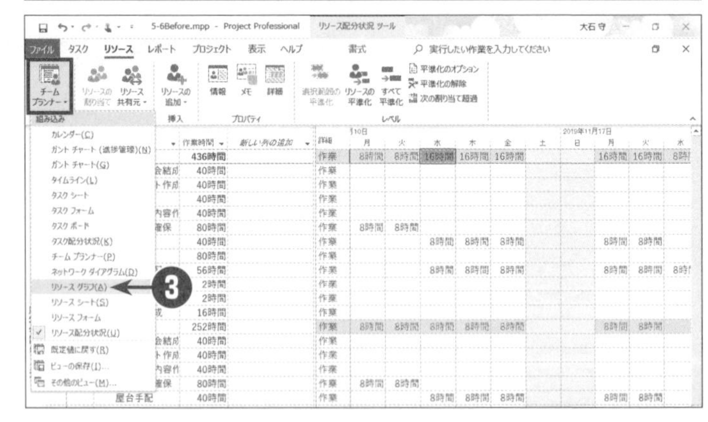

ヒント

[次の割り当て超過] にジャンプしないときは

現在表示されているタイムスケールの日付より前に割り当て超過が存在する場合は、[次の割り当て超過] をクリックしても表示されません。タイムスケールをいったんプロジェクト開始日まで戻してやり直してください。

4

グラフのバーを右クリックし、[最大使用数] をクリックする。

➡リソースグラフに割り当て超過を示すグラフが表示される。

5

[表示] タブの [表示の分割] の [詳細] にチェックを入れ、[詳細ビュー] の▼をクリックし、[ガントチャート] を選択する。

➡下段の [ガントチャート] ビューで、その日に割り当てられているタスクと時間を確認できる。

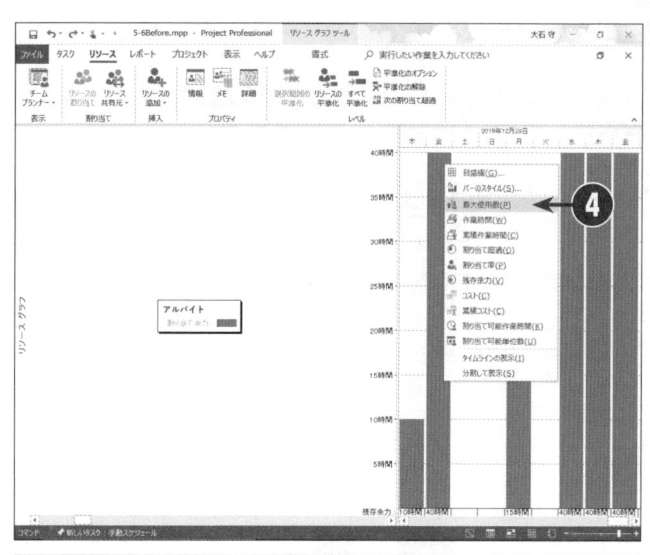

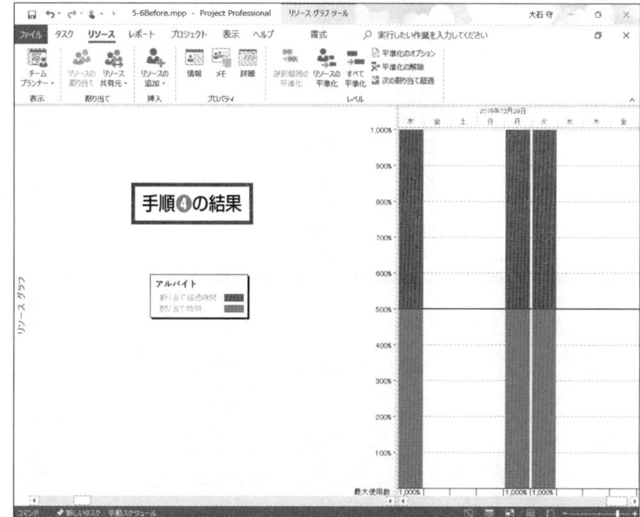

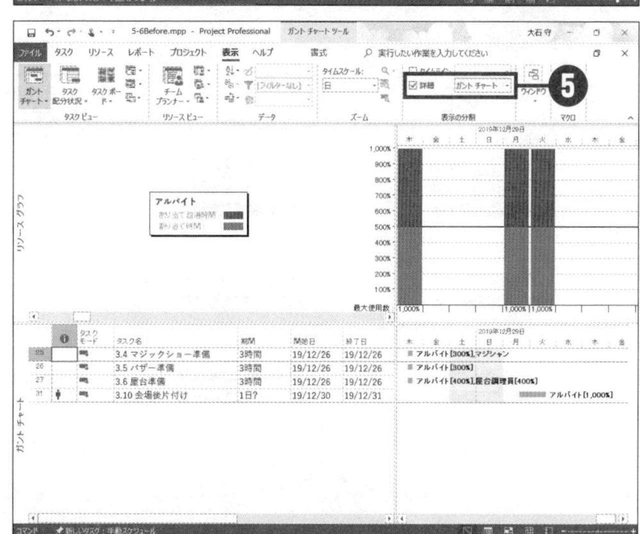

リソースグラフの形状と目盛

リソースグラフの形状

リソースグラフの形状は[バーのスタイル]を使って次の手順で変更することができます。

❶リソースグラフが表示されている領域を右クリックして、[バーのスタイル]をクリックする。

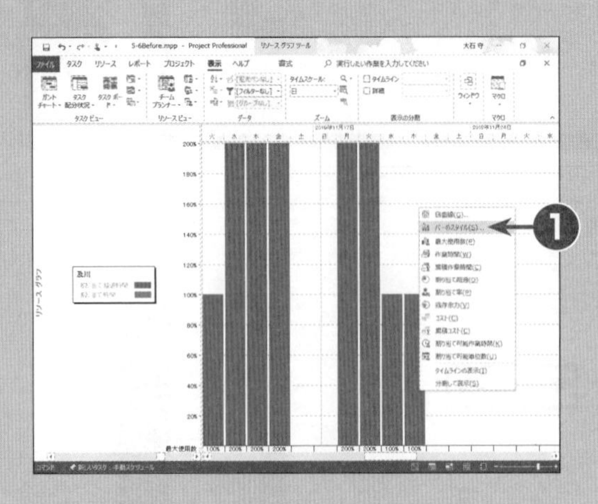

❷[バーのスタイル]ダイアログの[フィルターをかけたリソース]で、[割り当て超過のリソース]の[形状]の▼をクリックし、[領域]をクリックする。
❸[色]の▼をクリックし、[薄い青]をクリックする。
❹[リソース]で、[割り当て超過のリソース]の[形状]の▼をクリックし、[領域]をクリックする。
❺[余力線を表示する]にチェックを入れる。

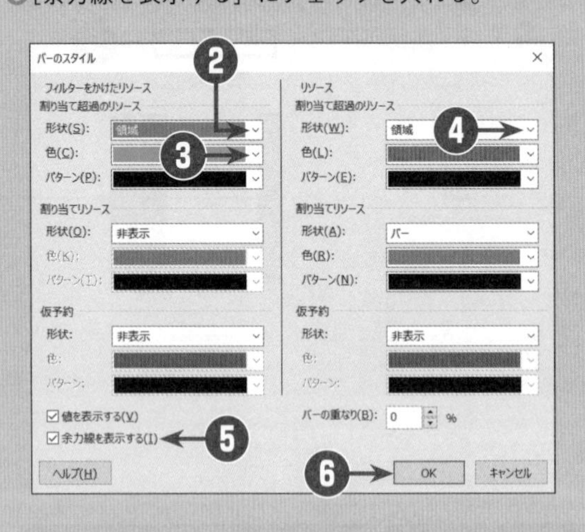

❻[OK]をクリックする。
➡リソースグラフの形状が変更される。

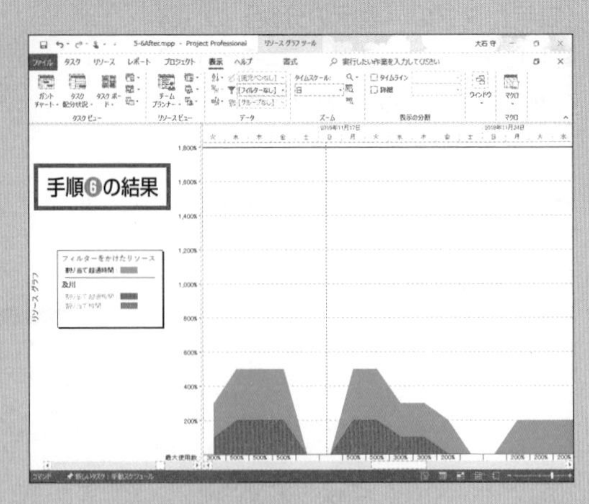

リソースグラフの目盛

リソースグラフの目盛は、既定では最大使用数が「%」で表示されていますが、[作業時間]や[割り当て超過]など「時間」で表示することもできます。

❶画面下段のリソースグラフが表示されている箇所を右クリックして、[作業時間]をクリックする。
➡リソースグラフの表示が変更される。

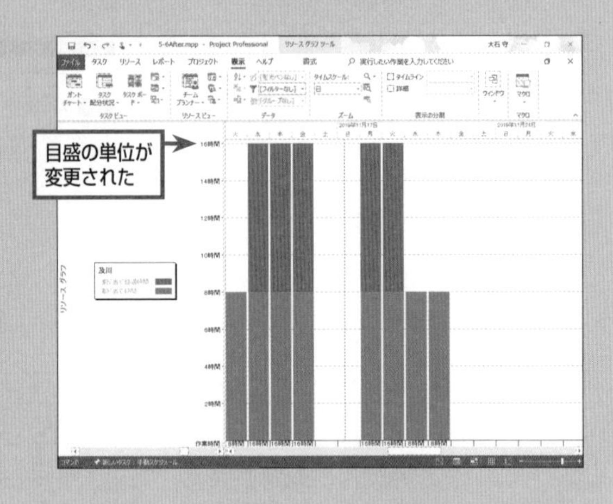

7 予算コストを使用するには

Projectでは、プロジェクトの予算を管理するために「予算リソース」という機能があります。プロジェクトマネージャーは、[予算コスト] フィールドを使ってプロジェクト全体の予算を設定し、予算コストと計画時コスト、実績コストを比較することができます。ここでは一例として、「プロジェクト予算」というリソースを追加し、予算コストを設定する手順を紹介します。

予算コストを設定する

❶ [リソース] タブの [表示] の [チームプランナー] の▼をクリックし、[リソースシート] をクリックする。

➡ [リソースシート] ビューが表示される。

❷ [リソース名] フィールドに「プロジェクト予算」と入力する。

❸ 手順❷で入力したフィールドをダブルクリックする。

➡ [リソース情報] ダイアログが表示される。

ヒント

予算リソースについて

予算リソースは、通常のリソースと同様、[時間単価型] [数量単価型] [コスト型] が設定できます。また、プロジェクトの予算という位置付けのため、プロジェクトサマリータスクにのみ割り当てることができます。割り当て方法は通常のリソースと同様です。

4. [全般] タブで、[種類] に [コスト型] を選択し、[予算] にチェックを入れる。

5. [OK] をクリックする。

6. [タスク] タブの [表示] の [ガントチャート] の▼をクリックし、[タスク配分状況] をクリックする。

   ➡[タスク配分状況] ビューが表示される。

7. [表示] タブの [データ] の [テーブル] をクリックし、[コスト] をクリックする。

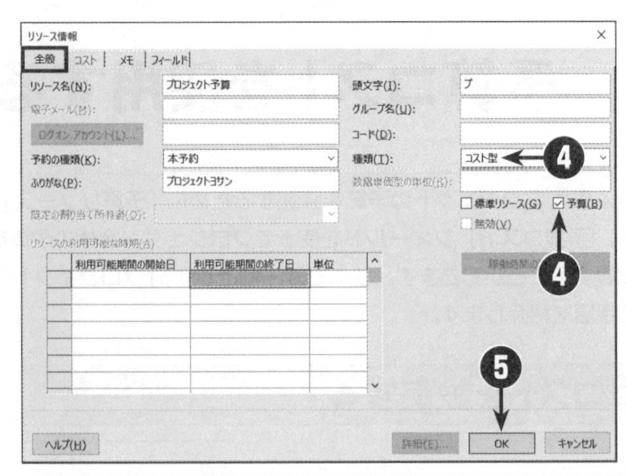

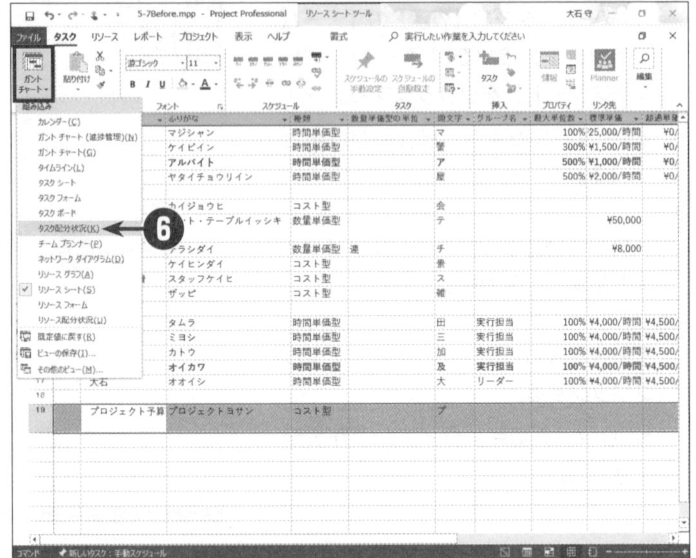

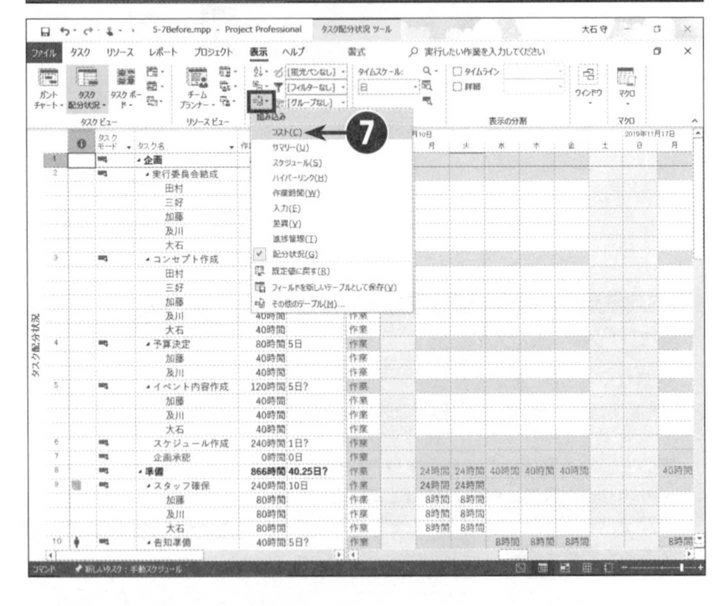

8
[タスク名]の右側の列のタイトルを右クリックし、[列の挿入] をクリックする。

9
[列名の入力] に「予算コスト」と入力する。

10
一覧に [予算コスト] が表示されたら Enter を押す。

▶テーブルに [予算コスト] 列が追加される。

11
プロジェクトサマリーの行をクリックして選択する。

ヒント参照

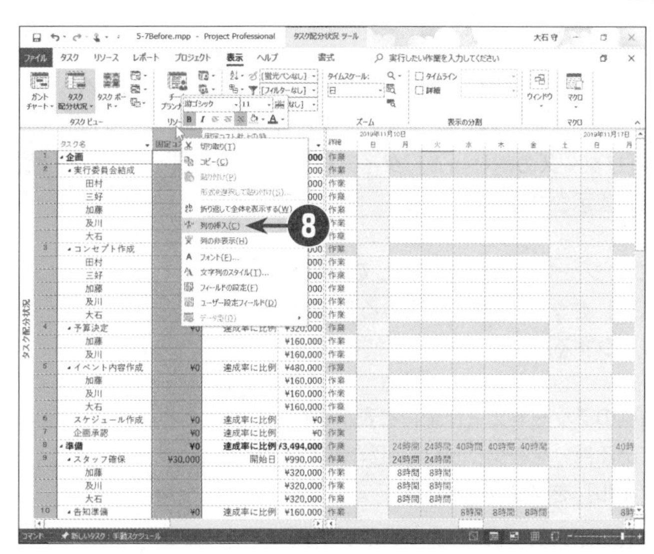

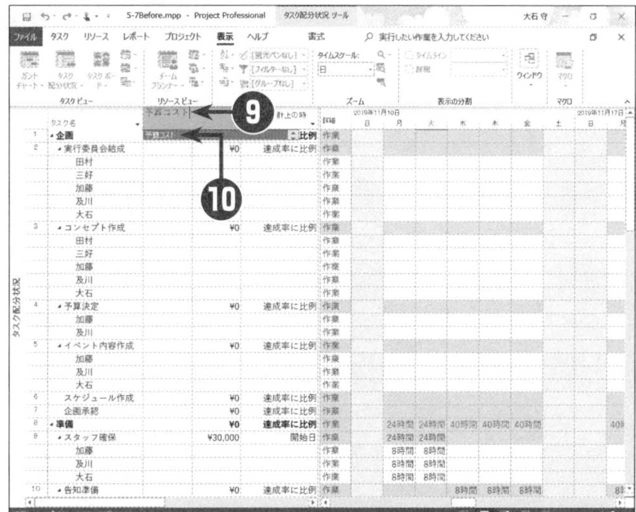

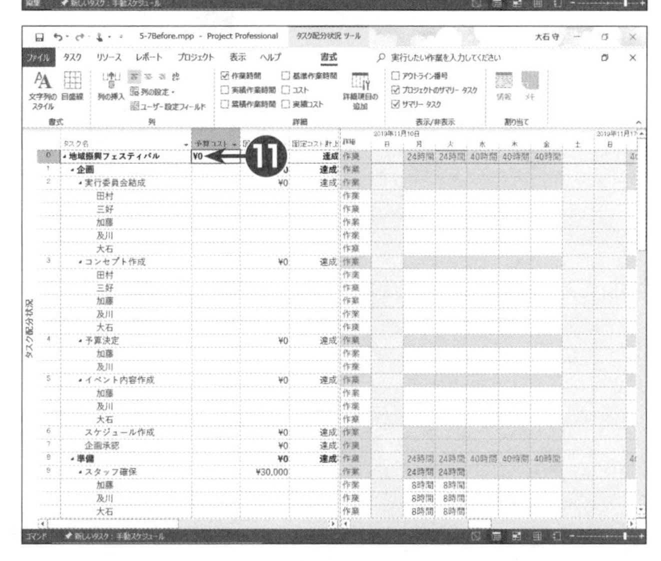

ヒント

プロジェクトサマリーが表示されていないとき

プロジェクトサマリーが表示されていない場合は、[書式] タブの [表示/非表示] の [プロジェクトのサマリータスク] にチェックを入れます（第6章の11を参照）。

⑫ ［リソース］タブの［割り当て］の［リソースの割り当て］をクリックする。

➡［リソースの割り当て］ダイアログが表示される。

⑬ ［プロジェクト予算］を選択して［割り当て］をクリックし、［閉じる］をクリックする。

⑭ 右側のチャートで［作業］と表示されている部分を右クリックし、［詳細のスタイル］をクリックする。

➡［詳細のスタイル］ダイアログが表示される。

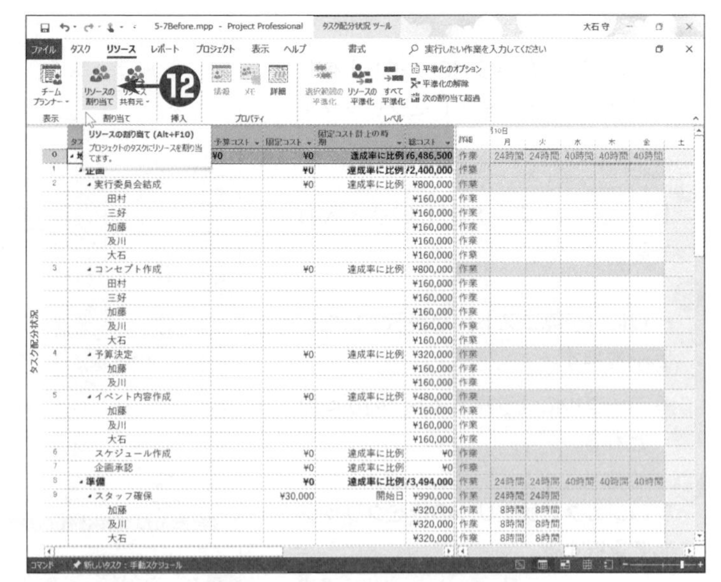

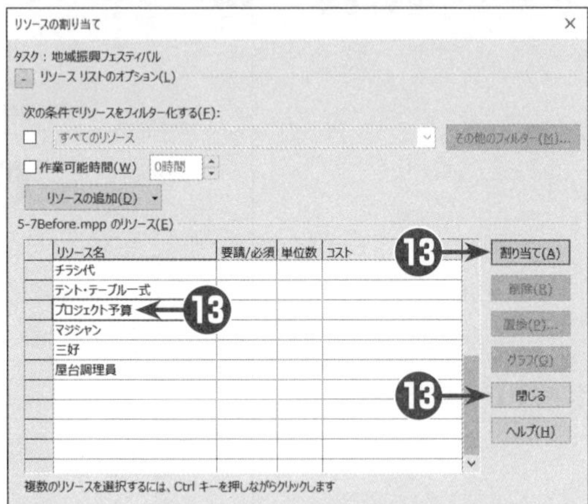

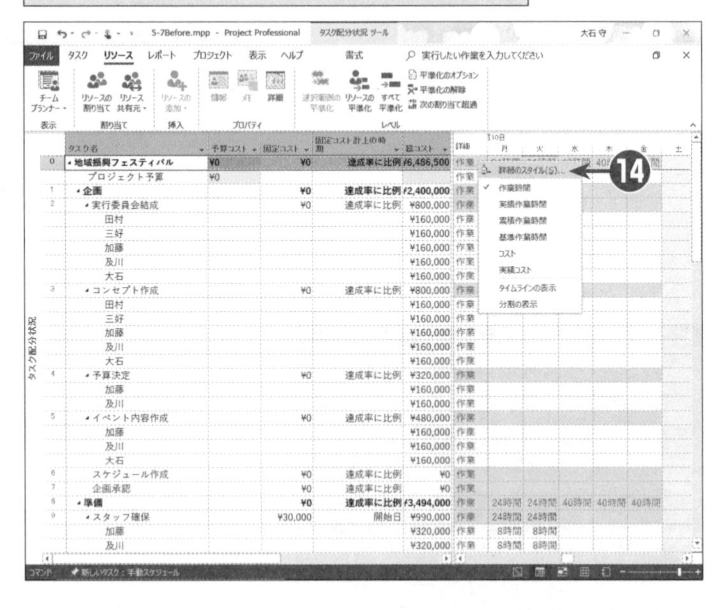

⑮
［配分状況の詳細項目］タブの［利用可能なフィールド名］から［予算コスト］をクリックし、［表示する］をクリックする。

➡［表示するフィールド名］に［予算コスト］が追加される。

⑯
［OK］をクリックする。

➡チャート部分に［予算コスト］の行が追加される。

⑰
タスク名［プロジェクト予算］の［予算コスト］列にプロジェクト全体の予算を入力する。

➡プロジェクトの期間に按分した予算コストが表示される。

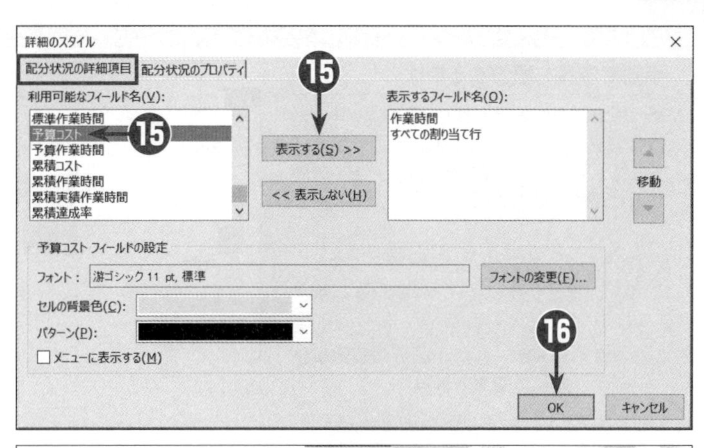

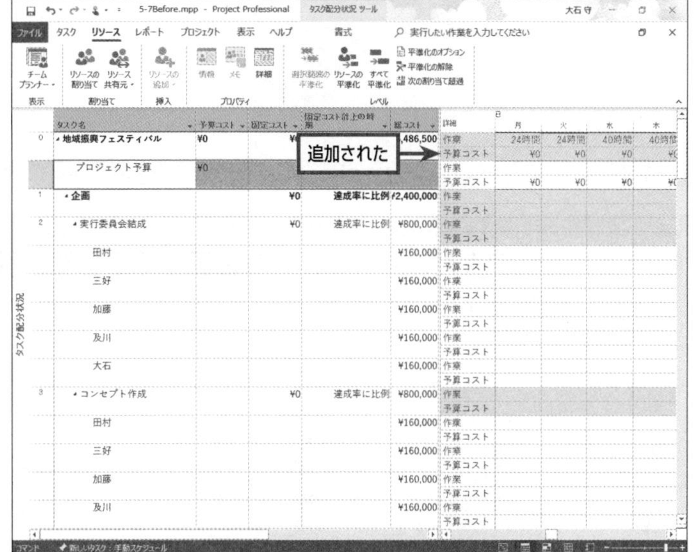

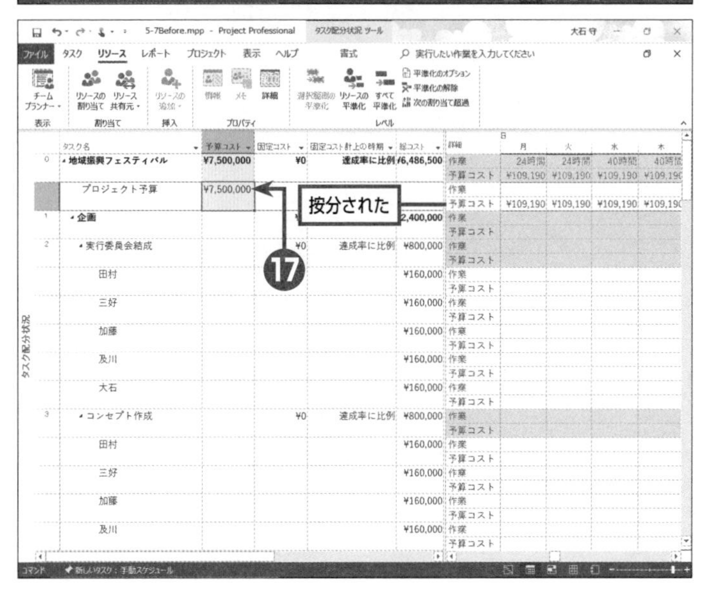

ヒント

手動で予算を配分するには

チャート部分に表示された［予算コスト］に直接数値を入力して、予算を手動で配分できます。ここでは、［予算コスト］を1週間ごとに配分してみましょう。

❶［表示］タブの［ズーム］の［タイムスケール］の▼をクリックして［週］を選択する。

➡ タイムスケールの小区分の表示単位が「週」に変更される。

❷［予算コスト］にその週の予算を入力する。

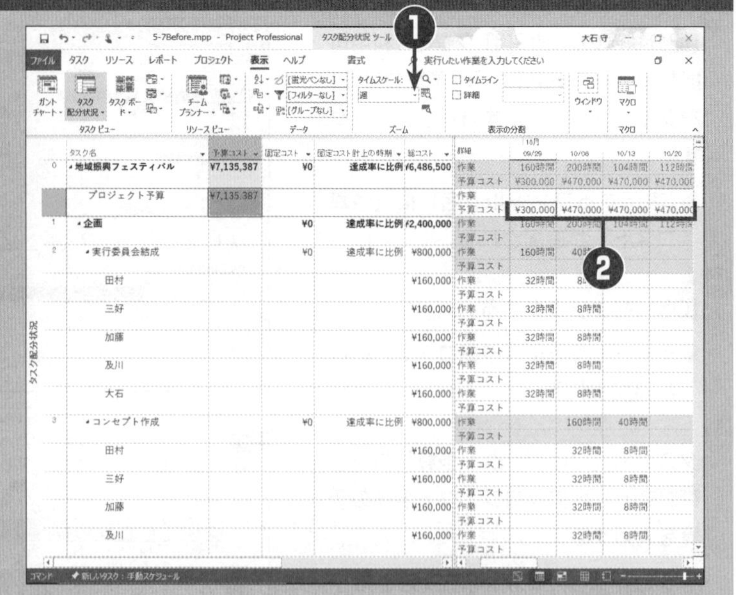

ヒント

予算作業時間を設定するには

［予算コスト］以外にも［予算作業時間］を設定できます。［予算コスト］を設定するには、［コスト型］の予算リソースをプロジェクトサマリーに割り当て、割り当て行の［予算コスト］列に値を入力します。一方、［予算作業時間］を設定するには、［時間単価型］［数量単価型］の予算リソースをプロジェクトサマリーに割り当て、割り当て行の［予算作業時間］列に値を入力します。

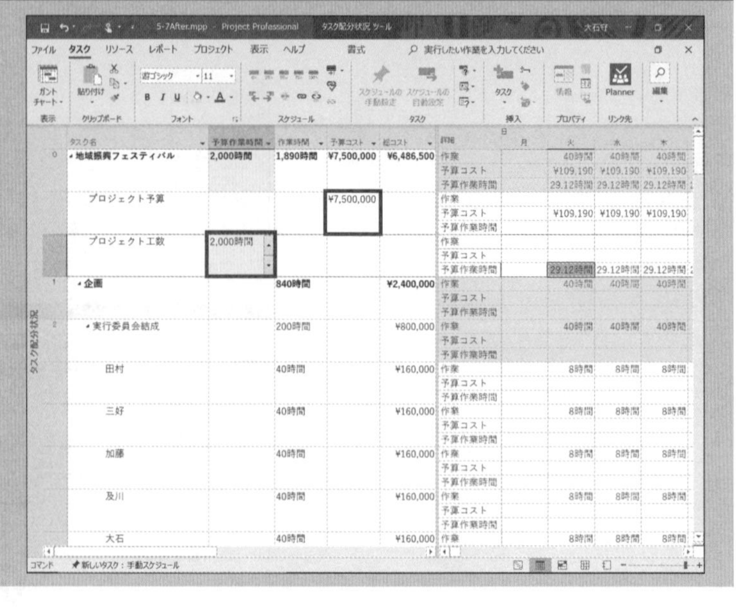

プロジェクト計画の調整

第6章

プロジェクト計画を完成させるためには、「計画は決められた納期を満たしているか」「リソースが過負荷になっていないか」をチェックし、プロジェクト計画を調整する必要があります。この章では、プロジェクト開始前にプロジェクト計画を調整するための、タスクの依存関係の調整やリソースの追加、さらに基準計画の保存などの代表的な方法を解説します。

1 タスクに期限を設定するには

プロジェクトのタスクには期限が決まっている重要なものがあります。Projectでは、タスクに期限を設定すると、タスクバーに矢印のマークが表示されます。これにより、タスクが期限を超過すると警告マークが表示され、プロジェクトの状況が期限よりも遅れているかどうかひと目で確認できます。

タスクに期限を設定する

❶ ［ガントチャート］ビューで、期限を設定するタスクのタスク名をダブルクリックする。

❷ ［タスク情報］ダイアログで［詳細］タブをクリックする。

❸ ［期限］の▼をクリックし、カレンダーから日付を選択する。

❹ ［OK］をクリックする。

➡タスクに期限が設定される。

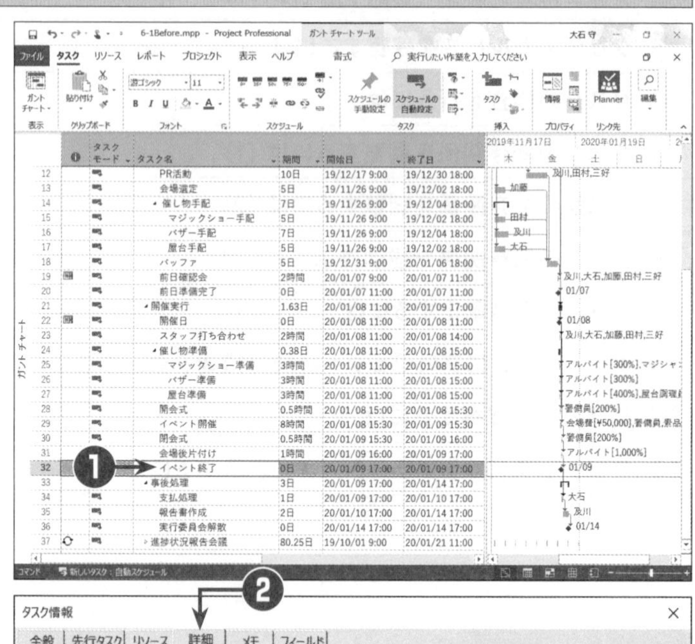

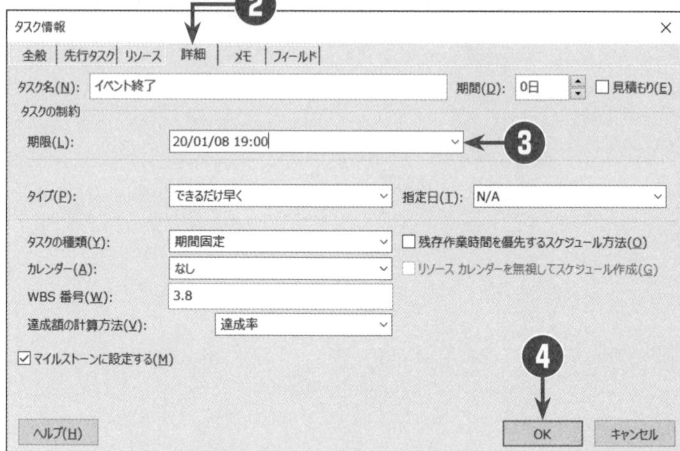

ヒント

期限と制約の違い

制約（第3章の12を参照）がタスクのスケジュールを制約するのに対して、期限はタスクのスケジュールそのものには影響を与えません。スケジュールの柔軟性を保ちながらタスクが特定の期日までに完了するかどうか管理するには、期限を使用することをお勧めします。

ヒント

設定したタスクが期限よりも遅れた場合

［状況説明マーク］列に赤色の「!」マークが表示されます。視覚的に表示されるため、遅延をいち早く察知することができます。

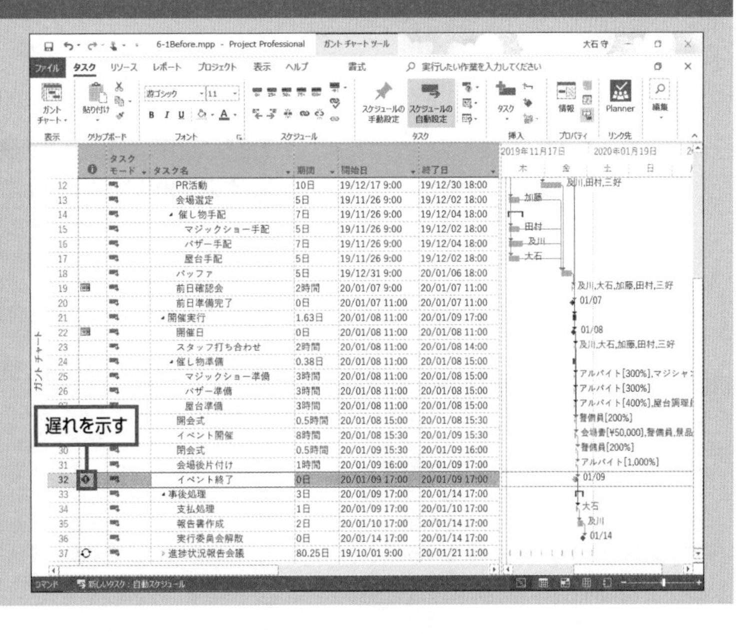

2 タスクにカレンダーを割り当てるには

Projectでは、3種類のカレンダーを設定することができます。第2章の4では「プロジェクトカレンダー」について、第4章の6では「リソースカレンダー」について解説しました。ここでは残りの「タスクカレンダー」について解説します。例として、本書のサンプルファイルに添付されている［イベント当日］カレンダーをタスクカレンダーに割り当てる手順を説明します。

タスクカレンダーを使う

❶ タスクカレンダーを設定するタスクの行をクリックして選択し、［タスク］タブの［プロパティ］の［情報］をクリックして［タスク情報］ダイアログを開く（ここでは複数のタスクを選択して［複数タスクの情報］ダイアログを開いている。以降の手順は同じ）。

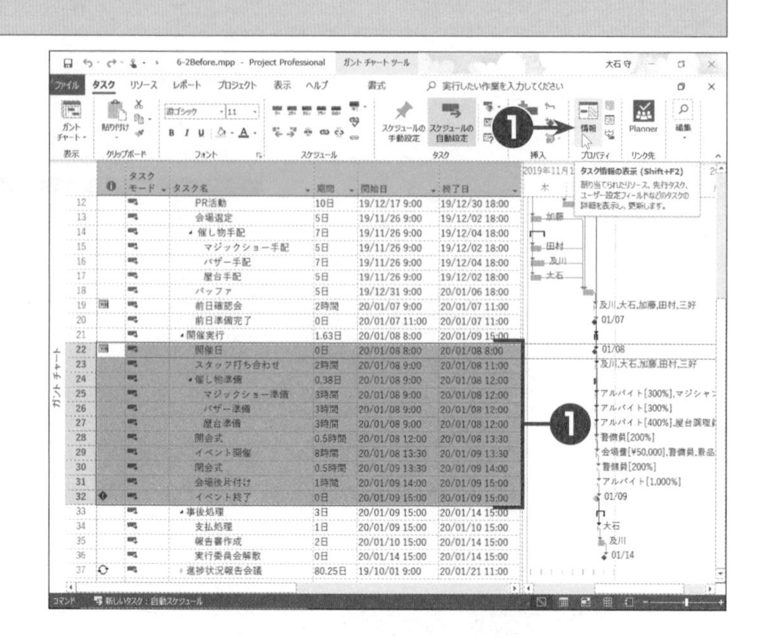

ヒント

タスクカレンダーの用途

既定では、タスクのスケジュールはプロジェクトカレンダーを基に作成されます。たとえば組織内の既存のシステムを更新するために勤務時間外に新しいシステムのテストを行うような場合、タスクカレンダーを作成すると例外的な稼働時間を設定することができます。

カレンダーの参照順と優先順位

Projectのリソースとタスクの稼働スケジュールは、プロジェクトカレンダー、リソースカレンダー、タスクカレンダーの順に参照して決定します。3つのカレンダーが設定されているタスクの場合、タスクカレンダー、リソースカレンダー、プロジェクトカレンダーという優先順位でスケジュールが計算されます。タスクのスケジュールをリソースの非稼働時間内に設定する必要がある場合は、［リソースカレンダーを無視してスケジュールを作成］にチェックを入れます。

注意

稼働時間に注意する

極端にタスクカレンダーの稼働時間が少なく設定されていると、リソースの稼働時間との兼ね合いでタスクの実施時間が確保できずエラーが発生する場合がありますので注意してください。

❷ ［詳細］タブをクリックする。

❸ ［カレンダー］の▼をクリックして［イベント当日］を選択する。

❹ ［リソースカレンダーを無視してスケジュール作成］にチェックを入れる。

❺ ［OK］をクリックする。

➡タスクカレンダーが適用され、タスクの開始日と終了日が変更される。

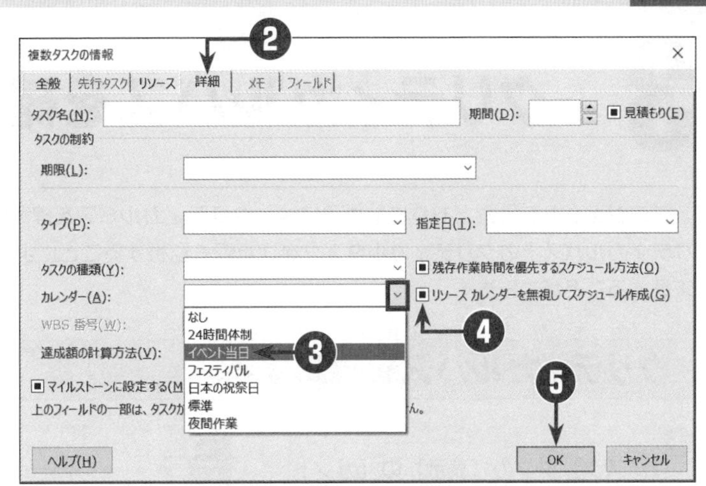

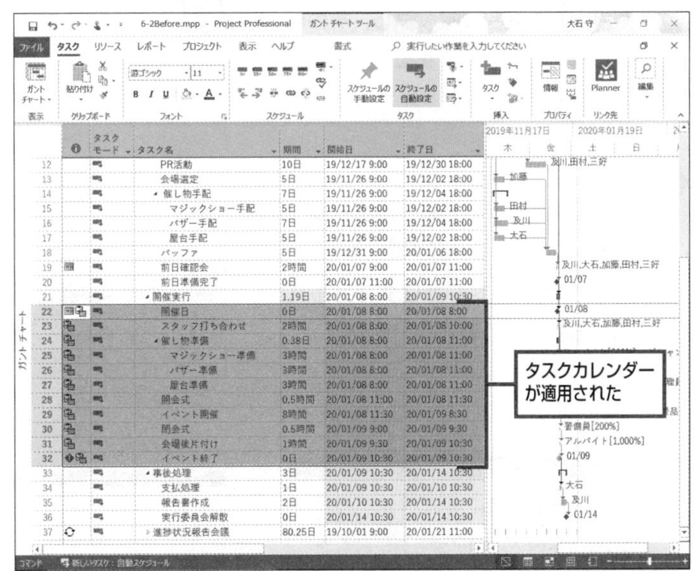

ヒント

タスクカレンダーが設定されているタスク

タスクカレンダーが設定されているタスクは、［状況説明マーク］列にアイコンが表示されます。またアイコンをマウスでポイントすると、タスクカレンダーの情報が表示されます。

	❶	タスクモード	タスク名	期間	開始日	終了日
21			◢ 開催実行	1.13日	20/01/08	20/01/09
22			開催日	0日	20/01/08	20/01/08
23			スタッフ打ち合わせ	2時間	20/01/08	20/01/08
24				0.38日	20/01/08	20/01/08
25			ョー準備	3時間	20/01/08	20/01/08
26			備	3時間	20/01/08	20/01/08
27			屋台準備	3時間	20/01/08	20/01/08
28			開会式	0.5時間	20/01/08	20/01/08
29			イベント開催	8時間	20/01/08	20/01/09
30			閉会式	0.5時間	20/01/09	20/01/09
31			会場後片付け	1時間	20/01/09	20/01/09
32	❶		イベント終了	0日	20/01/09	20/01/09
33			◢ 事後処理	3日	20/01/09	20/01/14
34			支払処理	1日	20/01/09	20/01/10
35			報告書作成	2日	20/01/10	20/01/14
36			実行委員会解散	0日	20/01/14	20/01/14
37			▷ 進捗状況報告会議	80.25日	19/10/01	20/01/21

カレンダー 'イベント当日' はタスク このタスクはリソース カレンダーを無視してスケジュールが作成されています。に割り当てられています

ガント チャート

3 クリティカルパスを確認するには

プロジェクトを計画どおりに進めるには、クリティカルパスを確実に実行する必要があります。Projectでは、クリティカルパス上のクリティカルタスクを注意深く監視することにより、プロジェクトが予定どおり終了するように管理することができます。

クリティカルパスを確認する

❶ ［タスク］タブの［表示］の［ガントチャート］の▼をクリックし、［その他のビュー］をクリックする。

➡［その他のビュー］ダイアログが表示される。

❷ ［ガントチャート（詳細）］をクリックし、［適用］をクリックする。

➡ガントチャートにクリティカルパスが表示される。

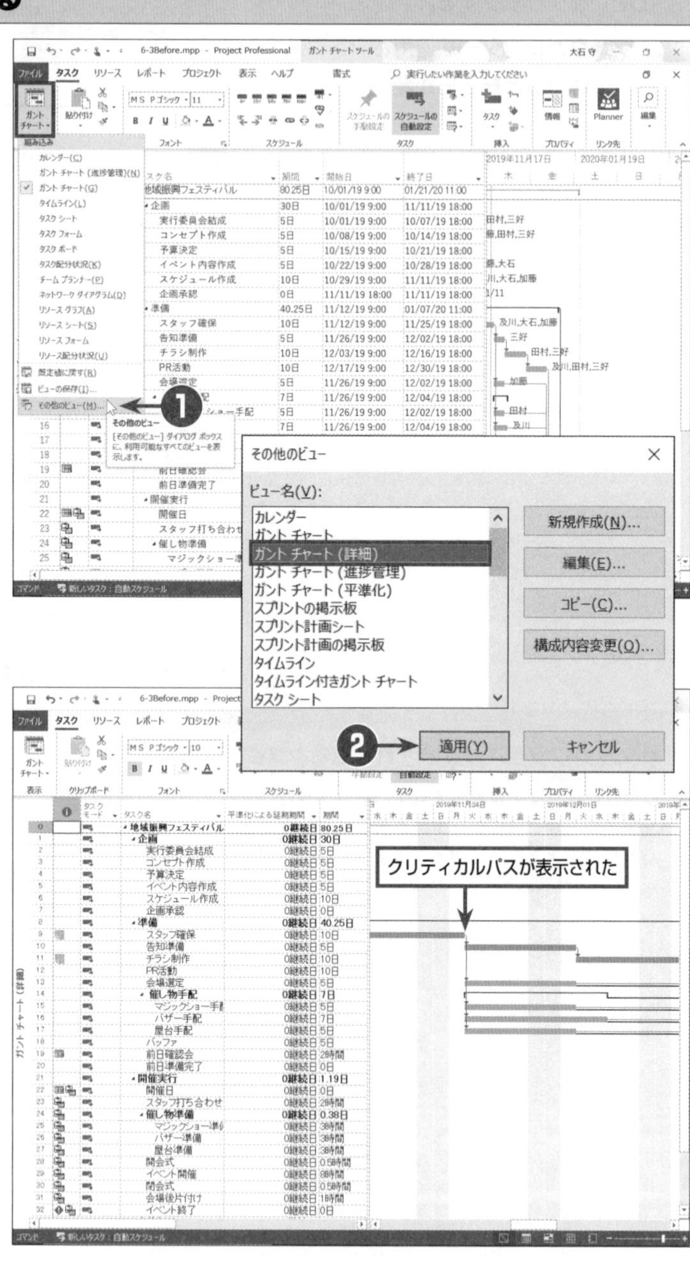

用語

クリティカルパス

プロジェクト内で、完了するのに最も期間を要する一連のタスクの実行経路のこと。基本的にクリティカルパス全体の期間はプロジェクトの期間と等しくなります。プロジェクト内のどこかの期間が変更されることにより、クリティカルパスの経路自体が変わる可能性があります。

クリティカルタスク

クリティカルパス上のタスクのこと。クリティカルタスクに遅延が発生すると、プロジェクトの終了日が遅れます。

余裕期間

タスクが遅れても後続タスクの開始日に影響を与えることのない余裕を表す期間のこと。プロジェクトの終了日に影響を与えない余裕期間は「総余裕期間」と呼びます。

クリティカルパスのみを表示する

❶
［タスク］タブの［表示］の［ガントチャート］の▼をクリックし、［ガントチャート（進捗管理）］をクリックする。

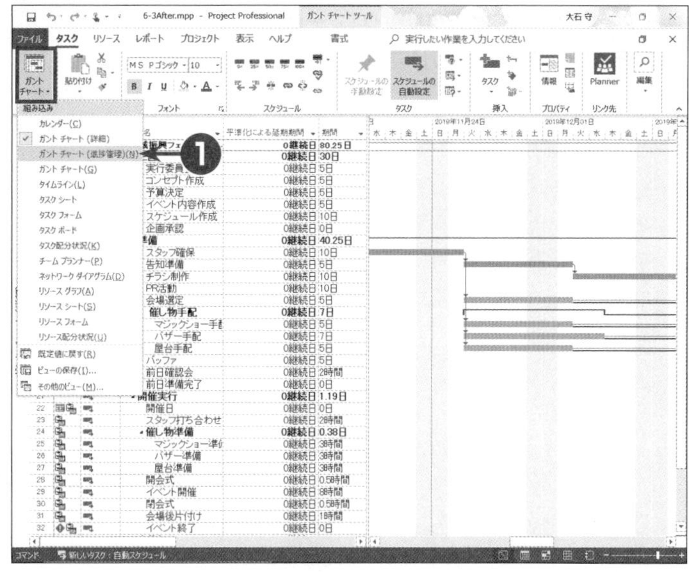

❷
［表示］タブの［データ］の［フィルター］の▼をクリックし、一覧から［クリティカルタスク］を選択する。

➡ガントチャートにクリティカルパスが表示される。

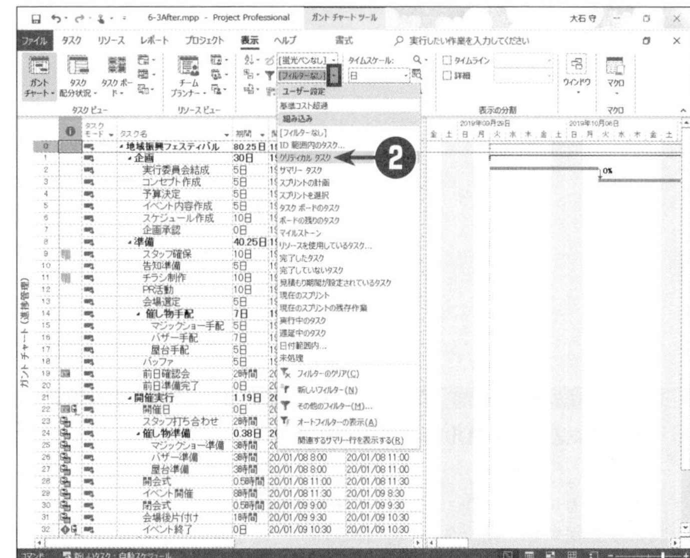

ヒント

クリティカルタスクの表示をオン／オフにする

［ガントチャート（詳細）］以外でも、［書式］タブの［クリティカルタスク］にチェックを入れるとクリティカルタスクのバーが赤で表示されます。チェックを外すと元の色に戻ります。

続く→

❸ すべてのタスクを再度表示するには、[フィルター] の▼をクリックし、一覧から [[フィルターなし]] を選択する。

ヒント

不連続なクリティカルパスを解消する方法

クリティカルパス上のタスクに開始日や終了日を指定すると、先行タスクに余裕期間が発生して表示上クリティカルパスが不連続になることがあります。これを解消するには、[Projectのオプション] ダイアログの [詳細設定] で、[余裕期間が指定日数以下のタスクをクリティカルタスクとする] に余裕期間に相当する日数を指定してください。

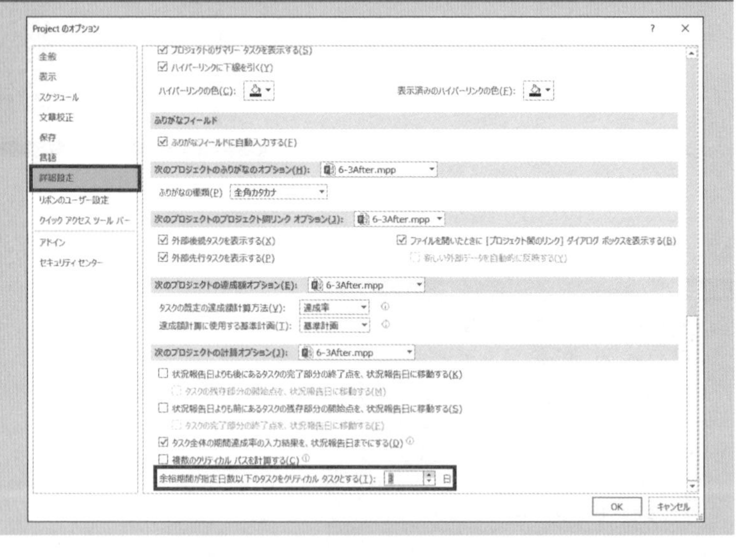

4 タスクの検査を行うには

Projectには、タスクのスケジュールがなぜそうなっているのか、その決定要因を確認できるタスク検査機能があります。またタスクに発生しているスケジュールの矛盾や超過割り当てなどを発見し、解決策を提示してくれます。

タスクの検査を行う

❶ [タスク] タブの [表示] の [ガントチャート] の▼をクリックし、[ガントチャート] をクリックする。

❷ 検査を実施するタスクをクリックする。

❸ [タスク] タブの [タスク] の [検査] の▼をクリックして [タスクの検査] をクリックする。

➡[検査]作業ウィンドウが表示される。

ヒント参照

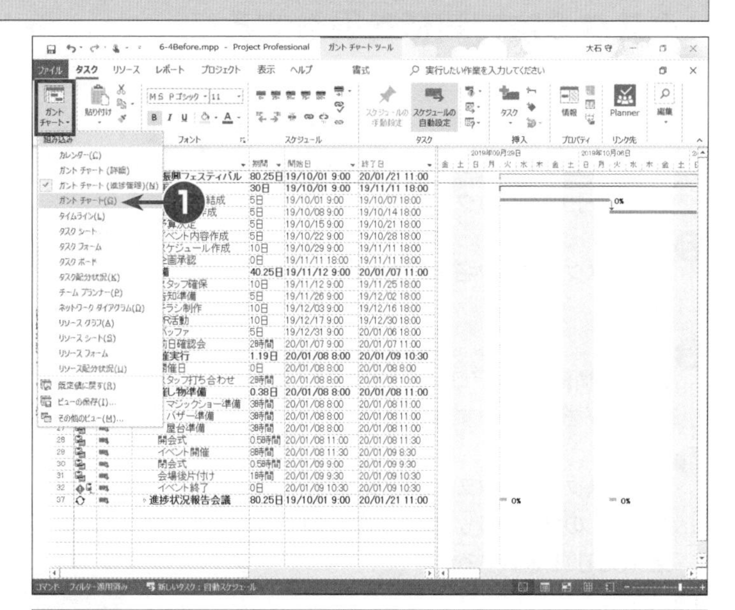

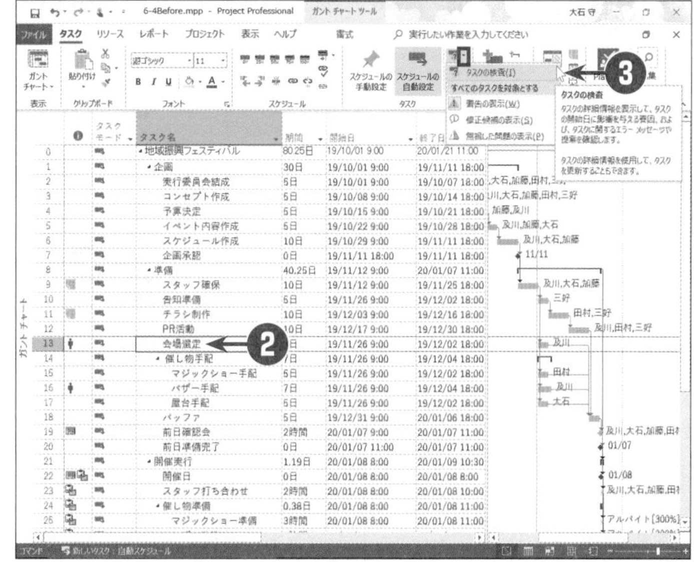

ヒント

修復オプション

タスクに問題が発見されると、[検査] 作業ウィンドウに修復オプションが表示されます。提示されたオプションから解決方法を選ぶことができます(第8章の2を参照)。

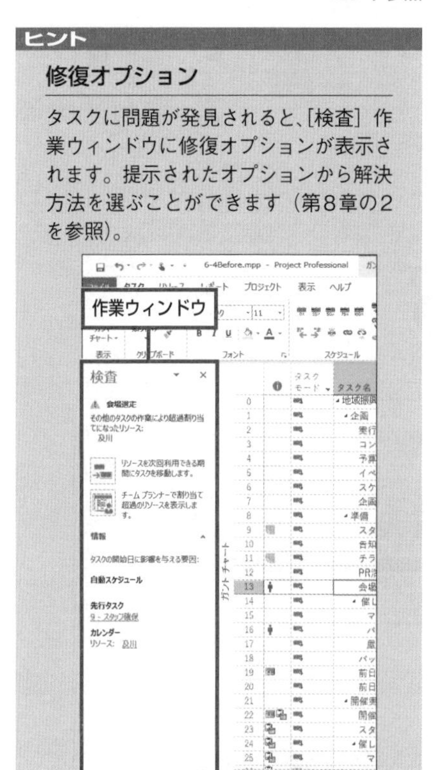

5 タスクの依存関係を調整するには（1）

プロジェクト計画を作成したら、プロジェクトが目標とする納期に終了するか確認します。納期を超過している場合は、プロジェクト計画を見直す必要があります。たとえば、［終了－開始］の依存関係の2つのタスクのうち、並行して実施可能なものはそのように変更することで、プロジェクトの期間を短縮することができます。

タスクの依存関係を調整する

❶ ［タスク］タブの［表示］の［ガントチャート］の▼をクリックし、［ガントチャート］をクリックする。

❷ 後続タスクのタスク名をダブルクリックする。

❸ ［タスク情報］ダイアログで［先行タスク］タブをクリックする。

❹ 先行タスクにするタスクの行の［依存タイプ］の▼をクリックし、［開始－開始（SS）］を選択する。

❺ ［OK］をクリックする。

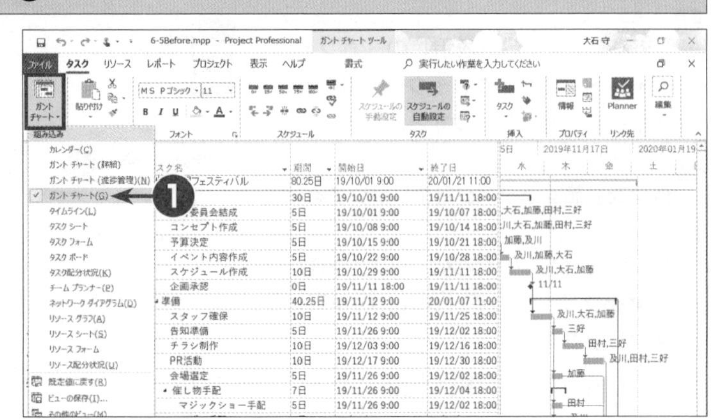

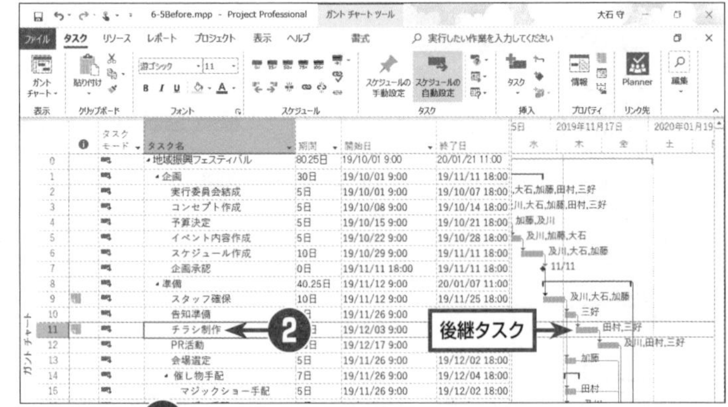

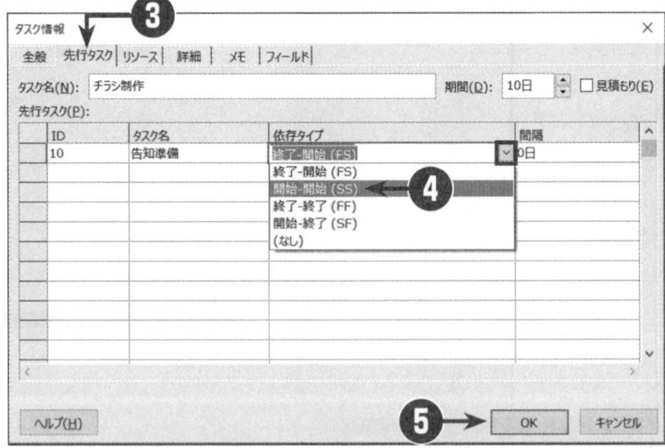

➡タスクの依存関係が変更され、並行して作業するようにスケジュールされる。

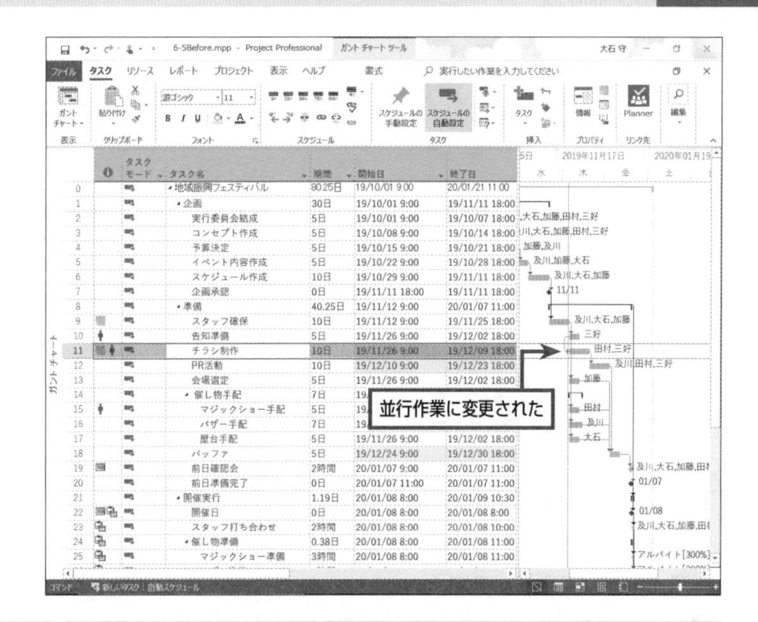

ヒント

依存関係の変更は慎重に

タスクの依存関係を変更した場合、そのタスクに関係する他のタスクも調整する必要がないかどうか十分注意してください。
たとえば、「タスク2」と「タスク3」を［終了ー開始］から［開始ー開始］に変更したとします。その結果、「タスク2」の終了が「タスク4」のスケジュールに影響しますが、このままでは依存関係の設定は不足しています。「タスク2」と「タスク3」が終了しないと「タスク4」が開始できない場合には、「タスク2」から「タスク4」にも［終了ー開始］の依存関係を設定します。
大規模なプロジェクト計画では、この章の4で紹介した［検査］を使用して、タスクの依存関係の設定に不足がないかどうかチェックしてください。

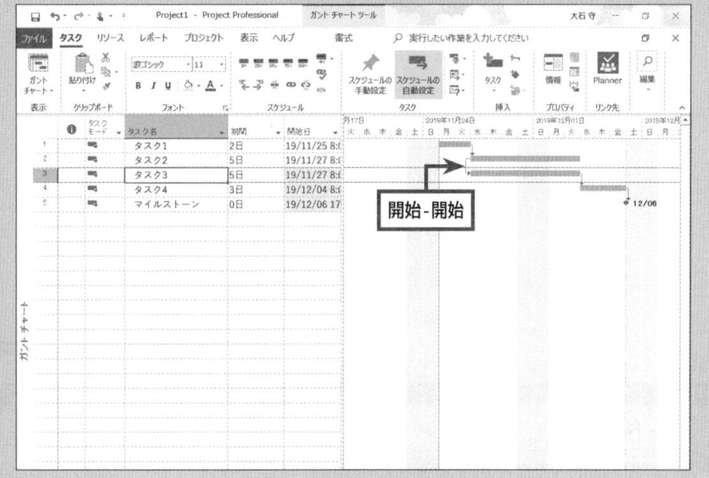

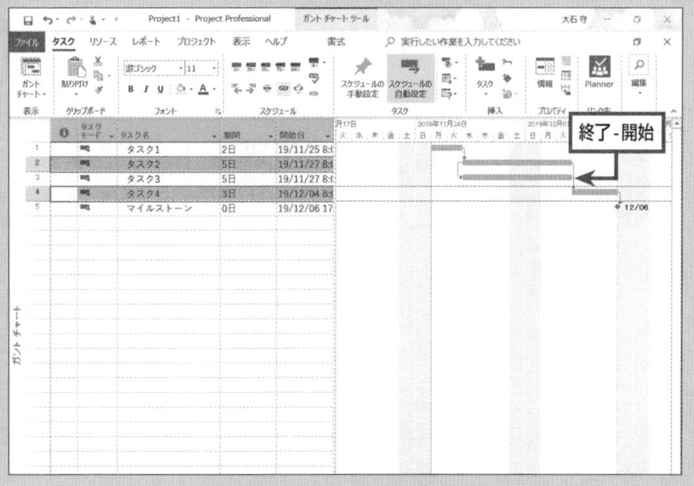

6 タスクの依存関係を調整するには（2）

タスクの依存関係を調整することによって、プロジェクトの期間を短縮する方法をもう1つ紹介します。この章の5では、依存関係のタイプを変更しましたが、タスクの依存関係には、他に「リード」「ラグ」と呼ばれる時間差を設定することができます。ここでは、依存関係にリードを設定することにより、プロジェクトの期間を短縮する方法について説明します。

リードを設定する

❶ ［タスク］タブの［表示］の［ガントチャート］の▼をクリックし、［ガントチャート］をクリックする。

❷ 後続タスクのタスク名をダブルクリックする。

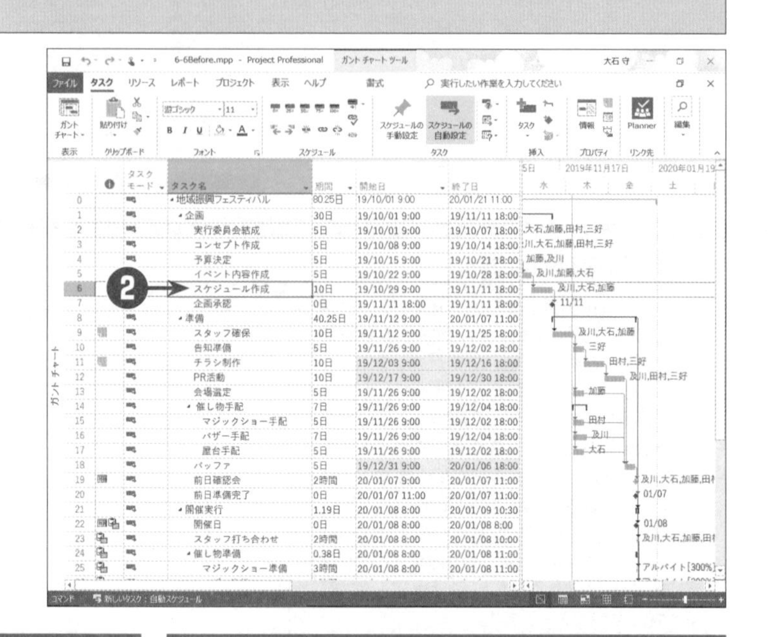

用語

リード

依存関係にあるタスクのマイナスの間隔のこと。たとえば、［終了－終了］の依存関係のタスクで、先行タスクが終了する2日前までに後続タスクが終了する場合、リードは「-2日」となります。

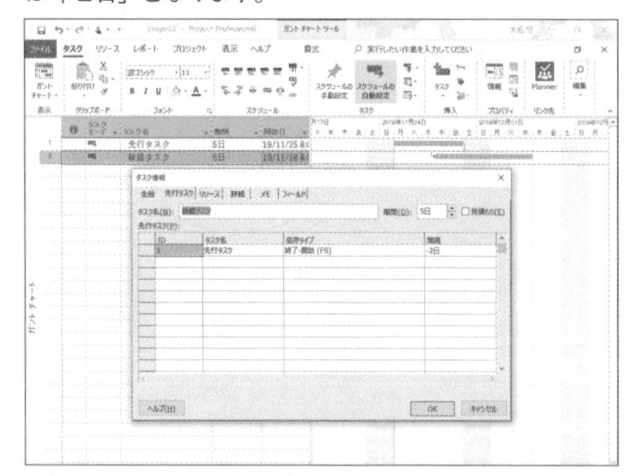

用語

ラグ

依存関係にあるタスクのプラスの間隔のこと。たとえば、［開始－開始］の依存関係のタスクで、先行タスクが開始した2日後に後続タスクが開始する場合、ラグは「2日」となります。

❸ [タスク情報] ダイアログで [先行タスク] タブをクリックする。

❹ [先行タスク] の [タスク名] を確認し、[間隔] に「-2」とマイナスの値を入力する。

❺ [OK] をクリックする。

➡タスクのスケジュールが重なり、その結果、プロジェクト全体の期間が短縮される。

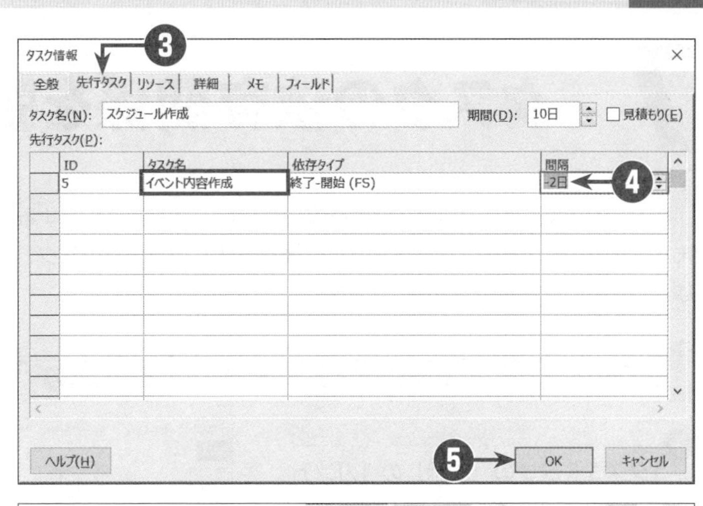

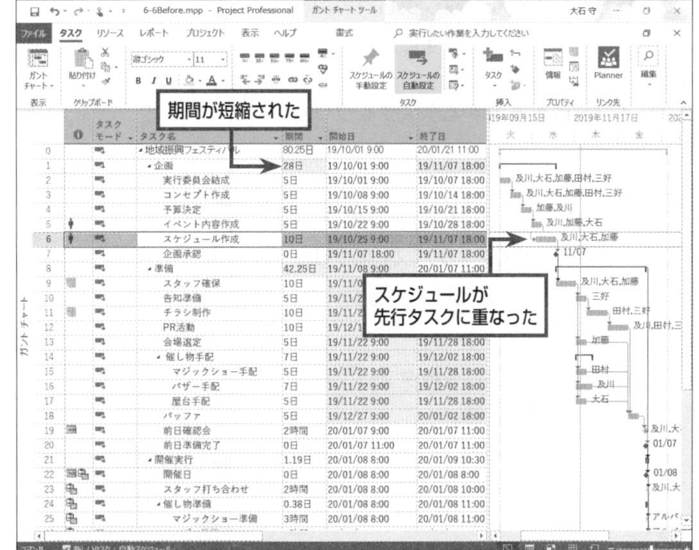

ヒント

依存関係の間隔に入力する値

依存関係の間隔は、「2日」のように期間を設定するほかに、「-50%」のように先行タスクの期間に対する割合をパーセント値で入力することもできます。「-50%」と設定すると、先行タスクの半分の期間に相当するリード（マイナスの間隔）が依存関係に設定されます。

ヒント

ラグを設定するには

ラグの設定は、次の手順で行います。

❶後続タスクの [タスク情報] ダイアログで [先行タスク] タブをクリックする。

❷[先行タスク] の [間隔] に「2」などプラスの値を入力する。

❸[OK] をクリックする。

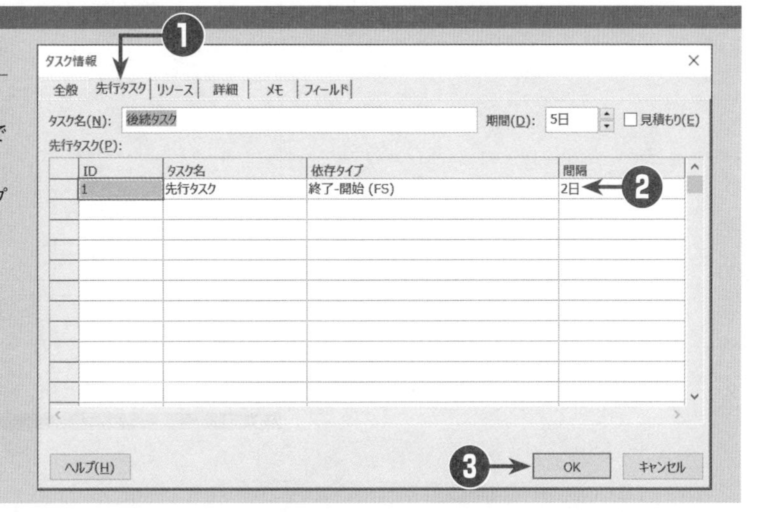

7 タスクの依存関係を強調表示するには

Projectには、タスクの依存関係を強調表示し、ひと目で把握することができる「タスクパス」という機能があります。特定のタスクのスケジュールに影響を与えている先行タスク、またそのタスクの影響を受けている後続タスクなどのバーの書式を強調表示できます。

影響を与えている先行タスクを強調表示する

❶ [タスク] タブの [表示] の [ガントチャート] の▼をクリックし、[ガントチャート] をクリックする。

❷ タスクパスを表示するタスクをクリックする。

❸ [ガントチャートの[書式]タブの[バーのスタイル] の [タスクパス] をクリックし、[影響を与えている先行タスク] をクリックする。

➡影響を与えている先行タスクのバーが強調表示される。

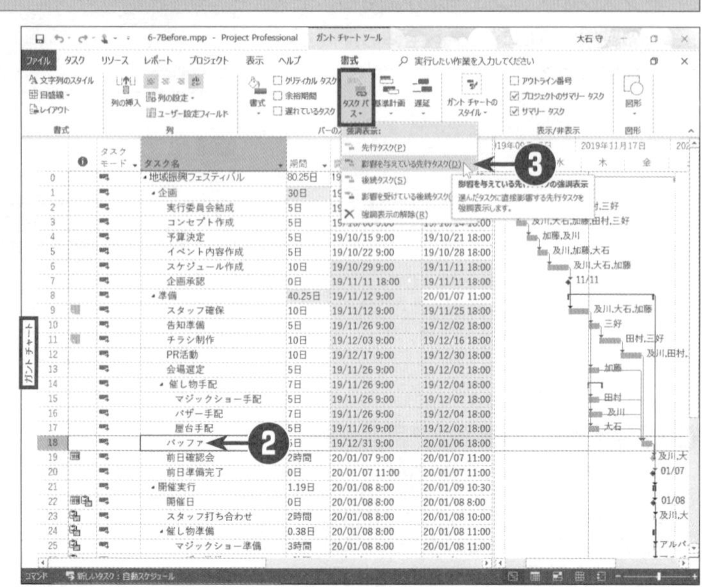

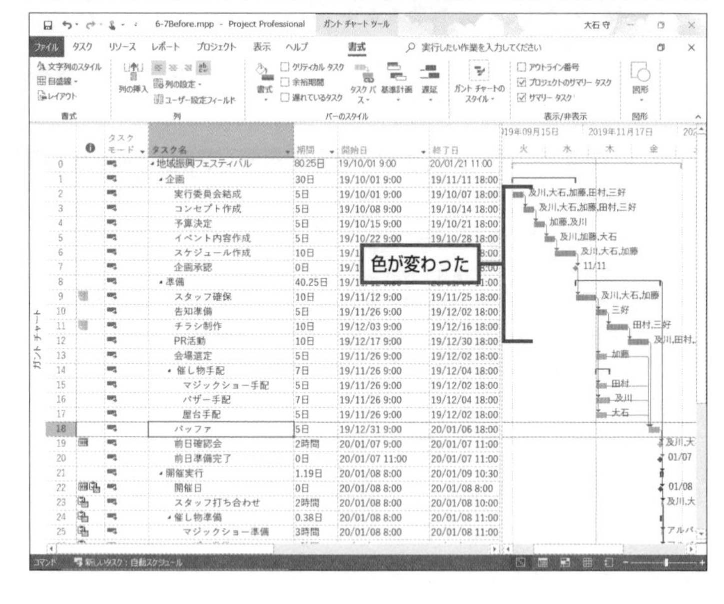

タスクパスの強調表示を解除する

❶ ［書式］タブの［バーのスタイル］の［タスクパス］をクリックし、［強調表示の解除］をクリックする。

➡強調表示が解除される。

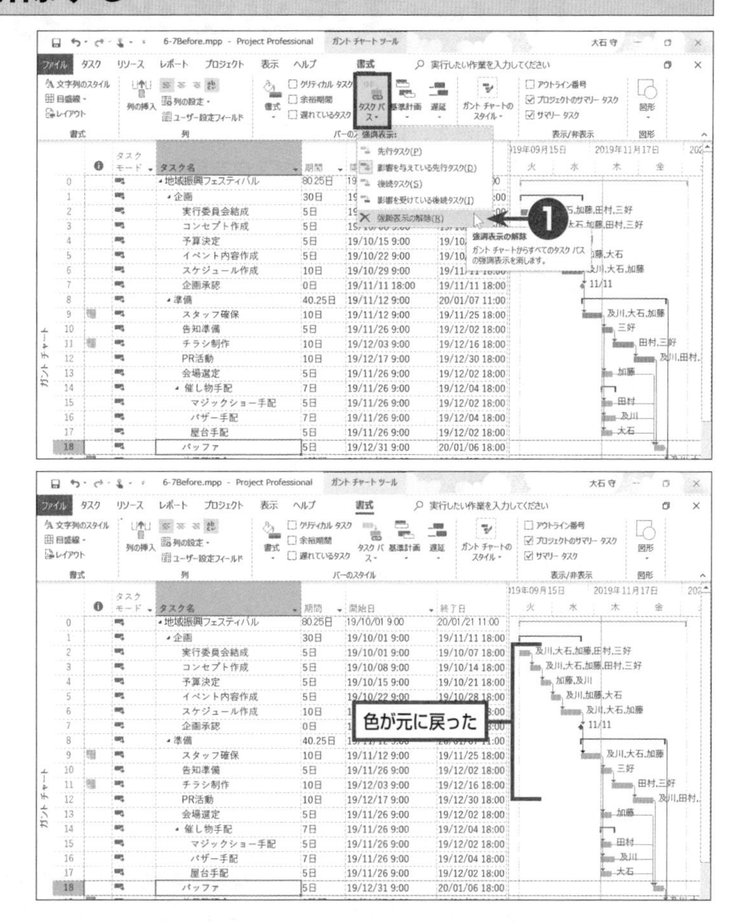

ヒント

強調表示を複数選択する

タスクパスで強調表示できる対象は、「先行タスク」「影響を与えている先行タスク」「後続タスク」「影響を受けている後続タスク」の4つです。これらは同時に強調表示することができ、それぞれ異なる書式で表示されます。

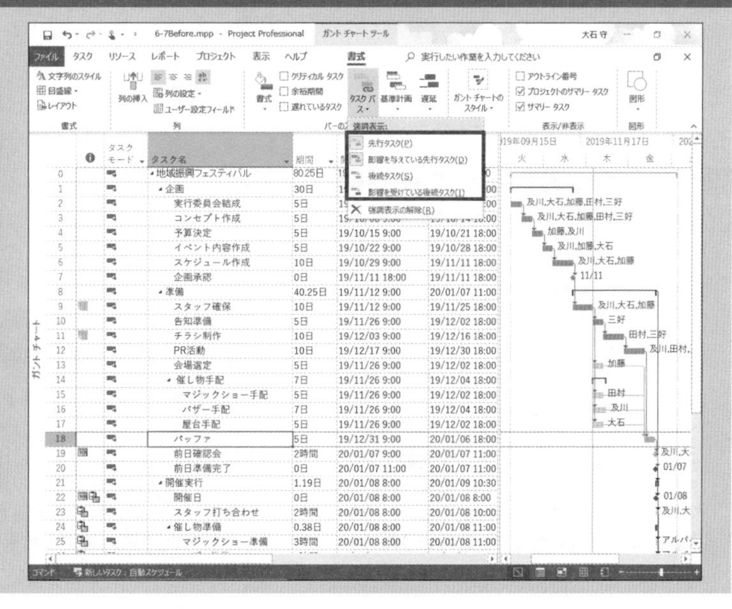

8 リソースを平準化するには

リソースの割り当て超過を自動的に解消する方法に「リソースの平準化」機能があります。この機能では、「割り当てられたリソースが利用可能になるまで、タスクを延期する」または「タスクを分割する」の2つの方法でリソースの割り当て超過を解消します。

リソースを平準化する

❶ ［タスク］タブの［表示］の［ガントチャート］の▼をクリックし、［リソース配分状況］をクリックする。

❷ ［リソース］タブの［レベル］の［次の割り当て超過］をクリックする。

➡割り当て超過リソースが表示される。

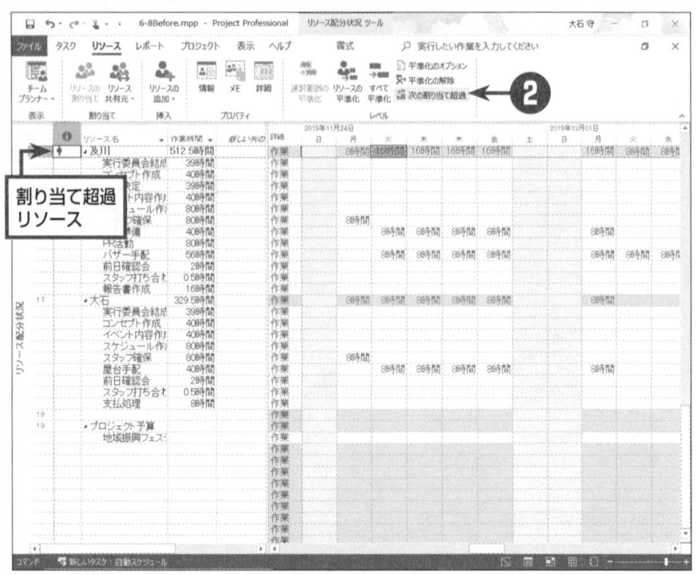

❸ ［リソース］タブの［レベル］の［平準化のオプション］をクリックする。

ヒント
リソースの平準化を行うコツ

［リソースの平準化］機能によって自動的に調整されるのはタスクです。リソースの割り当ては自動的に調整されません。リソースの平準化は、プロジェクト全体に対して行うのではなく、ある特定のリソースや特定の期間を指定することが一般的です。これは、リソースの平準化によって、タスクを延期または分割すると、結局終了日が延期されるため、プロジェクト全体に対して適用すると、肝心の納期に間に合わなくなってしまうためです。

注意
リソースの平準化は必要に応じて行う

［平準化のオプション］ダイアログの［平準化の計算方法］では、［自動］と［手動］の2つのオプションがあります。ただし、［自動］の使用は避けることをお勧めします。［自動］に設定すると、常に平準化の処理が実行されるため、リソースの負荷が最大単位数を超えるたびにタスクのスケジュールが自動で変更されることになります。一見便利なようですが、行われた変更に対する結果を確認することが困難になるためお勧めできません。

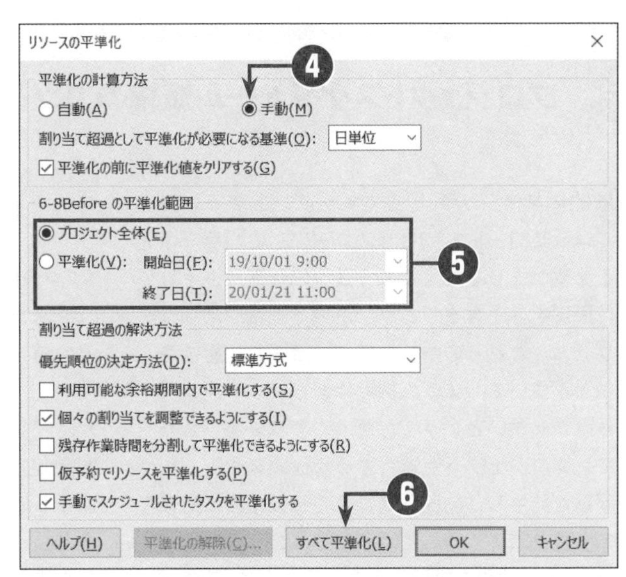

❹ [リソースの平準化] ダイアログの [平準化の計算方法] で、[手動] をクリックする。

❺ [<プロジェクト名>の平準化範囲] で [プロジェクト全体] または [平準化] を選択する。[平準化] を選択した場合は、[開始日] と [終了日] も指定する。

❻ [すべて平準化] をクリックする。

● [平準化の計算方法] が、[手動] の場合は [すべて平準化]、[自動] の場合は [OK] をクリックする。

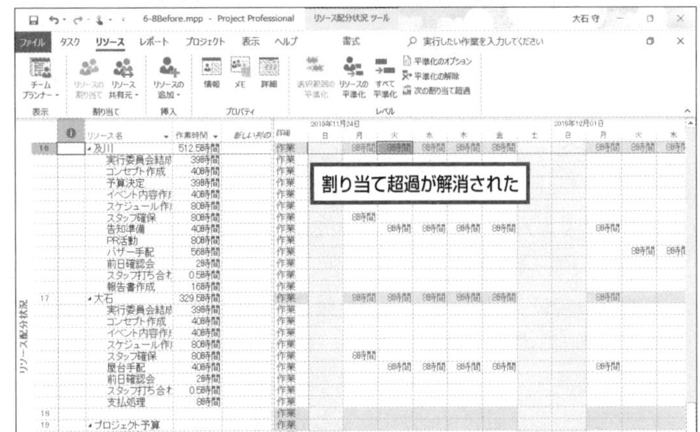

❼ [平準化の対象] ダイアログが表示された場合は、[すべての共有リソース] または [選択したリソース] をクリックし、[OK] をクリックする。

➡ リソースが平準化され、割り当て超過が解消される。

ヒント

変更されたタスクをひと目で見るには

平準化によって変更されたタスクをひと目で見るには、次の手順を行います。

❶ [タスク] タブの [表示] の [ガントチャート] の▼をクリックし、[その他のビュー] をクリックする。

❷ [その他のビュー] ダイアログの [ガントチャート (平準化)] を選択し、[適用] をクリックする。

❸ ガントチャート上に平準化前のタスクと現在のタスクが表示されていることを確認する。

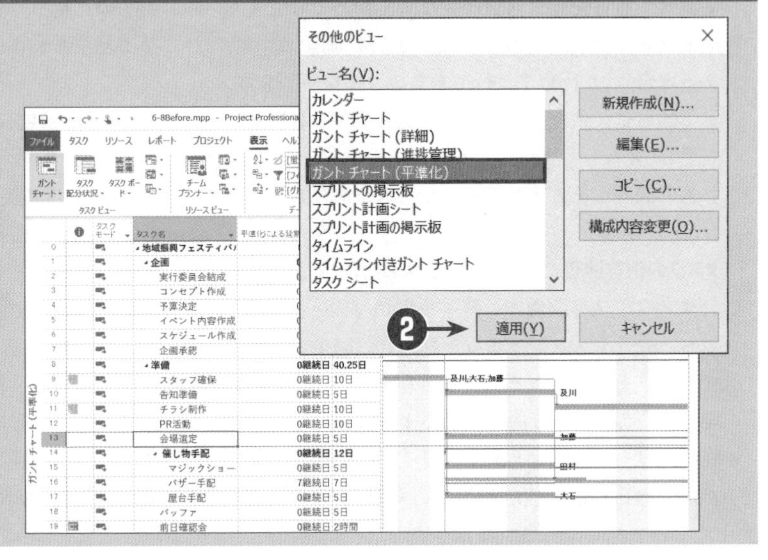

プロジェクトスケジュール短縮のコツ

一般的にプロジェクトをマネジメントするにあたっては、「時間」「コスト」「スコープ」のバランスを取る必要があります。これら3つの要素は、それぞれに影響を与え合っており、単独で削減や増加はできません。これらの中でも特に「時間」は重視されることが多いでしょう。納期はあらかじめ決まっており動かせないということがよくあります。したがって、プロジェクトが進行するに従いスケジュールの遅延が発生し、納期に間に合わせるために対策を取る必要が出てくることがしばしばあります。しかし、一般的に時間を短縮するということは、スコープを縮小する、もしくはコストが増加することを意味します。

そこで、プロジェクトのスケジュールを短縮するための方法をいくつか紹介します。

連続的なタスクの依存関係を並列的なものに変更する(ファストトラッキング)

タスクの依存関係が「終了ー開始(FS)」に設定されていると、先行タスクが終了してから後続タスクを開始します。つまり、先行タスクと後続タスクの両方を合わせた期間が必要になるわけです。そこで、再度プロジェクト全体のタスクの依存関係を精査して、必ずしも先行タスクが完了してからでなくても後続タスクを開始できるものがあるか確認します。ある場合は、並行して実行できるように変更します。具体的には、依存タイプを「開始ー開始（SS)」に変更し、並行して実行できる期間を考慮したラグ(プラスの間隔）を設定するという方法があります。

タスクの依存関係にリード(マイナスの間隔)を設定する

タスクの依存関係が「終了ー開始（FS)」であっても、先行タスクがある程度進んだ段階であれば後続タスクを開始できることもあります。こういった場合、この章の6に説明があるようにタスクの依存関係にリードを設定します。リードは「-50%」もしくは「-3日」といったように、パーセントか時間をマイナス値で指定します。

タスクの依存関係のラグ(プラスの間隔)を短縮する

タスクの依存関係にラグが設定されている場合、その値を削減することを検討します。ラグタイムは「50%」もしくは「3日」といったようにパーセントか時間をプラスの値で指定します。ラグとして何を想定しているかにもよりますが、たとえば材料の発注から納品までの時間といったような場合、追加料金を払うことで時間を短縮できるのであれば、そうします。

長期間のタスクを短期間のタスクに分解し、同時に実行できるようにする

1週間以上を要するような長期間のタスクが存在する場合、さらに短い期間のタスクに分割することを検討します。短い期間のタスクに分割した後、それぞれを別のリソースに割り当てるなど、同時並行で実行できるかどうかを検討し、可能であればそうします。

タスクの見積もり値を削減できないか検討する

タスクの見積もり値そのものを再度検証します。当初の見積もり値が実際より大きくなっているようなことがあれば、可能な限り削減します。

[作業時間固定]のタスクにリソースを追加する(クラッシング)

[作業時間固定］のタスクは、リソースを追加することで期間が短縮されます。作業を複数のリソースで分担することで、同時並列的に作業を進めることができるからです。[期間固定］と［単位数固定］のタスクの場合でも、［残存作業時間を優先するスケジュール方法］が選択されている場合は同様です。

しかし、現実にはリソースを追加したからと言って、単純に期間を短縮できるとは限りません。工場で製造機械の台数を増やすといったものであれば、増えた分の期間の短縮が見込めるかもしれませんが、人間の場合には必ずしもそうはいきません。実際には短縮するどころか、かえって期間を増やしてしまうということもありえます。そういった問題をよく考慮したうえで、リソースの追加を行うようにしてください。

タスクの種類の設定およびタスクの計算の詳細については、第3章の6のコラムを参照してください。

リソースに超過作業時間を割り当てる

Projectでは、ユーザーがあえて設定しない限り、既定ではリソースに［超過作業時間］は割り当てられません。リソースへの作業時間の割り当ては、カレンダーの稼働時間の設定に従います。したがって、カレンダーの稼働時間を超えた作業時間を割り当てる際に［超過作業時間］を使用します。［超過作業時間］の割り当ては、［タスク配分状況］もしくは［リソース配分状況］ビューで行います。［超過作業時間］は、割り当て行でのみ入力できます。テーブルの［超過作業時間］のセルに値を入力すると、その超過作業時間が自動的にタスクの期間全体に按分され、期間が短縮されます。

用語

割り当て行

［タスク配分状況］ビューにおけるリソース行、［リソース配分状況］ビューにおけるタスク行を指します。

スコープを縮小する（タスクを減らす）

最もプロジェクトの期間を短縮するのに効果的なのは、スコープを縮小することです。スコープを縮小するには、ステークホルダー（利害関係者）の承認が必要ですが、コストとスケジュールの超過を避けるには最も効果的な方法です。Projectにおいて、スコープを縮小するということは主にタスクを減らすということになります。当初のスケジュールに対してスコープを縮小し、減らした分のタスクは再度スケジュールを組み直して実施するといったこともよく行われます。Projectでタスクを減らす際には、タスクを削除するのではなく、そのまま残しながらも無効にするという機能があります。タスクの無効化については、第8章の5を参照してください。

リソースの非稼働日を稼働日に変更する（休日を返上する）

もともと非稼働日に設定されている日を稼働日に変更します。要するに休日出勤のことです。たとえば、リソースカレンダーで非稼働日になっている土日や祝日を稼働日に設定します。これまで非稼働日だったものが稼働日に変わるわけですから、その分プロジェクトのスケジュールは短縮されます。しかし、これが常態化すると、プロジェクトメンバーの士気が下がる、体調を崩すといったことが発生し、後々かえって効率の低下を招く結果にもなりかねませんので注意深く行う必要があります。

用語

クラッシング

コストとスケジュールのトレードオフを分析し、最小の追加コストで最大の期間短縮を得る方法を決定するスケジュール短縮技法。例として、残業、リソースの追加投入などがあります。

ファストトラッキング

順番に実行するタスクを並行して実行するというスケジュール短縮技法。例として、設計がすべて完了する前に実装を開始する、といった場合が挙げられます。

9 タイムラインにプロジェクト計画の概要を表示するには

タイムラインは、プロジェクトの主要なマイルストーンやフェーズなどのサマリータスクを時間軸に帯状に表示することによって、プロジェクト全体の情報や流れを把握し、レポートする際に役立ちます。さらにレポート目的でタイムラインを他のOfficeアプリケーションに書式を維持した状態で貼り付けることができます。

マイルストーンとサマリータスクをタイムラインに追加する

❶ ［表示］タブの［表示の分割］の［タイムライン］にチェックを入れる。

➡上段に［タイムライン］ビューが表示される。

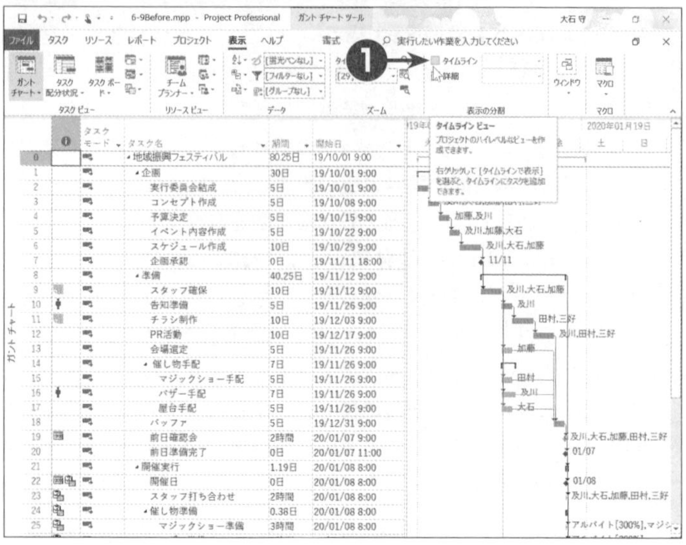

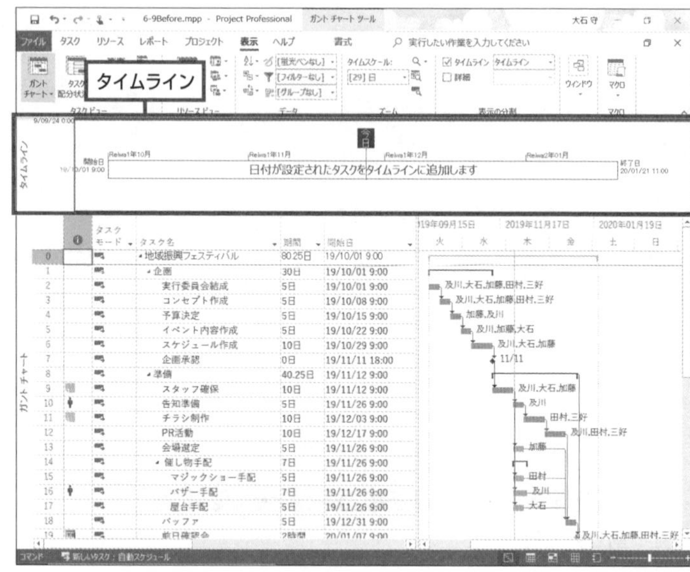

ヒント

［タイムライン］ビューの特殊性

［タイムライン］ビューは、分割表示の際に他のビューとは動作が異なります。単一のビューとして表示することはできますが、基本的にはタイムラインとガントチャートの組み合わせで使用することが前提となっています。

❷ タイムラインに追加するサマリータスクを選択する。

❸ ［タスク］タブの［プロパティ］の［タイムラインにタスクを追加］をクリックする。

➡サマリータスクが［タイムライン］に追加される。

❹ タイムラインに追加するマイルストーンを選択する。

❺ ［タスク］タブの［プロパティ］の［タイムラインにタスクを追加］をクリックする。

➡マイルストーンが［タイムライン］に追加される。

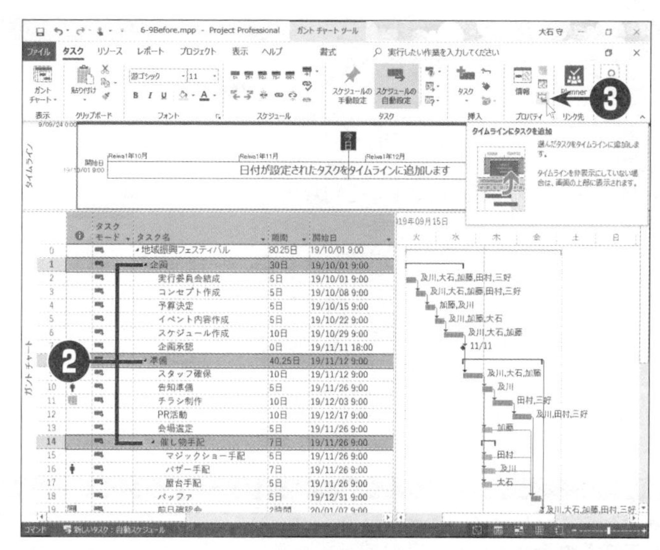

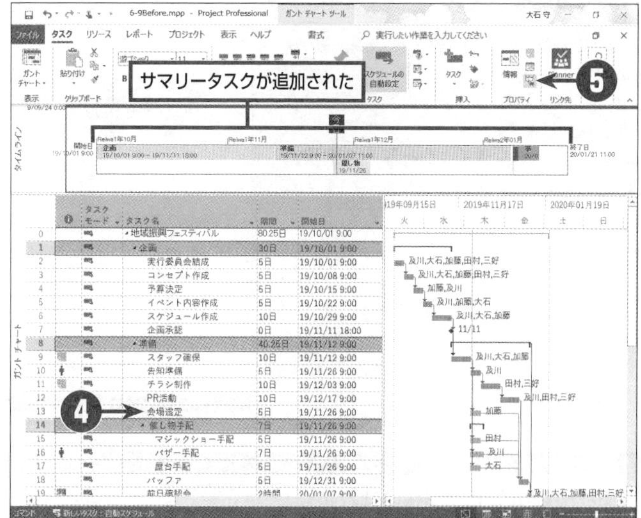

ヒント

タイムラインにタスクを追加する別の方法

［タイムライン］ビューをアクティブにした状態で、［タイムライン］ツールの［書式］タブの［挿入］の［既存のタスク］をクリックし、［タイムラインにタスクを追加］ダイアログで追加することもできます。

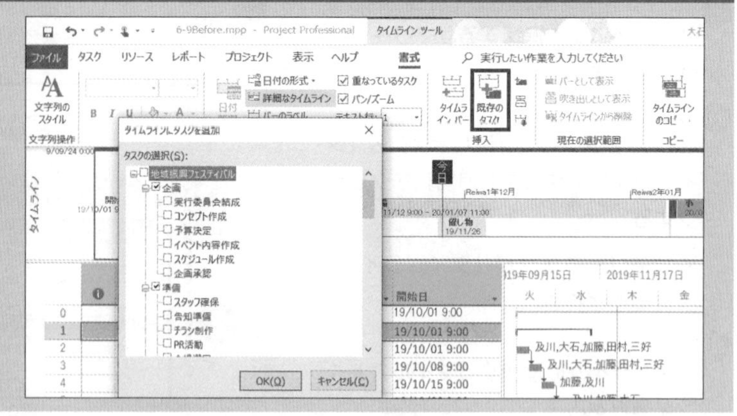

ヒント

タイムラインとタイムスケールの表示範囲の連動

ズームスライダーで、下段のサブビューのタイムスケールの拡大/縮小を行うと、上段の［タイムライン］ビューもその表示範囲に合わせて連動します。
また逆に、［タイムライン］ビューの選択範囲を変更すると、下段のサブビューのタイムスケールの表示範囲も連動して変化します。

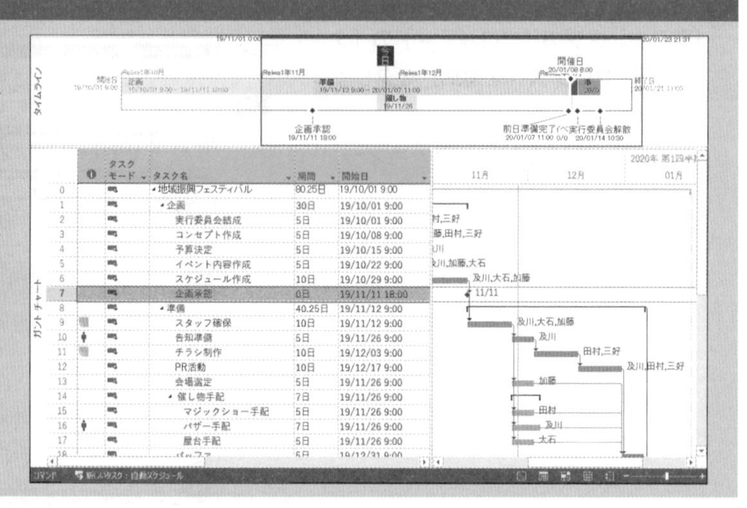

ヒント

複数行での表示と吹き出しとしての表示

同じ時期にスケジュールが重なっていて1行で表示できないタスクについても、複数行や吹き出しとして表示することができます。

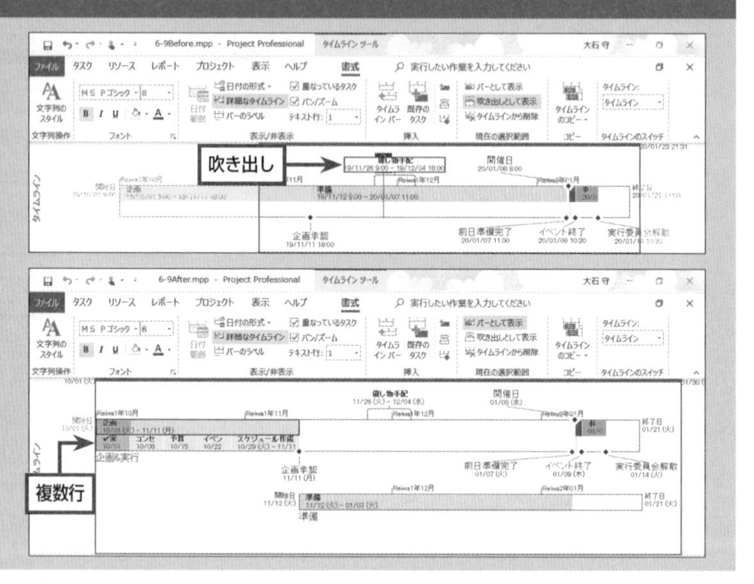

複数のタイムラインバーを追加する

❶ ［タイムライン］ビューをクリックし、［書式］タブの［挿入］の［タイムラインバー］をクリックする。

➡タイムラインバーが追加される。

❷ 1行目のタイムラインバーに表示されているタスクをドラッグし、2行目のタイムラインバーにドロップする。

➡2行目のタイムラインバーにタスクが移動する。

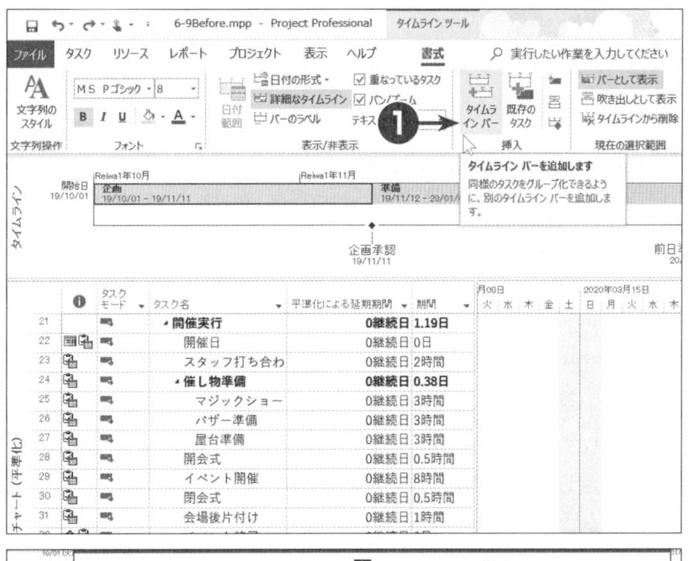

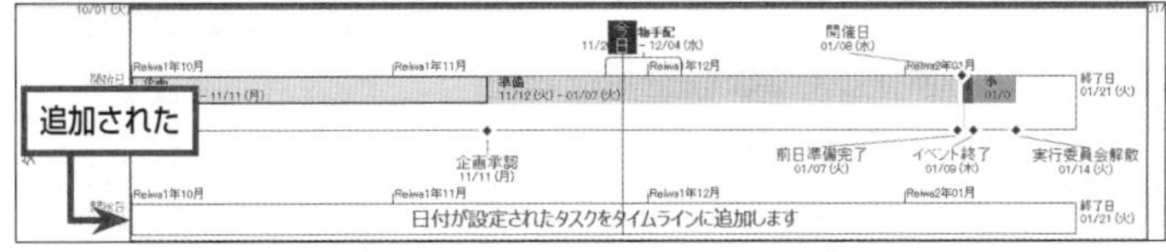

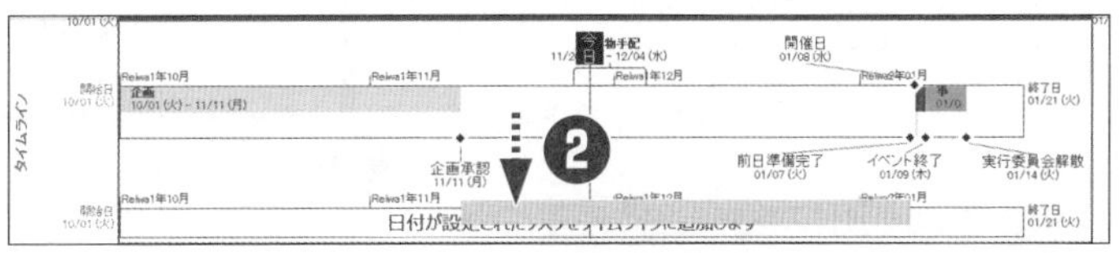

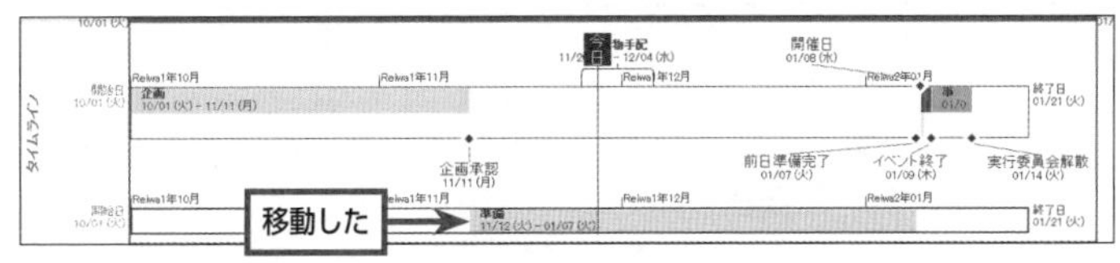

以前のOfficeからの変更点

複数のタイムラインバー

タイムラインに複数のタイムラインバーを追加できるのは、Project 2016以降の新機能です。タイムラインバーは最大10個まで追加できます。

タイムラインバーに日付範囲を指定する

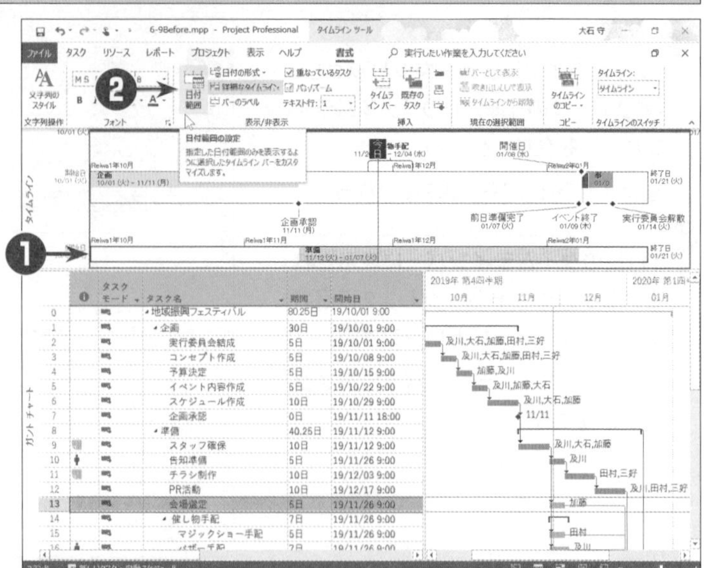

❶ 日付範囲を指定するタイムラインバーをクリックする。

❷ [書式] タブの [表示/非表示] の [日付範囲] をクリックする。

➡ [タイムライン日付の設定] ダイアログが表示される。

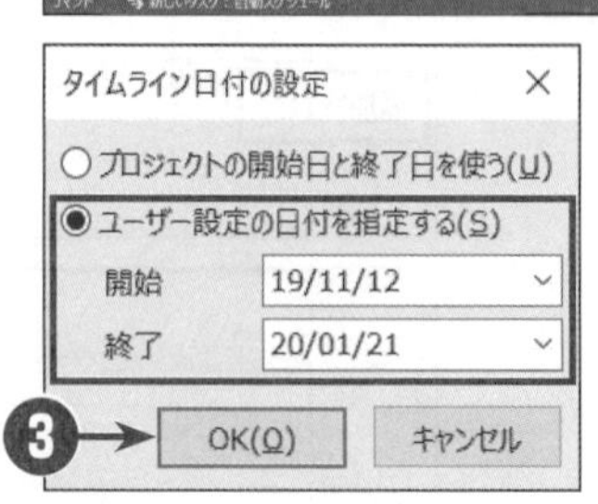

❸ [ユーザー設定の日付を指定する]を選択し、開始日と終了日を指定して [OK] をクリックする。

➡ 指定した範囲の日付のタスクがタイムラインバーに表示される。

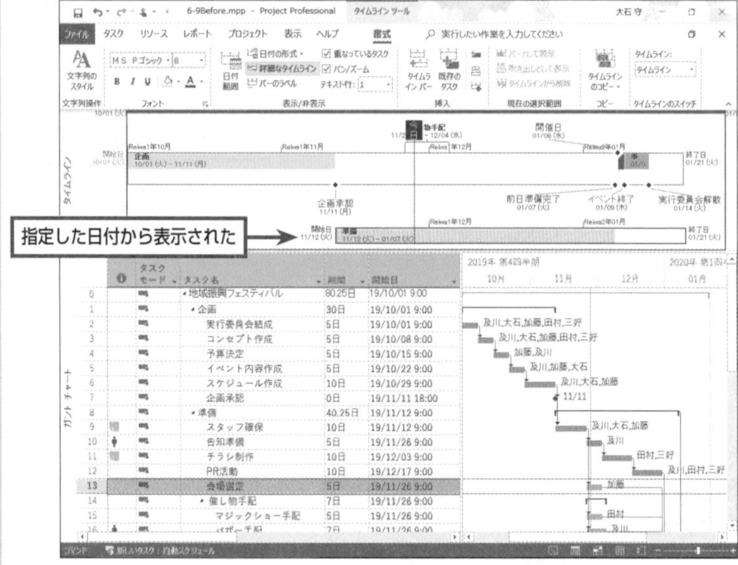

ヒント

タイムラインの日付の形式を変更する

タイムラインバーに表示するタスクの日付の形式を変更することができます。

❶ [書式] タブの [日付の形式] の▼をクリックする。

❷ 設定したい日付の形式を選択する。

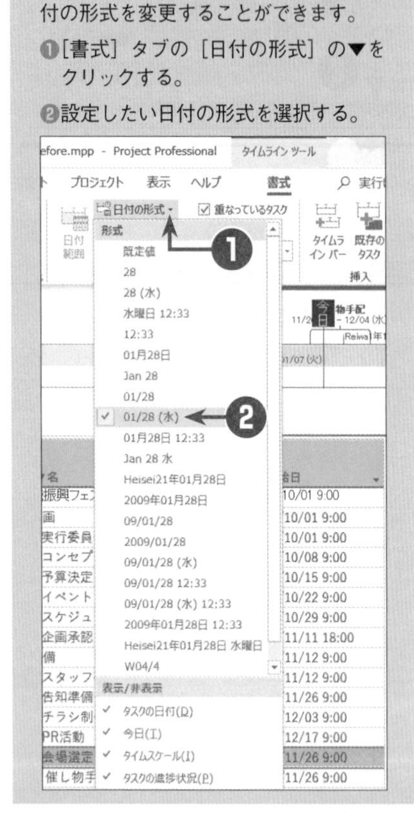

タイムラインバーにラベルを追加する

❶

［書式］タブの［表示/非表示］で［バーのラベル］をクリックする。

➡［バーの名前の更新］ダイアログが表示される。

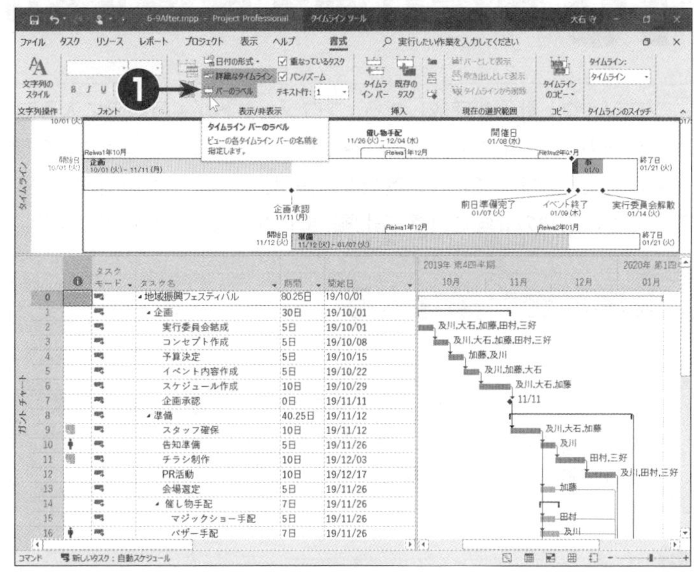

❷

［バー 1］［バー 2］にバーのラベルを入力し、［OK］をクリックする。

➡タイムラインバーにラベルが表示される。

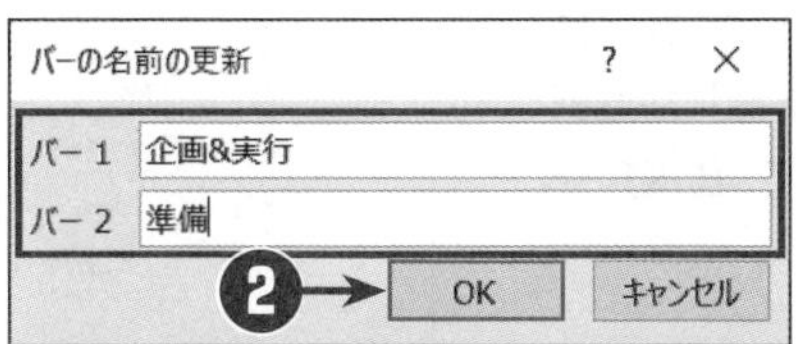

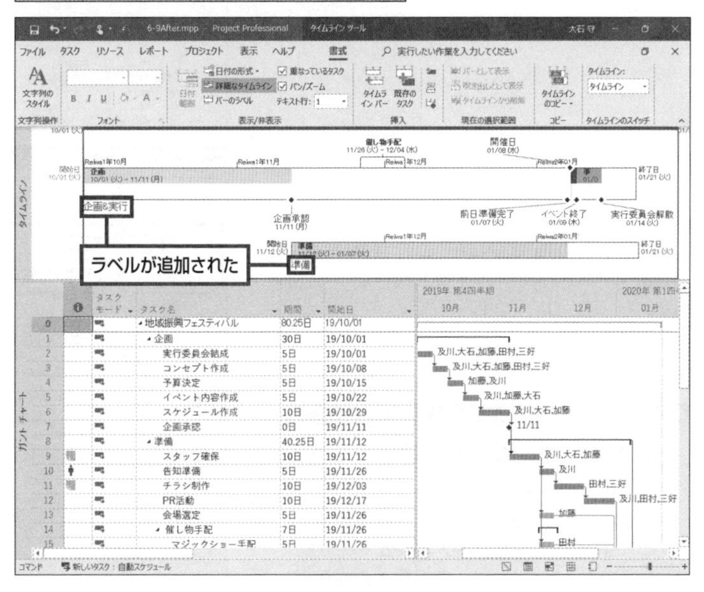

以前のOfficeからの変更点

タイムラインのタスクの進捗表示

Project 2019の新機能として、タイムラインバーのタスクに進捗状況が表示できるようになりました。達成率に応じて進捗バーが、完了したタスクにはチェックマーク（✔）が表示されます。

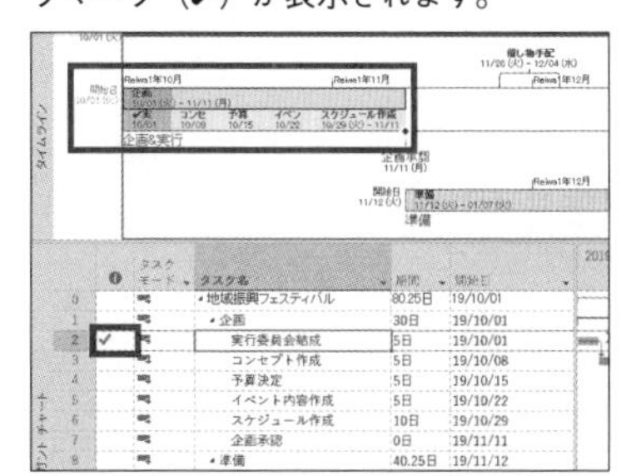

10 基準計画を保存するには

プロジェクト計画が完成したら、プロジェクトが実行段階に入る前に、「基準計画」として保存します。基準計画とは、当初のプロジェクト計画を保存したものです。プロジェクトの開始後にプロジェクトの進行に伴って変更されていく計画と比較することが目的です。基準計画は、[基準計画]から[基準計画10]までの最大11個保存できます。ここでは、当初の計画を[基準計画]に保存する方法を説明します。

基準計画を保存する

❶ [プロジェクト]タブの[スケジュール]の[基準計画の設定]をクリックし、[基準計画の設定]をクリックする。

❷ [基準計画の設定]ダイアログで、[基準計画の設定]に[基準計画]が選択されていることを確認して[OK]をクリックする。

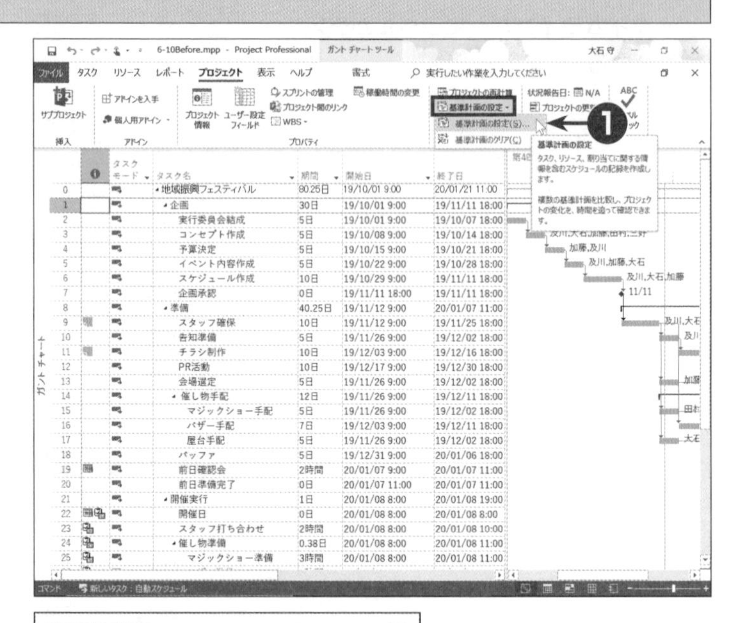

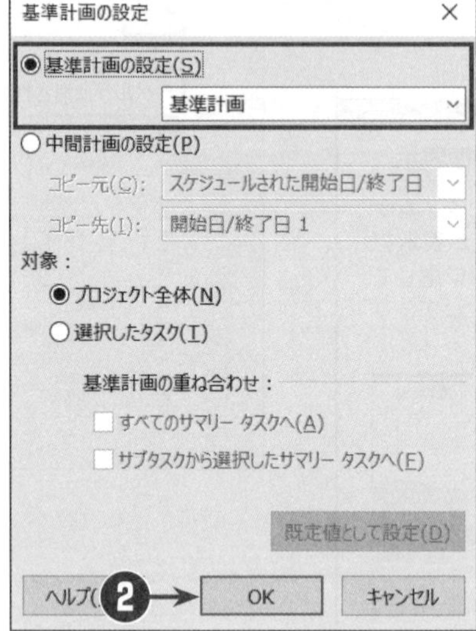

ヒント

基準計画の保存は計画的に

基準計画は最大11個保存できます。既定の状態では、[ガントチャート(進捗管理)]ビューで現在計画と番号なしの基準計画を比較できます。番号付きの基準計画を表示するには、[書式]タブの[基準計画]の▼をクリックし、任意の基準計画を選択します。プロジェクトの途中で基準計画を変更する場合、どのタイミングでどの基準計画に保存するか、組織の要件に応じて慎重に検討してください。

3 ［タスク］タブの［表示］の［ガントチャート］の▼をクリックし、［ガントチャート（進捗管理）］をクリックする。

➡ガントバーが2行で表示され、2行目に基準計画が表示される。

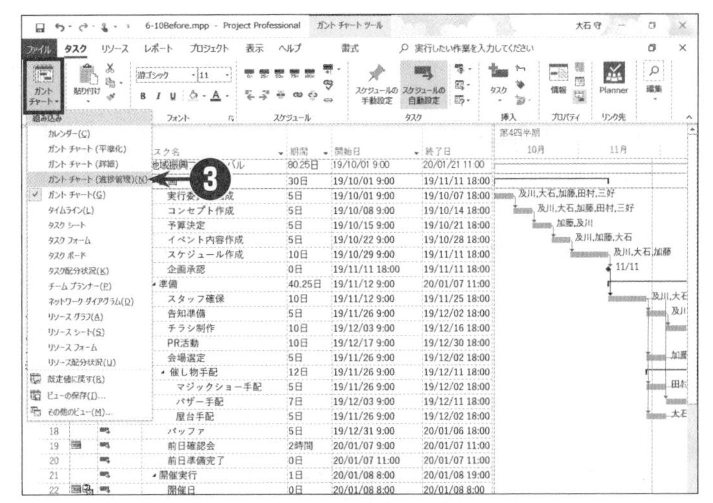

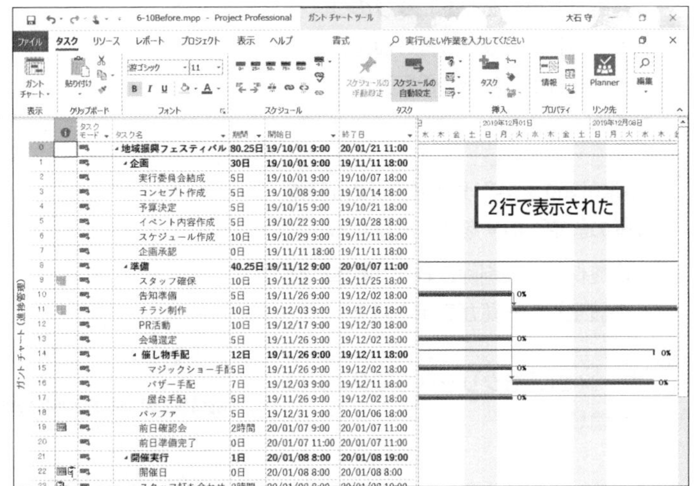

基準計画を削除する

1 ［プロジェクト］タブの［スケジュール］の［基準計画の設定］をクリックし、［基準計画のクリア］をクリックする。

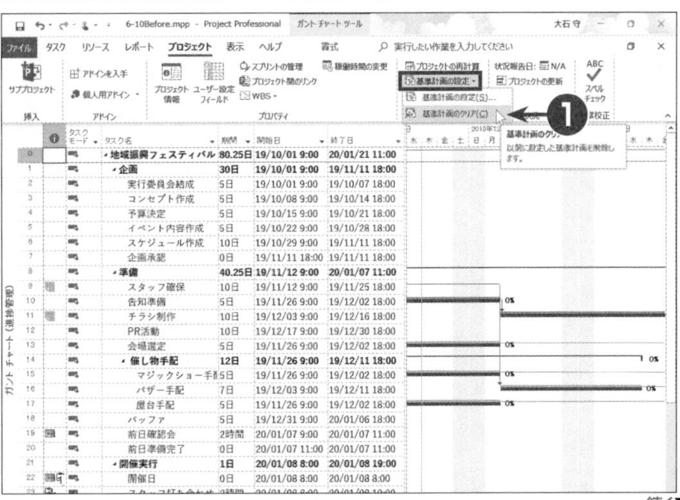

続く

❷ [基準計画のクリア]ダイアログで、[基準計画のクリア] の▼をクリックし、[基準計画 (最終保存日 (<保存した日時>)] を選択する。

❸ [対象] の [プロジェクト全体] をクリックする。

❹ [OK] をクリックする。

➡基準計画が削除される。

❺ [基準計画]が削除されたことを確認するため、[プロジェクト] タブの [スケジュール] の [基準計画の設定] をクリックし、[基準計画の設定] をクリックする。

❻ [基準計画の設定] ダイアログの [基準計画の設定] の▼をクリックする。

➡最終保存日が削除された [基準計画の設定] の一覧が表示される。

❼ [キャンセル]をクリックしてダイアログを閉じる。

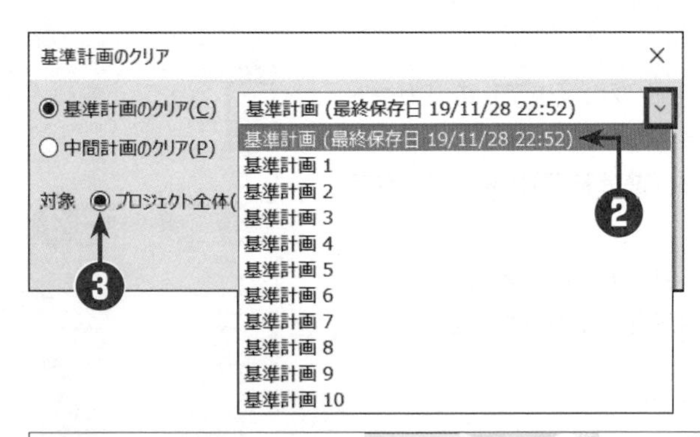

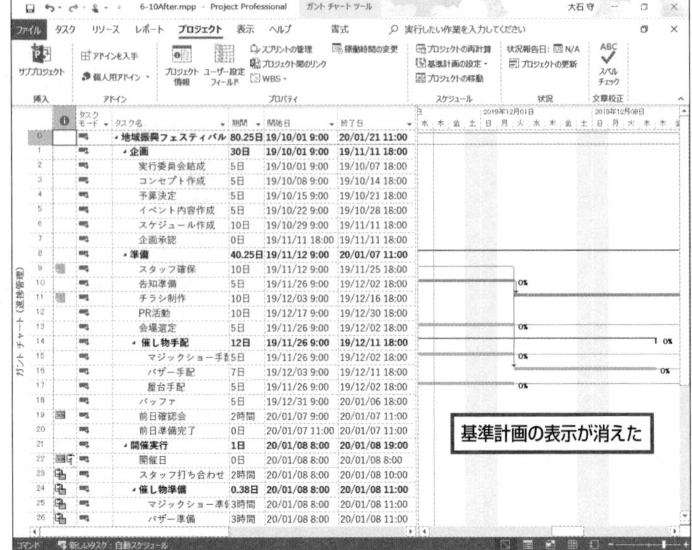

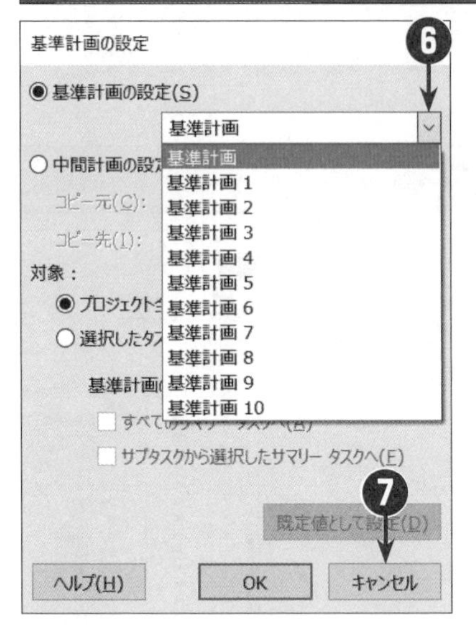

11 プロジェクトのサマリータスクを表示するには

プロジェクトのサマリー情報をプロジェクト計画に表示するには、［プロジェクトのサマリータスク］を使用します。［プロジェクトのサマリータスク］はタスクビューの1行目にIDが0のタスクとして表示され、プロジェクト全体の期間やコストなどの情報をひと目で把握できます。

プロジェクトのサマリータスクを表示する

❶ ［タスク］タブの［表示］の［ガントチャート］の▼をクリックし、［ガントチャート］をクリックする。

❷ ［書式］タブの［表示/非表示］の［プロジェクトのサマリータスク］にチェックを入れる。

● 再び非表示にするには［プロジェクトのサマリータスク］のチェックを外す。

➡ サマリータスクとしてプロジェクト名が表示される。

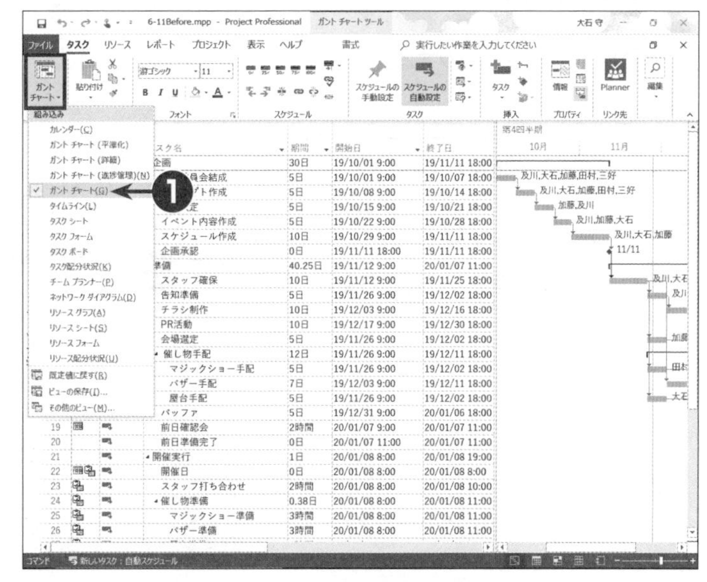

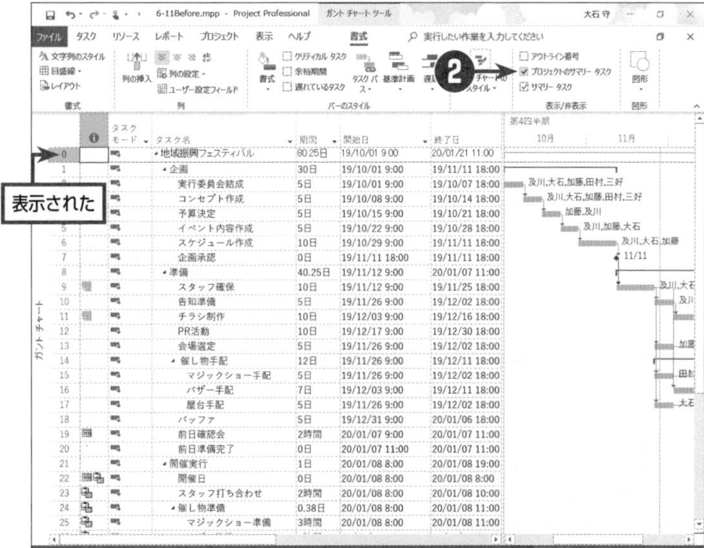

注意

初期設定では非表示

［プロジェクトのサマリータスク］は初期設定では非表示にされています。上記の方法で［プロジェクトのサマリータスク］の表示を行うと、現在のプロジェクトファイル（.mpp）のみに有効な設定になります。すべての新規プロジェクトファイルに設定するには、［Projectのオプション］の［詳細設定］の［次のプロジェクトの表示オプション］で［すべての新規プロジェクト］を選択して［プロジェクトのサマリータスクを表示する］にチェックを入れる必要があります。

プロジェクトのサマリータスク名を変更する

❶ プロジェクトのサマリータスクの行をクリックする。

❷ [タスク] タブの [プロパティ] の [情報] をクリックする。

➡ [サマリータスク情報] ダイアログが表示される。

❸ [全般] タブをクリックする。

❹ [タスク名]に新しいプロジェクトのサマリータスク名を入力する。

❺ [OK] をクリックする。

➡ サマリータスク名が変更される。

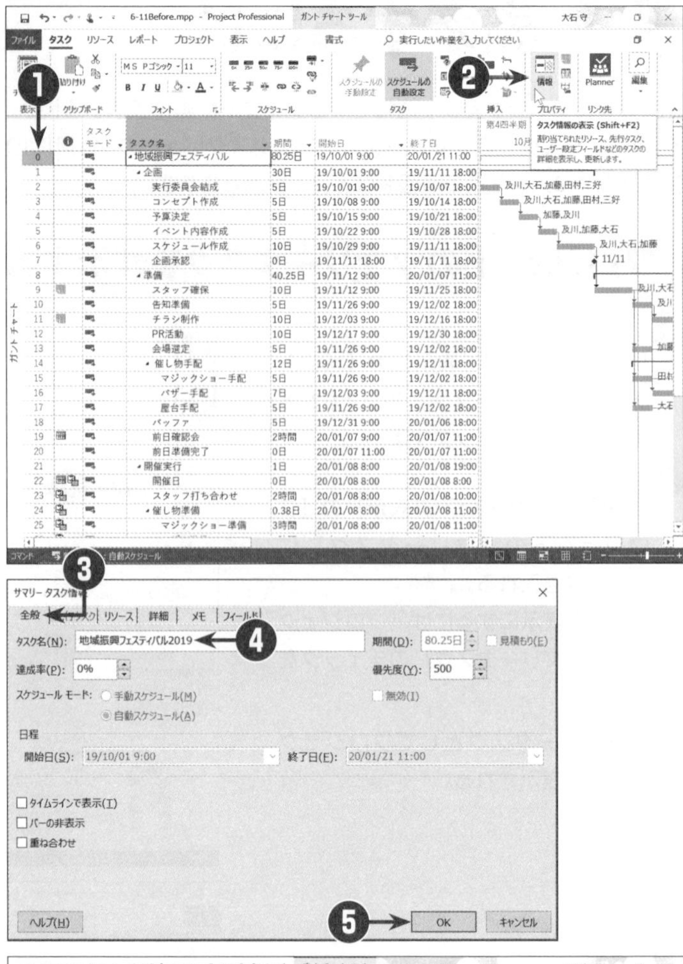

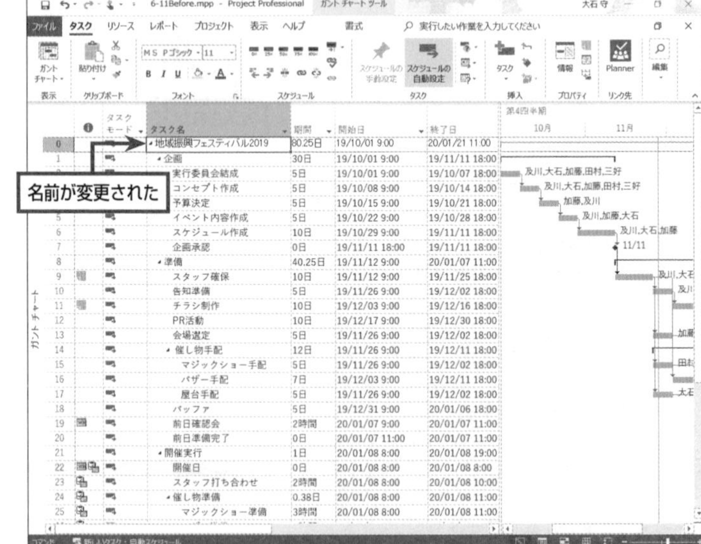

ヒント

サマリータスク名について

プロジェクトのサマリータスク名は、最初にファイルを保存したときのファイル名が使用されます。一度プロジェクトのサマリータスク名が設定されると、ファイル名を変更しても反映されません。サマリータスク名を直接変更してください。

プロジェクトの進捗管理

第7章

この章では、プロジェクト実行プロセスで、プロジェクトの実績を入力し、進捗状況を反映させる作業について解説していきます。Projectは、「プロジェクト計画は実績に合わせて積極的に見直していく」という考えのもとで作られています。プロジェクトとは生き物であり、実績に応じて刻々と状況は変化していきます。したがって、プロジェクトが実行プロセスに入ったら、定期的に実績情報を収集しプロジェクトに反映させ、プロジェクトの進捗状況をマネジメントするのは、プロジェクトマネージャーの大事な役割です。この章で解説するいくつかの方法でプロジェクト計画に実績を入力すると、現在の状況が反映されていく点に注目してください。

1 現在の日付線をガントチャートに表示するには

プロジェクトの現在位置を確認するには、現在の日付線をガントチャートに表示します。Projectでは、現在の日付線は既定で赤の実線で表示されていますが、これを好みの色や線の種類に変更することができます。

現在の日付線をガントチャートに表示する

❶ ガントチャート上を右クリックする。

❷ 表示されたメニューから［目盛線］をクリックする。

❸ ［目盛線］ダイアログの［設定の対象］から［現在の日付線］を選択する。

❹ ［一般］の［線の種類］と［色］を好みのものに変更する。

❺ ［OK］をクリックする。

➡現在の日付が指定した線と色で表示される。

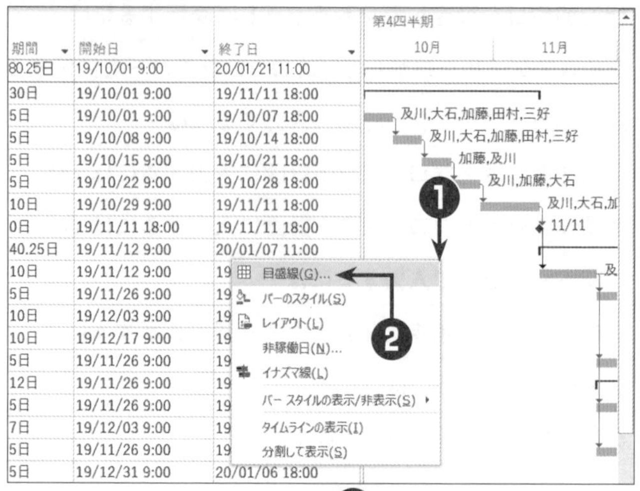

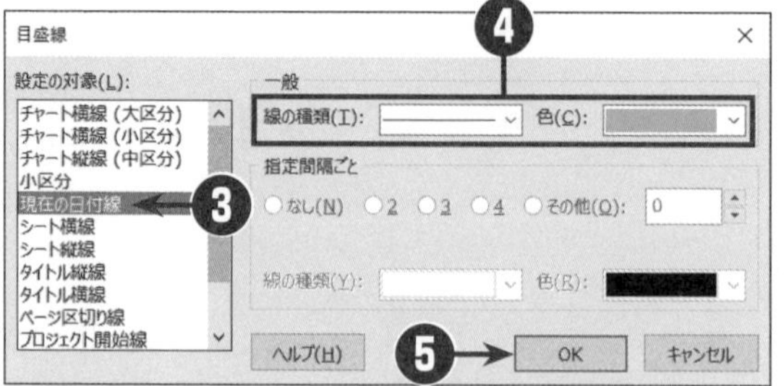

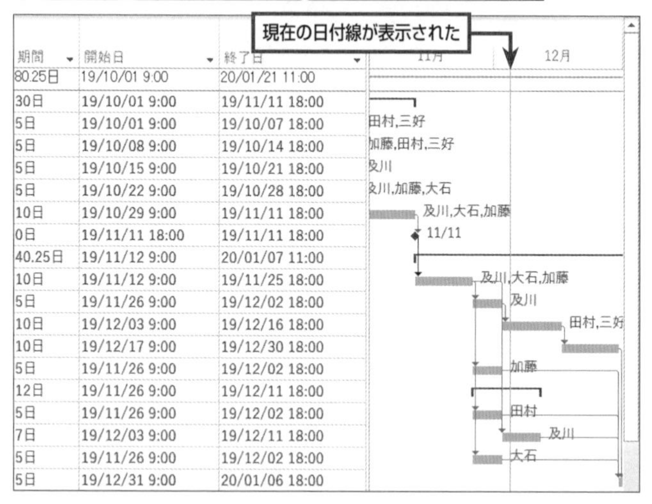

ヒント

現在の日付

現在の日付線は、［プロジェクト情報］ダイアログの［現在の日付］の値が使用されます。既定では、Projectがインストールされているコンピューターのキャンセル Windowsの時計の日付が使われます。また［現在の日付］の▼をクリックし、任意の日付を指定することもできます。この機能は、プロジェクトの状態をシミュレーションする際などに利用できます。

2 状況報告日を設定しガントチャートに表示するには

状況報告日は、プロジェクトの進捗を測る基準となる日付で、現在の日付とは別に用意されています。状況報告日線をガントチャートに表示することで、プロジェクトの進捗状況が把握しやすくなります。

状況報告日を設定する

❶［プロジェクト］タブの［プロパティ］の［プロジェクト情報］をクリックする。

❷［プロジェクト情報］ダイアログの［状況報告日］の▼をクリックする。

❸［状況報告日］に、設定したい日付を入力するか、またはカレンダーからクリックする。

❹［OK］をクリックする。

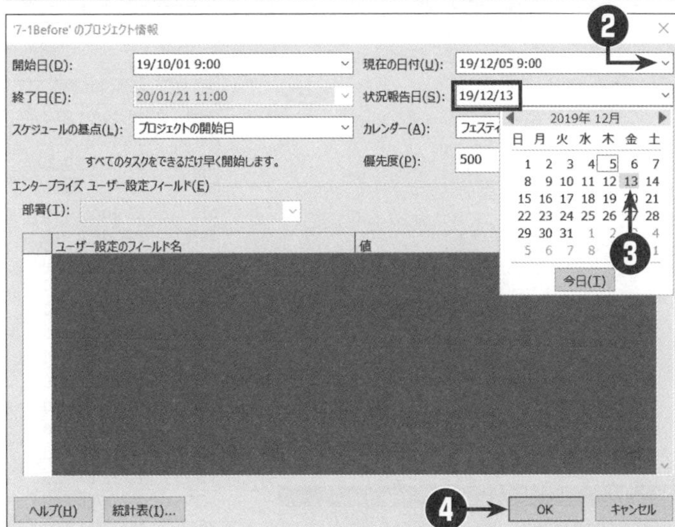

ヒント

状況報告日

状況報告日は、進捗管理する上で非常に重要です。入力したタスクの作業実績が、どの時点のものなのかわからなければ、正しい実績情報を入力することはできないからです。イナズマ線（この章の8を参照）で進捗を表示する際の基準日としても使用されます。またアーンドバリューの計算にも使用され、基準計画に対する現在の進捗状況をスケジュールとコストの両面から確認することができます。

状況報告日線をガントチャートに表示する

1. ガントチャート上を右クリックする。
2. 表示されたメニューから［目盛線］をクリックする。
3. ［目盛線］ダイアログの［設定の対象］から［状況報告日線］を選択する。
4. ［一般］の［線の種類］と［色］を好みのものに変更する。
5. ［OK］をクリックする。

➡設定された状況報告日が表示される。

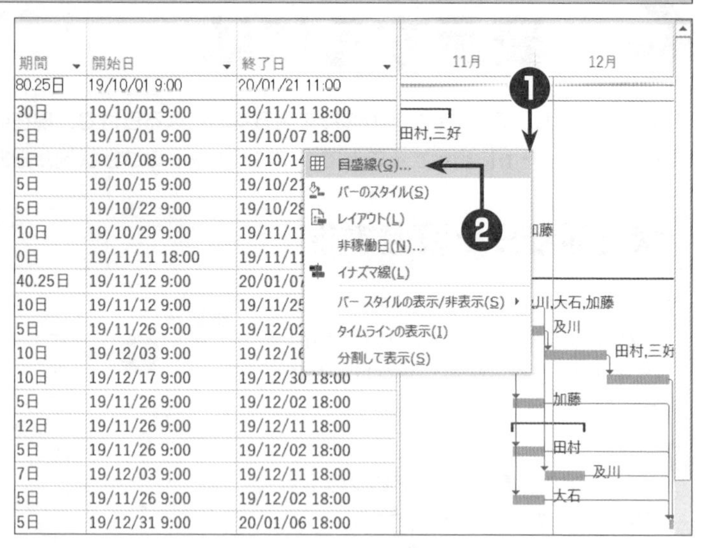

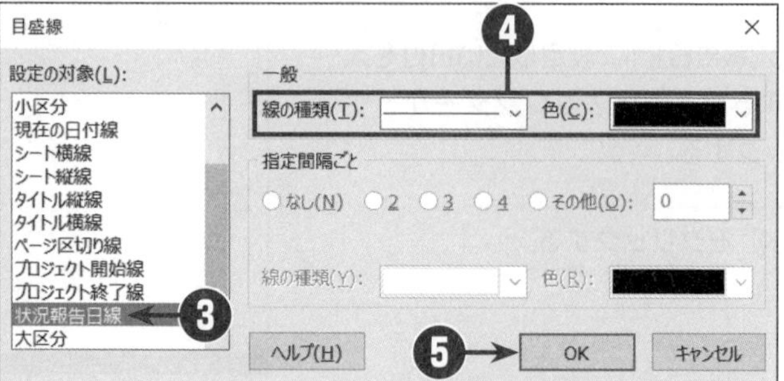

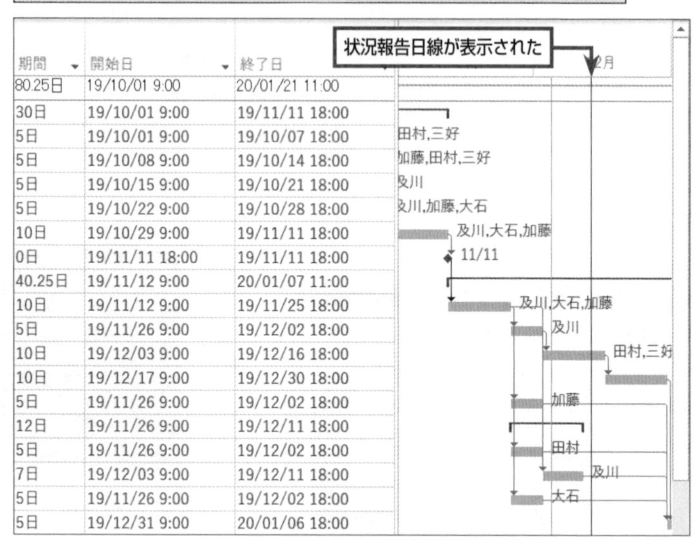

ヒント

状況報告日線

状況報告日線は既定では表示されません。イナズマ線を状況報告日に表示する場合は、同じ場所に表示されるため非表示にすることをお勧めします。

3 タイムスケールを移動して目的のタスクのバーを表示するには

タイムスケール領域に目的のタスクのバーが表示されていない場合、「タスクへスクロール」機能を使用するとタイムスケールを移動することができます。

タスクへスクロールする

❶ [タスク] タブの [表示] の [ガントチャート] の▼をクリックし、[ガントチャート (進捗管理)] をクリックする。

❷ タイムスケールをスクロールして、タスクバーを表示したいタスクを選択する。

❸ [タスク] タブの [編集] をクリックして [タスクへスクロール] をクリックする。

➡タイムスケールがスクロールし、バーが表示される。

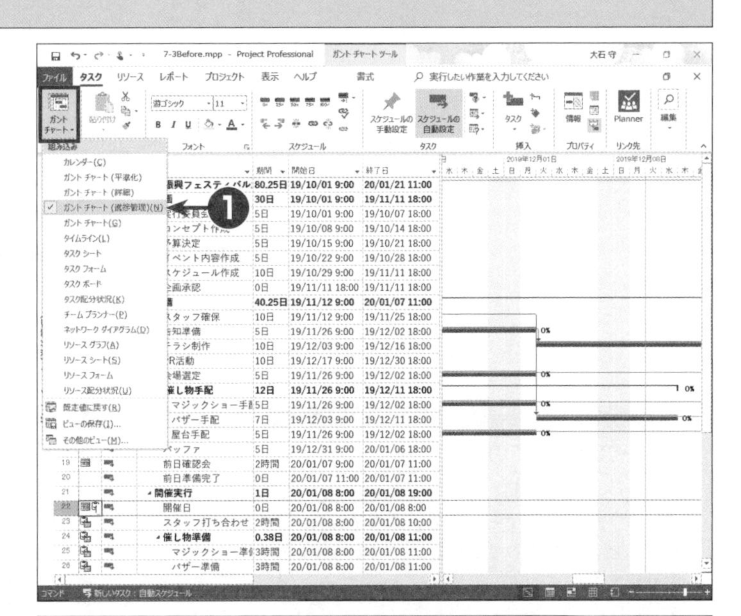

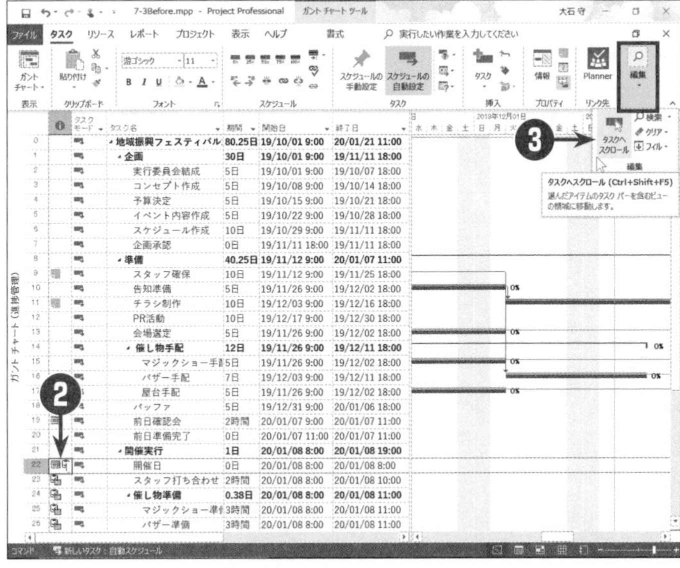

ヒント
[タスクへスクロール] のボタンの表示位置

[タスクへスクロール]のボタンの表示位置は画面の解像度によって異なります。解像度が高い場合は、[タスク] タブから直接アクセスできます。

続く→

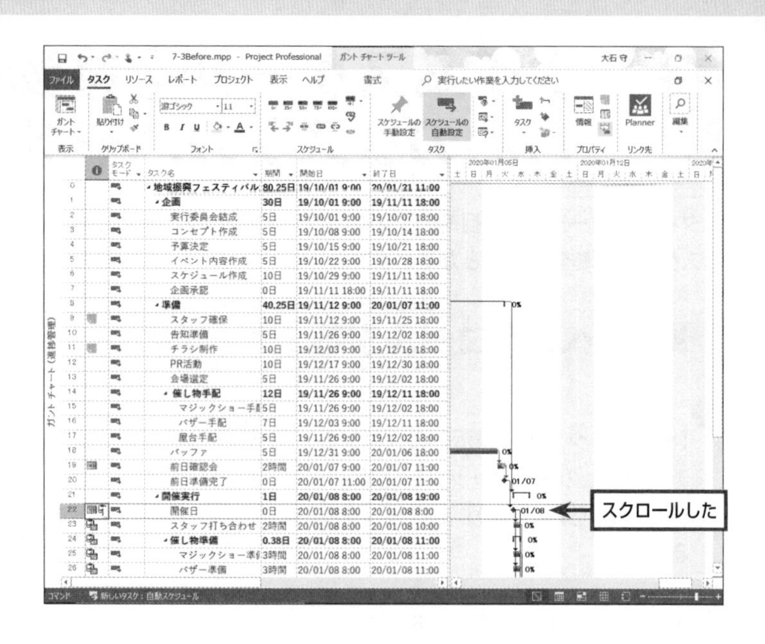

ヒント

リソースビューでの使用

[タスクへスクロール] は、[リソース配分状況] や [チームプランナー] などのタイムスケールビューを持つリソースビューでも使用できます。

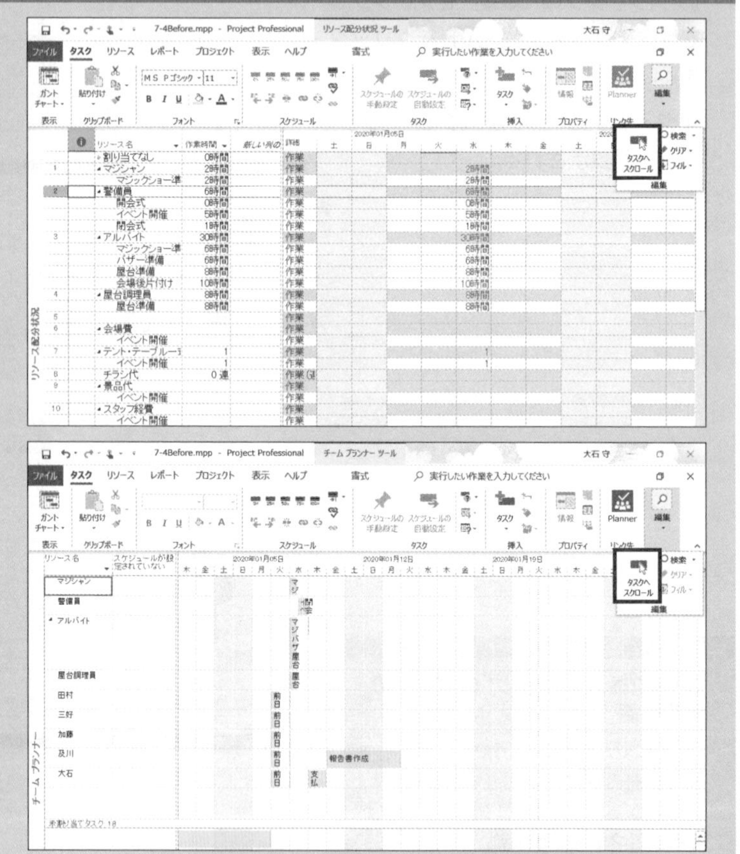

4 達成率をプロジェクト計画に入力するには

Projectは、さまざまな実績入力の方法に対応していますが、大きく分けて、達成率を使用する方法と、作業時間もしくは期間を使用する方法と、この2つを組み合わせて使用する方法の3つがあります。マネジメントするプロジェクトの要件は何かをよく考慮したうえで、作業実績を反映する方法を決めてください。ここでは、達成率を使用する手順を説明します。

達成率を入力する

❶ ［タスク］タブの［表示］の［ガントチャート］の▼をクリックし、［ガントチャート（進捗管理）］をクリックする。

❷ ［表示］タブの［データ］の［テーブル］をクリックし、［進捗管理］をクリックする。

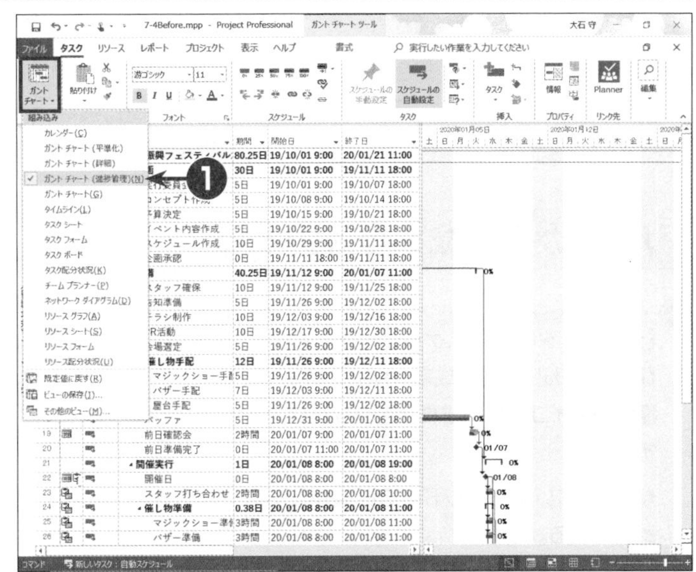

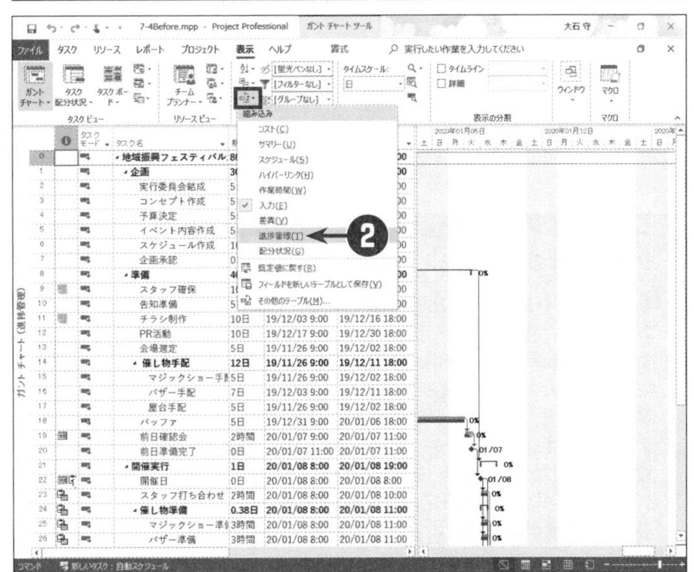

ヒント

達成率の計算方法

達成率は次の計算式（この章の10のコラムを参照）で計算されます。

達成率＝（実績期間÷期間）×100

実績入力の方法

Projectで使用できる主な実績入力の方法は、次のとおりです。

- 「実績作業時間」と「残存作業時間」
- 「実績期間」と「残存期間」
- 「達成率」と「残存作業時間」
- 「達成率」と「実際の達成率」
- 「実績開始日」と「実績終了日」

ビューにこれらのフィールドが表示されていない場合は、［列の挿入］でフィールドを表示します。

続く

❸

達成率を入力するタスクの［達成率］フィールドをクリックし、達成率の数値を入力する（「%」は入力しない）。

➡ガントバーの進捗バーの表示が変わる。

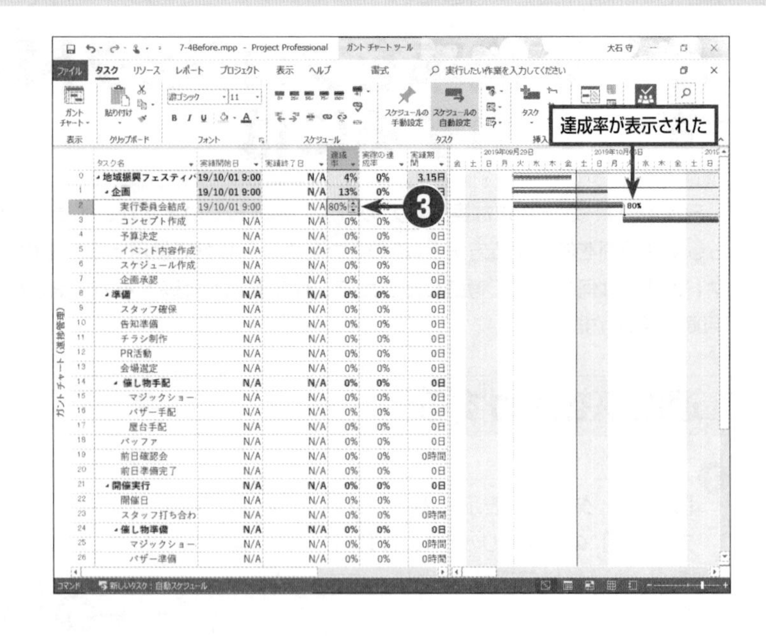

リボンから達成率を入力する

❶

［タスク］タブの［スケジュール］の［達成率0%］～［達成率100%］の5種類のアイコンのいずれかをクリックする。

➡［達成率］フィールドに達成率が入力される。

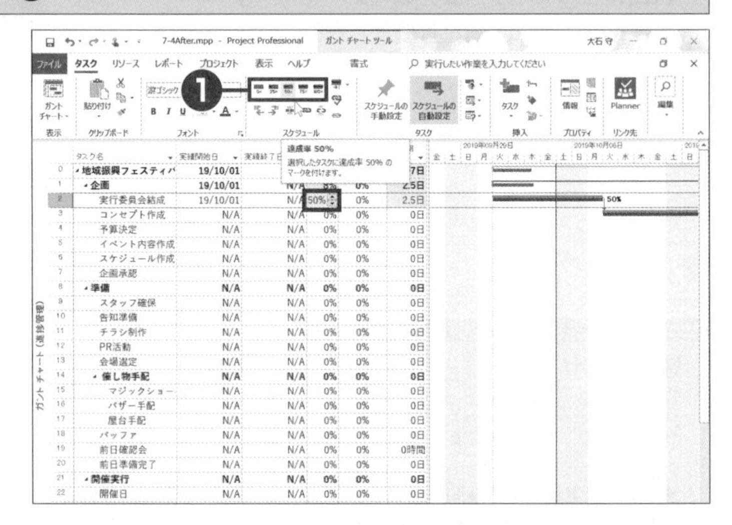

ヒント

タスク自体の進捗率を入力するには

たとえば、「レンガを100個積む」というタスクに対して、作業時間を16時間と設定したとします。半分の8時間を過ぎても、まだ20個しか積むことができなかったとしたら、作業時間の達成率は50%ですが、タスク自体（成果物）の進捗率は20%となります。成果物を基準に、積み上がったレンガの数で進捗状況を管理したいと考えるのであれば、［実際の達成率］に成果物の達成した割合（＝積み上げたレンガの数の割合）を入力します。

［Projectのオプション］ダイアログで、［詳細設定］の［次のプロジェクトの達成額オプション］で、［タスクの既定の達成額計算方法］を［実際の達成率］に設定しておくと、アーンドバリューの指標（SPI、CPIなど）による進捗状況の把握が可能になります。

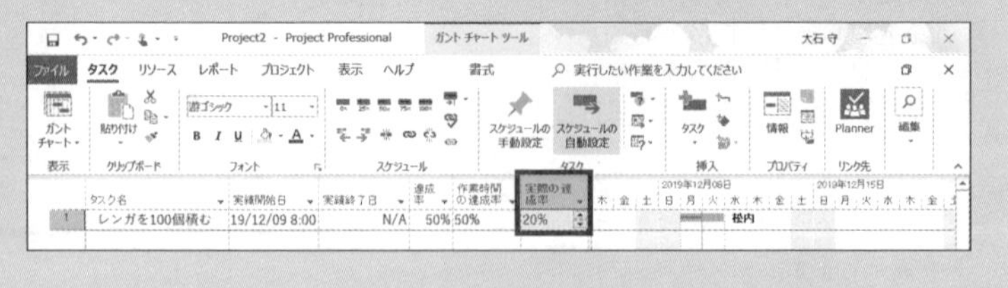

達成率と実績作業時間を別々に管理するには

既定では、[達成率] フィールドに数値を入力すると、リソースに割り当てられた [実績作業時間] および [残存作業時間] が更新され、[作業時間の達成率] も同時に計算されます。タスクにリソースを割り当て、リソースの実績作業時間を入力して正確な稼働状況を把握したい場合、この自動計算はオフにしておく必要があります。

タスクの [達成率] と、リソースの [実績作業時間] および [残存作業時間] は、切り離してそれぞれの実績値を入力することができます。作業実績の入力を開始する前に次の設定を行います。

❶[ファイル] タブの [オプション] をクリックする。

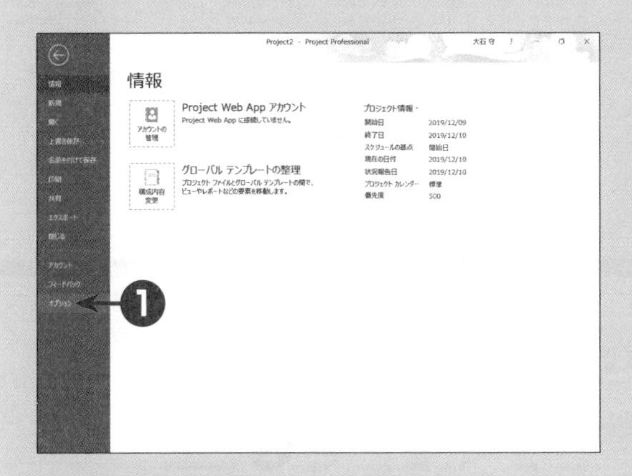

❷[Projectのオプション] ダイアログで [スケジュール] をクリックする。
❸[次のプロジェクトの計算オプション] で、設定対象のプロジェクトを選択する。
❹[タスクの実績情報更新時に、リソースの実績を自動更新する] のチェックを外す。
❺[OK] をクリックして、[Projectのオプション] ダイアログを閉じる。

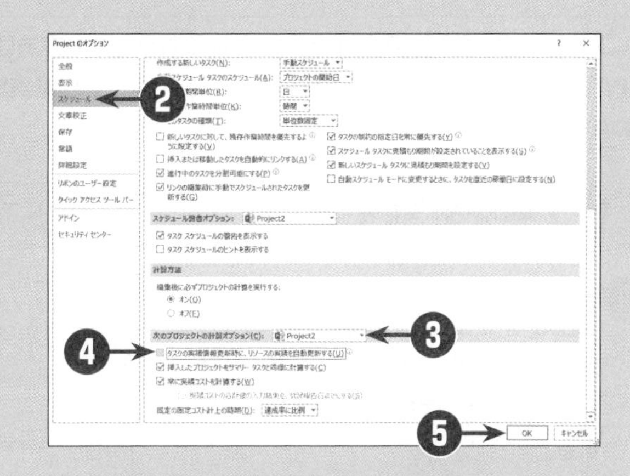

この設定を行っても、[達成率] が100%になると、そのタスクは完了したことになるので注意してください ([作業時間の達成率] も100%になります)。

Projectにおける達成率

Projectにおける [達成率] とは、期間に対する達成率です。1日8時間の作業で、期間が4日間のタスクにリソースを割り当てていた場合、達成率50%は2日目までの作業が完了したという意味になります。

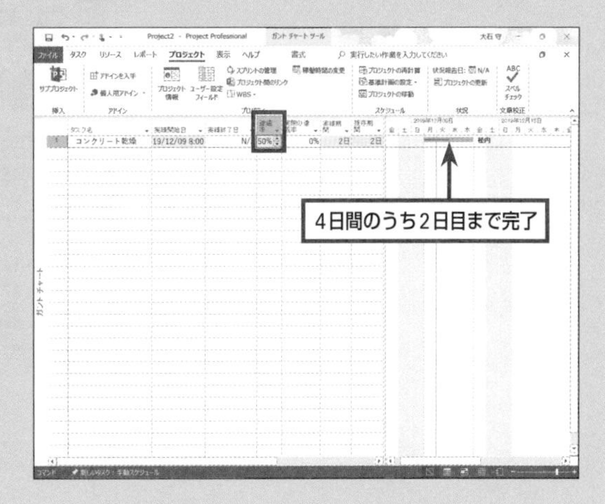

5 実績作業時間をプロジェクト計画に入力するには（1）

プロジェクト計画に実績値を反映させるもう1つの方法は、作業時間（または期間）を使用する方法です。ここでは、「実績作業時間」と「残存作業時間」を入力して作業実績を表示する方法を解説します。まず、入力用にビューを準備する手順を解説します。

ビューを分割する

❶ ［表示］タブの［タスクビュー］の［ガントチャート］の▼をクリックし、［ガントチャート（進捗管理）］をクリックする。

❷ ［表示］タブの［表示の分割］の［詳細］にチェックを入れる。

➡ビューが上下に分割される。

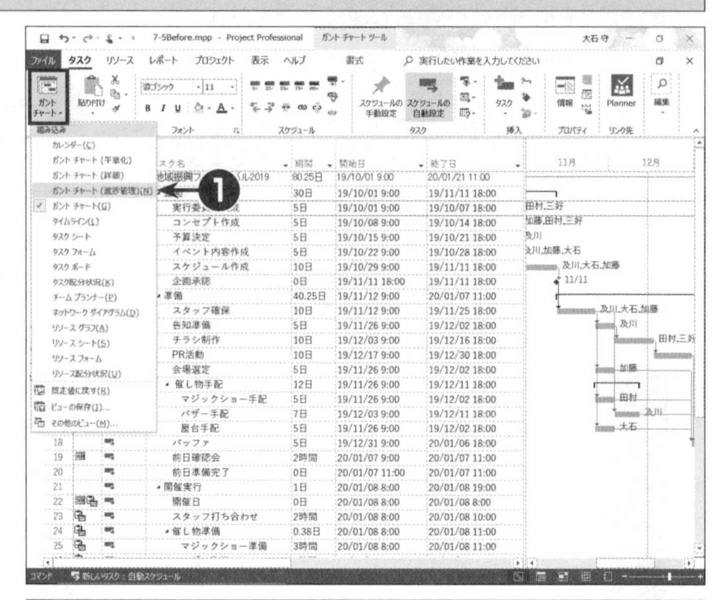

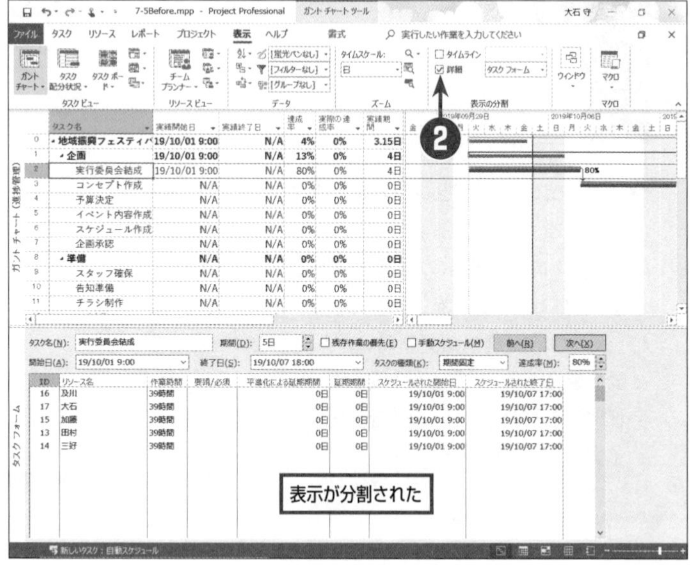

❸ ［詳細ビュー］の▼をクリックし、一覧から［タスク配分状況］を選択する。

➡下段のビューに［タスク配分状況］が表示される。

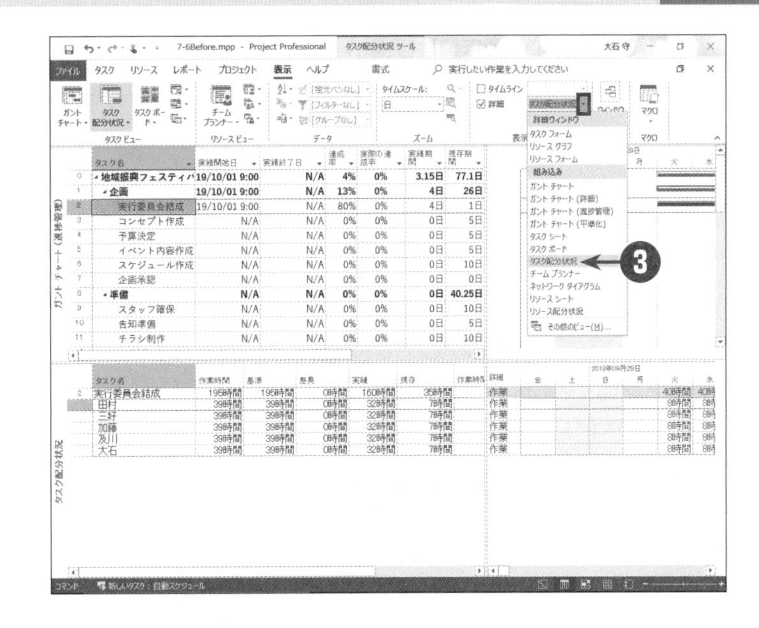

［実績作業時間］を追加する

❶ 上下に分割されたビューのうち、下段の［タスク配分状況］ビューをクリックする。

❷ ビューの右側の［詳細］列の［作業］フィールドのタイトル部分を右クリックする。

❸ 表示されたメニューから［実績作業時間］をクリックする。

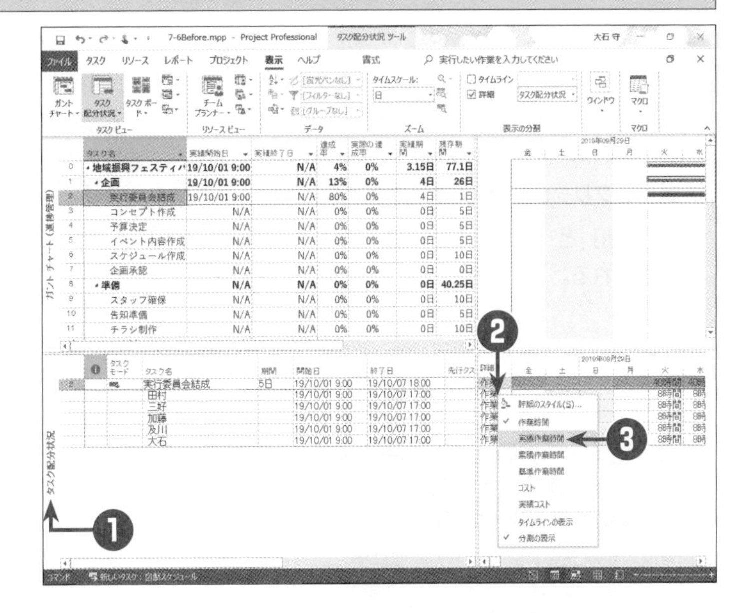

➡［作業］の下に［実作業］（実績作業時間の略）が表示される。

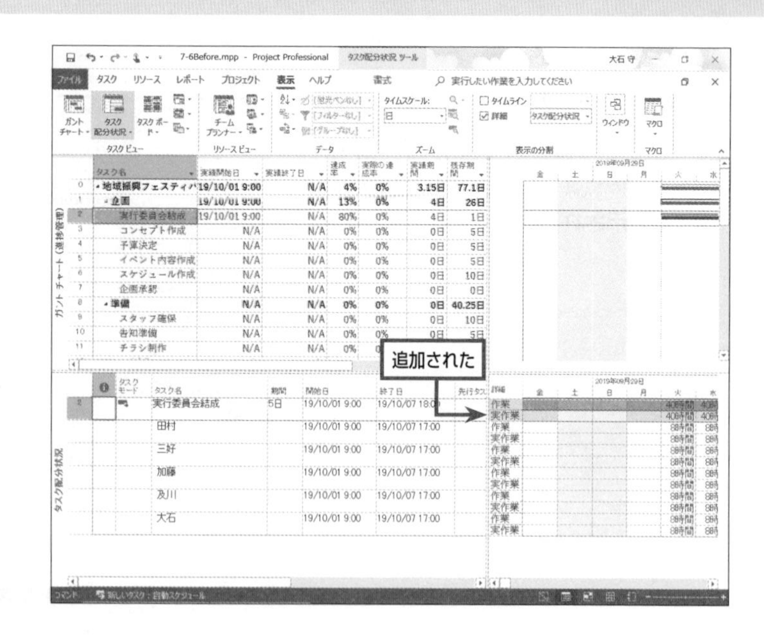

ヒント

［タスク配分状況］ビューの［詳細］列

［詳細］列は、フィールド名の短縮形で表示されます。実際のフィールド名は、［詳細のスタイル］ダイアログで確認できます。「詳細」列を右クリックして、［詳細のスタイル］をクリックすると表示できます。

［作業時間］テーブルを追加する

❶ 下段の［タスク配分状況］ビューをクリックし、［表示］タブの［データ］の［テーブル］をクリックして［作業時間］をクリックする。

➡［実績］と［残存］フィールドが追加される。

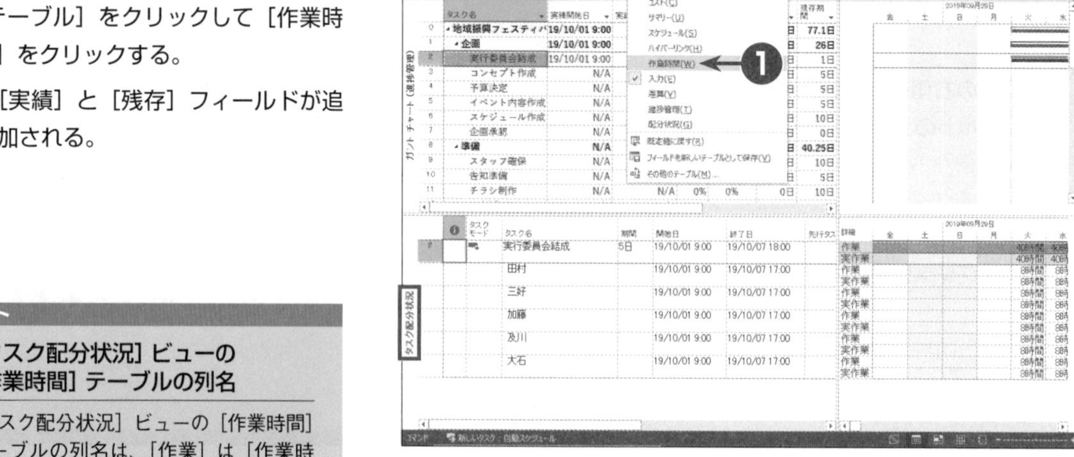

ヒント

［タスク配分状況］ビューの［作業時間］テーブルの列名

［タスク配分状況］ビューの［作業時間］テーブルの列名は、［作業］は［作業時間］、［残存］は［残存作業時間］を別名で定義したものです。列の先頭を右クリックし、［フィールドの設定］をクリックすると確認できます。

フィールドの設定

フィールド名(N): 実績作業時間
タイトル(T): 実績
タイトルの配置(A): 左
データの配置(D): 右
幅(W): 11 ☑ヘッダー文字列の折り返し(H)

日本語入力モード(I)... 最適幅(B) OK キャンセル

❷ 上段の［ガントチャート（進捗管理）］ビューをクリックし、画面右下のビュースライダーの［+］［−］をクリックして、タイムスケールの表示と作業時間を入力する単位を合わせる。

●毎日作業時間を入力する場合は、タイムスケールの単位は「日」に設定する。

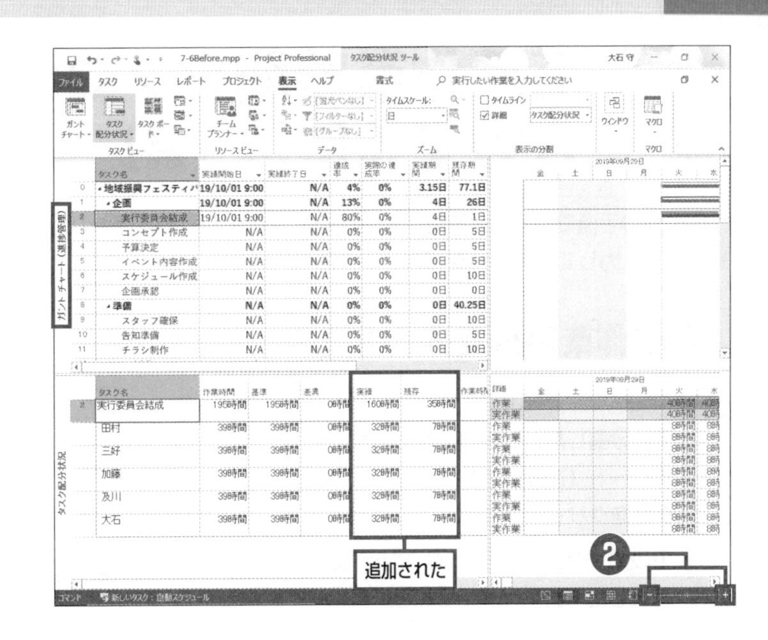

ヒント

列のタイトルとフィールド名

［作業時間］テーブルでは、実際のフィールド名とは異なる列のタイトルが使用されています。それぞれ次のように対応しています。

列のタイトル	フィールド名
基準	基準作業時間
差異	作業時間の差異
実績	実績作業時間
残存	残存作業時間

ヒント

テーブル表示の調整

下枠の［タスク配分状況］ビューで［作業時間］テーブルに［実績］および［残存］フィールドが表示されない場合は、分割バーをポイントし、マウスポインターが左右両方向の矢印に変わったら、任意の位置までドラッグします。

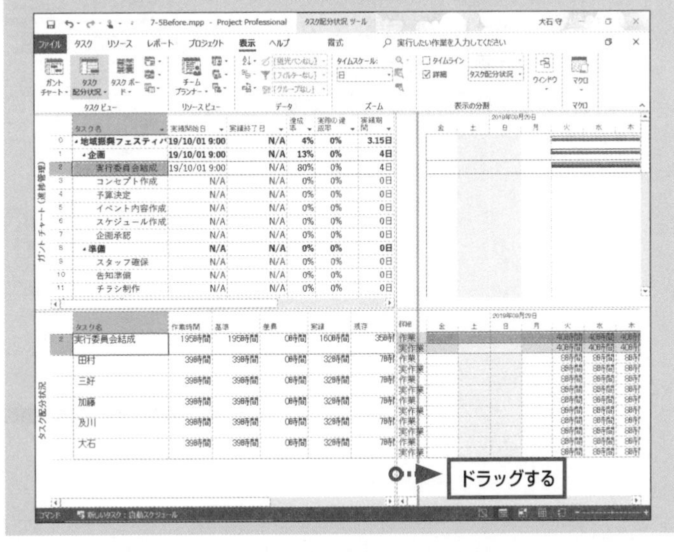

6 実績作業時間をプロジェクト計画に入力するには（2）

前の節の手順で、実績作業時間と残存作業時間を入力するためのビューの準備ができました。ここでは、実際に作業時間を入力して作業実績を報告する方法を解説します。

実績作業時間を入力する

❶ 上下に分割したビューの上段の［ガントチャート（進捗管理）］ビューで、タスク名をクリックする。

➡下段の［タスク配分状況］ビューに選択したタスクが表示される。

❷ 下段の［タスク配分状況］ビューのタイムスケール領域にある、実績作業時間を入力するセルをクリックする。

❸ ［実作業］のセルに実績作業時間を数字で入力する（「時間」は省略可能）。

➡テーブルには、自動的に［作業時間］から［実績］がマイナスされた値が［残存］に表示される（Projectが値を変更した項目はハイライトで表示される）。

● Projectが自動的に残存期間（および期間）を再計算した結果、このタスクは当初計画していたよりももっと時間がかかりそうだということが判明する。

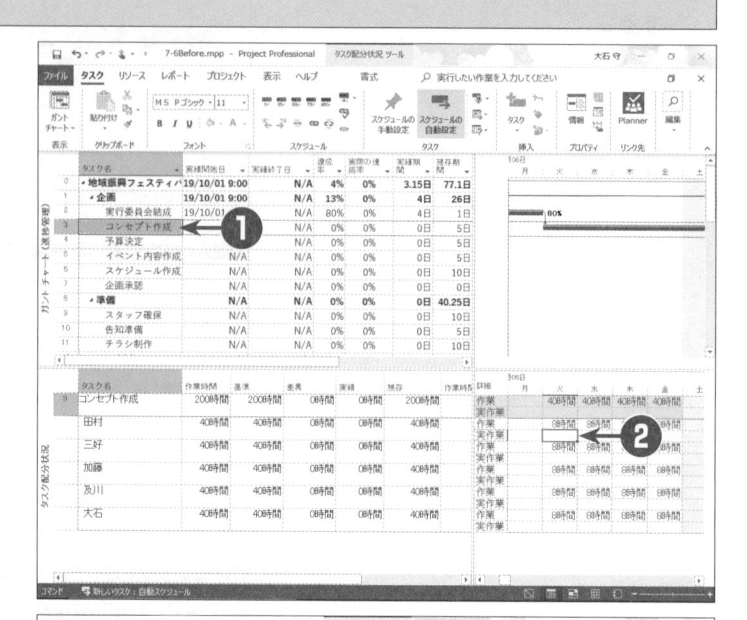

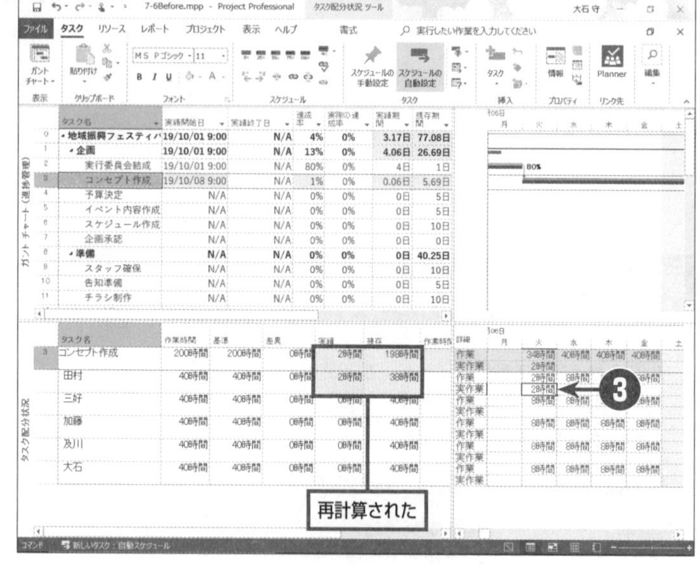

残存作業時間を入力する

❶ 下段の[タスク配分状況]ビューのテーブル部分にある[残存]のセルをクリックする。

❷ 残存作業時間を数字で入力する（「時間」は省略可能）。

➡ [作業時間] が再計算される。このタスクの期間が延びたことにより、後続タスクの [開始日] [終了日] が自動的に再計算される。

● ガントチャートでは基準計画とのずれが確認できる。

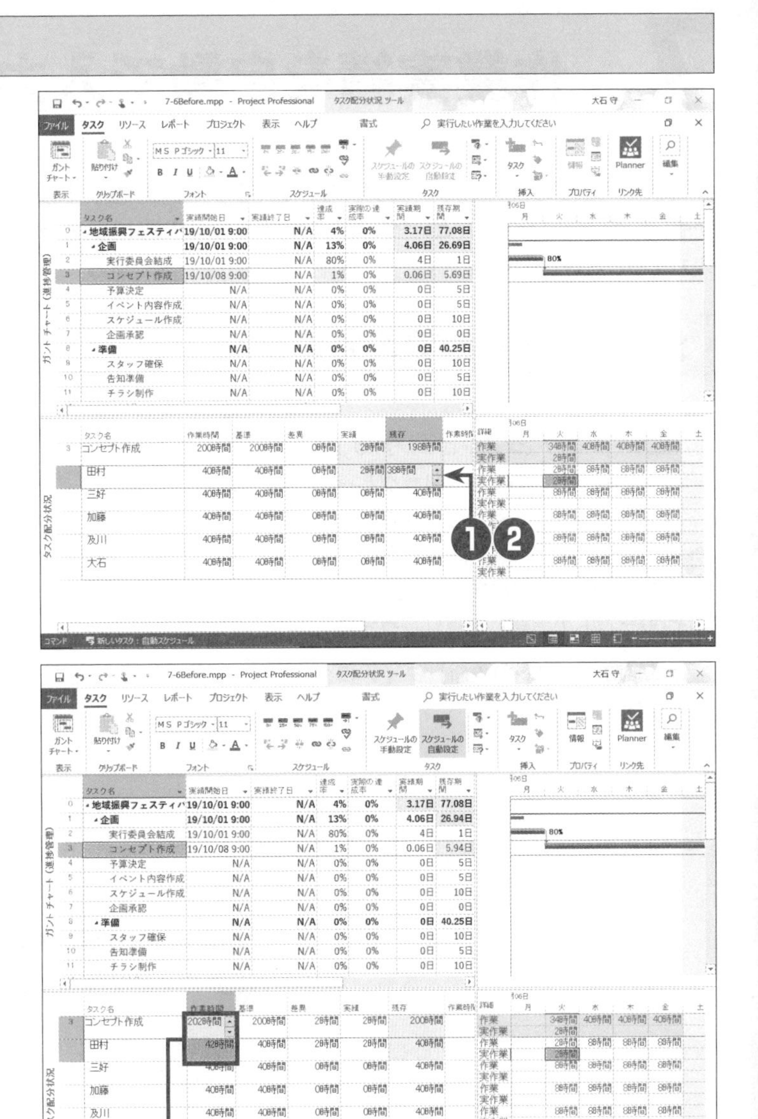

注意

ビューにタスクが表示されないときは

タスク名を選択しても、タイムスケール領域にバーが表示されない場合は、[タスク] タブの [編集] の [タスクへスクロール] をクリックすると、タスクへジャンプします。

ヒント

残存作業時間が異なるときは

プロジェクトが進んでいくにつれ、当初見積もりした作業時間と実態が異なってくることがあります。Projectが計算する残存作業時間は、あくまでもタスク全体の作業時間から実績作業時間をマイナスしたものです。この場合には、改めて[残存作業時間] を入力し、プロジェクトマネージャーに報告します。[差異]列には、当初計画した作業時間と実績作業時間の差異が表示されます。[差異] の値は、第9章のレポートで使用します。

7 作業実績を自動で入力するには

個々のタスクの実績値をすべて手入力しなくても、プロジェクトの進捗入力を行う方法があります。プロジェクトが順調に進んでいる場合など、指定した日付までのタスクは計画どおりに進捗していると仮定し、作業実績を自動で入力することができます。

作業実績を自動で入力する

❶ [表示] タブの [タスクビュー] の [ガントチャート] の▼をクリックし、[ガントチャート] をクリックする。

❷ [プロジェクト] タブの [状況] の [プロジェクトの更新] をクリックする。

➡ [プロジェクトの更新] ダイアログが表示される。

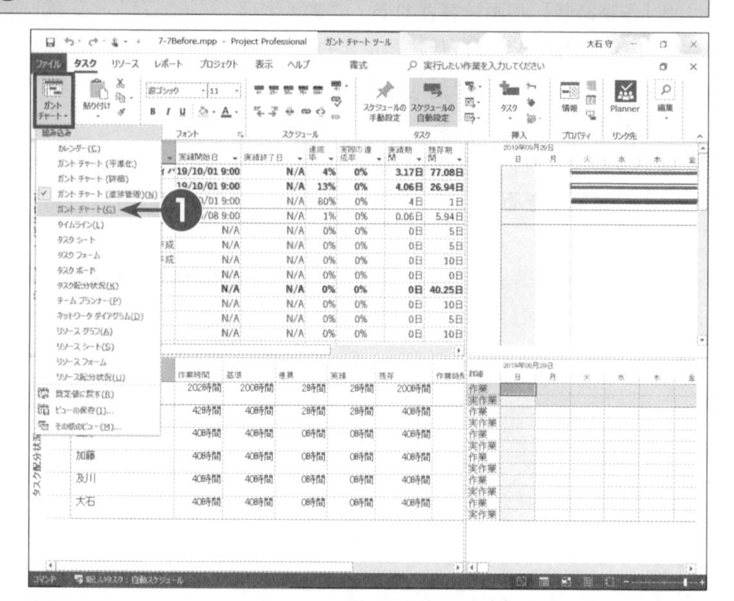

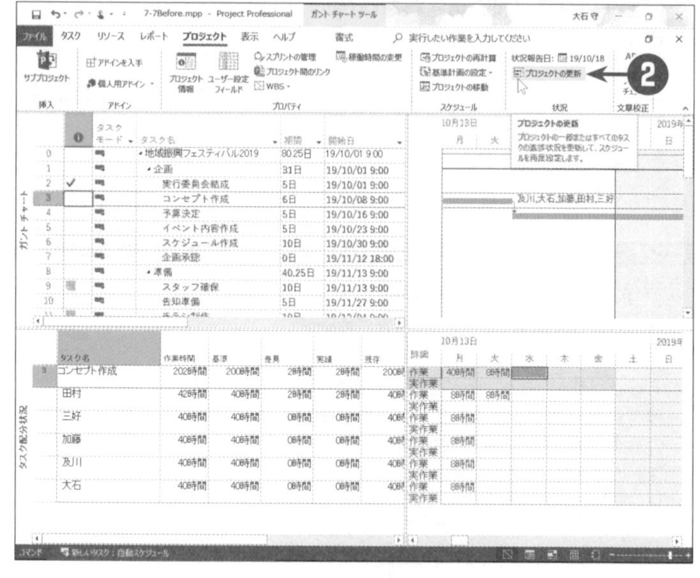

❸
[予定どおり達成しているタスクについて、指定日までの進捗状況を計算] の▼をクリックして日付を指定する。

❹
[達成率を0%から100%の間で設定] をクリックする。

❺
[OK] をクリックする。

➡実績値が自動的に更新される。

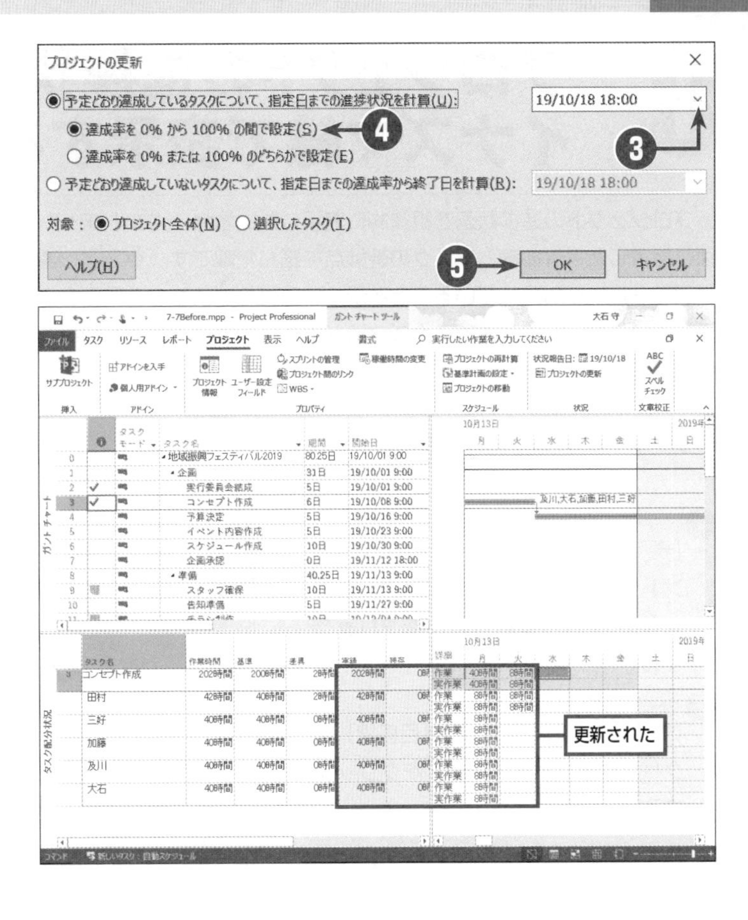

ヒント
達成率の設定について

[プロジェクトの更新] ダイアログの達成率に関する設定では、次のように計算しています。

- [達成率を0%から100%の間で設定]：設定した日付まで計画どおり進捗した場合の実績値を0%から100%の間で自動的に計算する。
- [達成率を0%から100%のどちらかで設定]：設定した日付がタスクの終了日よりも前の場合には0%、タスクの終了日よりも後の場合には100%として計算する。

ヒント
タスクの進捗を予定どおりにする別の方法

[予定どおりとしてマーク] を使用すると、状況報告日の時点で予定どおりとして進捗を入力できます。[予定どおりとしてマーク] を使用するには、[タスク] タブの [スケジュール] で [予定どおりとしてマーク] をクリックします。

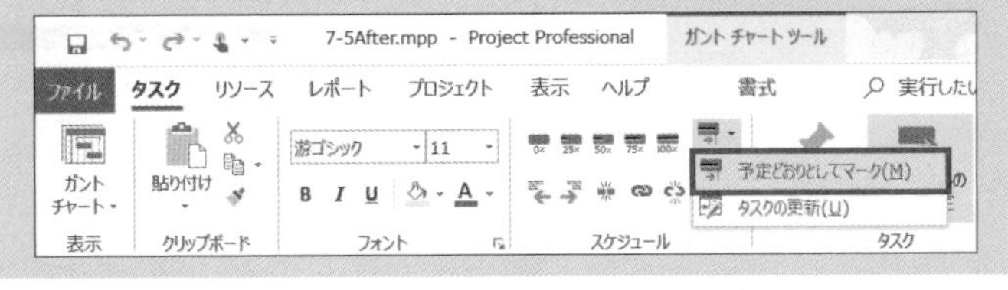

8 プロジェクトの進捗状況をイナズマ線で表示するには

プロジェクトの進捗状況を視覚的に表示したい場合、ガントチャートで「イナズマ線」を表示します。イナズマ線は、指定した日付の線とタスクの進捗点を結んだ線です。タスクの進捗点が、日付の線よりも左側にあるタスクはスケジュールよりも遅れていることを示し、日付の線よりも右側にあるタスクはスケジュールよりも進んでいることを示しています。定期間隔でイナズマ線を引くと、全体の傾向が把握できます。ここでは、毎週金曜日にイナズマ線を引く手順を説明します。

イナズマ線を表示する

❶ ［表示］タブの［タスクビュー］の［ガントチャート］の▼をクリックし、［ガントチャート（進捗管理）］をクリックする。

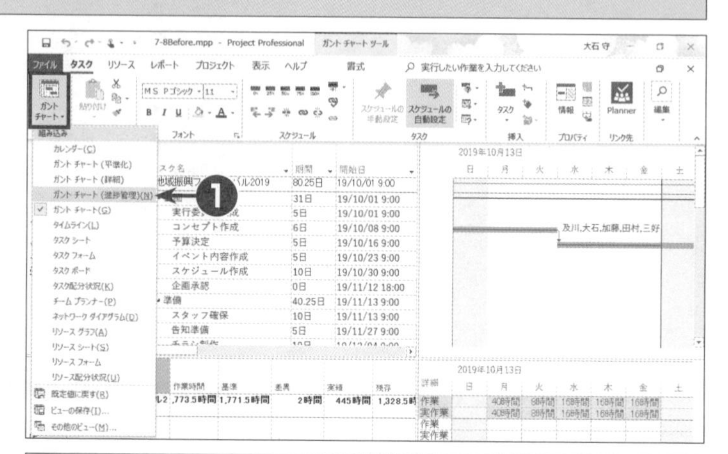

❷ ［書式］タブの［書式］の［目盛線］をクリックし、［イナズマ線］をクリックする。

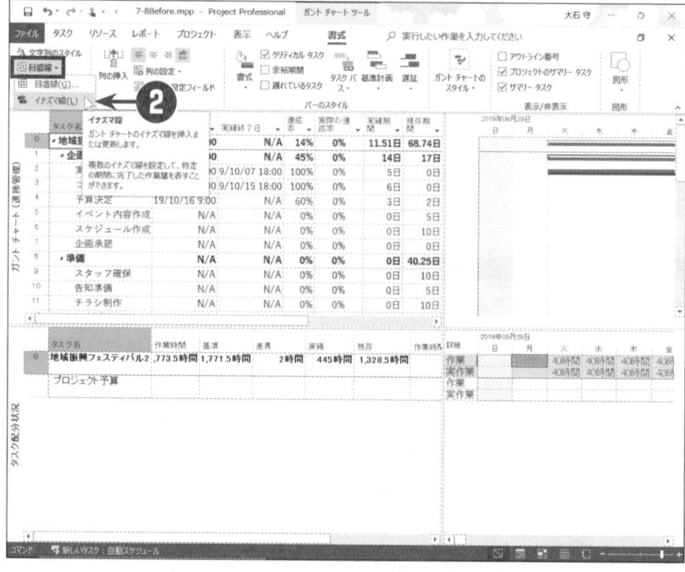

❸ [イナズマ線] ダイアログの [日付と間隔] タブをクリックする。

❹ [定期間隔の設定] の [イナズマ線を表示する] にチェックを入れる。

❺ [週単位] をクリックする。

❻ [間隔] の▼をクリックして [毎週] を選択する。

❼ [金曜日] にチェックを入れる。

❽ [対象となる計画] の [基準計画] をクリックする。

❾ [OK] をクリックする。

➡イナズマ線が表示される。

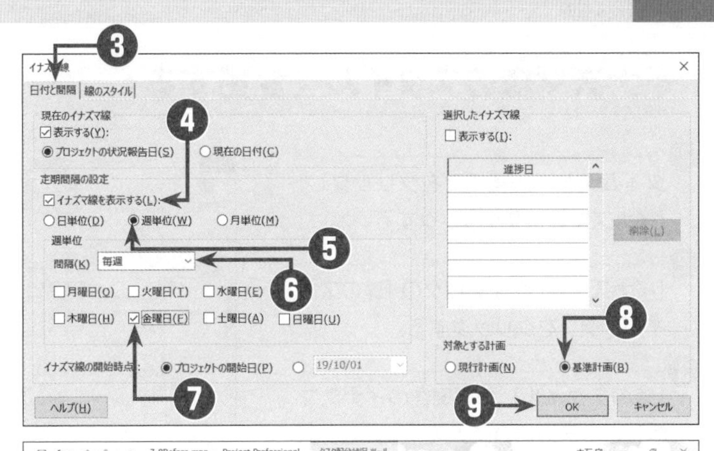

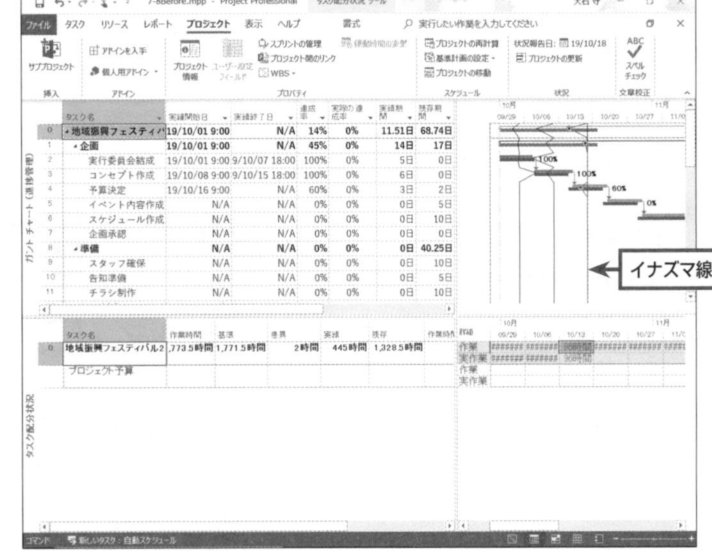

ヒント

イナズマ線を削除するには

[イナズマ線]ダイアログの[日付と間隔]タブで、[定期間隔の設定] の [イナズマ線を表示する]のチェックを外します。

イナズマ線を引くときは

Projectは、入力した実績値を基にプロジェクトのスケジュールを再計算します。そのため、ビューに表示されるのは、現在の実績を反映した最新のスケジュールとなります。イナズマ線を引くときに、当初計画と比較する場合には、[基準計画] を選択してください。

イナズマ線のスタイルを変更する

1. タイムスケール領域で右クリックし、[イナズマ線] をクリックする。
2. [イナズマ線] ダイアログの [線のスタイル] タブをクリックする。
3. [線のスタイル] の [現在のイナズマ線] と [その他のイナズマ線] で、[線の色] と [進捗点の色] を好みのものに設定する。
4. [進捗日の表示] で、[各イナズマ線に日付を表示する] にチェックを入れる。
5. [OK] をクリックする。

➡イナズマ線のスタイルが変更される。

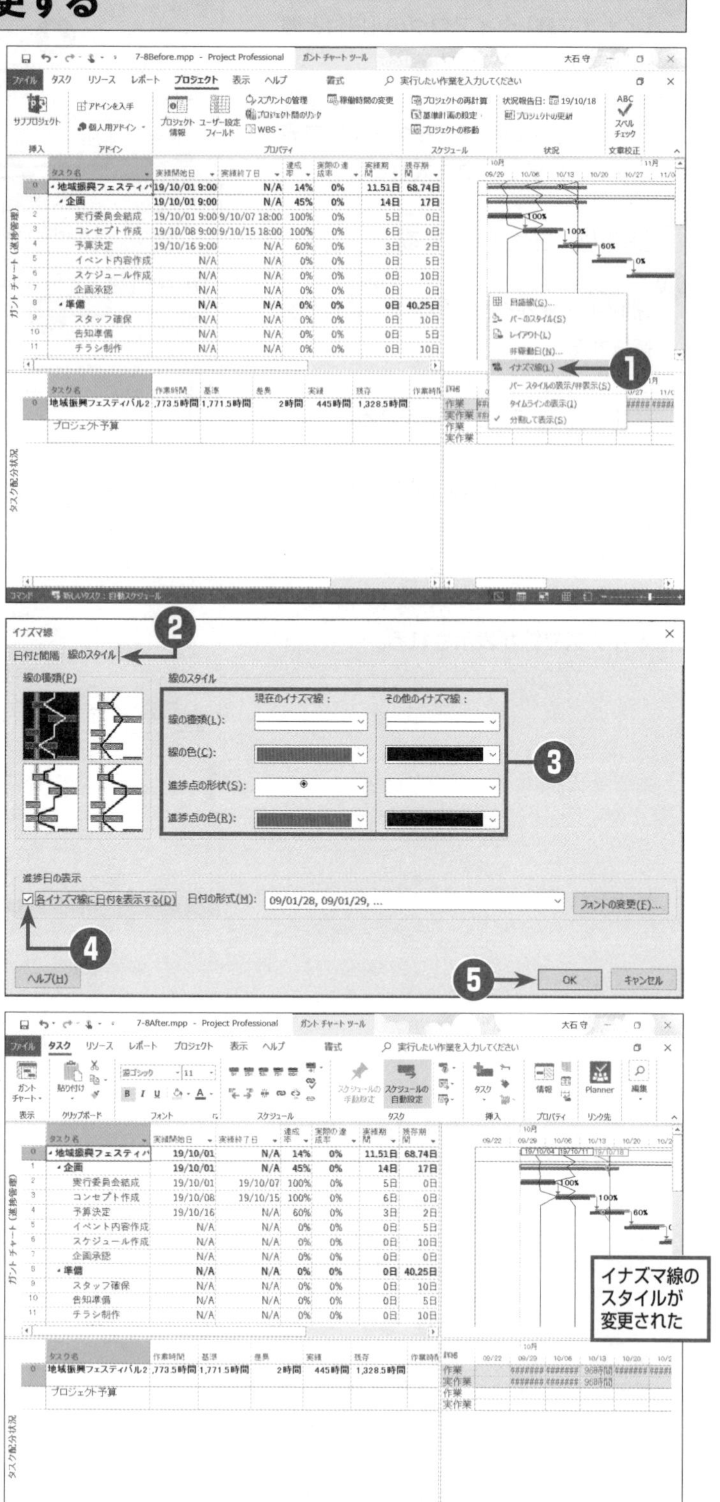

コラム　イナズマ線の表示対象とする計画による違い

イナズマ線を表示する際に、現在計画と基準計画のどちらを対象として表示するかを選択することができるようになっています。しかしながら、基本的にイナズマ線は基準計画を対象として使用することをお勧めします。基準計画を対象にする理由を理解するために、現在計画と基準計画のそれぞれを対象にイナズマ線を表示する場合の違いを見てみましょう。

以下のサンプルを見てください。状況報告日が金曜日に設定されており、その日にイナズマ線が表示されています。タスクAは予定どおりの進捗ですが、タスクCは当初より遅延しており、予定より16時間分の作業が必要になっていると言う状況です。

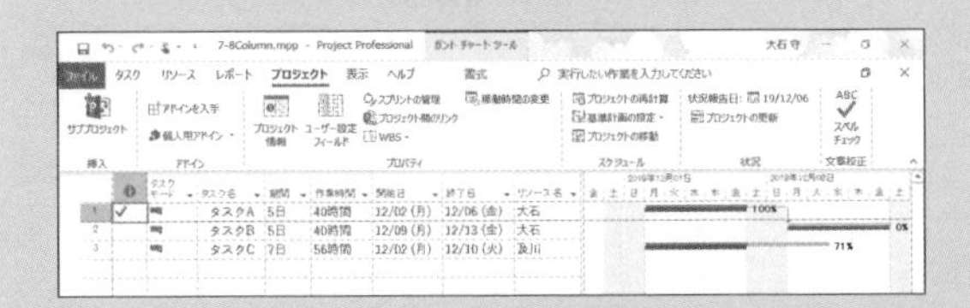

ここで、まずは基準計画を対象にしてイナズマ線を表示してみましょう。16時間（2日分）の作業が増えている分だけイナズマ線が左側に振れ、遅れとして表示されます。

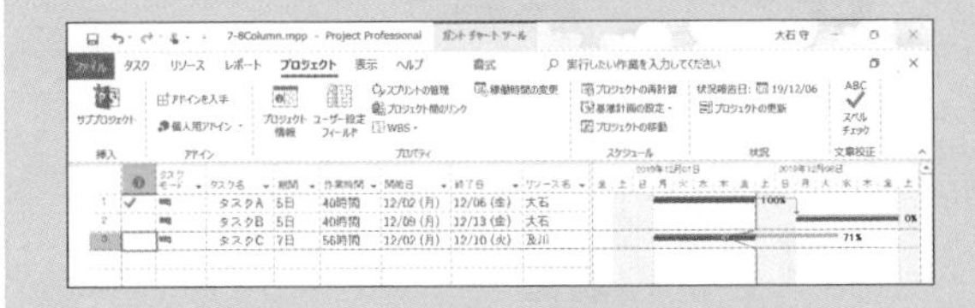

次に現在計画を対象にしてイナズマ線を表示してみましょう。イナズマ線が右側に振れ、あたかも作業の進捗が進んでいるように表示されます。これは単純にタスクの現在の達成率から計算されたポイントにイナズマ線が表示されることになるためです。

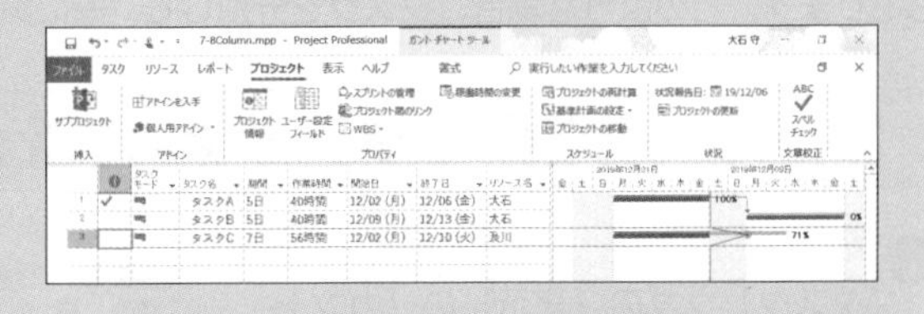

上の例では、状況報告日時点での実績作業時間に加えて、残存作業時間も入力して進捗状況の反映を行っています。つまり、実際の進捗状況に合わせて現在計画が更新されているわけです。現在計画そのものが更新されているわけですから、それを対象としてイナズマ線を表示してもあまり意味のあることとは言えません。これが、基準計画を対象にしてイナズマ線を表示することを推奨する理由です。

それでは、なぜ現在計画を対象としてイナズマ線を表示する設定が存在するのかと言う疑問が湧いてくるかもしれません。これが有効なのは、実績と残存を報告することなく、単純にタスクの達成率を入力すると言う簡易的な方法を利用している場合です。この場合、実績と残存は達成率に基づいて計算されますが、タスクの期間や作業時間が増減することはありません。つまり、現在計画は変更されないため、イナズマ線もそれらしく表示されます。

この方法はあくまでも簡易的なものであり、適切な進捗管理と言う観点からはお勧めできません。したがって、イナズマ線は、あくまでも基準計画を対象として表示して使用することをお勧めしています。

9 タスクを分割するには

タスクの中には、さまざまな理由によりいったん着手してから中断を余儀なくされる場合があります。リソースが何らかの都合により、他のタスクを優先せざるを得なくなったり、タスクそのものが途中で延期になったりする場合もあります。このような場合、タスクを分割して、既に実績のある部分と延期する部分に分けることができます。

[タスクの分割] ボタンでタスクを分割する

❶ [タスク] タブの [表示] の [ガントチャート] の▼をクリックし、[ガントチャート] をクリックする。

❷ 分割するタスクの行の任意の場所をクリックする。

❸ [タスク] タブの [スケジュール] の [タスクの分割] をクリックする。

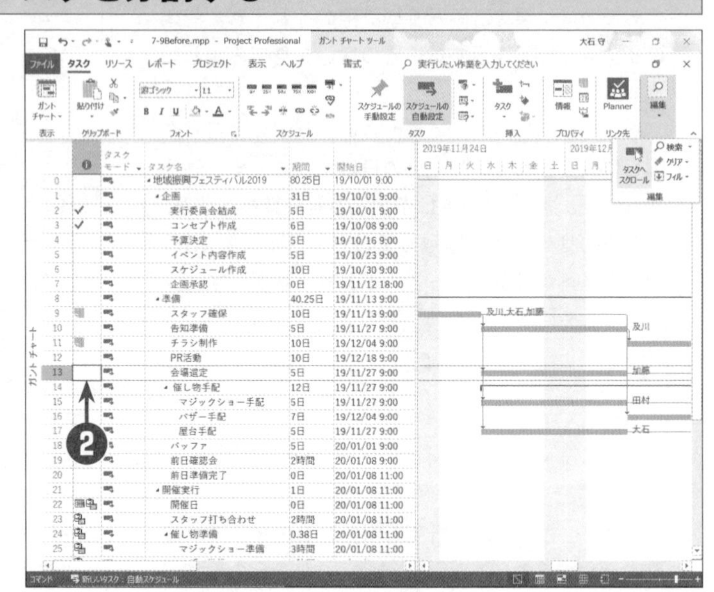

4 ガントバー上のタスクを分割する箇所をクリックする。

5 作業を開始する日付まで、後半部分のガントバーをドラッグする。

➡タスクが分割される。

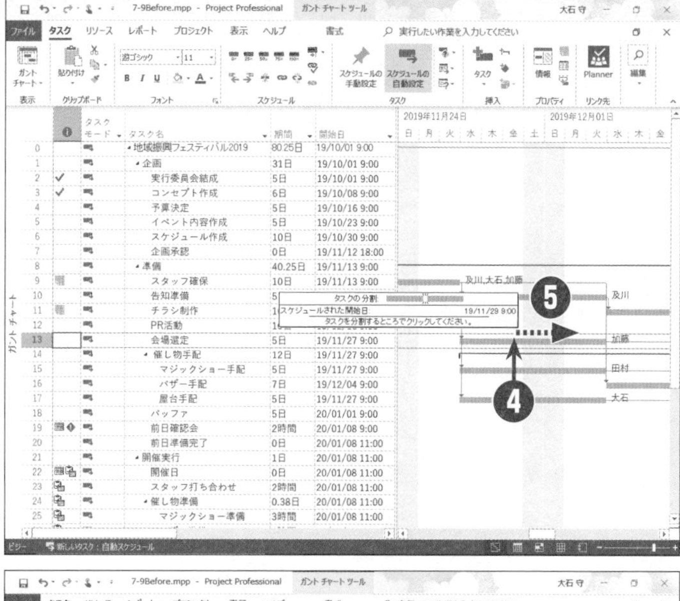

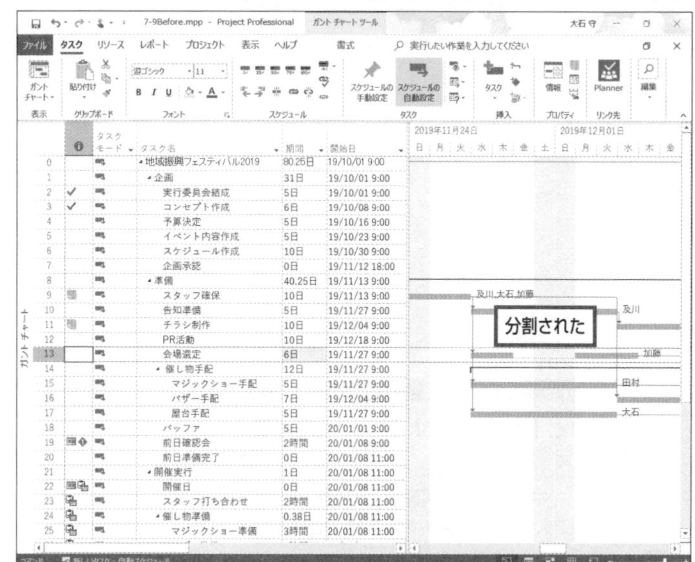

ヒント

タスクを分割できる数

タスクは3つ以上に分割することもできます。

ヒント

チャート部分にガントチャートが表示されていない場合

チャート部分にガントチャートが表示されていない場合には、テーブルでタスクを選択し、[タスク]タブの［編集］をクリックして［タスクへスクロール］をクリックします（この章の3も参照）。

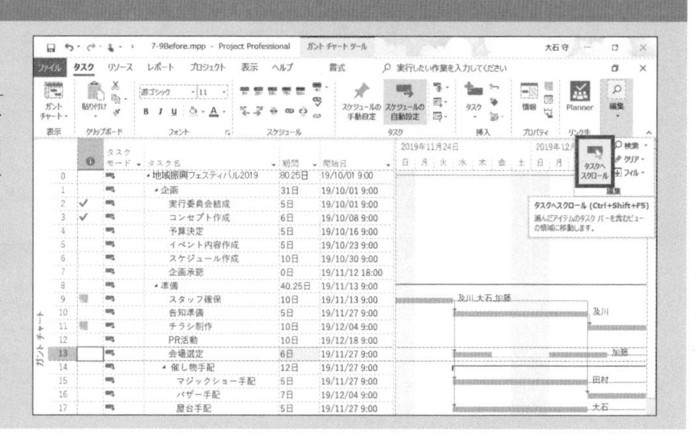

ヒント

タスクの分割を解除する

タスクの分割を解除するには、分割されたガントバーの一方の部分をもう一方の部分にドラッグし、2つの部分を結合します。

ヒント

[中断日] と [再開日] によるタスクの分割

テーブルに [中断日] と [再開日] の列を追加し、日付を入力するとタスクを分割できます。

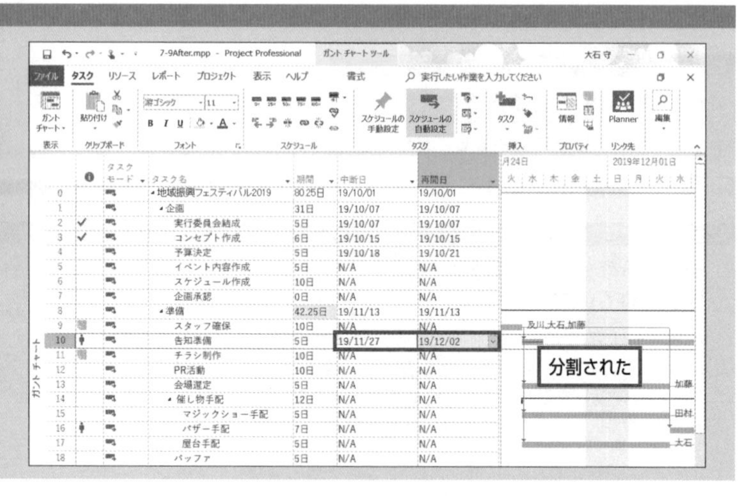

10 タスクをハイライト表示するには

プロジェクトの実行中に問題が発生したタスクやリスクに関連するタスクなど、特定のタスクに目印を付け、重点的に管理したい場合があります。セルをハイライト表示させることにより、タスクに目印を付けることができます。

タスクをハイライト表示する

❶ [ガントチャート]ビューでハイライト表示するタスクの先頭列をクリックする。

● 複数のセルを選択する場合は、範囲をドラッグするか、Ctrlを押しながらクリックする。

❷ 選択されたタスクを右クリックする。

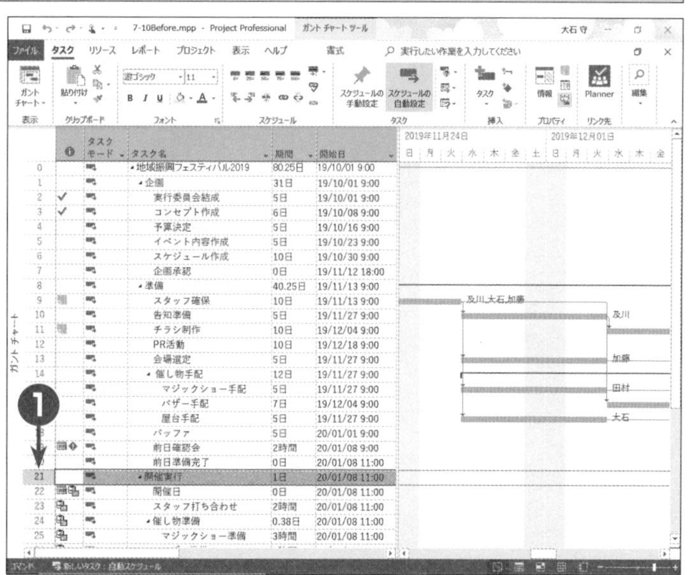

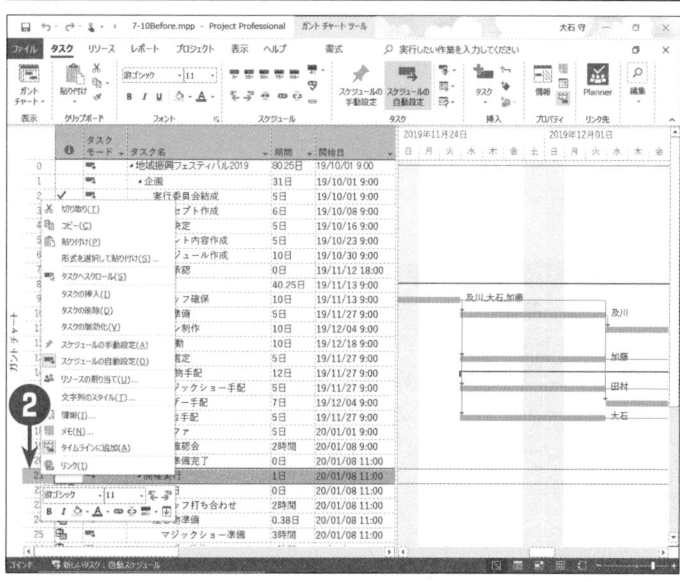

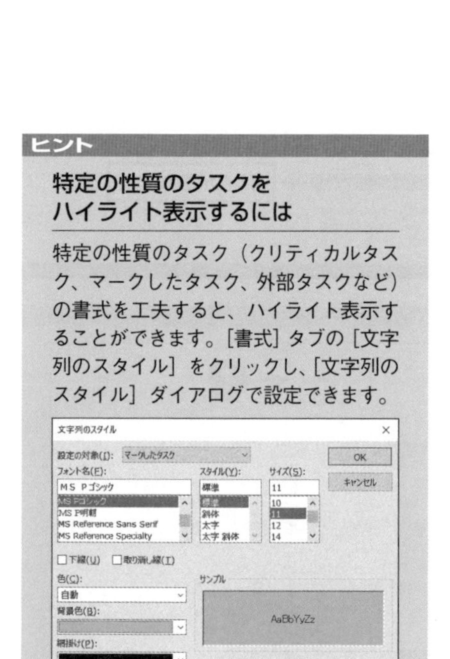

ヒント

特定の性質のタスクをハイライト表示するには

特定の性質のタスク（クリティカルタスク、マークしたタスク、外部タスクなど）の書式を工夫すると、ハイライト表示することができます。[書式] タブの [文字列のスタイル] をクリックし、[文字列のスタイル] ダイアログで設定できます。

続く

❸ 表示されたミニツールバーの[背景色]の▼をクリックし、背景色を選択する。

➡選択したセルの背景色が変更される。

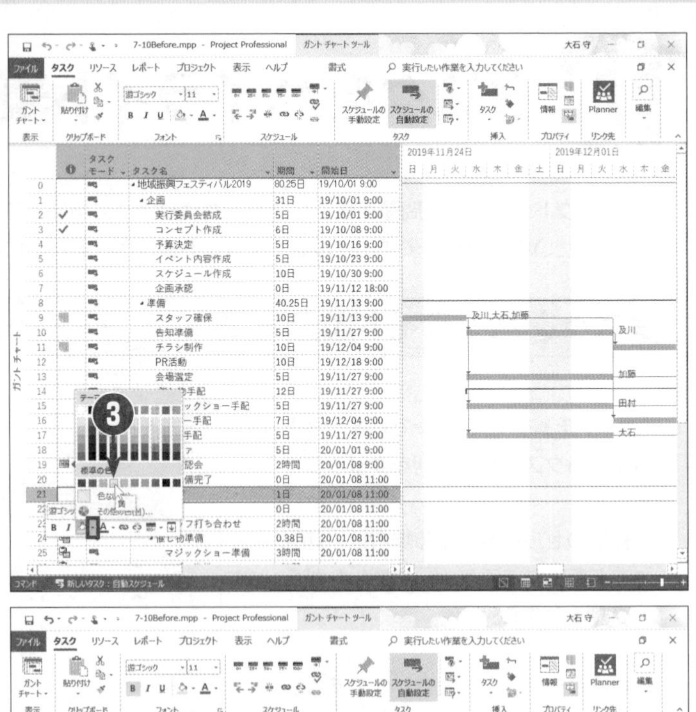

ヒント

フィルターを使用した強調表示

強調表示の機能を使用すると、タスクをフィルターせずに、フィルターに該当するタスクのセルを強調表示できます。

❶[表示] タブの [データ] の [強調表示] の▼をクリックする。

❷表示された一覧からフィルターを選択する。

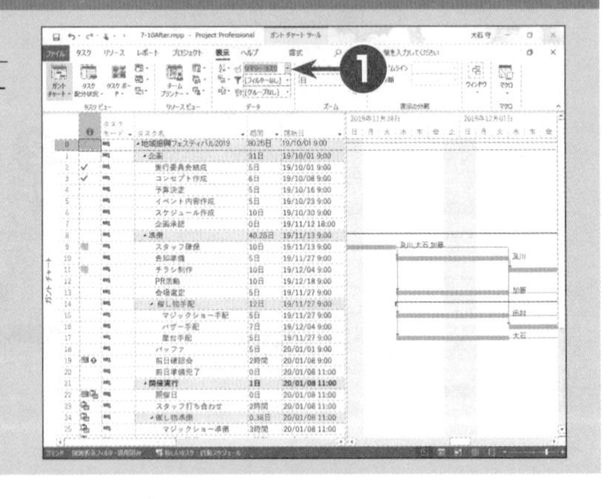

Projectでの進捗管理のツボ

Projectで進捗管理を行う方法はいくつかあります。大きく分けると、達成率をパーセントで入力する、実績作業時間もしくは実績期間を入力する、またはその両方を使う、という方法があります。それぞれに特徴と使いこなしのコツがあります。ここではその代表的な方法を紹介します。

作業時間を入力する方法

Projectには、現在計画のタスクの作業時間を表すのに「作業時間」「実績作業時間」「残存作業時間」という3つのフィールドが存在します。この3つの関係を式で表すと、次のようになります。

作業時間＝実績作業時間＋残存作業時間

「作業時間」は、タスクを完了するのに必要なトータルの作業時間、「実績作業時間」は、タスクを完了するのに使用した作業時間、「残存作業時間」は、タスクを完了するために現時点で推定される残りの作業時間を表します。

「実績作業時間」を設定するには、実際に使用した時間を「実績作業時間」フィールドに直接入力する方法と、「作業時間の達成率」を入力し、「実績作業時間」をProjectに計算させる方法があります。「作業時間の達成率」は、「作業時間」に占める「実績作業時間」の割合から次の式で計算されます。

作業時間の達成率＝（実績作業時間÷作業時間）×100

「実績作業時間」だけを入力しても、「作業時間の達成率」は実際の進捗率を表すものにはなりません。たとえば、レンガを100個積む作業を16時間で行うタスクがあるとします。8時間の作業後に40個しかレンガを積めなかったとしたら、実際のタスクの進捗率としては40%になりますが、「作業時間の達成率」は50%になります。

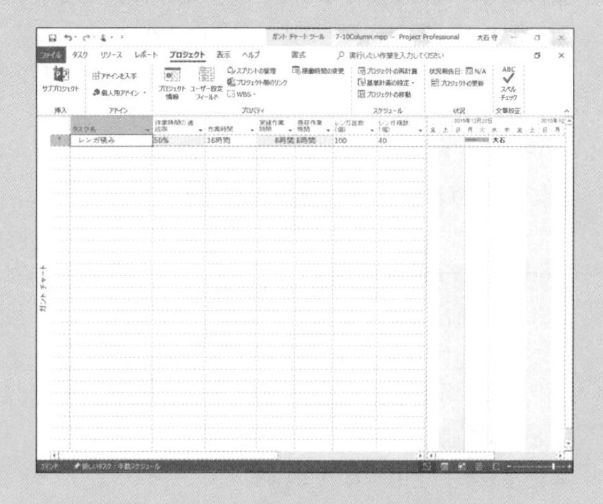

この場合、当初の見積もりよりも作業のペースが遅いわけですから、8時間の作業完了後に残りの作業時間を再見積もりする必要があります。このペースだと、残り12時間かかることが推測できます。つまり、「実績作業時間：8時間」に「残存作業時間：12時間」を加えた20時間が、タスクの作業時間として必要になることがわかります。

再見積もりの結果、「作業時間の達成率」は次のようになります。

作業時間の達成率：40%＝（実績作業時間：8時間÷作業時間：20時間）×100

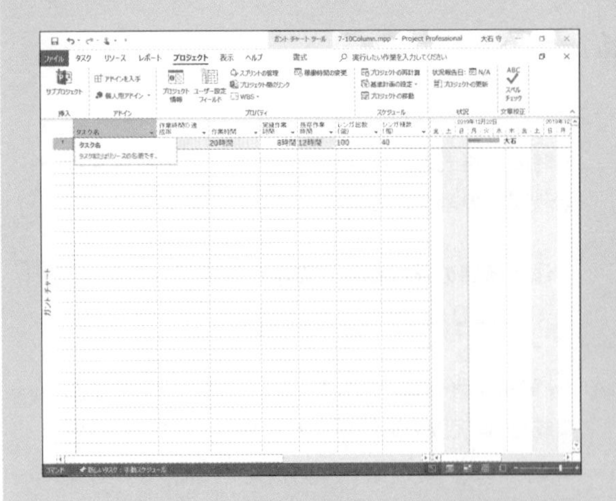

ここで重要なことは、実績を入力する際に、あとどれぐらいでタスクが完了できるのかについても同時に見積もりをするということです。たとえば、実績の報告が週に1度ある場合、そのたびに「実績作業時間」と「残存作業時間」の入力を行います。これらの値を基に、Projectが「作業時間の達成率」の計算を行います。こうすることで、「作業時間の達成率」が単なる消化した時間の割合ではなく、その時点で最も実情に近い進捗率を表します。

期間を入力する方法

作業時間と同様、タスクの期間を表すフィールドにも「期間」「実績期間」「残存期間」という3つのフィールドが存在します。この3つの関係を式で表すと、次のようになります。「達成率」は、別名「期間の達成率」とも呼ばれています。

達成率＝（実績期間÷期間）×100

こちらは「期間」で進捗を管理する際に使用します。考え方自体は、「作業時間」と同様です。既に経過した期間が「実績期間」、完了までに必要な期間が「残存期間」になります。

パーセントを入力する方法

作業時間もしくは期間を使用した進捗管理の方法では、定期的な報告の際に残りの作業時間や期間を再見積もりすることが必要でした。この方法は、常にダイナミックに現在の計画を更新し続けることで、現状の最新の計画における進捗率を適切に把握することができます。一方で、当初計画との比較という意味での進捗率を把握することはできません。

基準計画との比較で進捗を把握するには、アーンドバリューを使用すると便利です。アーンドバリューを使用するには、タスクとリソースにコストを設定する必要があります。タスクの進捗度合いを把握する目的であれば、それほど厳密なコスト額でなくても構いません。要するに基準計画に妥当なコストの見積もりがしてあることが重要です。アーンドバリューは、見積もったコスト額と、実際に使用したコスト額との時間枠における対比によって、タスクの達成度を計測する手法です。アーンドバリューには各種の指標（後述）があり、Projectがそれらを自動で計算してくれるところも便利です。

ここでは、簡易的にアーンドバリューを利用する方法を紹介します。ここで紹介する方法では、実績として「実績作業時間」、アーンドバリューを計算するための進捗の割合として「実際の達成率」を使用します。

※以降の手順を行うには、タスク自体にコストが設定してあるか、コストを設定してあるリソースがタスクに割り当てられている必要があります。

まず、アーンドバリューの計算方法として、次の手順で「実際の達成率」を設定します。

❶［ファイル］タブの［オプション］をクリックする。

❷［Projectのオプション］ダイアログの［詳細設定］をクリックする。

❸［次のプロジェクトの達成額オプション］の［タスクの既定の達成額計算方法］で、［実際の達成率］を選択する。

➡アーンドバリューの計算方法として、［実際の達成率］が選択される。

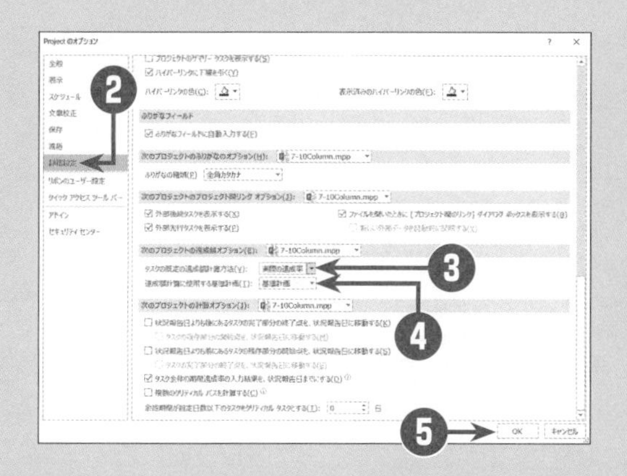

❹［達成額計算に使用する基準計画］で、［基準計画］を選択する。
❺［OK］をクリックする。

次に、タスクを完了するために使用した時間を「実績作業時間」に入力します。「実績作業時間」を入力するには、次の2種類の方法があります。「実績作業時間」の入力には、［タスク配分状況］ビューを使用します。

- ［作業時間］テーブルの［実績作業時間］に入力する。
- ビュー右側のタイムスケール領域の［実作業］に使用した時間を入力する。

どちらの方法でも構いませんが、どちらかに統一するほうがよいでしょう。使い分けのポイントは、次のとおりです。

- 現行計画どおりに作業時間を消化したと見なす場合には、［実績作業時間］列に入力する。
- 毎日実際に使用した作業時間を記録する場合には、［実作業］に入力する。

「実績作業時間」を入力したら、現在のタスクの達成度合いを「実際の達成率」に入力します。ただし、その前に「状況報告日」を必ず設定しておく必要があります。なぜならば、アーンドバリューで達成度を計測するには、いつの時点かという情報が必須になるからです。

［プロジェクト情報］ダイアログで、進捗報告の基準となる「状況報告日」を設定します。次に［タスク配分状況］ビューで、テーブルのタスク行の［実際の達成率］に進捗率を入力します。

「状況報告日」の設定

❶［プロジェクト］タブの［状況］の［状況報告日：N/A］をクリックする。
❷［状況報告日］ダイアログの［日付の選択］に日付を入力する。
❸［OK］をクリックする。

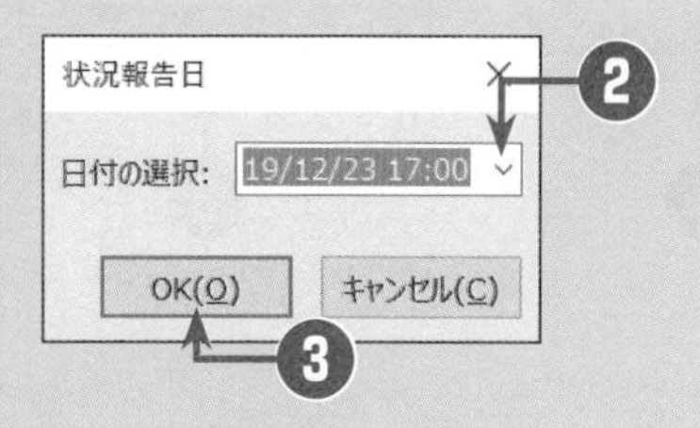

アーンドバリュー表示用テーブルの設定

❶［表示］タブの［データ］の［テーブル］をクリックし、［その他のテーブル］をクリックする。
❷［達成額スケジュール指標］テーブルを選択し、［適用］をクリックする。
➡［達成額スケジュール指標］が表示される。

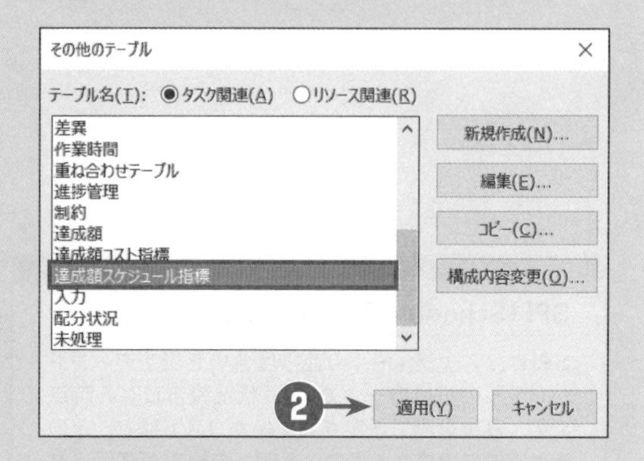

［実際の達成率］フィールドの追加

❶［プランドバリュー：PV（BCWS）］列の見出し部分を右クリックする。

❷［列の挿入］をクリックする。

❸列名に「実際の達成率」と入力し、Enterを押す。

➡［実際の達成率］フィールドが追加される。

「実際の達成率」を入力し、アーンドバリューを確認する

❶タスク行の［実際の達成率］フィールドに進捗率を入力する。

➡アーンドバリューの各種値が計算される。

❷［SPI］の値を確認する。

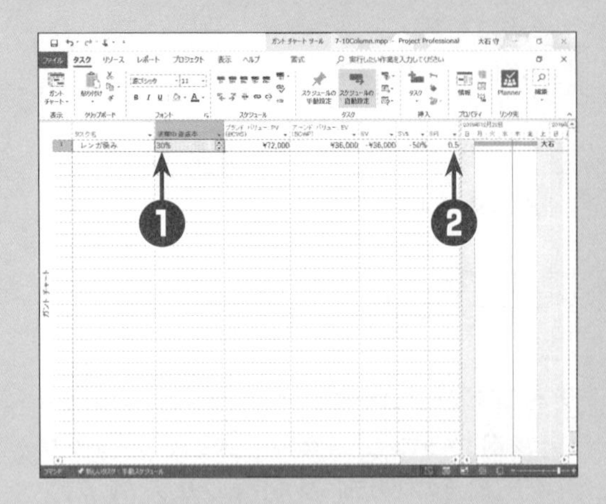

用語

SPI（Schedule Performance Index）

SPIは、スケジュールの進捗度合いを表すアーンドバリューの指標の一つです。「状況報告日」の時点での、基準計画で予定されていたコスト額と、そのうち実際に達成されたコスト額との比率が表示されます。

値が「1.0」の場合は予定どおり、「1.0未満」は遅れている、「1.0以上」は進んでいることを表します。一般的にこの値が「0.8以下」になると危険信号と言われています。

注意

既存のタスクの達成額の計算方法の設定

［Projectのオプション］で設定した［タスクの既定の達成額計算方法］は、既存のタスクには適用されません。既存のタスクについては、［タスク情報］ダイアログの［詳細］タブで設定します。

プロジェクトの修正と再計画

第 8 章

この章では、プロジェクトの実績を踏まえて、プロジェクトマネージャーがプロジェクトの修正および再計画する際の作業を解説します。Projectは、プロジェクトに実績を入力することにより、それらを反映したスケジュールを即座に再計算します。これにより、「現在の進捗状況のまま進むと、この先の計画はこのようになりますよ」というスケジュールの予測を示してくれます。この章では、Projectが再計算したスケジュールを元に計画を修正し、新たに変更されたタスクの基準計画を保存する方法などを中心に解説します。

1 遅れているタスクを確認するには

プロジェクトの再計画を開始する前に、どのタスクがどれくらい遅れているのかを確認する必要があります。ここでは前の章で紹介したイナズマ線以外の方法を紹介します。

ガントチャート（進捗管理）を表示する

❶ ［タスク］タブの［表示］の［ガントチャート］の▼をクリックし、［ガントチャート（進捗管理）］をクリックする。

➡ガントバーで基準計画とのずれが表示される。

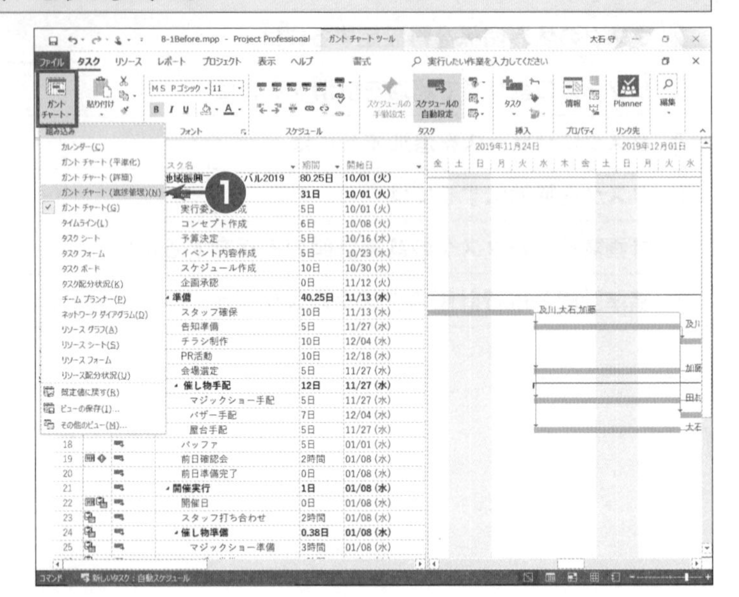

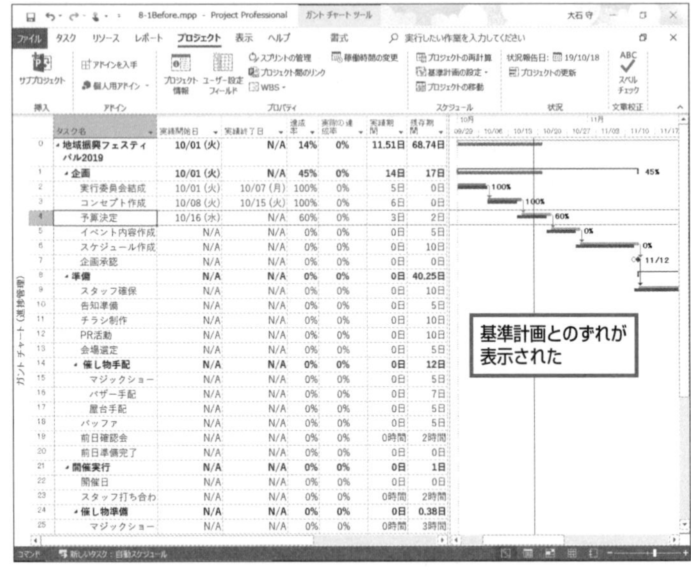

遅れているタスクを強調表示する

❶ ［表示］タブの［データ］の［強調表示］の▼をクリックし、［その他の強調表示フィルター］を選択する。

➡［その他のフィルター］ダイアログが表示される。

❷ ［遅れているタスク］を選択し、［編集］をクリックする。

➡［フィルターの定義］ダイアログが表示される。

❸ ［メニューに表示する］にチェックを入れ、［保存］をクリックする。

❹ ［閉じる］ボタンをクリックする。

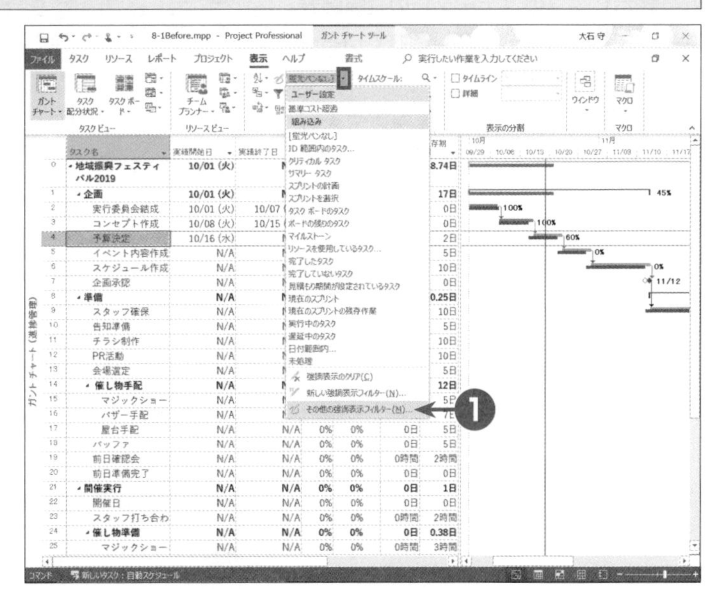

5 ［表示］タブの［データ］の［強調表示］の▼をクリックし、［遅れているタスク］を選択する。

➡ 遅れているタスクが強調表示される。

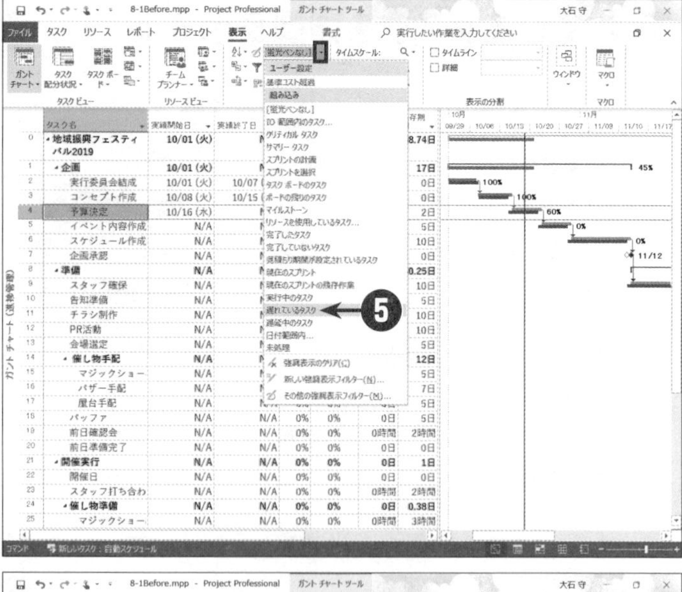

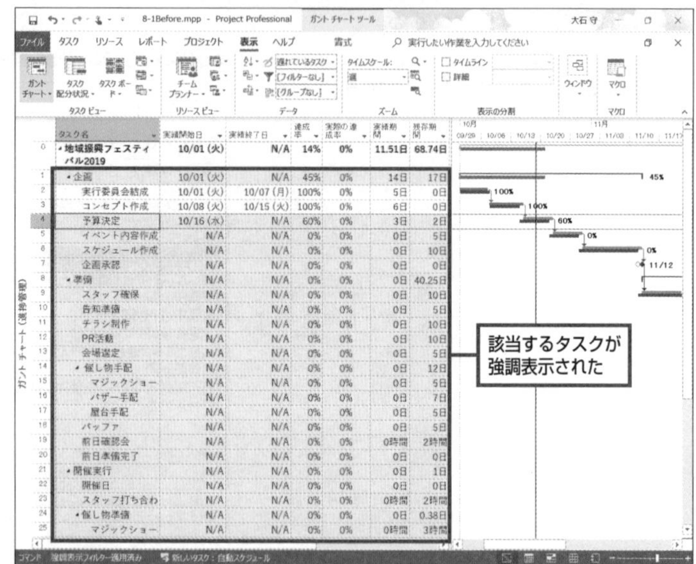

ヒント

［遅れているタスク］フィルターの内容

このフィルターは、基準計画の終了日より現在計画の終了日が先の日程になっているタスクを遅れているものとして判定しています。

ヒント

［遅延中のタスク］フィルター

［遅れているタスク］に似ているフィルターに［遅延中のタスク］があります。このフィルターは、［状況］フィールドの値が［遅れている］の場合に遅延中と判断します。［状況］フィールドは、状況報告日の時点での進捗状況によって［完了］［今後のタスク］［予定どおり］［遅れている］のいずれかが設定されます。ただし、現在計画の進捗のみで判断しており、基準計画との比較ではない点に注意してください。

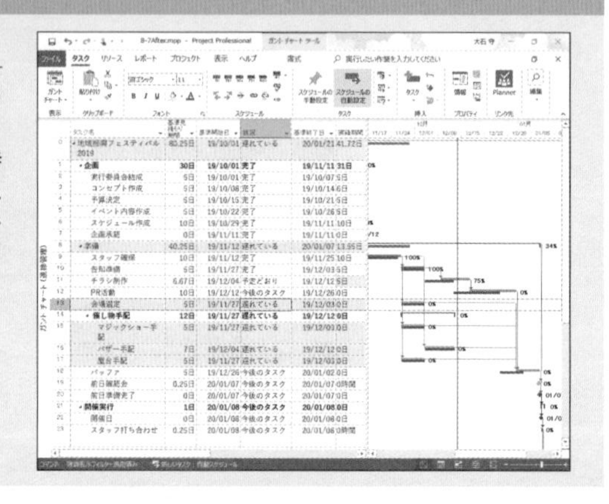

2　タスクの依存関係を再設定するには

プロジェクトに実績値を入力すると、Projectはスケジュールの再計算を行います。その結果、基準計画で設定された納期が達成できない状況になることがあります。その場合、プロジェクト計画の見直しが必要です。例として、クリティカルパス上のタスクの「終了－開始」の依存関係を維持しながら、先行タスクが終了する前に後続タスクを開始する「ファストトラッキング」という手法を用いて、納期を短縮する方法を説明します。

依存関係を調整する

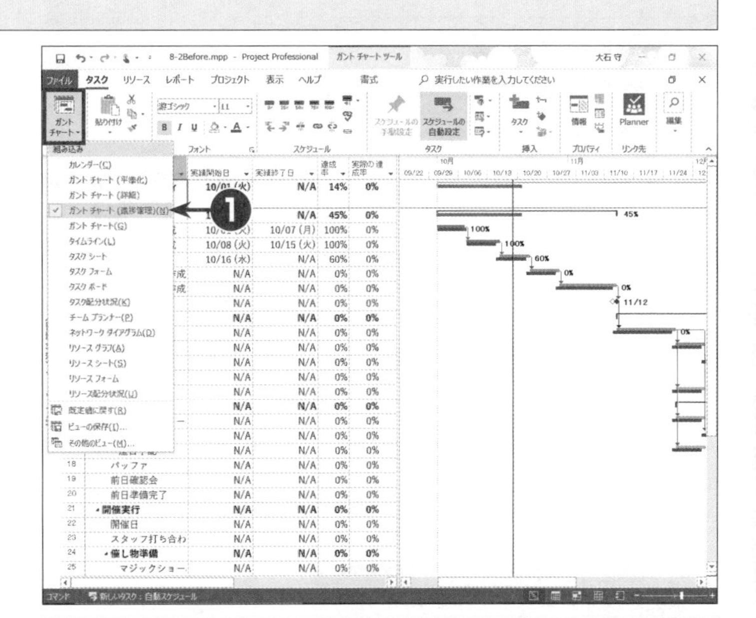

1. ［タスク］タブの［表示］の［ガントチャート］の▼をクリックし、［ガントチャート（進捗管理）］をクリックする。

2. ［表示］タブの［データ］の［フィルター］の▼をクリックし、［クリティカルタスク］をクリックする。
   - ガントチャートにクリティカルタスクのみが表示される。

3. 並行して進められるタスクがあるかどうかを確認する。

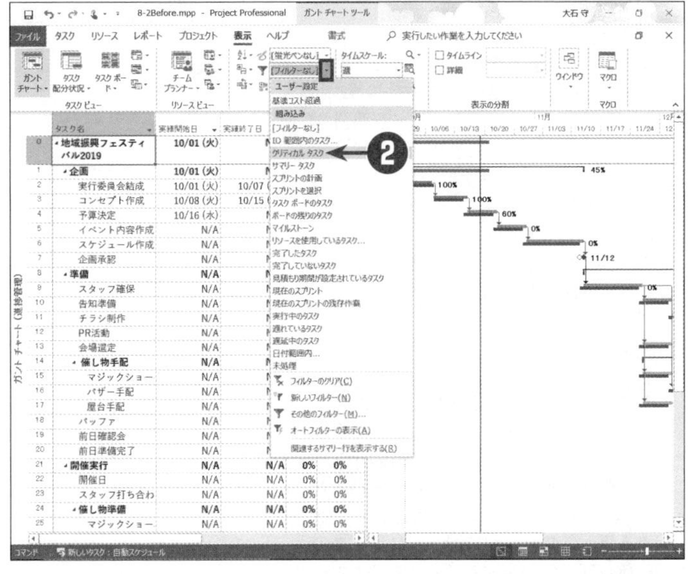

4 後続タスクのタスク名をダブルクリックする。

5 ［タスク情報］ダイアログの［先行タスク］タブをクリックする。

6 ［間隔］に「-1日」のようなマイナスの日数を入力して、リードタイムを設定する。

7 ［OK］をクリックする。

➡依存関係が変更され、プロジェクト全体の期間が短縮される。

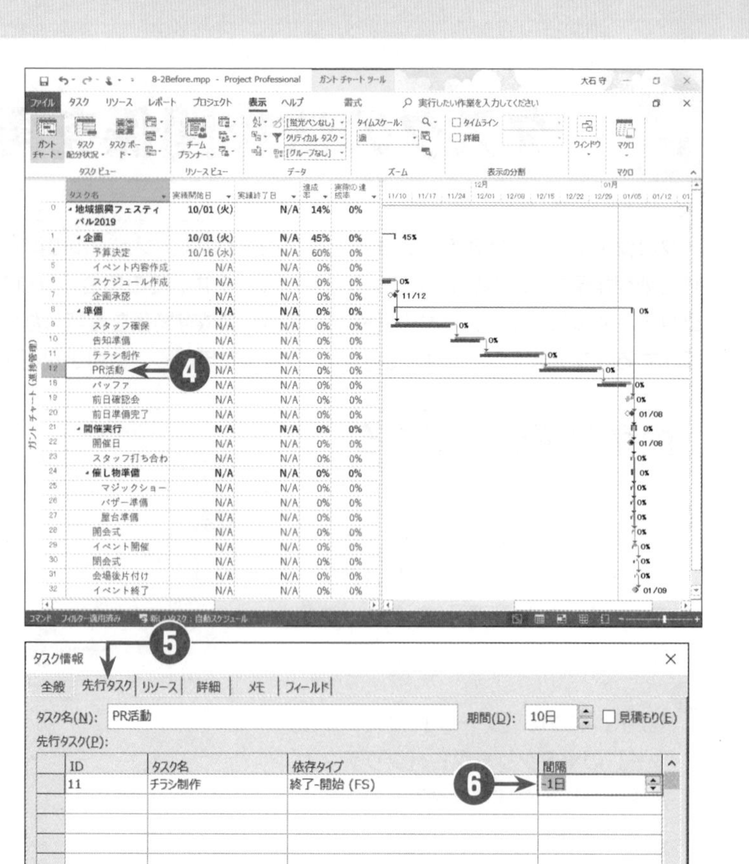

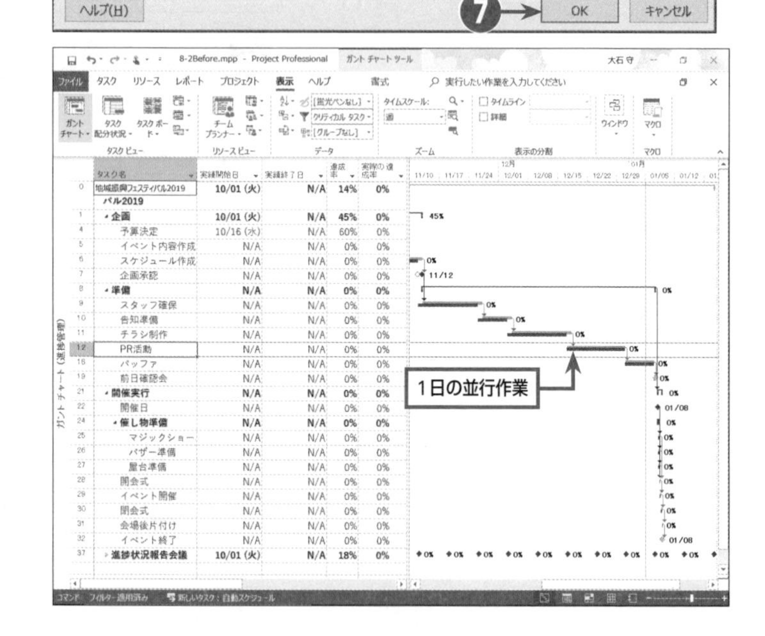

ヒント

納期が達成できるかどうかを確認する

プロジェクト計画の節目となるマイルストーンに対して［期限］を設定することをお勧めします。プロジェクトが再計画された結果、設定した期限内にマイルストーンが完了しない状態が発生すると、［状況説明マーク］列に警告が表示され、遅れを早めに察知することができます。再計画を行う際には、この警告が消えることを目安とするとよいでしょう。

注意

クリティカルパス短縮時の注意点

ファストトラッキングを行うことでクリティカルパスが短縮され、最終的なプロジェクトの期限に対する遅れは解消されます。しかし、タスクを一部並行して進めるように変更した影響で、リソースの負荷が新たに発生することがあります。

依存関係を調整したタスクの割り当て超過を確認する

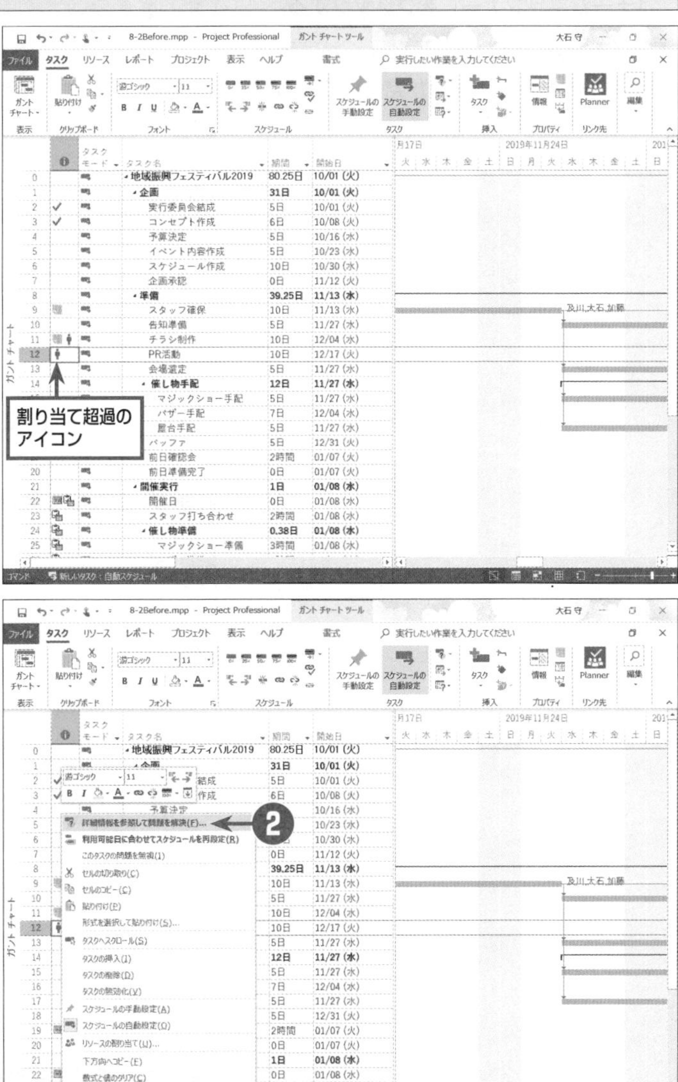

❶

［タスク］タブの［表示］の［ガントチャート］の▼の［ガントチャート］をクリックする。

➡［ガントチャート］ビューが表示される。

❷

［状況説明マーク］列に割り当て超過を示すアイコン（ ）が表示されているタスクを右クリックし、［詳細情報を参照して問題を解決］をクリックする。

➡［検査］作業ウィンドウが表示される。

ヒント

タスクの検査を表示する別の方法

タスクの検査は、［タスク］タブの［タスク］の［タスクの検査］をクリックしても表示できます。

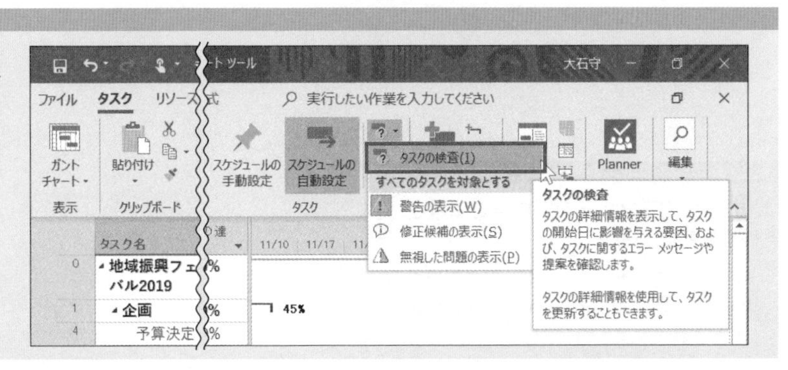

3

［チームプランナー］をクリックする。

➡［チームプランナー］ビューが表示され、割り当て超過が発生しているリソースが表示される。

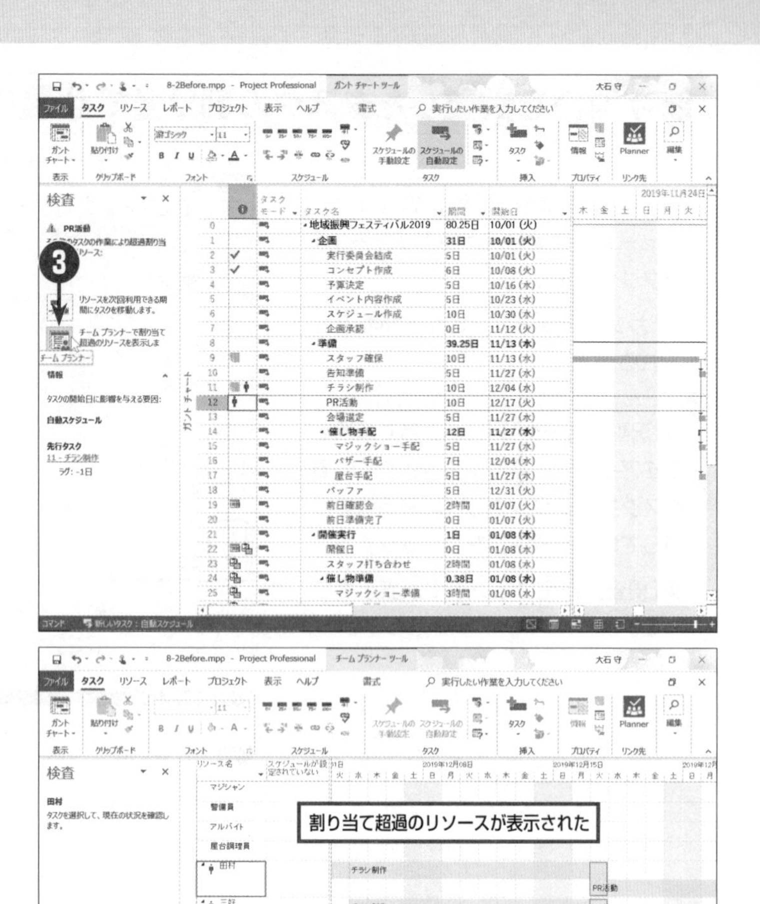

ヒント

チームプランナーで割り当て超過を確認するには

チームプランナーでは、割り当て超過の発生しているタスクのバーに赤い枠が表示されます。

リソースの割り当て超過を解消するには

タスクの依存関係を調整したことにより、リソースに割り当て超過が発生した場合には、次の方法で、そのタスクに割り当てられているリソースを他のリソースに置き換えられるかどうかを検討します。

割り当て超過を解消する

❶ [タスク] タブの [表示] の [ガントチャート] の▼をクリックし、[ガントチャート] をクリックする。

➡ [ガントチャート] ビューが表示される。

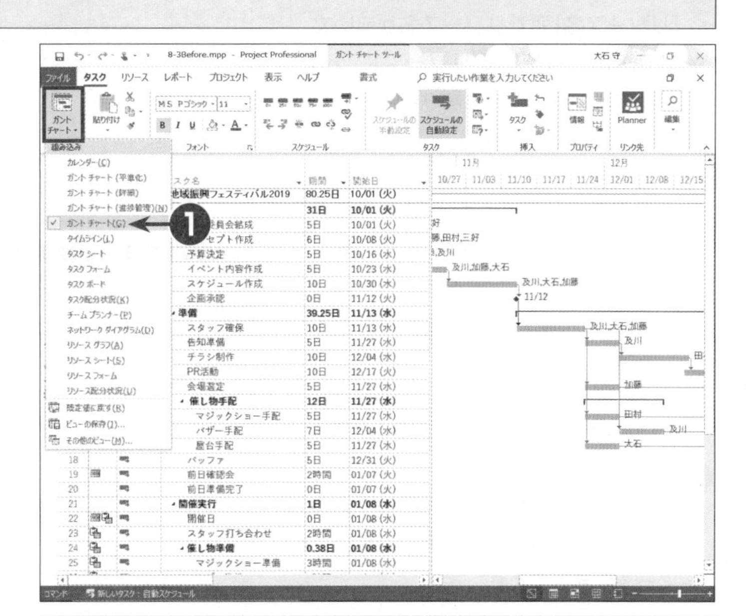

❷ [状況説明マーク]列に割り当て超過のアイコンが表示されているタスクを確認する。

❸ リソースを置き換えるタスクをクリックする。

● タスク「PR活動」の実施時期には他のタスクがないため、手の空いている他のリソースに置き換えられる可能性があることがわかる。

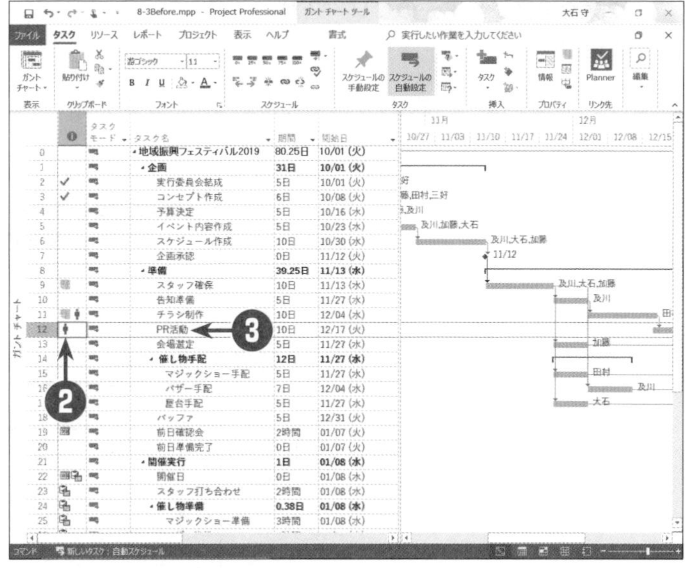

4

[表示] タブの [リソースビュー] の[チームプランナー]の▼をクリックして [チームプランナー] をクリックする。

➡ [チームプランナー] ビューが表示される。

5

[リソース名]列でリソース名が赤い文字で表示されているリソースについて、タスクが重なって割り当てられている時期を確認する。

6

重なって割り当てられているタスクで、他のリソースに割り当て可能なものをダブルクリックする。

➡ [タスク情報] ダイアログが表示される。

7

[リソース] タブをクリックする。

8

リソースの割り当てを、選択しているタスクの実施時期に割り当てのないリソースに変更する。

➡ タスクの割り当て先のリソースが変更される。

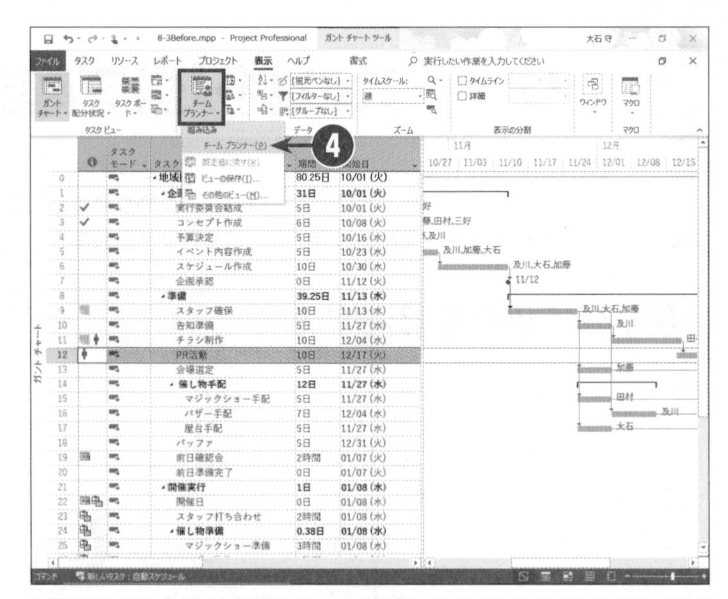

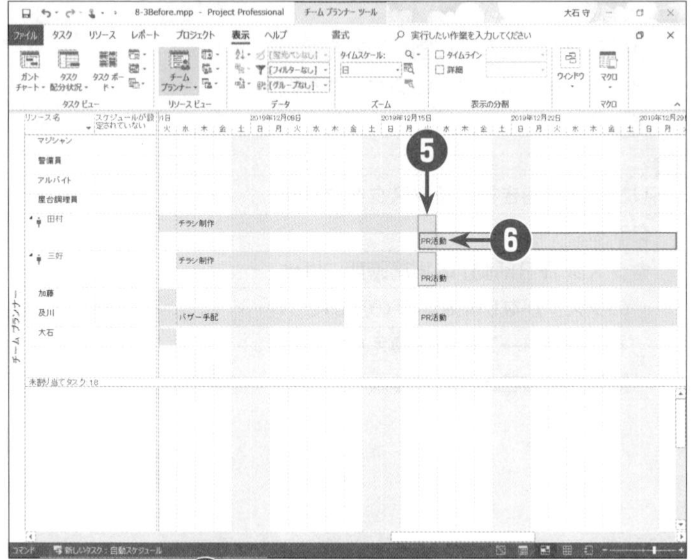

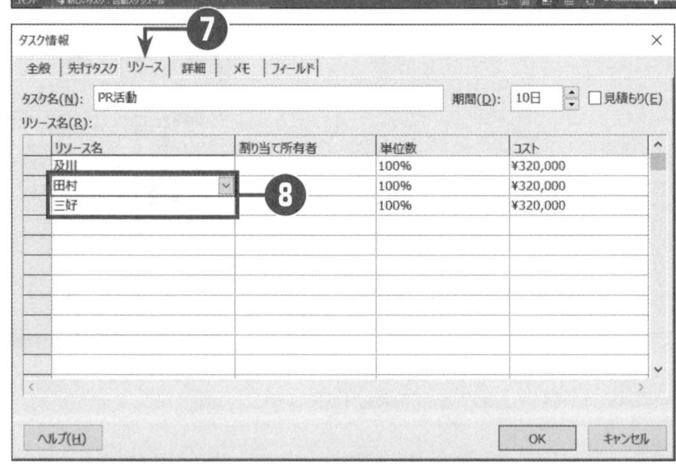

9 [OK] をクリックする。

10 [表示] タブの [タスクビュー] の [ガントチャート] の▼をクリックし、[ガントチャート] をクリックする。

➡ [ガントチャート] ビューが表示される。

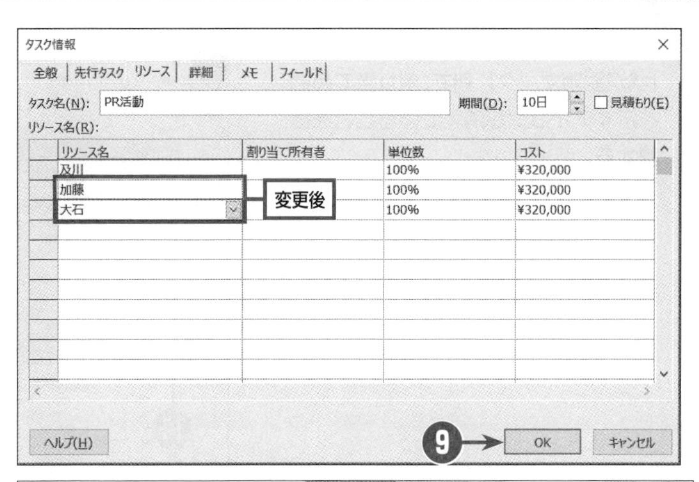

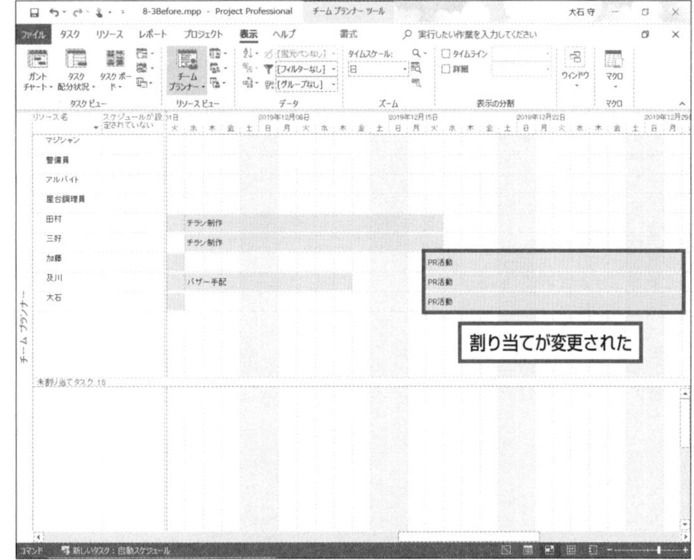

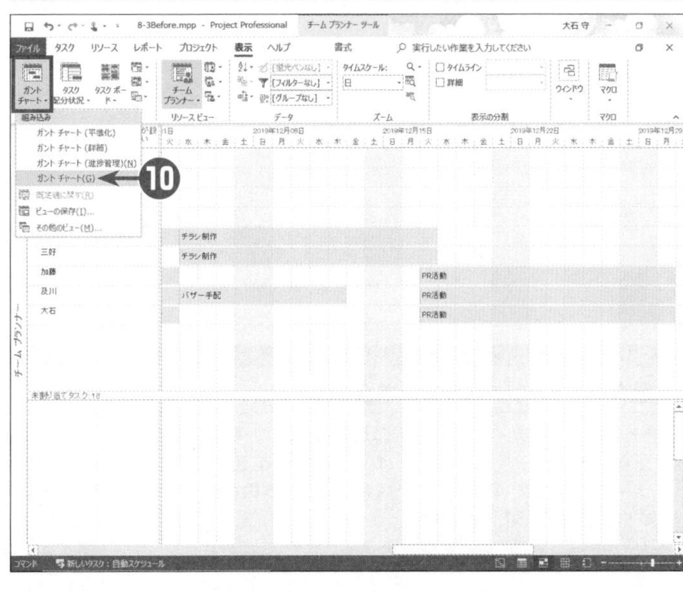

⑪ ［状況説明マーク］列で、割り当て超過を示すアイコンが消えていることを確認する。

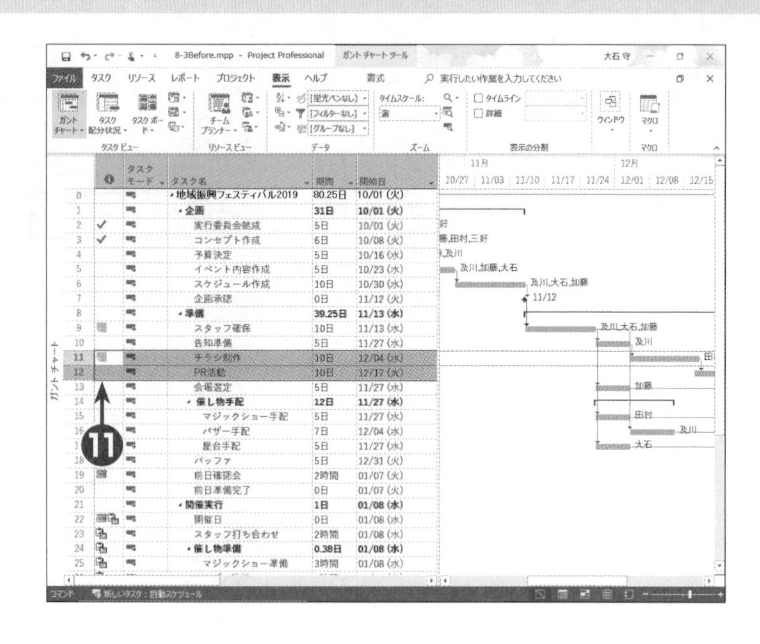

ヒント

置換できるリソースがない場合には

［チームプランナー］で割り当て状況を確認した結果、置き換えられるリソースがないときは、この章の4で紹介するリソースの追加や、第7章の9で紹介するタスクの分割を行い、プロジェクトを再計画します。

リソースの割り当て超過や負荷状況を確認するには

リソースの割り当て超過は、［チームプランナー］以外にも［リソースグラフ］や［リソース配分状況］、［タスク配分状況］ビューでも確認できます。［チームプランナー］で確認できるのは、主にリソースの超過のみです。実際に発生している負荷を確認するには、それ以外のビューを使用してください。

4 タスクにリソースを追加するには

「ファストトラッキング」（この章の2を参照）のほかに、もう1つプロジェクトの納期を短縮する方法を紹介します。［タスクの種類］が［作業時間固定］のクリティカルタスクにリソースを追加すると、タスクの期間を短縮できます。［期間固定］や［単位数固定］の場合でも、［残存作業時間を優先するスケジュール方法］が有効なら同様のことが可能です。このようにリソースを追加して期間を短縮する「クラッシング」という手法について説明します。

リソースを追加する

❶ ［タスク］タブの［表示］の［ガントチャート］の▼をクリックし、［ガントチャート］をクリックする。

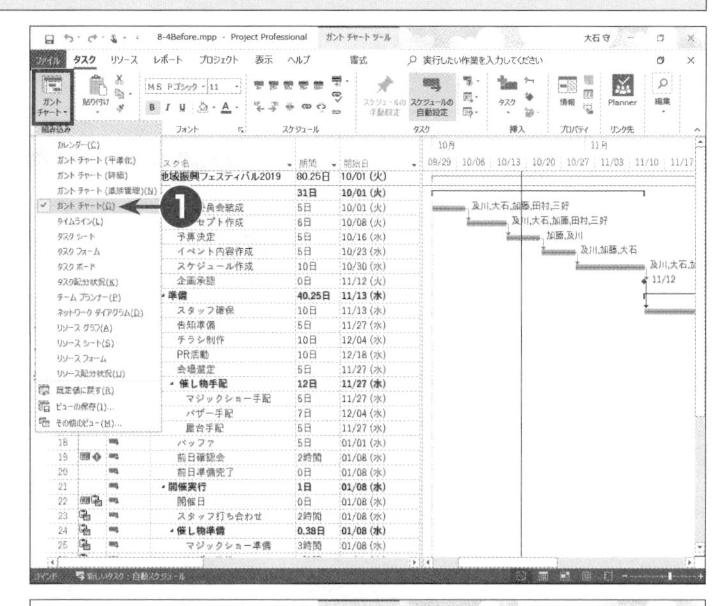

❷ ［表示］タブの［データ］の［フィルター］の▼をクリックし、［クリティカルタスク］を選択する。

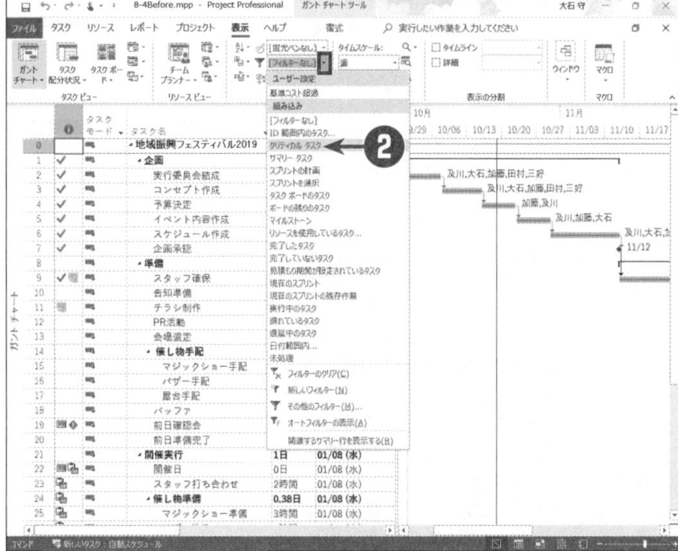

ヒント

リソースを追加して期間を短縮できるタスクとは

リソースを追加して期間を短縮できるタスクは、［作業時間固定］のタスクです。つまり、工数で見積もりしているタスクということになります。いくらリソースを追加しても期間を短縮できない性質のタスク（例：コンクリートの乾燥など）もあります。ただし、［期間固定］［単位数固定］のタスクでも、［残存作業時間を優先するスケジュール方法］を選択すると、計算上は［作業時間固定］と同じ扱いになります。

3 リソースを追加するタスクの［タスク名］をクリックする。

4 ［リソース］タブの［割り当て］の［リソースの割り当て］をクリックする。

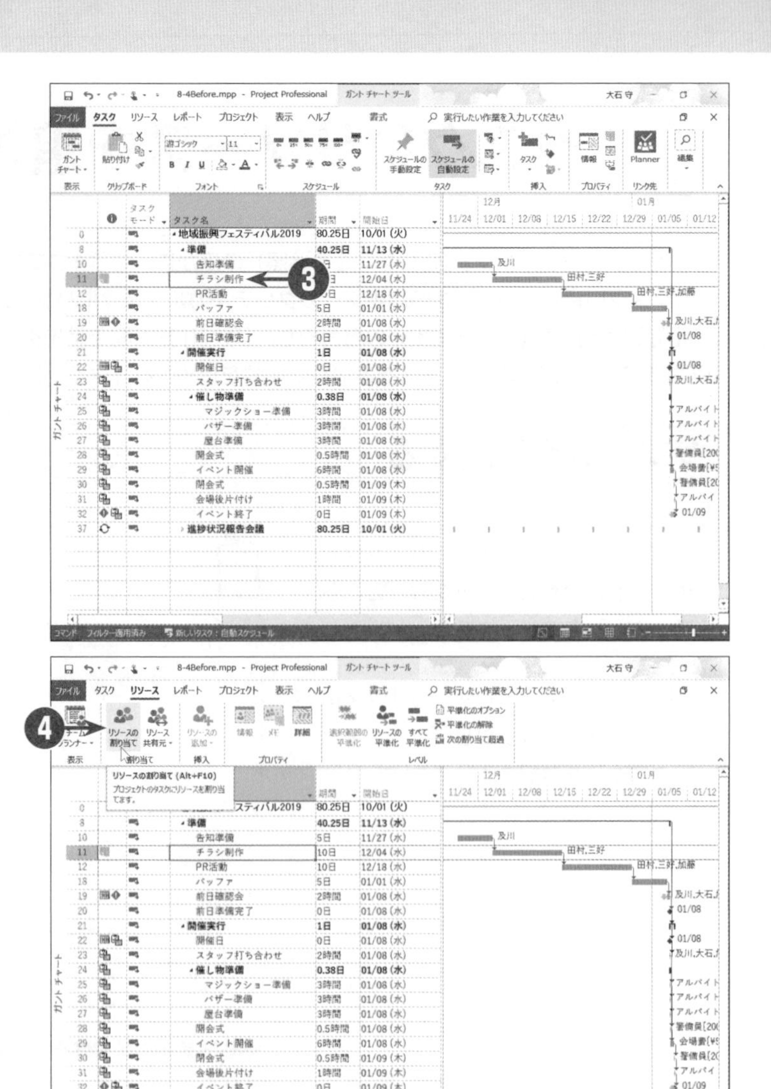

ヒント

タスクにリソースを追加するデメリット

本書では、説明の便宜上タスクに複数のタスクを割り当てていますが、実際には1つのタスクに1人の担当者とするほうが管理上は望ましいと言えます。
また、既に実績のあるタスクの途中でリソースを追加すると、これから作業を行う残存分の作業時間を、もともと割り当てられていたリソースと追加したリソースで分け合うことになります。その場合の詳細な作業時間は、［タスク配分状況］ビューや［リソース配分状況］ビューで確認できます。
しかし、このようにリソースを追加で割り当てると、実際の状況が直観的に把握しづらくなる傾向にあります。このような場合は、実績分と残存分を分割するといいでしょう。既に作業を実施した実績分は完了した1つのタスクとし、残存分を2つのタスクに分割し、それぞれにリソースを割り当てる、という方法もあります。ただしこの方法は、タスクの数が増えてしまうことがデメリットです。
それぞれメリットとデメリットがあるため、管理しやすいと感じる方法を採用してください。

⑤
［リソースの割り当て］ダイアログで、追加するリソースの［リソース名］を選択し、［割り当て］をクリックする。

▶リソースが追加される。

⑥
［閉じる］をクリックする。

▶期間が短縮され、クリティカルパスが短縮される。

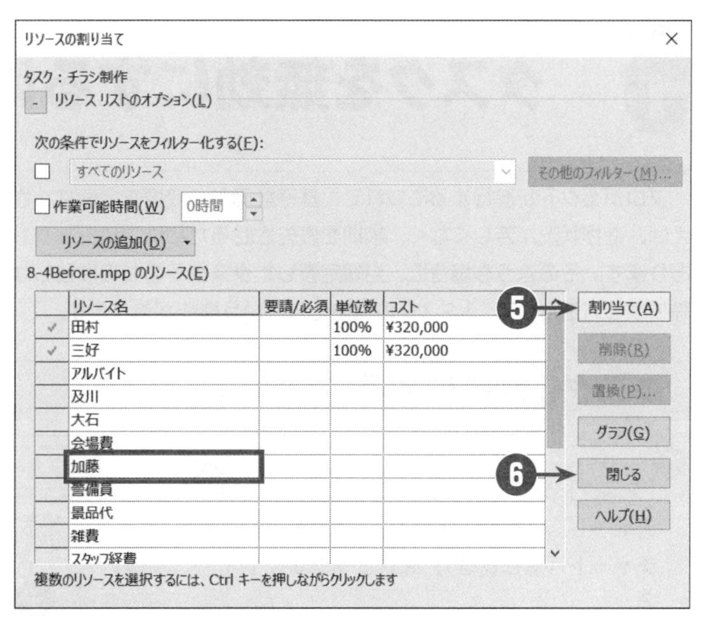

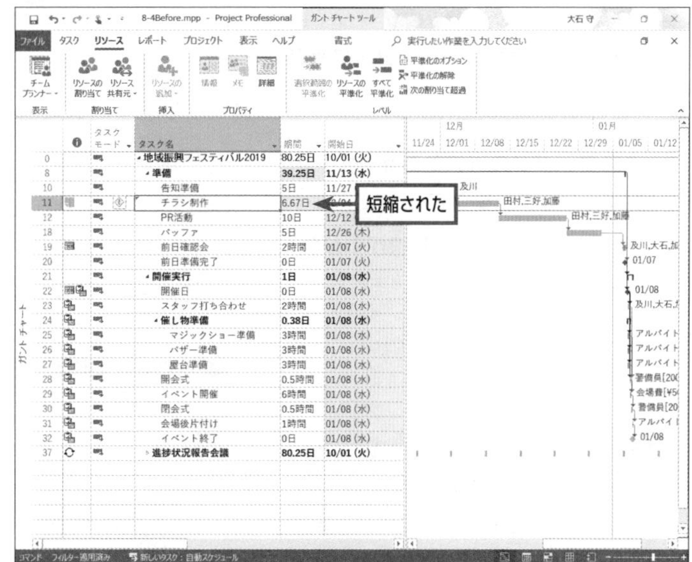

注意

リソース追加時のタスクの計算

タスクの計算は、常に［タスクの種類］と［残存作業時間を優先するスケジュール方法］の設定によって動作が決定されます。特に［残存作業時間を優先するスケジュール方法］が有効の場合、リソースを同時に割り当てるのと1つずつ割り当てるのではタスクの計算の動作が異なる場合があるので注意してください。

5 タスクを無効にするには

プロジェクトが進行するにつれて、基準計画から変更を余儀なくされる状況が発生することがよくあります。たとえば、進捗状況が芳しくなく、納期を優先させるためにプロジェクトスコープを縮小するといった対応をすることがあります。そのような場合に、当初定義したタスクそのものは残しながら、プロジェクトのスケジュール計算からは除外する方法として、「タスクの無効化」という機能があります。

タスクを無効にする

1. ［タスク］タブの［表示］の［ガントチャート］の▼をクリックし、［ガントチャート（進捗管理）］をクリックする。
2. テーブルで、無効化したいタスクをクリックする。
3. ［タスク］タブの［スケジュール］の［無効化］をクリックする。

➡タスクの行に取り消し線が引かれ、無効化される。

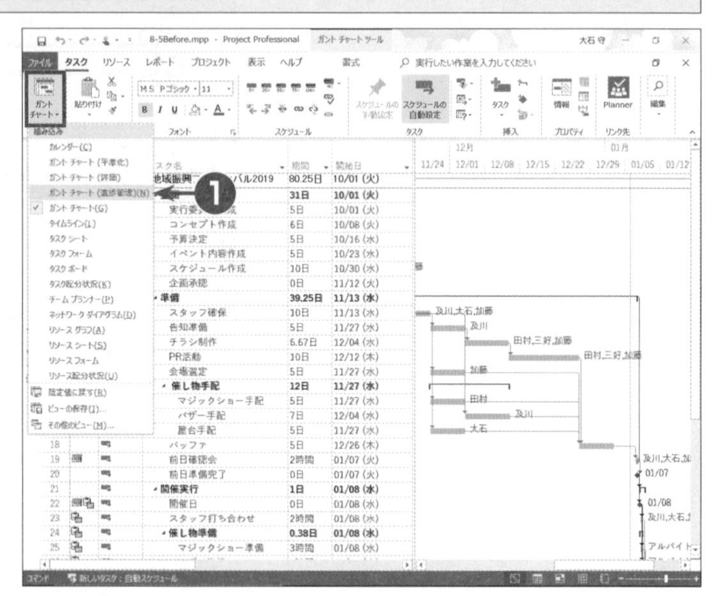

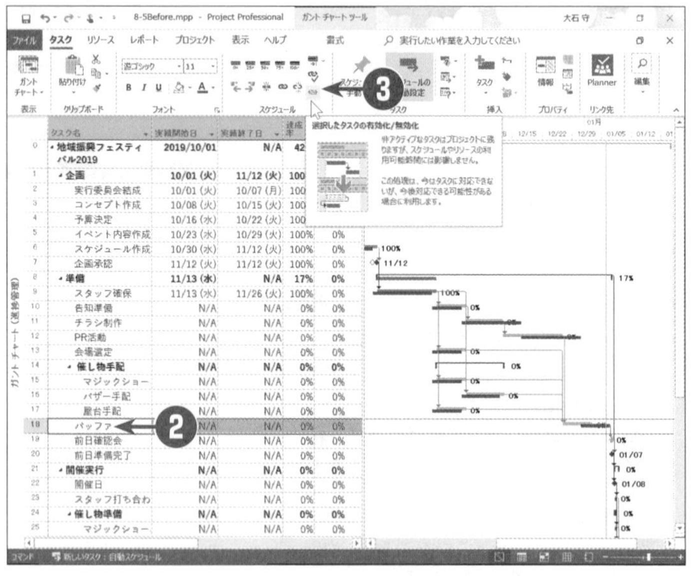

注意

エディションによる違い

タスクの無効化は、Project Professionalでのみ使用できます。

無効化できないタスク

実績が入力されているタスクを無効化することはできません。

用語

スコープ

プロジェクトスコープとは、規定された成果物（機能、性能、その他の特性）を生み出すためにプロジェクト内で実行されなければならない作業、つまりWBS（Work Breakdown Structure）に記述された作業を指します。

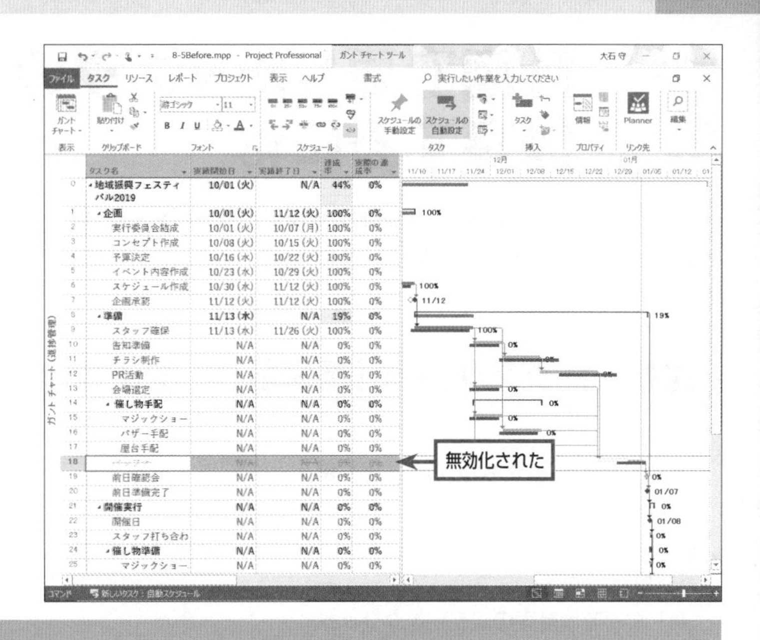

ヒント

無効化を解除するには

無効化を解除したいタスクをクリックして、再度［無効化］をクリックします。

無効化されたタスクの扱い

無効化されたタスクは、計算上は現行計画から削除されたものとして扱われます。基準計画のデータはそのまま保持され、無効化後の現行計画と比較することができます。

無効化後のタスクの依存関係

タスクを無効化しても依存関係の設定そのものは保持されています。ただし、無効化されたタスクはなくなったものとして扱われ、その後続タスク以降は再スケジューリングされます。

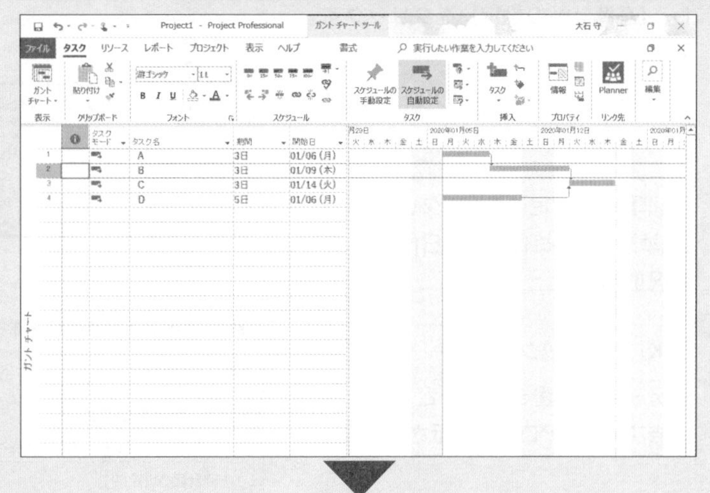

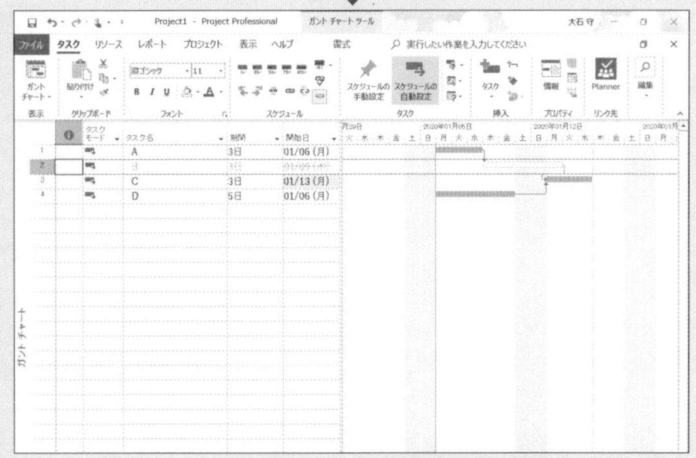

6 計画変更したタスクの基準計画のみ保存するには

プロジェクトの一部のタスクの計画を変更したら、再び基準計画（第6章の10を参照）として保存します。再計画後のプロジェクトは、現行計画との比較のため、番号なしの［基準計画］に保存し直します。ここでは、その手順を説明します。

選択したタスクのみ［基準計画］を上書きする

❶ 基準計画を変更するタスクを選択する。

❷ ［プロジェクト］タブの［スケジュール］の［基準計画の設定］をクリックし、［基準計画の設定］をクリックする。

➡［基準計画の設定］ダイアログで［基準計画の設定］が選択されている。

❸ ［基準計画の設定］の▼をクリックし、［基準計画（最終保存日<日付>)］を選択する。

❹ ［OK］をクリックする。

➡データを上書きするかどうかを警告するダイアログが表示される。

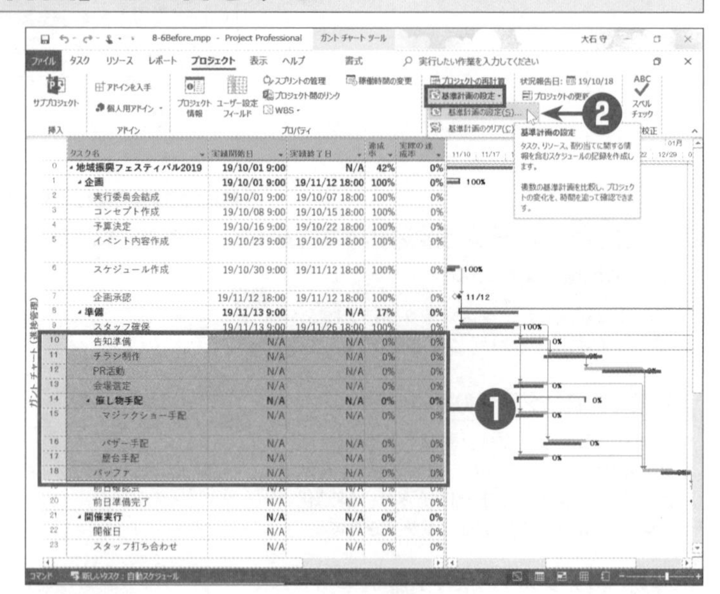

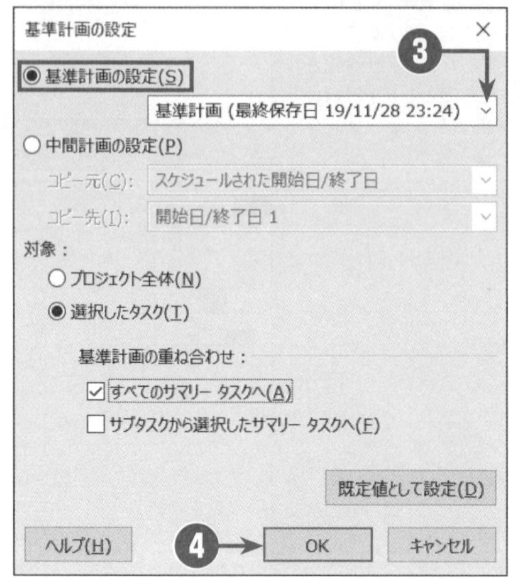

5

［はい］をクリックする。

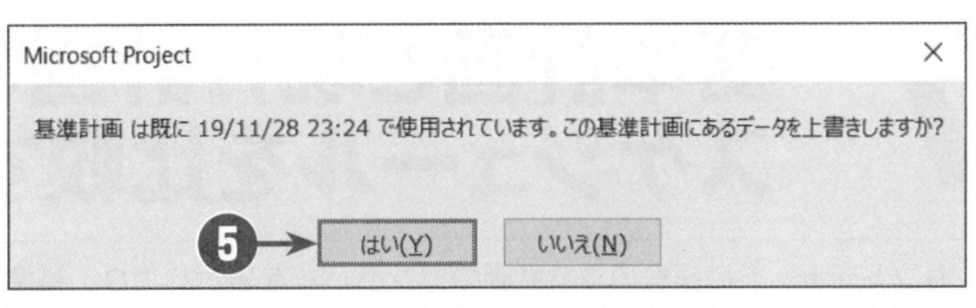

6

［タスク］タブの［ガントチャート］の▼をクリックし、［ガントチャート（進捗管理）］をクリックする。

➡再計画したタスクが基準計画として保存され、現行計画と基準計画が一致している。

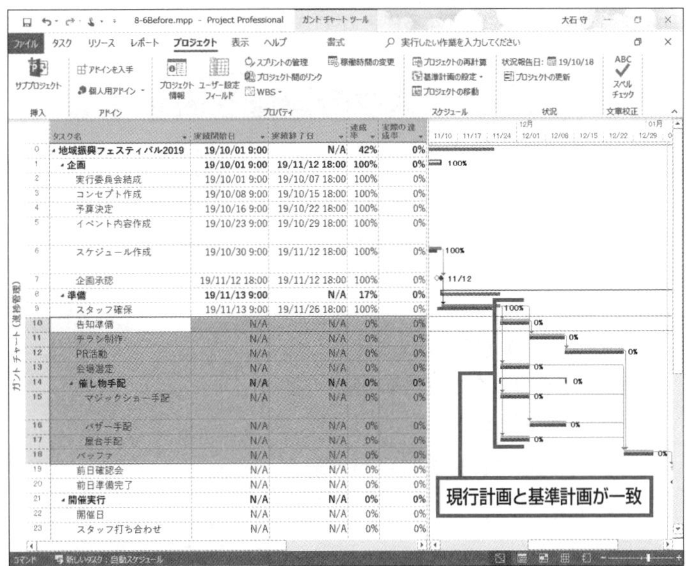

ヒント

選択したタスクを基準計画に保存する

［基準計画の設定］ダイアログの［対象］で、基準計画として保存する対象を選択できます。［選択したタスク］を選択すると、基準計画に保存したタスクをどのレベルのサマリータスクまで重ね合わせて反映させるかを設定できます。プロジェクトが開始されてから、タスクが追加されたり無効にされたりした場合などに使用すると便利です。

- ［すべてのサマリータスクへ］：選択したタスクの上位にあたるすべてのサマリータスクに反映される
- ［サブタスクから選択したサマリータスクへ］：選択したタスクの親にあたるサマリータスクにのみ反映される

ヒント

中間計画で保存できること

中間計画のうち、番号付きの開始日／終了日には、タスクの開始日と終了日の情報だけが保存できます。タスクの作業時間やコストは保存されませんが、基準計画と中間計画でタスクの開始日と終了日を比較することにより、プロジェクトの進行や遅延を監視することができます。

ヒント

現行計画と比較する計画を［基準計画］に保存する

［ガントチャート（進捗管理）］ビューを使用すると、［基準計画］と現行のプロジェクト計画を簡単に比較することができますが、11個ある基準計画のうち、ガントバーとして表示されるのは［基準計画］のみです。番号付きの基準計画を現行計画と比較するには、［書式］タブの［バーのスタイル］の［基準計画］をクリックし、比較したい物を選択する必要があります。
常に1週間前のプロジェクト計画と現行計画を比較したい場合には、最初の計画を番号付きの基準計画に保存しておきます。そして、1週間ごとに現行計画を［基準計画］に上書きします。数週間分の計画の履歴を保存しておきたい場合には、番号付きの基準計画を使用します。

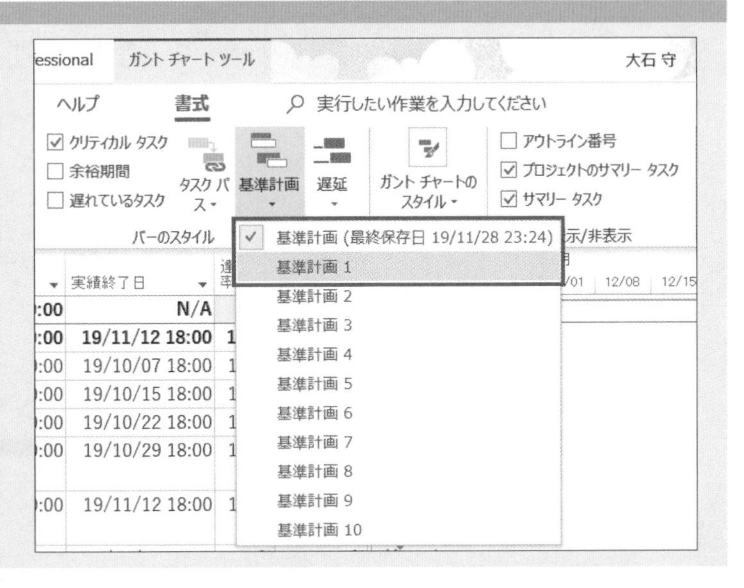

7 基準計画と現行計画のタスクのスケジュールを比較するには

ガントチャートに任意の基準計画のガントバーを表示したり、基準計画と比較してタスクがどれだけ遅延しているのかをガントバーに表示することができます。

ガントバーにタスクの遅延を表示する

❶ ［タスク］タブの［ガントチャート］の▼をクリックし、［ガントチャート］をクリックする。

❷ ［書式］タブの［バーのスタイル］の［遅延］をクリックし、［基準計画］（番号なし）をクリックする。

➡ガントバーに遅延のバーが表示される。

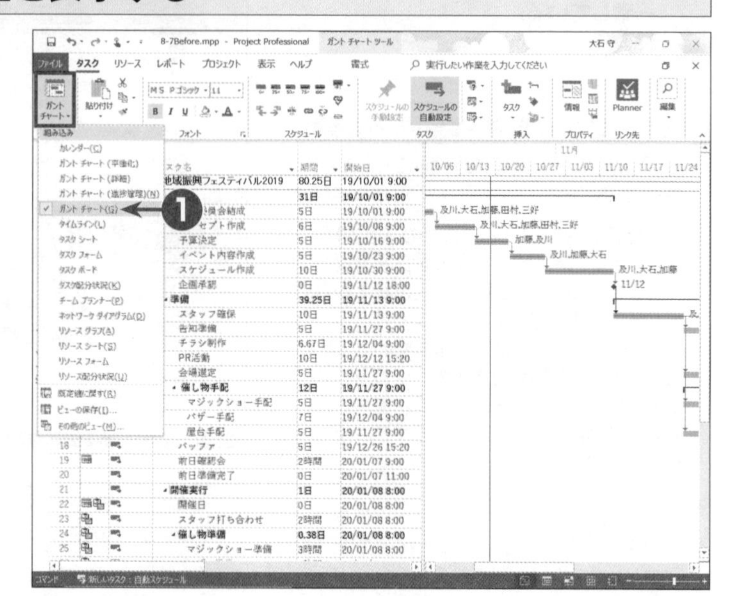

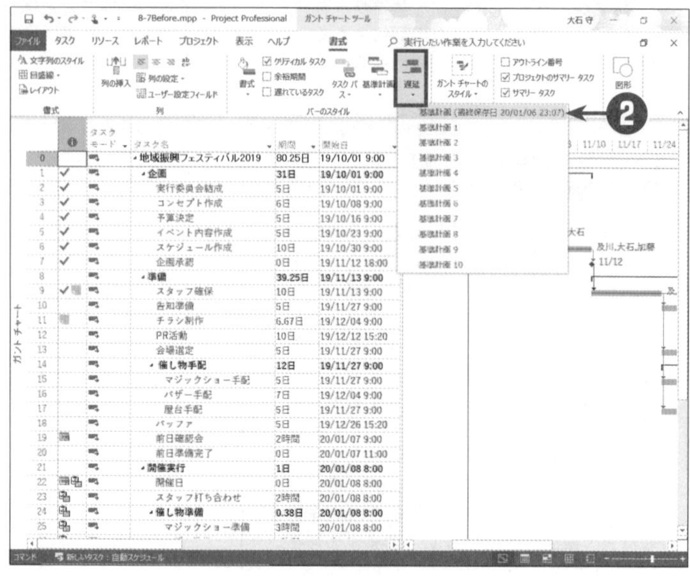

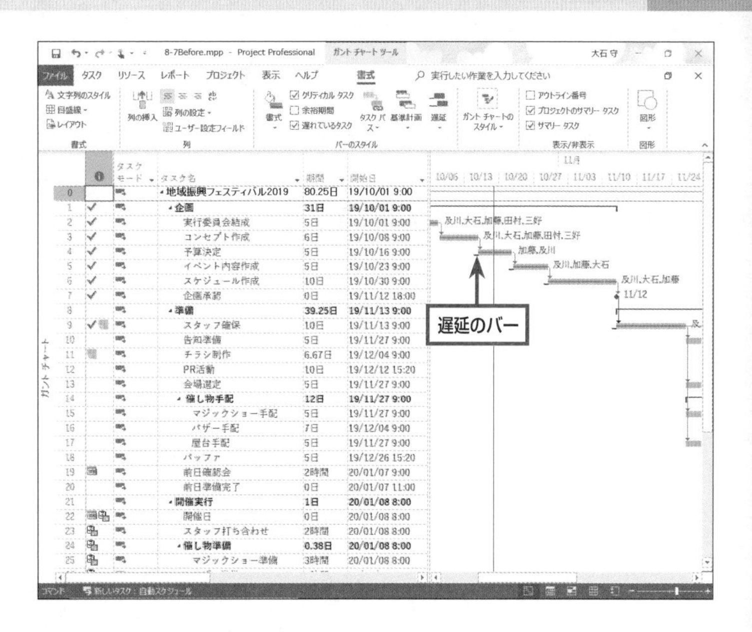

ガントバーに任意の基準計画のバーを追加する

❶ [タスク] タブの [ガントチャート] の▼をクリックし、[ガントチャート] をクリックする。

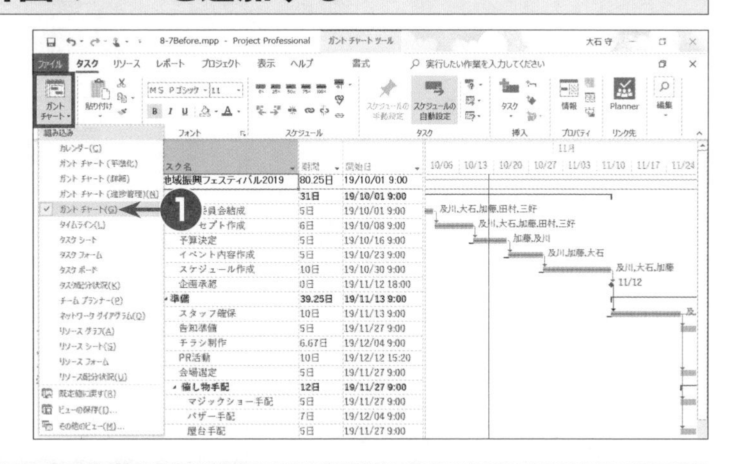

ヒント

右クリックで基準計画のバーを追加する

次の手順で、右クリックでも基準計画のバーを追加できます。

❶タイムスケール領域で右クリックする。

❷[バーのスタイルの表示/非表示]―[基準計画]の順にポイントする。

❸任意の基準計画をクリックする。

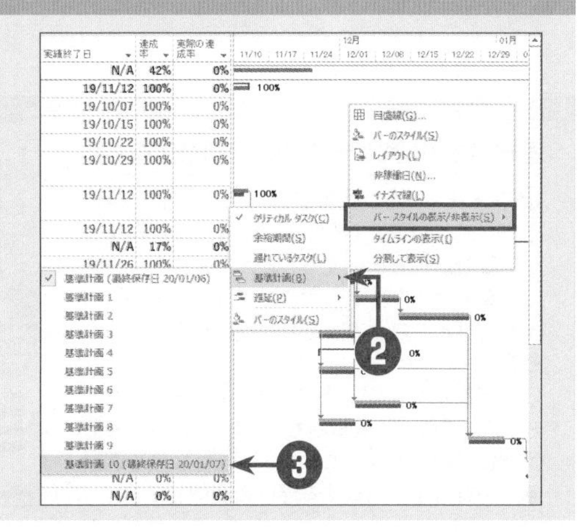

❷

［書式］タブの［バーのスタイル］の［基準計画］をクリックし、任意の基準計画をクリックする。

➡ガントバーに選択した基準計画のバーが表示される。

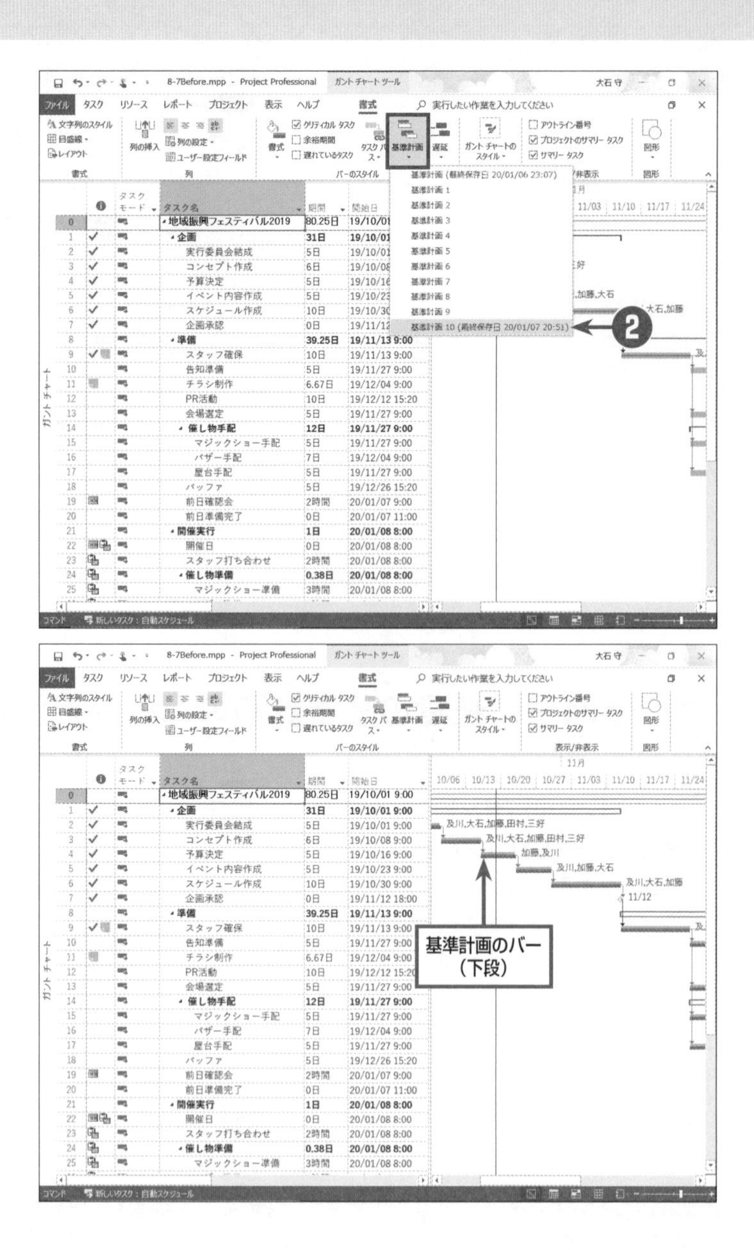

ヒント

番号付きの基準計画と現行計画を比較する

［ガントチャート（進捗管理）］ビューには、既定で［基準計画］（番号なし）のバーが表示され、現行計画と比較することができます。一方で、番号付きの基準計画のバーは［バーのスタイル］ダイアログで設定しない限り表示されません。

ここで説明した機能を使うと、［バーのスタイル］ダイアログに選択した基準計画のバーの設定が自動的に追加されます。番号付きの基準計画と現行計画を比較する際に大変便利です。

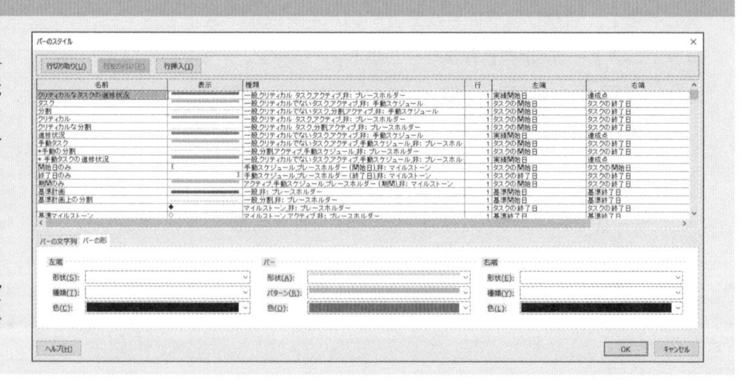

進捗管理に基準計画が不可欠な理由

Projectで扱う計画には大きく分けて2種類あります。「基準計画」と呼ばれる当初計画を表す計画と、「現在計画」と呼ばれる現在進行中の計画の2つです。一からタスクを入力し、依存関係を設定するなどして作成しているプロジェクトが「現在計画」です。これで計画そのものは作成できるため、特に意識しなければ、「基準計画」の存在に気づかずに「現在計画」だけを使っている人をよく見かけます。これは、Projectのユーザーエクスペリエンス上、ユーザーが自ら「基準計画」を保存する必要があることを理解していなければならないのが理由と言えます。そういった事情があるため、本書では「基準計画」について、ところどころで解説しています。

進捗管理を行う上で、「基準計画」は不可欠なものです。「基準計画」がなければ、「現在計画」が遅れているのか進んでいるのか把握しようがないためです。ここでは、それぞれの計画の特徴と役割について詳しく解説します。

基準計画とは

「基準計画」とは、プロジェクト開始前に作成された、プロジェクトのステークホルダー（利害関係者）によって、その内容を承認された計画のことです。一般的に「当初計画」とも呼ばれています。

Projectでは、操作上の特徴として、まず「現在計画」を作成し、それを「基準計画」として保存する必要があります。つまり、「基準計画」は、「現在計画」の特定時点でのスナップショットとして保存することで作成できます。「基準計画」そのものは、「現在計画」とは別のデータとして、Projectファイルの中に保存されています。

まず「現在計画」であるプロジェクト計画を作成し、ステークホルダーの承認を経た後、ユーザー自身の手で保存する必要があります。いったん保存すれば、次にユーザー自身が保存し直さない限り変更されることはなく、当初の計画としていつでも最新の「現在計画」と比較することができます。

既定の［ガントチャート］では、「基準計画」の情報が表示されません。「基準計画」の情報を表示するには、［ガントチャート（進捗管理）］を使用するとよいでしょう。ガントバーに「基準計画」と「現在計画」が上下2段に同時に表示されます。さらに「基準計画」関連の情報を表示するには、［基準計画］テーブルを使用します。

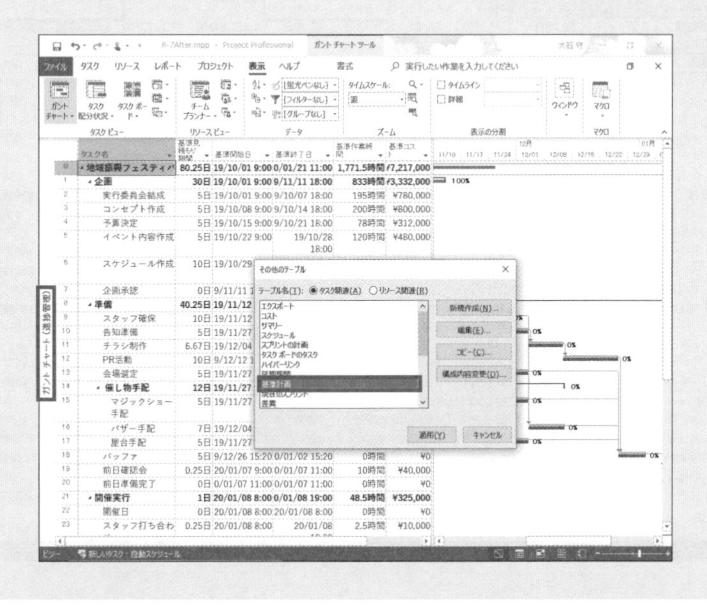

現在計画とは

「現在計画」は、ユーザーが直接タスクの入力やリソースの割り当てなどを行い、作成したプロジェクト計画のことです。「現在計画」を作成しただけでは、「基準計画」として認識されることはなく、「基準計画」はユーザー自身の手で保存を行う必要があります。

つまり、Projectの「現在計画」は固定されたものではなく、プロジェクト開始後はその時々の状況によって常に更新されていき、現在の最新の状況を表す計画という位置付けになります。したがって、タスクの実施に費やした時間として「実績作業時間」を入力すると、その入力値に合わせて「現在計画」そのものが変更されます。そのため、当初の計画については、必ず「基準計画」として保存しておく必要があります。

「現在計画」には、実績状況を定期的に入力します。実績の入力方法はさまざまですが、おおよそ次に挙げる項目を入力します。

- [実績開始日]
- [実績期間] と [残存期間]([期間固定] のタスク)
- [実績作業時間] と [残存作業時間]([作業時間固定] のタスク)

詳細は第7章の4のコラム「達成率と実績作業時間を別々に管理するには」を参照してください。

「現在計画」は常に変化する

Projectを使い始めてすぐの頃には、「現在計画」を作成した段階でプロジェクト計画が完成したと勘違いしがちです。「現在計画」と「基準計画」という2つの計画があることを知らずに「現在計画」だけでプロジェクトを開始してしまうと、実績を入力した時に突然プロジェクト計画が変更されて何が起きたかわからずびっくりするということがあります。必ず当初計画として「基準計画」を保存し、プロジェクトの進行と共に変化していく「現在計画」と比較するようにしてください。

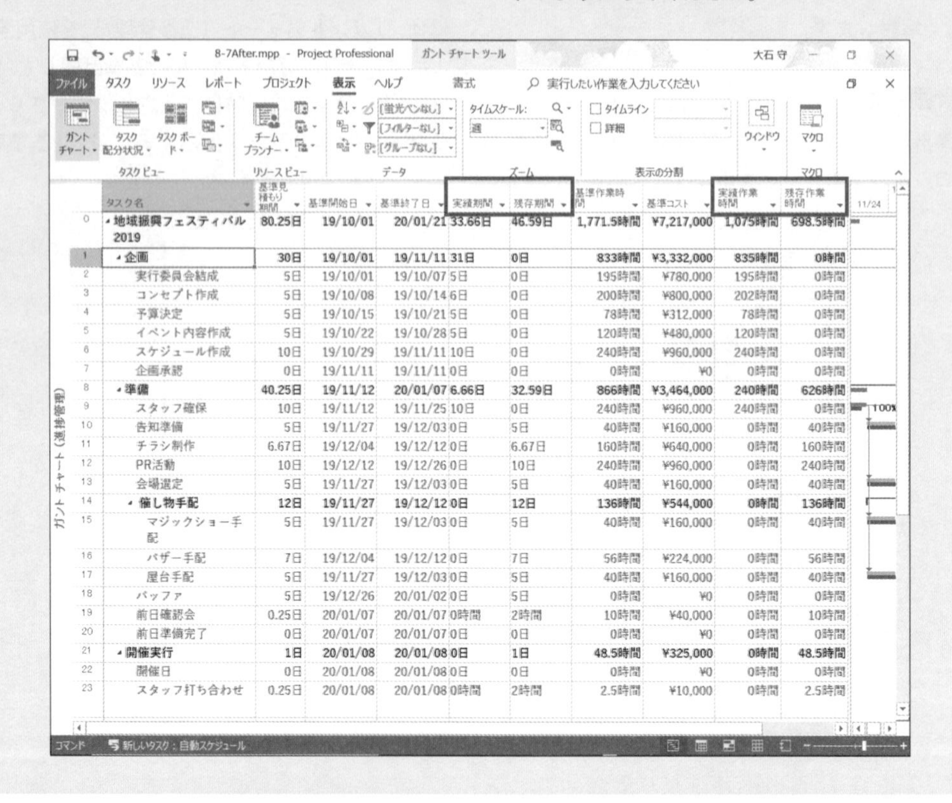

	タスク名	基準見積もり期間	基準開始日	基準終了日	実績期間	残存期間	基準作業時間	基準コスト	実績作業時間	残存作業時間
0	地域振興フェスティバル2019	80.25日	19/10/01	20/01/21	33.66日	46.59日	1,771.5時間	¥7,217,000	1,075時間	698.5時間
1	企画	30日	19/10/01	19/11/11	31日	0日	833時間	¥3,332,000	835時間	0時間
2	実行委員会結成	5日	19/10/01	19/10/07	5日	0日	195時間	¥780,000	195時間	0時間
3	コンセプト作成	5日	19/10/08	19/10/14	6日	0日	200時間	¥800,000	202時間	0時間
4	予算決定	5日	19/10/15	19/10/21	5日	0日	78時間	¥312,000	78時間	0時間
5	イベント内容作成	5日	19/10/22	19/10/28	5日	0日	120時間	¥480,000	120時間	0時間
6	スケジュール作成	10日	19/10/29	19/11/11	10日	0日	240時間	¥960,000	240時間	0時間
7	企画承認	0日	19/11/11	19/11/11	0日	0日	0時間	¥0	0時間	0時間
8	準備	40.25日	19/11/12	20/01/07	6.66日	32.59日	866時間	¥3,464,000	240時間	626時間
9	スタッフ確保	10日	19/11/12	19/11/25	10日	0日	240時間	¥960,000	240時間	0時間
10	告知準備	5日	19/11/27	19/12/03	0日	5日	40時間	¥160,000	0時間	40時間
11	チラシ制作	6.67日	19/12/04	19/12/12	0日	6.67日	160時間	¥640,000	0時間	160時間
12	PR活動	10日	19/12/12	19/12/26	0日	10日	240時間	¥960,000	0時間	240時間
13	会場選定	5日	19/11/27	19/12/03	0日	5日	40時間	¥160,000	0時間	40時間
14	催し物手配	12日	19/11/27	19/12/12	0日	12日	136時間	¥544,000	0時間	136時間
15	マジックショー手配	5日	19/11/27	19/12/03	0日	5日	40時間	¥160,000	0時間	40時間
16	バザー手配	7日	19/12/04	19/12/12	0日	7日	56時間	¥224,000	0時間	56時間
17	屋台手配	5日	19/11/27	19/12/03	0日	5日	40時間	¥160,000	0時間	40時間
18	バッファ	5日	19/12/26	20/01/02	0日	5日	0時間	¥0	0時間	0時間
19	前日確認会	0.25日	20/01/07	20/01/07	0時間	2時間	10時間	¥40,000	0時間	10時間
20	前日準備完了	0日	20/01/07	20/01/07	0日	0日	0時間	¥0	0時間	0時間
21	開催実行	1日	20/01/08	20/01/08	0日	1日	48.5時間	¥325,000	0時間	48.5時間
22	開催日	0日	20/01/08	20/01/08	0日	0日	0時間	¥0	0時間	0時間
23	スタッフ打ち合わせ	0.25日	20/01/08	20/01/08	0時間	2時間	2.5時間	¥10,000	0時間	2.5時間

レポートの作成とプロジェクト情報の共有

第 9 章

プロジェクトの情報をチームメンバー、ラインマネージャー、スポンサーといったプロジェクトのステークホルダー（利害関係者）と共有し、報告のためにレポートを作成するのも、プロジェクトマネージャーの重要な業務です。Projectには、ExcelやVisioと連携するビジュアルレポートのほか、ビルトインの強力なクライアントレポート機能が用意されています。この章では、これらのレポート機能について解説します。

1 基準コストと実績コストの比較レポートを作成するには

Projectのレポート機能には、プロジェクトのデータをExcelとVisioにエクスポートして分析できるビジュアルレポートに加えて、それらと同等の分析機能を持つクライアントレポートがあります。ここでは、プロジェクトの基準計画のコストである［基準コスト］と、現行計画で実際に費やされたコストである［実績コスト］を比較するレポートを2種類の方法で説明します。

基準コストのビジュアルレポートを作成する

❶ ［レポート］タブの［エクスポート］の［ビジュアルレポート］をクリックする。

❷ ［ビジュアルレポート］ダイアログの［割り当て配分状況］タブをクリックし、［基準コストレポート］をクリックする。

❸ ［表示］をクリックする。

➡自動的にExcelが起動し、基準コストレポートのグラフが表示される。

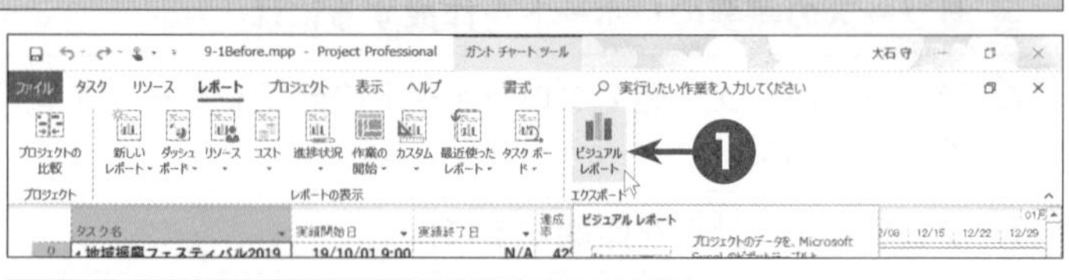

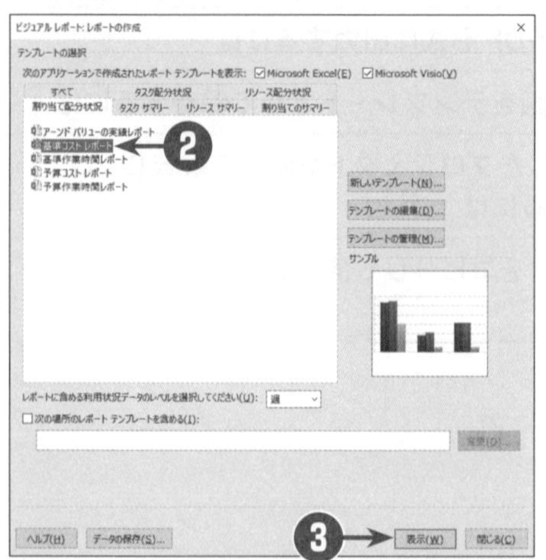

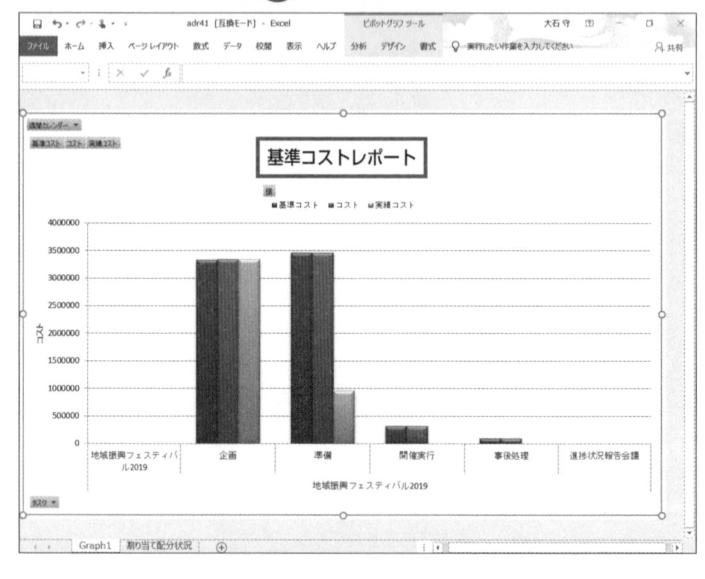

注意

ビジュアルレポートのシステム要件

ビジュアルレポートを使用するためには、Projectと同一のコンピューター上にExcel 2010以降、およびVisio Professional 2010以降がインストールされている必要があります。

※インストールされているアプリケーションに応じて、使用できるレポートの種類が変わります。

ヒント

レポートに出力する期間の単位

［ビジュアルレポート］ダイアログの［レポートに含める利用状況データのレベルを選択してください］で、期間の単位を指定すると、レポートに出力する期間の幅を変えることができます。指定できる期間の単位は、年、四半期、月、週、日の5種類です。

ビジュアルレポートのグラフを調整する

❶ 前ページで起動したExcelで、[割り当て配分状況] シートをクリックする。

➡ グラフの元データのピボットテーブルが表示される。

❷ [ピボットテーブルのフィールド] ウィンドウをスクロールして、[タスク] の [タスク] のチェックを外す。

❸ [ピボットテーブルのフィールド] ウィンドウで、[時間] の [週間カレンダー] をポイントし、ピボットテーブルの集計列にドラッグアンドドロップする。

❹ ピボットテーブルの [年] 列の [+] をクリックして展開し、表示された [四半期] 列の [+] をクリックして展開する。

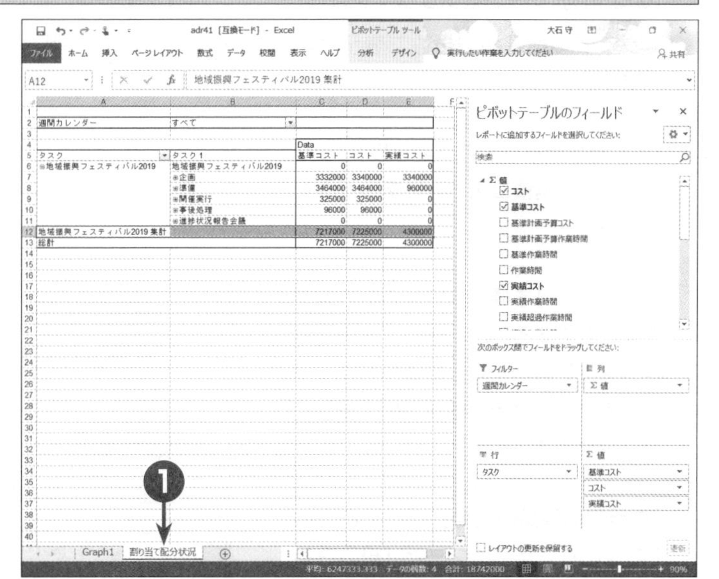

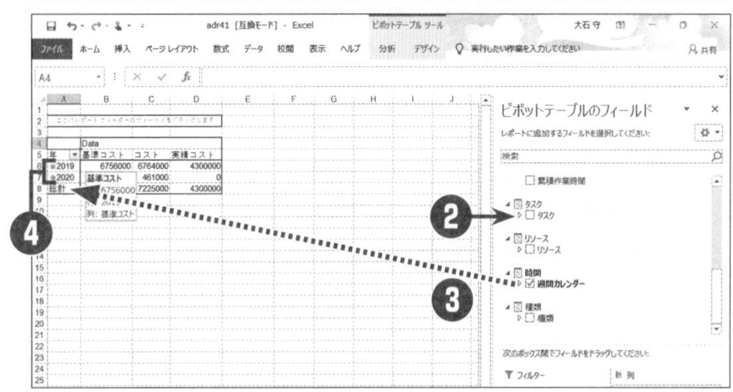

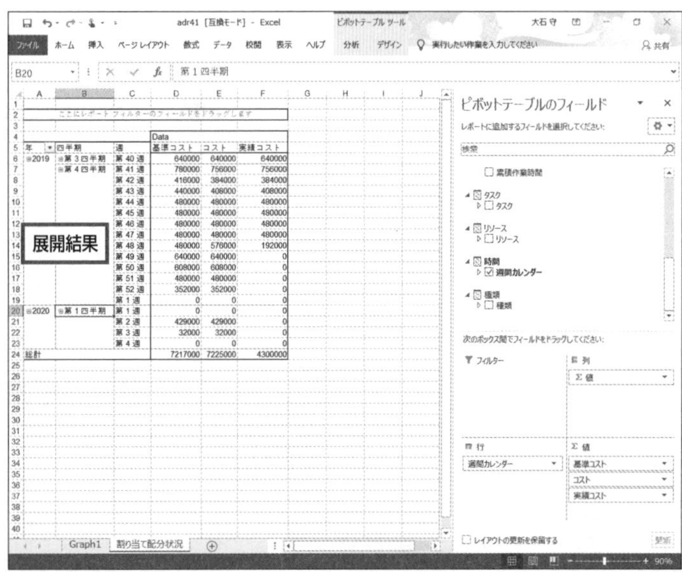

以前のOfficeからの変更点

[レポート] タブが独立した

Project 2010では、[レポート] コマンドは [プロジェクト] タブに含まれていましたが、Project 2013以降では [レポート] タブが独立しました。

続く

5 [Graph1] シートをクリックする。

➡グラフの横軸が週単位で表示されている。

6 [ピボットテーブルのフィールド]ウィンドウで、[累積コスト] にチェックを入れる。

7 [累積コスト]を棒グラフから折れ線グラフに変更するため、グラフ内の [累積コスト] のいずれかの棒を右クリックして [系列グラフの種類の変更] をクリックする。

8 [グラフの種類の変更] ダイアログの[すべてのグラフ] タブで [組み合わせ] をクリックし、[累積コスト] の[グラフの種類] の▼をクリックして[折れ線] のカテゴリから [折れ線] を選択する。

● Excel 2010の場合は、[グラフの種類の変更] ダイアログの [折れ線] を選択し、折れ線の種類として [折れ線] を選択する。

9 [OK] をクリックする。

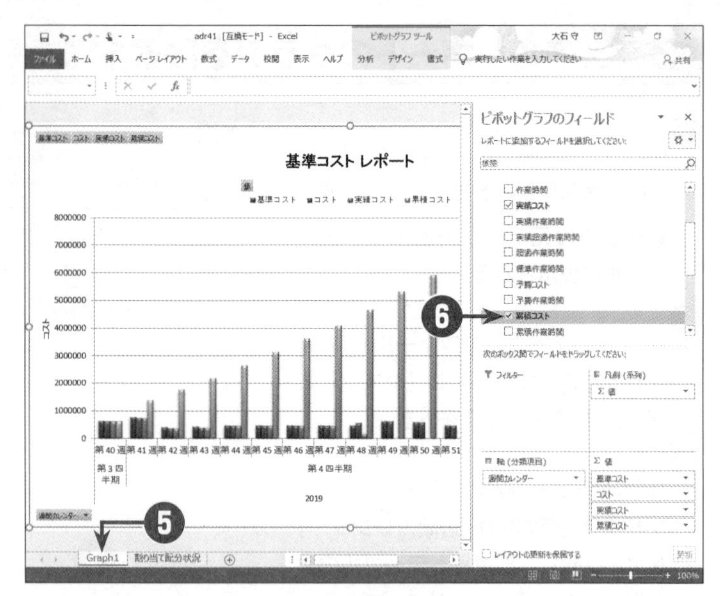

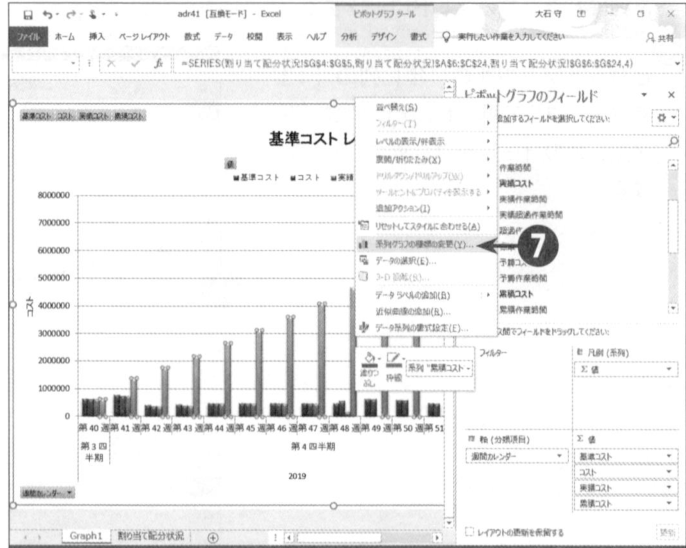

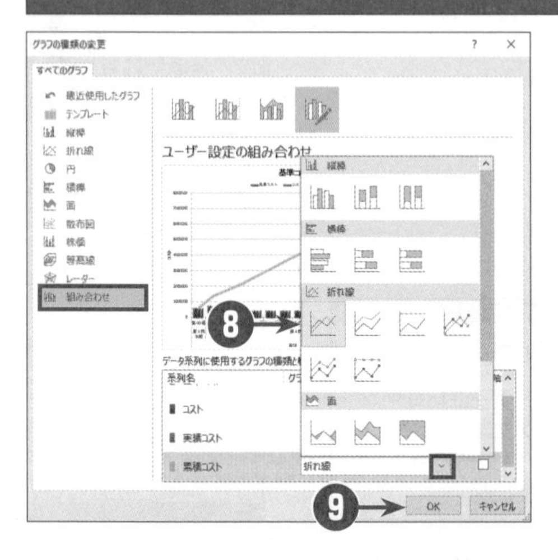

➡[累積コスト］が折れ線グラフに変更される。

⑩ 作成したレポートを保存するため、［ファイル］タブの［名前を付けて保存］をクリックする。

⑪ レポートの保存先として［このPC］をクリックし、［ドキュメント］をクリックする。

●保存先は適宜、選択してよい。

⑫ ［名前を付けて保存］ダイアログで［ファイルの種類］をクリックし、［Excelブック（*.xlsx)］をクリックする。

⑬ ファイルを保存するフォルダーを指定し、［名前を付けて保存］ダイアログの［ファイル名］にファイル名を入力する。

⑭ ［保存］をクリックする。

➡レポートがExcelファイルとして保存される。

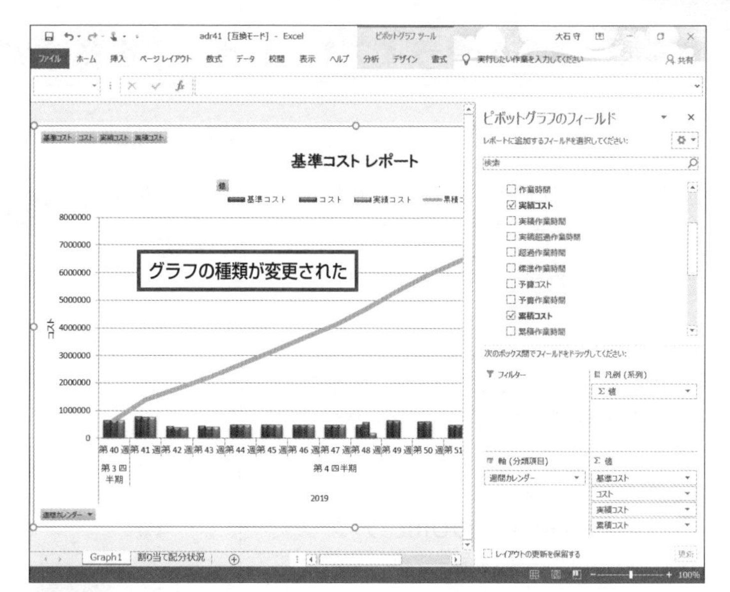

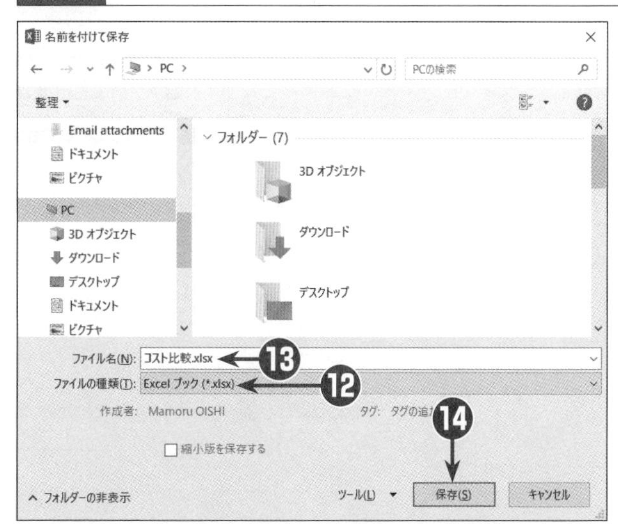

基準コストのクライアントレポートを作成する

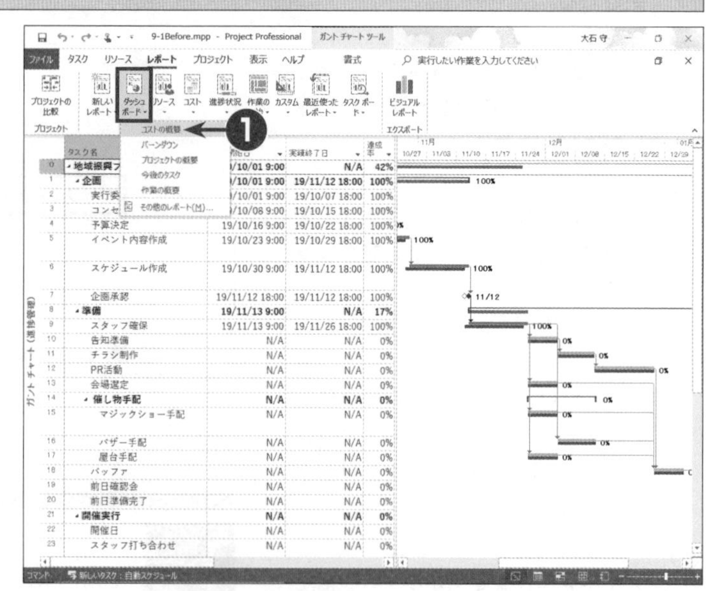

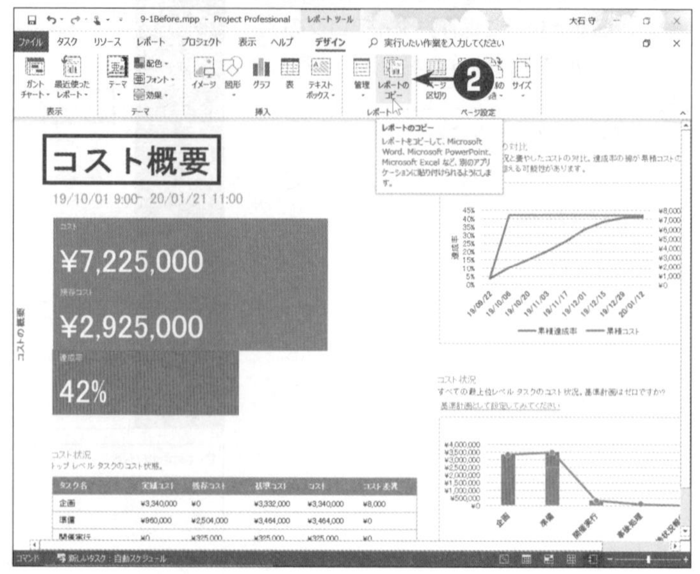

❶ [レポート] タブの [レポートの表示] の [ダッシュボード] をクリックし、[コストの概要] をクリックする。

➡ [コスト概要] レポートが表示される。

❷ [レポートツール] の [デザイン] タブの [レポート] の [レポートのコピー] をクリックする。

❸ PowerPointなどのOfficeアプリケーションを起動する。

❹ ［ホーム］タブの［クリップボード］の［貼り付け］の▼をクリックし、貼り付ける形式を選択する。

➡レポートが貼り付けられる。

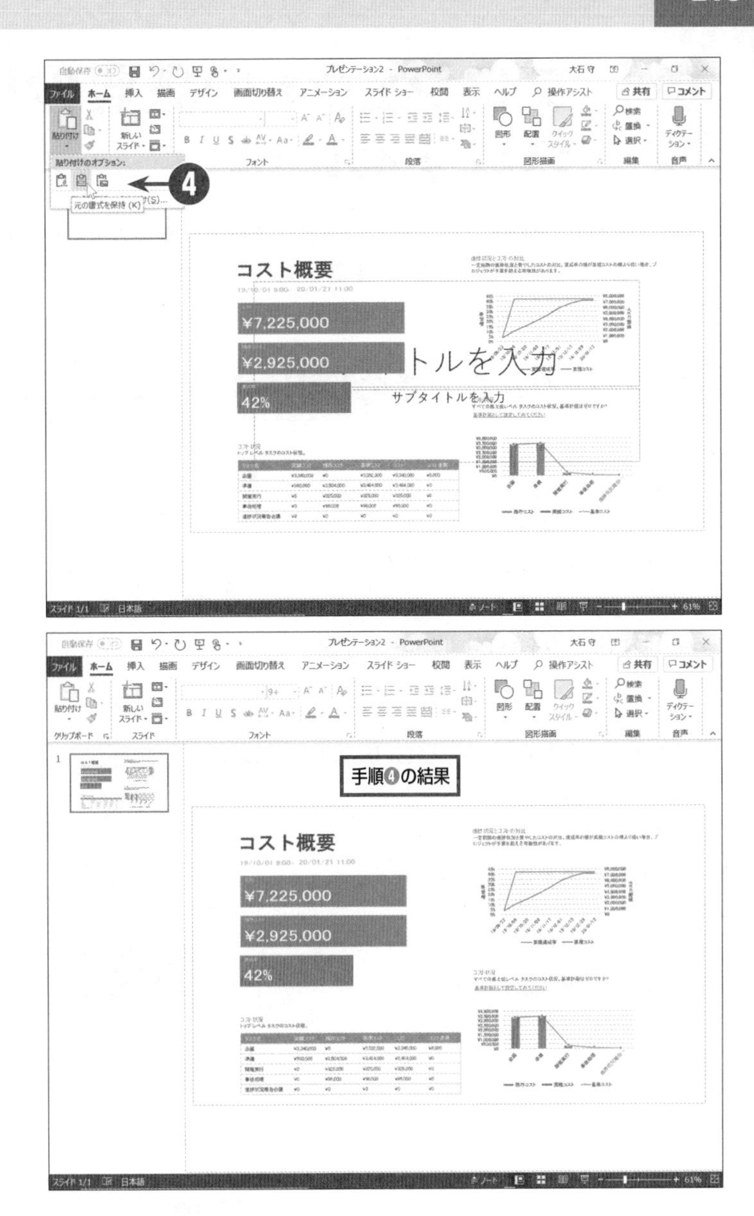

2 プロジェクトの概要のレポートを作成するには

Projectでは、ビジュアルレポートと同様に時系列のデータ分析が可能なクライアントレポートがあります。ここでは、プロジェクト全体の達成率、主要なタスクの達成率、期限の迫ったマイルストーン、遅延中のタスクなどがわかるプロジェクトの概要のレポートを作成します。

プロジェクトの概要のレポートを作成する

❶ ［レポート］タブの［レポートの表示］の［ダッシュボード］をクリックして［プロジェクトの概要］をクリックする。

➡［プロジェクト概要］レポートが表示される。

❷ ［ファイル］タブをクリックし、［印刷］をクリックする。

➡［プロジェクト概要］レポートの印刷プレビューが表示される。

❸ ［印刷］をクリックする。

➡レポートが印刷される。

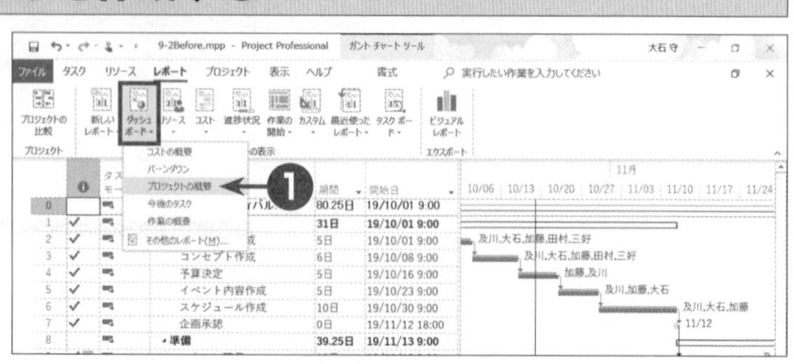

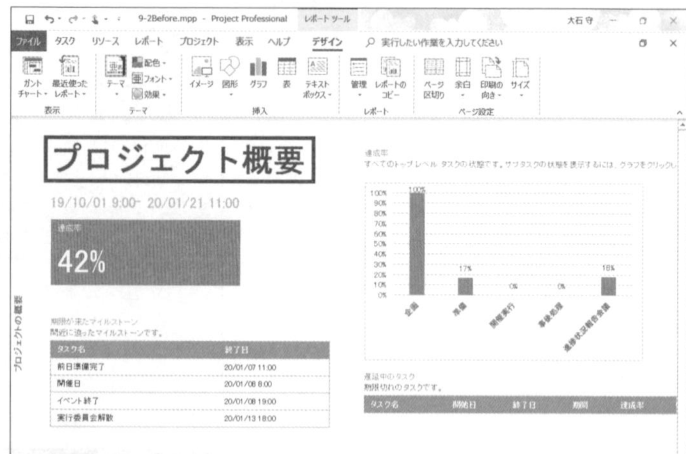

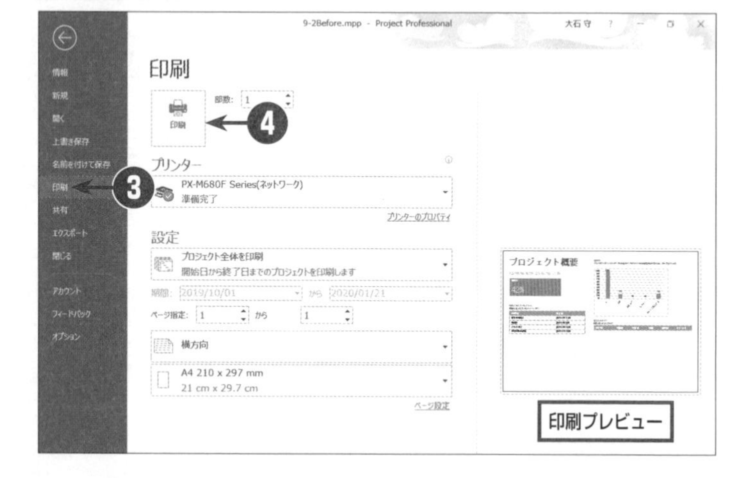

ヒント

レポートのタイトルとレポート名の違い

レポートの上部に表示される［プロジェクト概要］などのテキストは、レポートのタイトルです。実際のレポート名は、画面の左端に横向きに表示されているものが該当します。レポートのタイトルを変更しても、レポート名には影響しません。

3 リソースの概要のレポートを作成するには

Projectのビジュアルレポートおよびクライアントレポートを使用して、リソースの概要レポートを作成する方法を説明します。

リソースの概要のクライアントレポートを作成する

❶ ［レポート］タブの［レポートの表示］の［リソース］をクリックして［リソースの概要］をクリックする。

➡［リソースの概要］レポートが表示される。

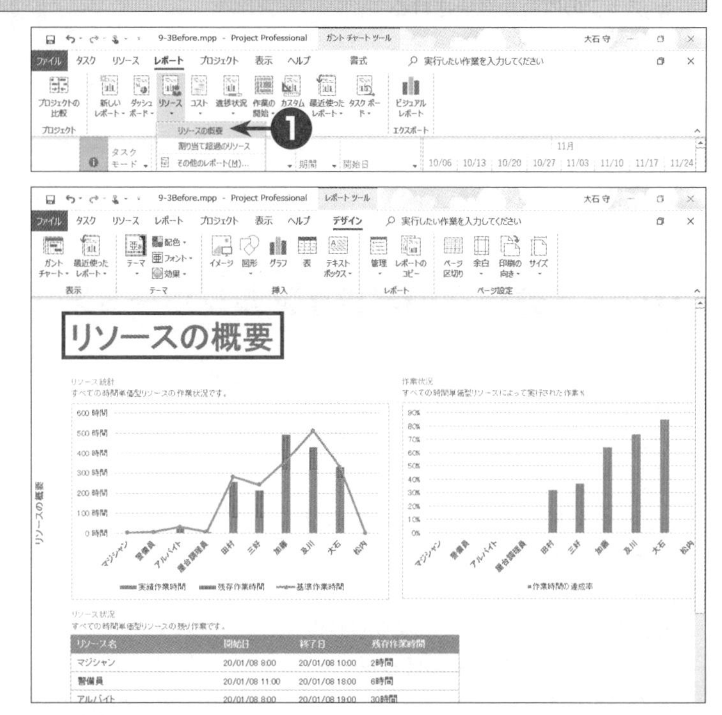

リソースの概要のクライアントレポートを調整する

❶ ［リソースの概要］レポートの［作業状況］のグラフエリアをクリックしてグラフを選択し、右クリックする。

❷ 表示されたメニューから［フィールドリストを表示する］をクリックする。

➡［フィールドリスト］ウィンドウが表示される。

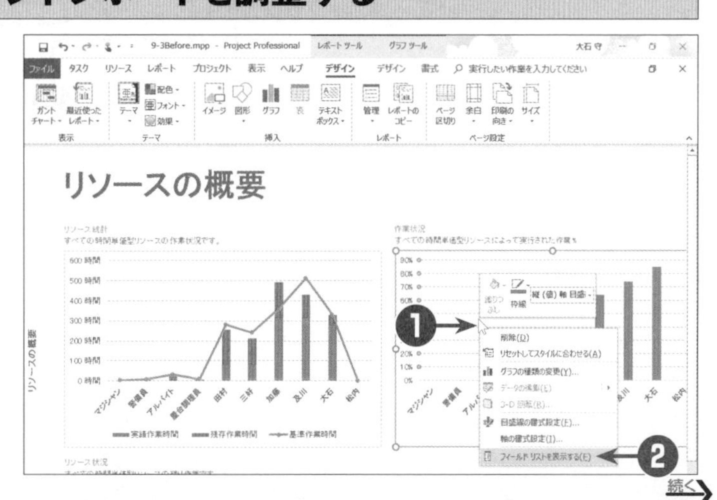

続く

❸ [フィールドの選択] で、[最大使用数] と [最大単位数] にチェックを入れ、[作業時間の達成率] のチェックを外す。

❹ [閉じる]ボタンをクリックして、[フィールドリスト] ウィンドウを閉じる。

➡グラフの内容が変更される。

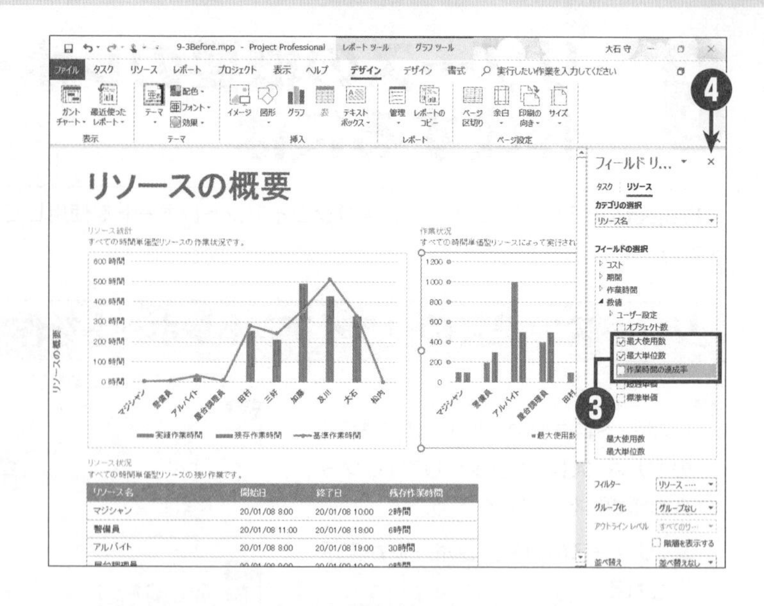

リソースの概要のビジュアルレポートを作成する

❶ [レポート] タブの [エクスポート] の [ビジュアルレポート] をクリックする。

➡[ビジュアルレポート] ダイアログが表示される。

❷ [リソースサマリー] タブをクリックし、[リソース残存作業時間レポート] をクリックする。

❸ [表示] をクリックする。

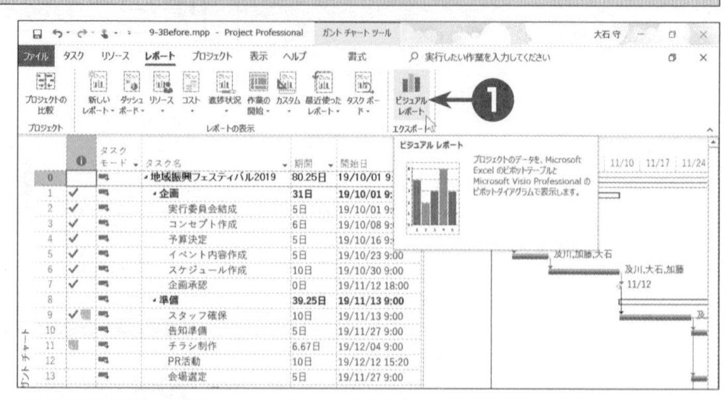

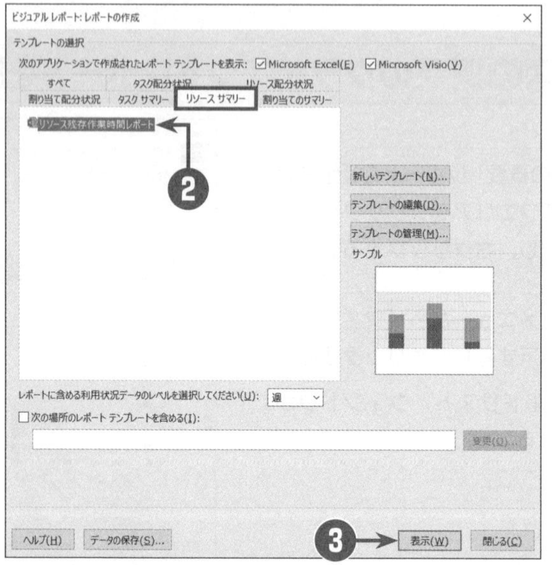

➡Excelが起動し、[リソース残存作業時間レポート] が表示される。

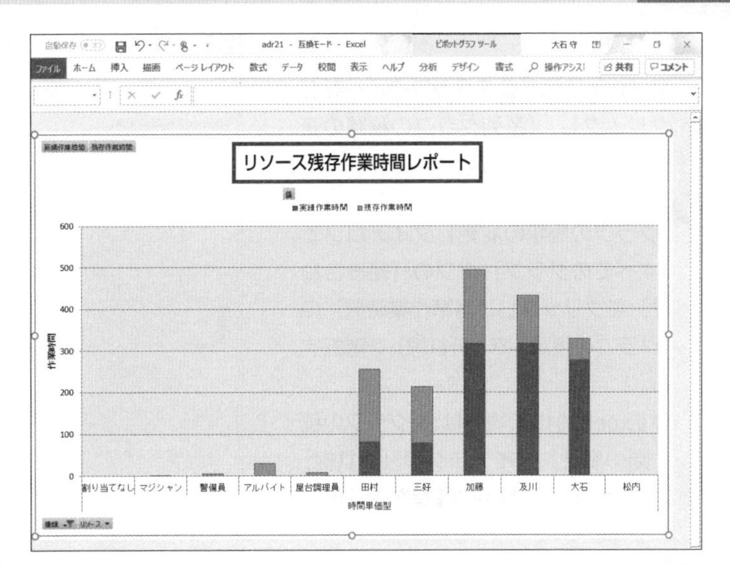

❹

Excelでグラフエリアの空白部分を右クリックし、表示されたメニューから[フィールドリストを表示する] をクリックする。

➡[ピボットグラフのフィールド] ウィンドウが表示される。

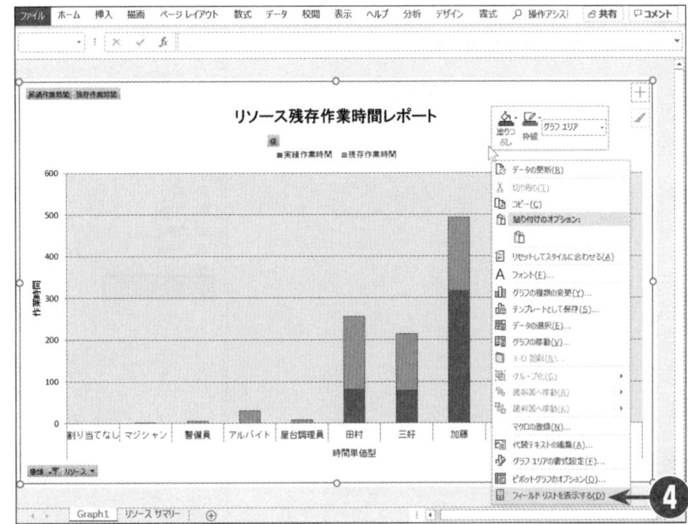

❺

[Σ値] の [基準作業時間] にチェックを入れ、[閉じる] ボタンをクリックして[ピボットグラフのフィールド]ウィンドウを閉じる。

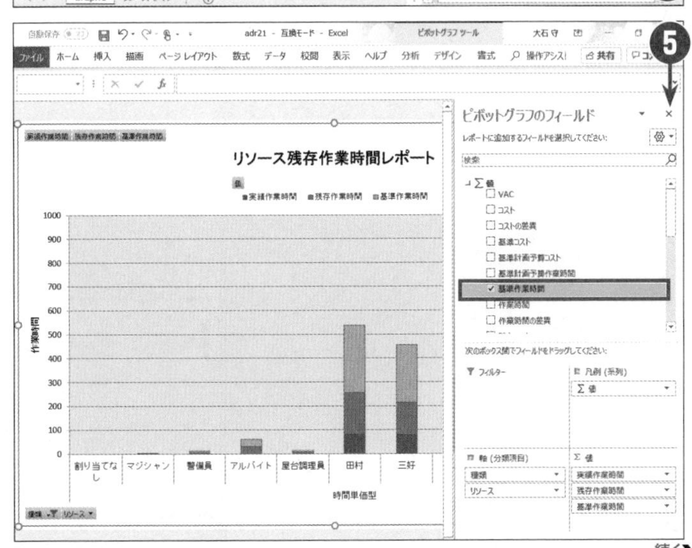

続く→

❻ 基準作業時間を表すグラフのバーを右クリックし、［系列グラフの種類の変更］をクリックする。

❼ ［グラフの種類の変更］ダイアログで［すべてのグラフ］タブの［組み合わせ］をクリックし、［基準作業時間］の［グラフの種類］で［折れ線］を選択する。

● Excel 2010の場合は、［グラフの種類の変更］ダイアログの［折れ線］を選択し、折れ線の種類を適宜選択する。

❽ ［OK］をクリックする。

➡ グラフの内容が変更される。

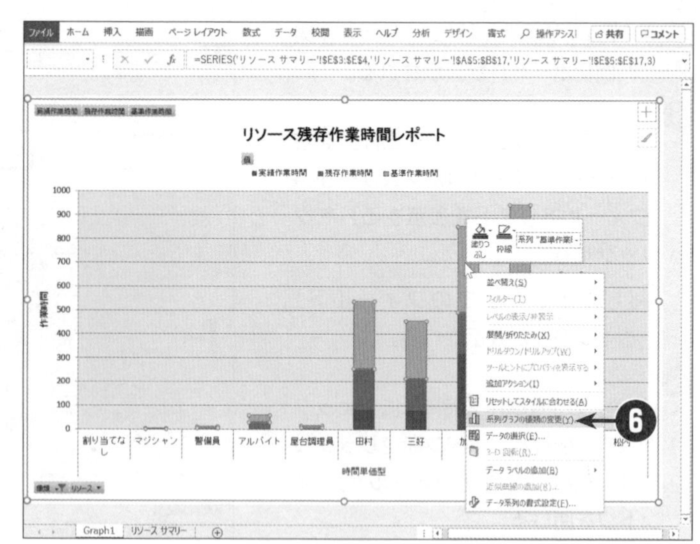

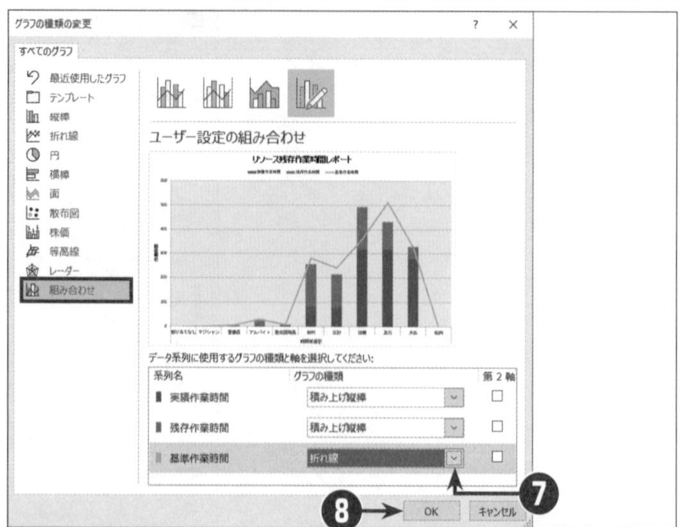

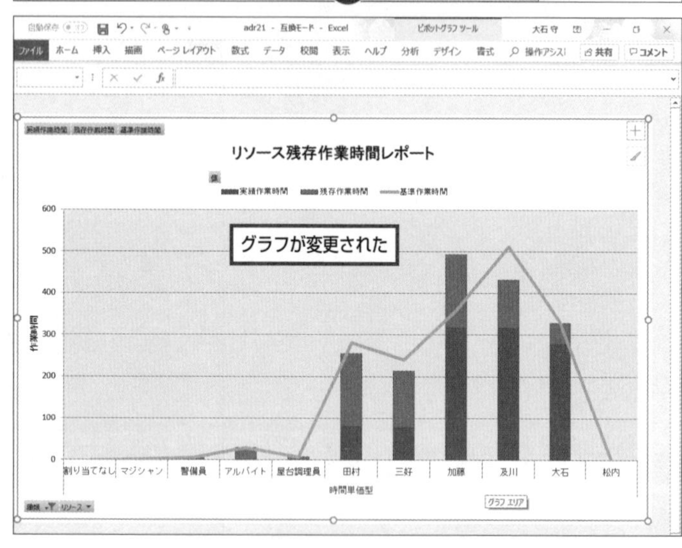

4 アーンドバリュー値でプロジェクトの分析レポートを作成するには

アーンドバリュー分析は、プロジェクトの見積もりコストの総額とその消費の割合から、プロジェクトの生産性や進捗状況を定量的に分析するプロジェクトマネジメントの技法です。アーンドバリュー値を確認することで、現状の生産性のままプロジェクトが進行した場合、プロジェクトの完了までには何日かかるのか、また最終的にかかるコストはいくらになるのか、といったプロジェクトの現状の分析と今後の見通しの推測を行うことができます。ここでは、アーンドバリュー分析の結果のレポートを作成する手順を解説します。

プロジェクトのアーンドバリューの実績レポートを表示する

❶ ［ファイル］タブの［オプション］をクリックする。

❷ ［Projectのオプション］ダイアログの［詳細設定］をクリックする。

❸ ［次のプロジェクトの達成額オプション］の▼をクリックして、設定対象のファイルを選択する。

❹ ［タスクの既定の達成額計算方法］の▼をクリックして、［達成率］と［実際の達成率］のいずれかを選択する。

❺ ［達成額計算に使用する基準計画］の▼をクリックして、比較対象にする基準計画を選択する。

❻ ［OK］をクリックする。

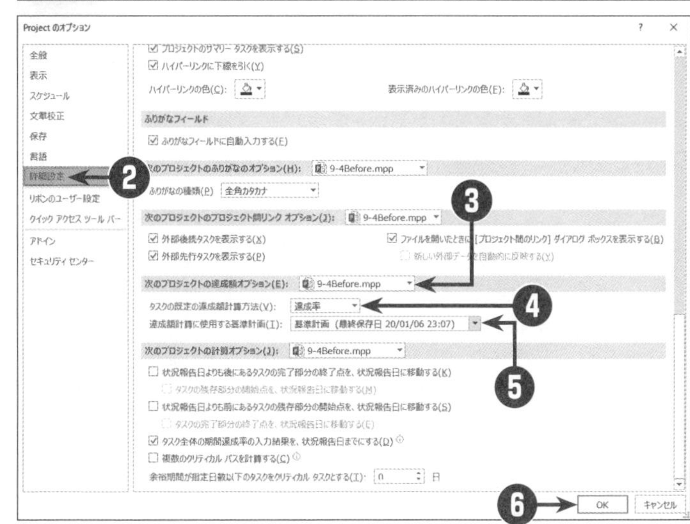

用語

アーンドバリュー

プロジェクトの状況を金銭的価値に置き換えて評価する分析方法。Projectのアーンドバリュー値は、成果をコストに換算して表す［達成額］を基に算出されます。達成額の計算には［達成率］フィールドの値、または［実際の達成率］フィールドの値が使用できます。

続く→

❼ [レポート] タブの [エクスポート] の [ビジュアルレポート] をクリックする。

❽ [ビジュアルレポート] ダイアログの [割り当て配分状況]タブをクリックして、[アーンドバリューの実績レポート] をクリックする。

❾ [レポートに含める利用状況データのレベルを選択してください] の▼をクリックして [週] を選択する。

❿ [表示] をクリックする。

➡自動的にExcelが起動し、[アーンドバリューの実績レポート] の [達成額の実績レポート] グラフが表示される。

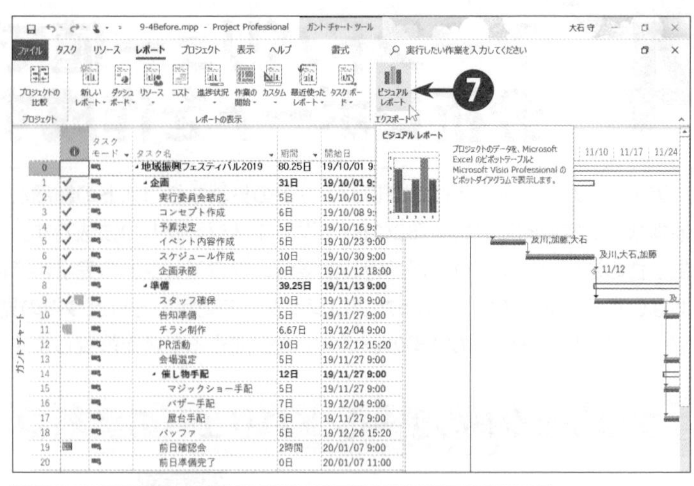

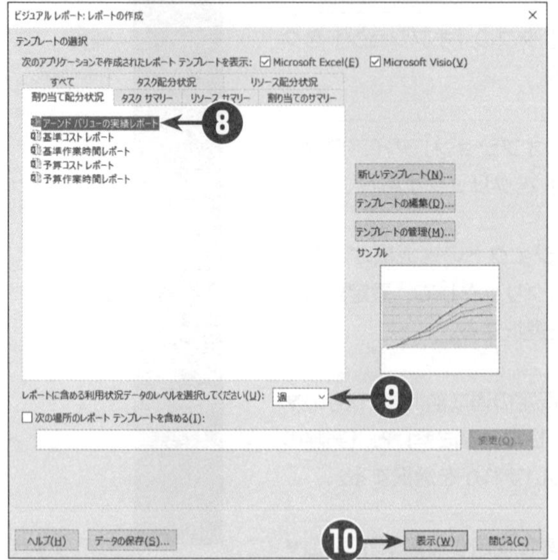

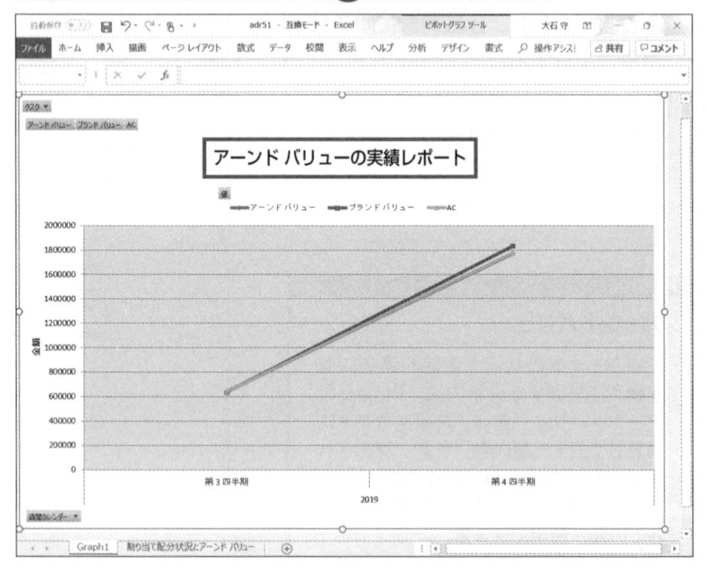

アーンドバリューの実績レポートを調整する

1
前ページで起動したExcelで、[割り当て配分状況とアーンドバリュー] シートをクリックし、グラフの元データのピボットテーブルを表示する。

2
[四半期] 列を展開し、週ごとのデータを表示する。

3
[Graph1] シートをクリックする。

➡グラフの横軸が週単位で表示される。

4
作成したレポートを保存するため、[ファイル] タブをクリックし、[名前を付けて保存] をクリックする。

5
[その他の場所] の [参照] をクリックする。

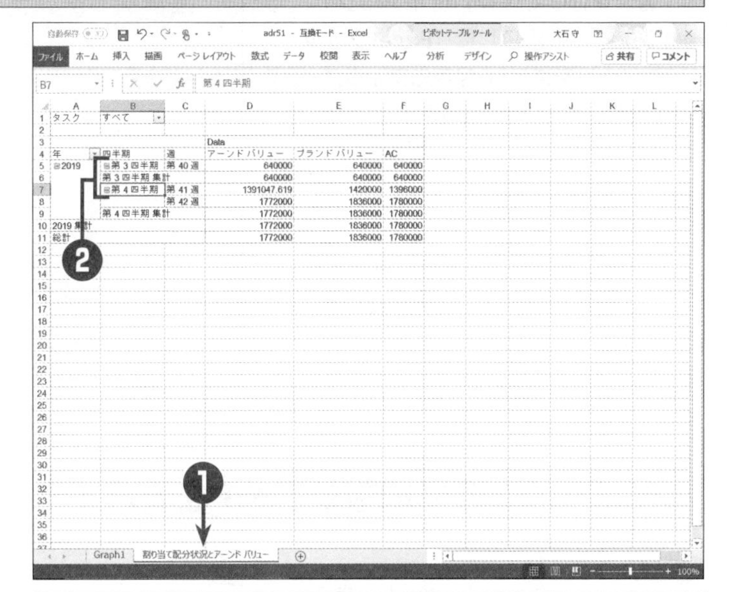

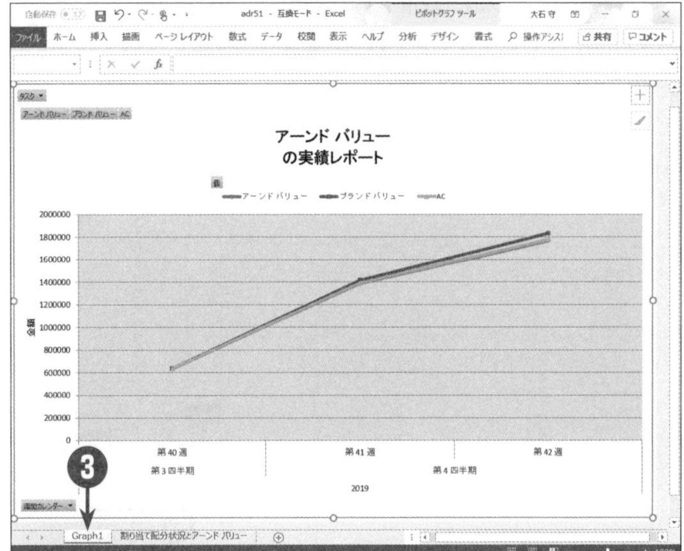

続く→

6

[名前を付けて保存] ダイアログで、[ファイルの種類] に [Excelブック(*.xlsx)] を選択し、保存先フォルダーを指定して [ファイル名] にファイル名を入力する。

7

[保存] をクリックする。

➡アーンドバリュー実績レポートがExcelファイルとして保存される。

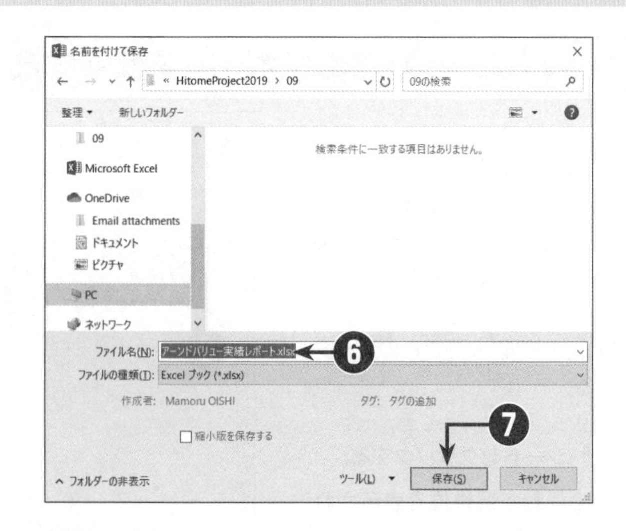

プロジェクトの達成額レポートを表示する

1

[レポート] タブの [レポートの表示] の [コスト] をクリックし、[達成額レポート] をクリックする。

➡[達成額] レポートが表示される。

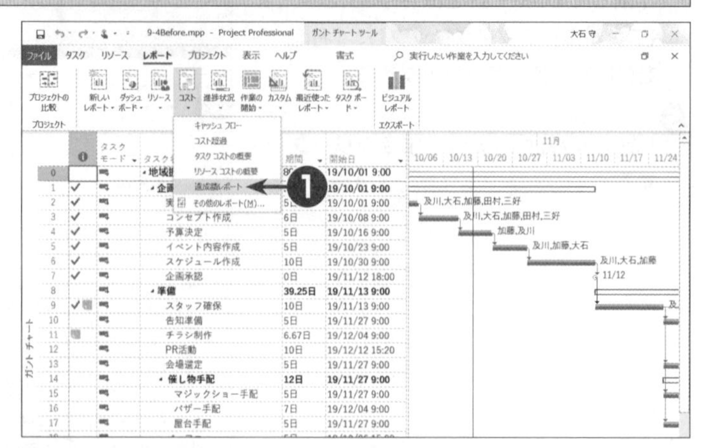

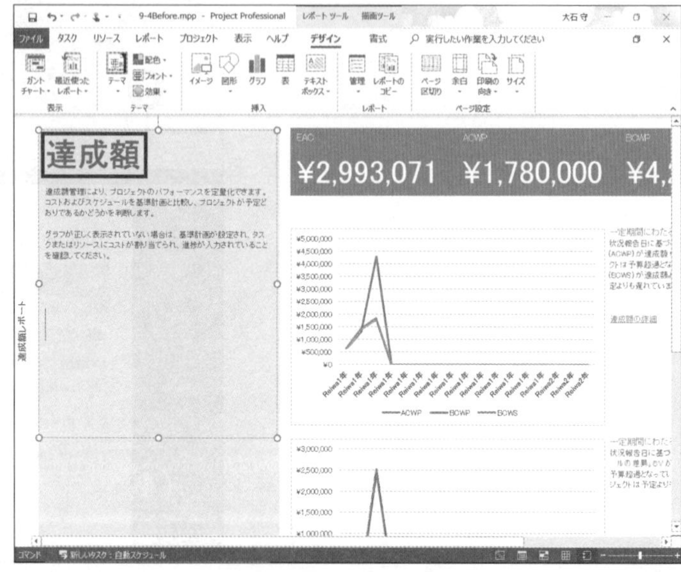

プロジェクトの達成額レポートを調整する

❶
前ページで表示した［達成額］レポート上のグラフの時間の単位（横軸）をクリックする。

➡［フィールドリスト］ウィンドウが表示される。

❷
［カテゴリの選択］で［時間］を選択し、［編集］をクリックする。

➡［タイムスケールの編集］ダイアログが表示される。

❸
［日付の形式］で適切な形式を選択する。

❹
［OK］をクリックする。

➡グラフの日付の形式が変更される。

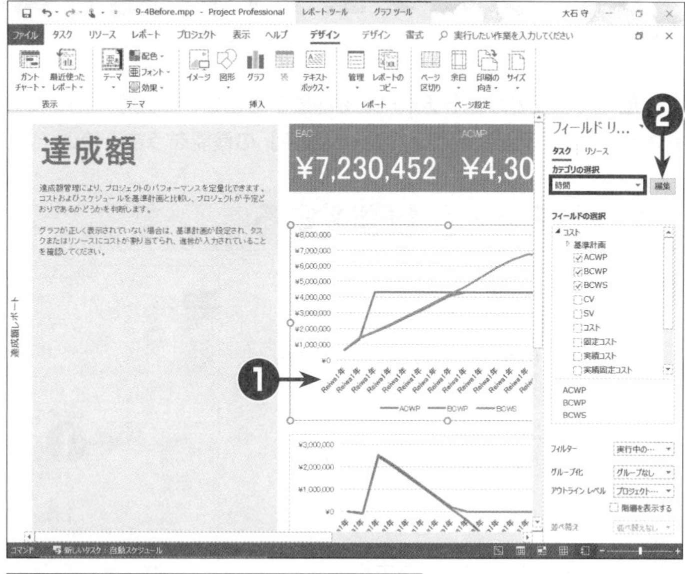

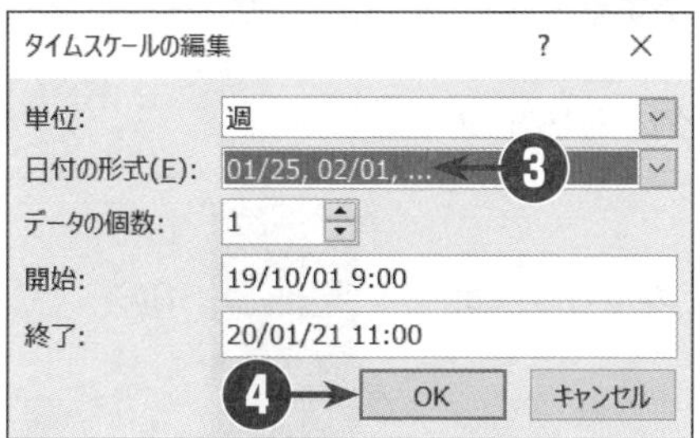

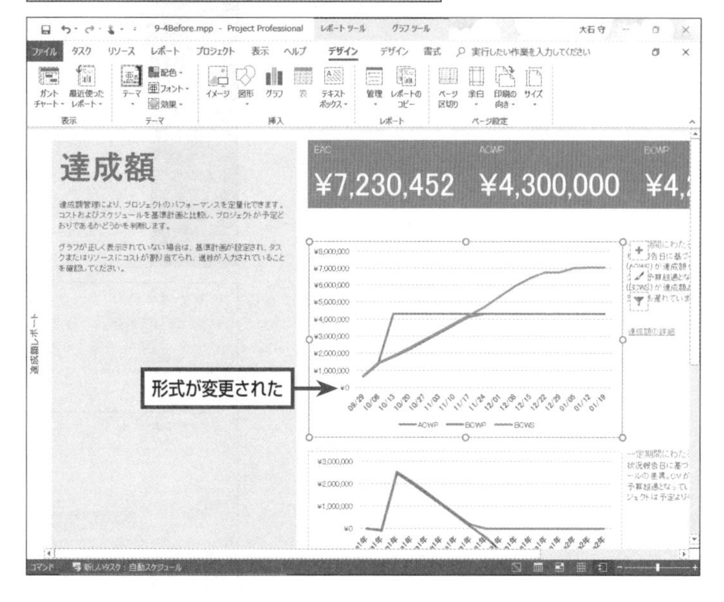

ヒント

達成額の予測グラフを表示する

状況報告日以降にはまだ実績がないため、グラフが急降下して表示されます。未来のPV（BCWS）のグラフを表示するには、状況報告日にプロジェクト終了日を設定します。

5 プロジェクト計画を印刷するには

一般的に横長のガントチャートを印刷するとき、多数のページに分割されたり、空白のページができてしまうことがあります。[印刷] および [ページ設定] の機能をうまく使い、見やすいガントチャートを印刷しましょう。

ガントチャートを印刷する

❶ [タスク] タブの [表示] の [ガントチャート] の▼をクリックし、[ガントチャート] をクリックする。

❷ [ファイル] タブの [印刷] をクリックする。

❸ [ページ設定] をクリックする。

❹ [ページ設定] ダイアログの [凡例] タブをクリックする。

❺ [凡例の印刷] で [なし] をクリックする。

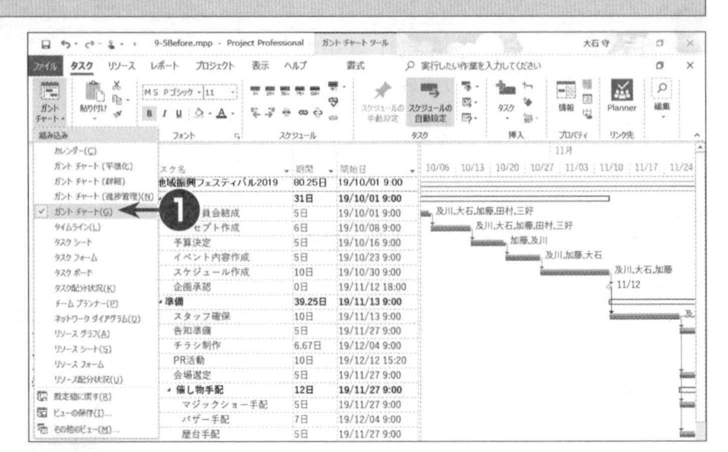

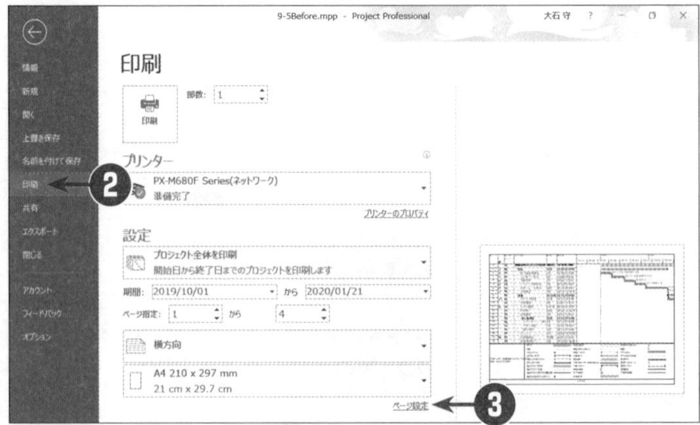

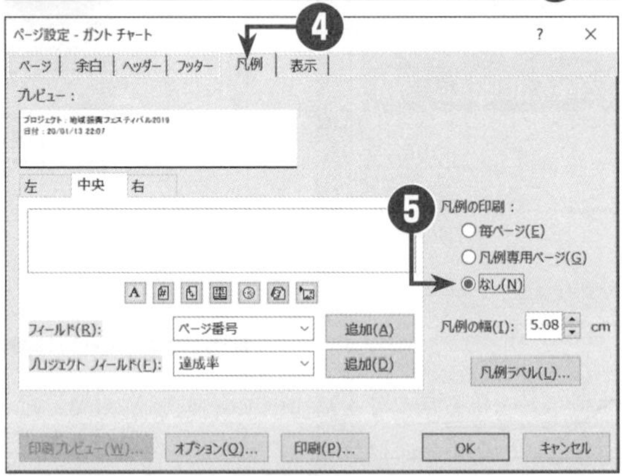

6 [表示] タブをクリックする。

7 [左から＜列数＞列目までをすべてのページに印刷する]にチェックを入れ、列数を適宜変更する。

8 [データを含まないページを印刷する] のチェックを外す。

9 [OK] をクリックする。

➡印刷プレビューが更新される。

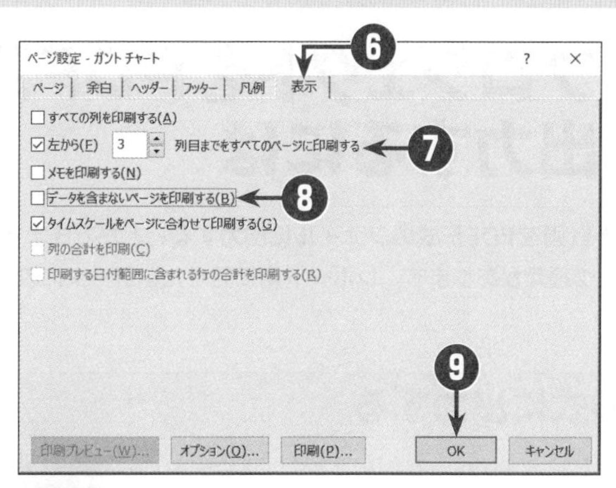

10 [設定] の一番上のボックスの▼をクリックし、[特定の日付を印刷] を選択する。

●すべての期間を印刷するときは、[プロジェクト全体を印刷] を選択する。

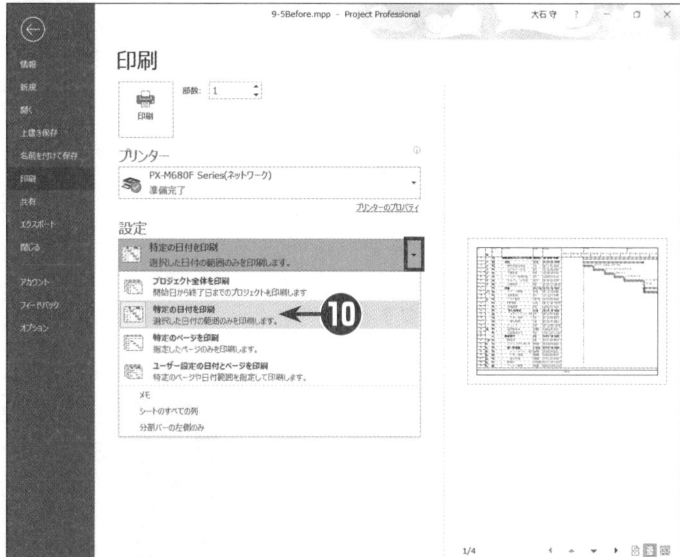

11 [期間] の開始と終了を指定する。

➡印刷プレビューが更新される。

12 [印刷] をクリックする。

➡ガントチャートが印刷される。

ヒント

ページ数が多すぎる場合は

[ページ設定] ダイアログの [ページ] タブの [拡大縮小印刷] で、縦横のページ数を指定します。縦横共に [1] を指定すると、1ページに収まる大きさに縮小されます。

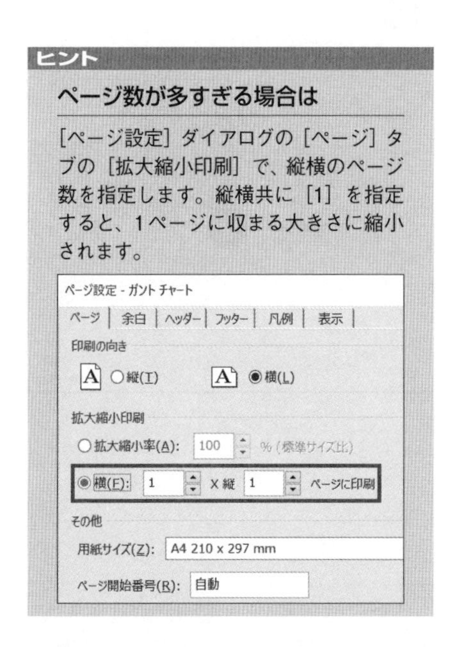

6 プロジェクトをPDF形式に出力するには

プロジェクト計画をPDF形式のファイルに出力することができます。ファイルとして保存する方法とPDF形式に印刷する方法の2種類があります。レポート用に見せたいデータに絞って印刷するには、PDF形式に印刷する方法がお勧めです。

PDF形式に出力する

❶ ［タスク］タブの［表示］の［ガントチャート］の▼をクリックし、［ガントチャート］をクリックする。

❷ ［ファイル］タブの［印刷］をクリックし、［プリンター］で［Microsoft Print to PDF］をクリックする。

❸ ［ページ設定］をクリックする。

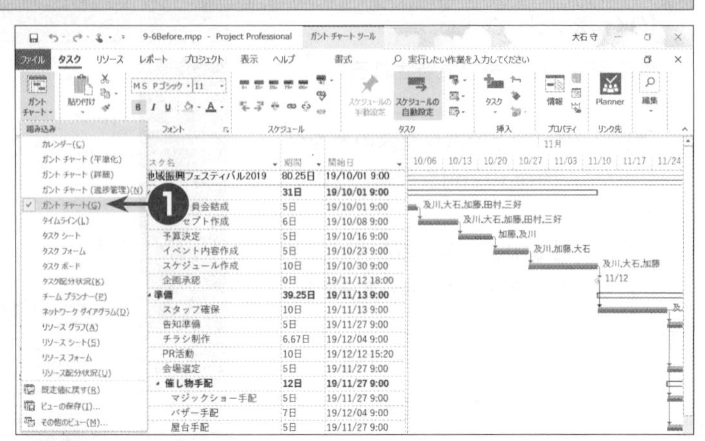

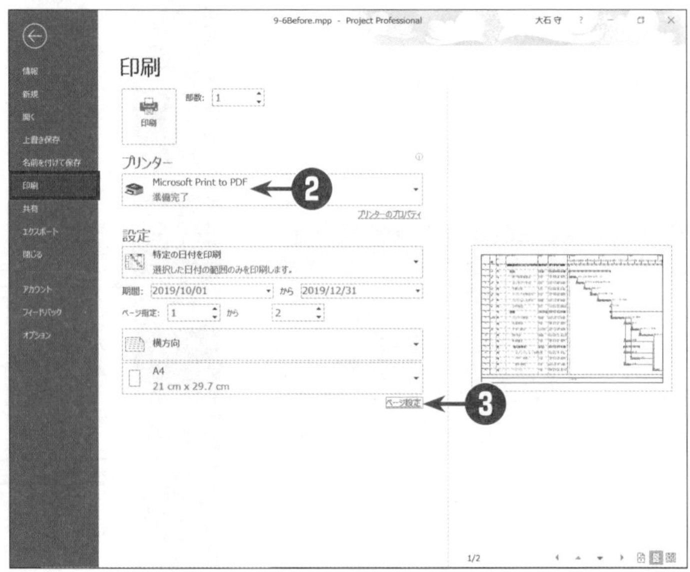

ヒント

PDF形式への出力に印刷をお勧めする理由

［ファイル］タブの［名前を付けて保存］で、直接PDFファイルに保存することもできます。ただし、この方法の場合、保存するデータの範囲を細かく指定することができません。見やすいレポートとしてPDF形式で保存するには、印刷機能を使用することをお勧めします。

4 [ページ設定] ダイアログの [表示] タブをクリックし、[タイムスケールをページに合わせて印刷する] にチェックを入れる。

5 [左から3列目までをすべてのページに印刷する] のチェックを外す。

6 [ページ] タブをクリックし、[印刷の向き] [拡大縮小率] などを適宜調整する。

7 [OK] をクリックする。

➡印刷プレビューが更新される。

8 [印刷] をクリックする。

➡[印刷結果を名前を付けて保存] ダイアログが表示される。

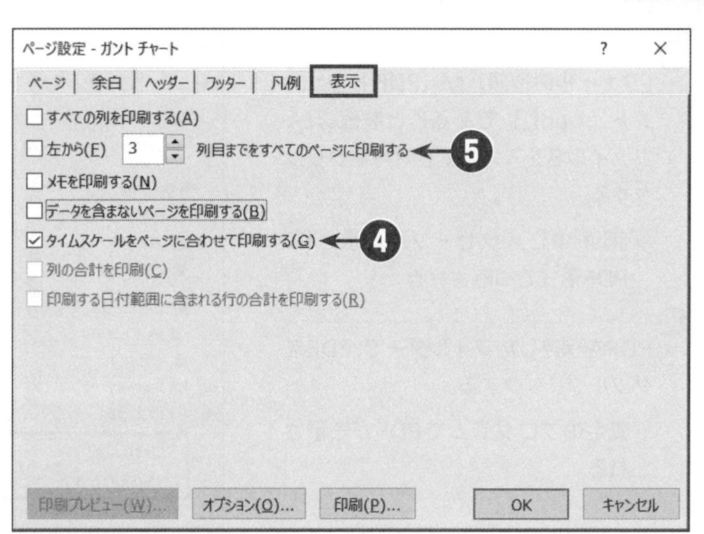

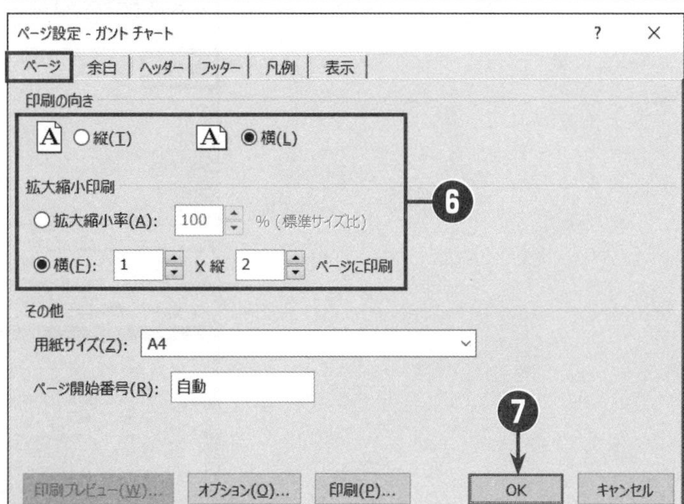

続く

9

［ファイルの種類］が［PDFドキュメント（*.pdf)］であることを確認し、ファイル名を入力して[保存]をクリックする。

➡［印刷中］メッセージが表示され、PDF形式で印刷される。

10

PDFを保存したフォルダーで、PDFをダブルクリックする。

➡既定のプログラムでPDFが表示される。

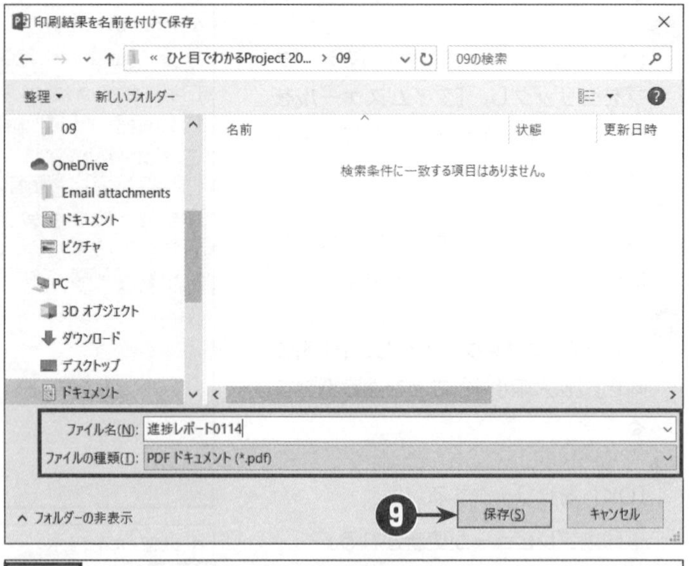

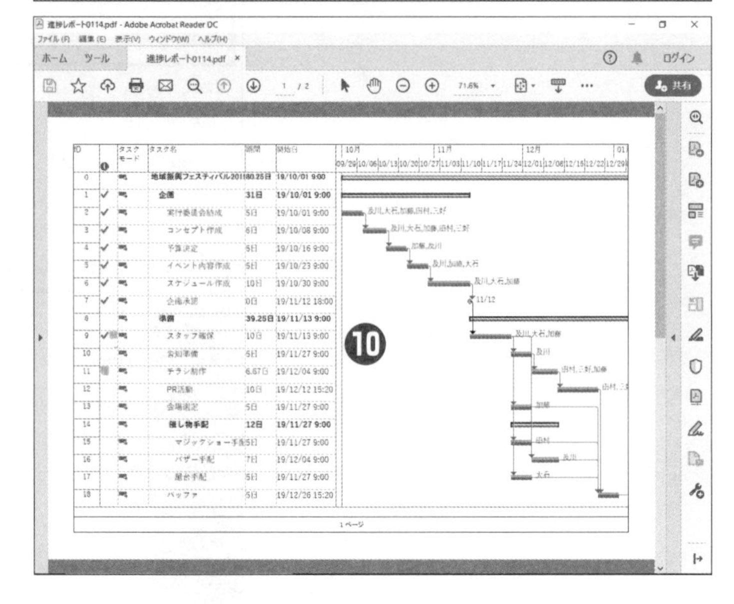

コラム　ガントチャートを少ないページ数に収めて印刷するには

ペーパーレスが進む昨今ですが、資料として配布するといった用途では、まだまだ紙に印刷したいというニーズがあります。その場合、当然ですが、紙に印刷した場合の見やすさを考慮する必要があります。

Projectの場合、ガントチャートを印刷したいというニーズがもっとも多いと思われます。したがって、ここではガントチャートが用紙の横幅にうまく収まるように設定する方法を紹介します。

プロジェクトのスケジュールや進捗状況を印刷して配布する際、1ページ、もしくは2ページぐらいに収めたいということが多いのではないでしょうか。プロジェクト全体のスケジュールとなると、非常に多くの情報が含まれることになることが多いでしょう。特に大きく長期間にわたるプロジェクトの場合、それを1ページにすべて納めるということは、何らかの取捨選択をしなければ、物理的に不可能ということもよくあります。

そこで、まずは配布に必要な情報に絞ることが必要になってきます。そこで次の3点を実施します。

❶アウトラインレベルもしくはフィルターを利用し、表示するタスクを絞り込む。

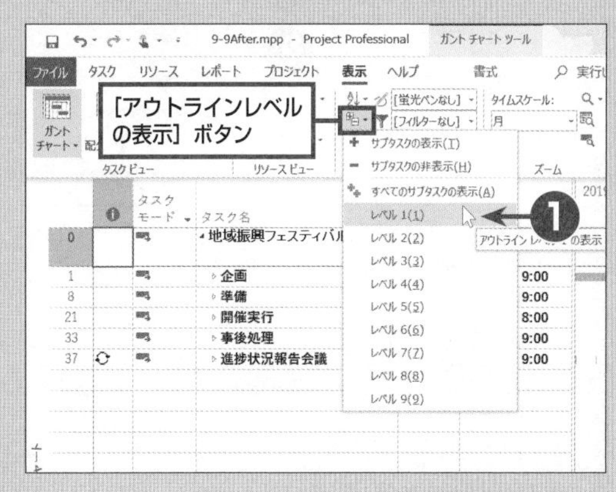

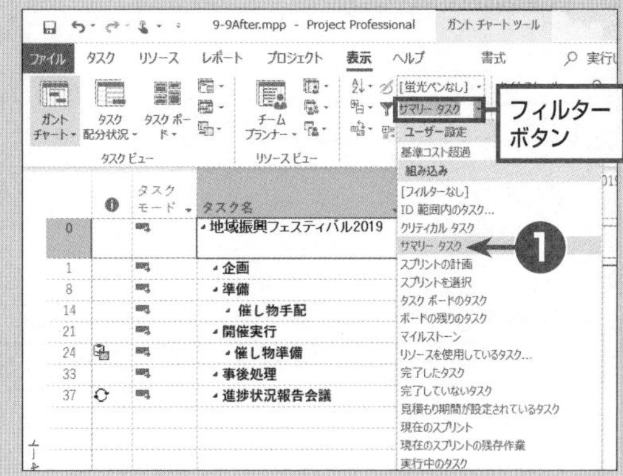

続く

❷［ページ設定］ダイアログで、不要なオプションをオフにし、［拡大縮小印刷］で［横］を［1］、［縦］を［2］に設定する。

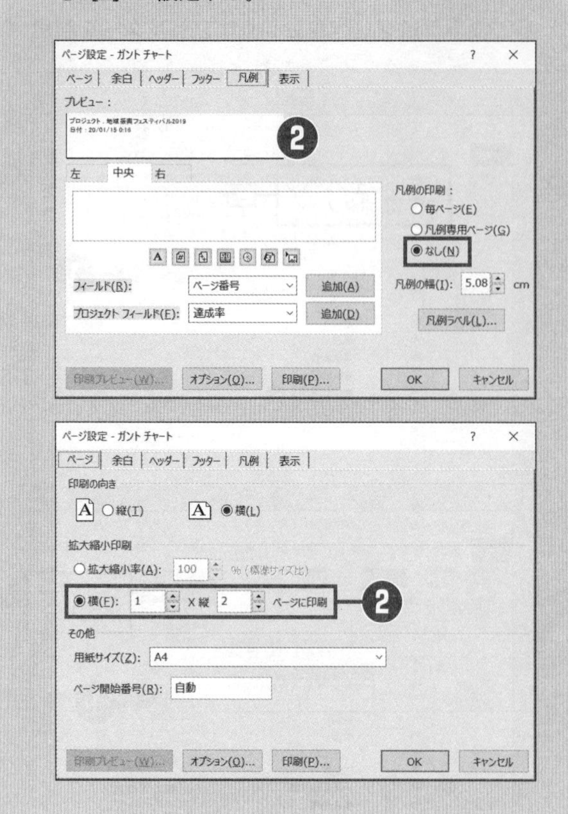

❸バックステージビューの［印刷］の設定で、印刷の日付の範囲を限定し、［ページ指定］を［1］から［2］に設定する。

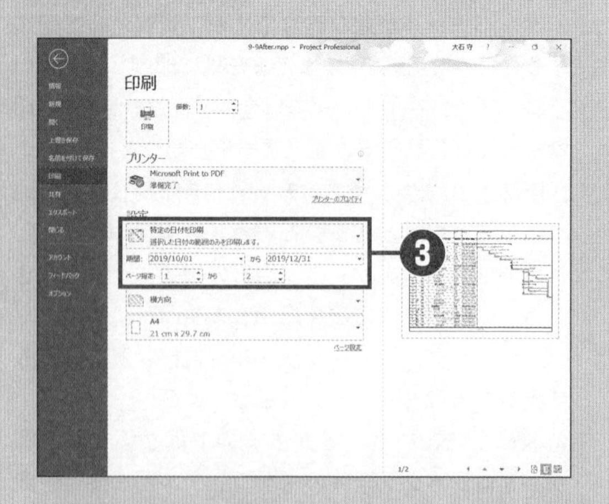

手順❷では、［ページ設定］ダイアログで指定したページ数に合わせて、最適な拡大縮小率をProjectが計算してくれます。バックステージビューで指定するページ数は、実際に印刷を行う対象となるページです。

このような工夫をすることで、できる限り少ないページ数に収めることができるようになります。

7　プロジェクト計画をテンプレートとして保存するには

作成したプロジェクト計画をテンプレート（ファイル形式：.mpt）として保存しておくことで、次に同種のプロジェクト計画を作成する際のひな型として使用できます。過去のプロジェクトの実績データを基にテンプレートとすることで、過去のプロジェクトの経験を次のプロジェクトに活かすことができます。

作成したファイルをテンプレートとして保存する

❶ ［ファイル］タブの［名前を付けて保存］をクリックする。

❷ ［このPC］をクリックして［参照］をクリックする。

❸ ［ファイル名を付けて保存］ダイアログで、［ファイルの種類］の▼をクリックして、［プロジェクトテンプレート（.mpt）］を選択する。

➡テンプレートの既定の保存先が開く。

❹ ［ファイル名］にテンプレートの名前を入力し、［保存］をクリックする。

❺ ［テンプレートとして保存］ダイアログで、テンプレートから削除するデータの種類にチェックを入れ、［保存］をクリックする。

➡テンプレートが保存される。

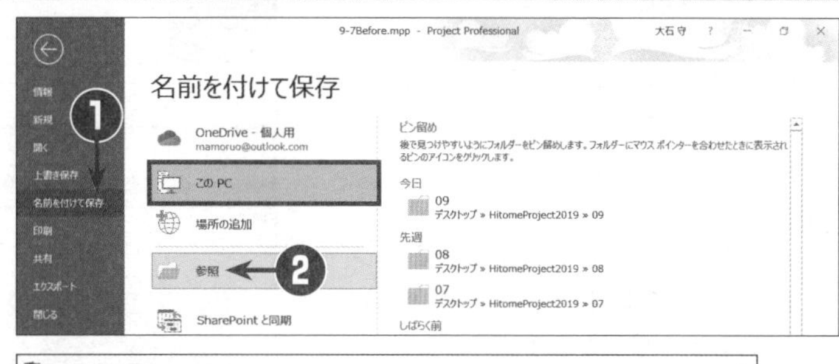

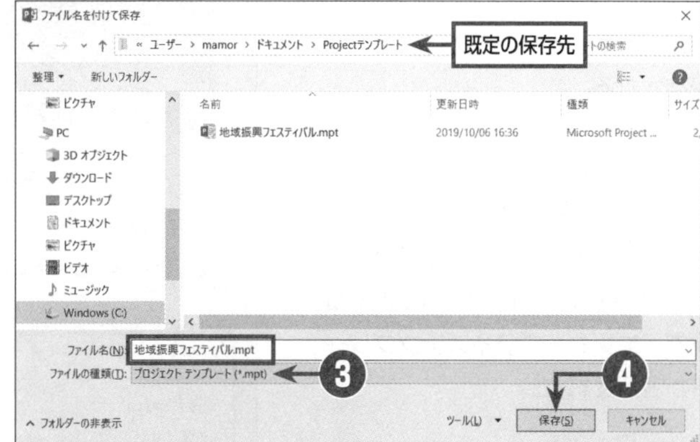

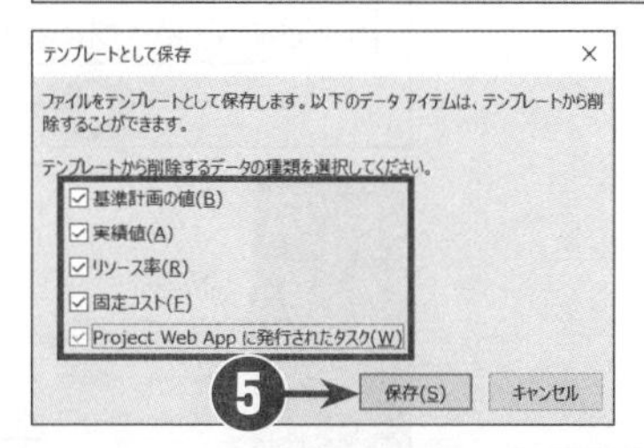

ヒント

テンプレートの既定の保存先を指定するには

個人用テンプレートの既定の保存先を指定することができます。そのためには、［ファイル］タブの［オプション］をクリックし、［Projectのオプション］ダイアログの［保存］をクリックして、［テンプレートの保存］の［個人用テンプレートの既定の場所］でフォルダーを指定します。

Project Onlineにテンプレートとして保存する

❶ [ファイル] タブで、[名前を付けて保存] をクリックする。

❷ [Project Online] をクリックし、[保存] をクリックする。

➡[Project Web Appに保存] ダイアログが表示される。

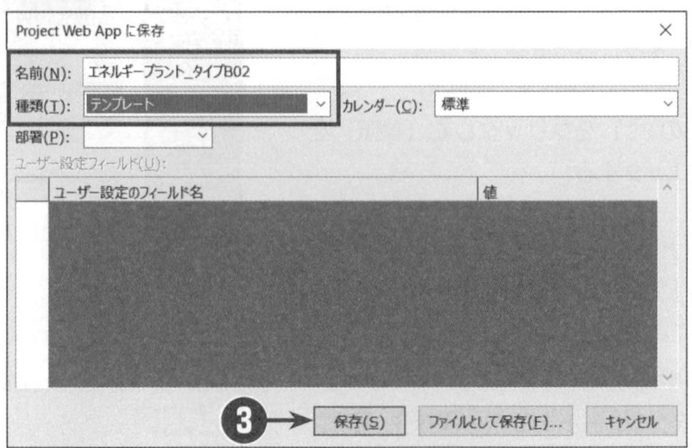

❸ [名前]にテンプレート名を入力し、[種類] で [テンプレート] を選択して [保存] をクリックする。

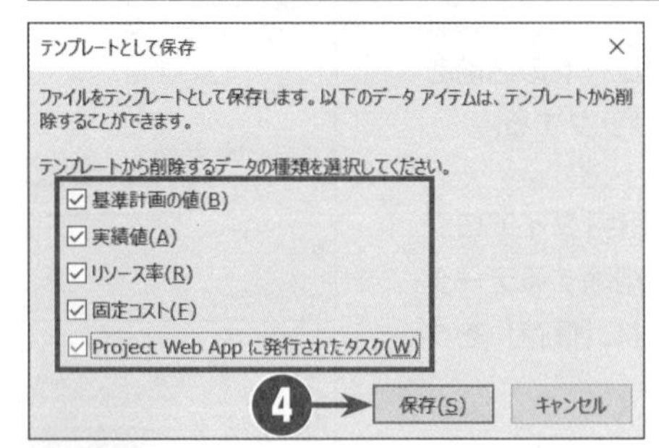

❹ [テンプレートとして保存]ダイアログで、すべての項目にチェックを入れて[保存] をクリックする。

➡Project Onlineにテンプレートが保存される。

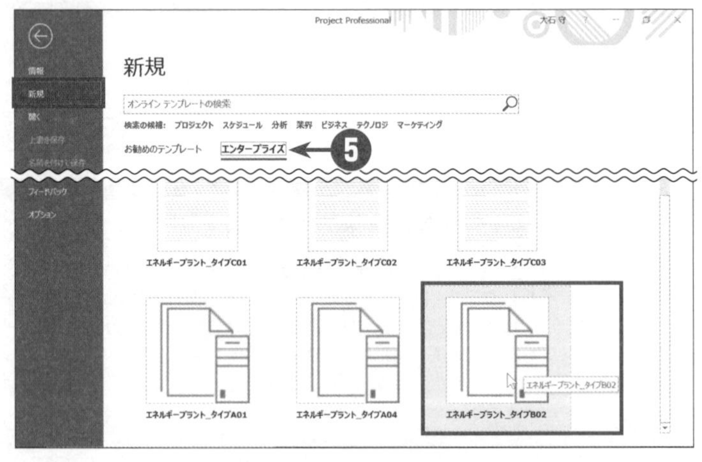

❺ 確認のために、[ファイル] タブをクリックして [新規] をクリックし、[エンタープライズ]タブをクリックする。

➡サーバーとドキュメントのアイコンで、エンタープライズテンプレートが表示される。

用語

エンタープライズテンプレート

Project Onlineに保存したテンプレートをエンタープライズテンプレートと呼びます。通常のテンプレートは.mpt形式のファイルで保存されるのに対し、エンタープライズテンプレートはProject Online上のデータベース内に保存されます。

コラム

テンプレート作成のコツ

再利用目的でプロジェクト計画をテンプレートとして保存するには、いくつかの確認事項と必要作業があります。

テンプレートの保存場所を決めておく

テンプレートは、組織内で共有する必要があります。そのため、あらかじめテンプレートの保存場所を決めておきましょう。デスクトップのみで使用している場合は、[Projectのオプション] ダイアログの [保存] タブの [個人用テンプレートの既定の場所] で、プロジェクトで使用している共有フォルダーを指定すると便利です。

Project Onlineを利用している場合、テンプレートはエンタープライズテンプレートとしてProject Onlineに保存されます。エンタープライズテンプレートは、[ファイル] タブの [新規] で、[エンタープライズ] タブをクリックすると、サーバーとドキュメントのアイコンとして表示されます。

WBSに漏れや重複、特定プロジェクト固有のタスクがないか確認する

完了したプロジェクトのWBS作成から実行にかけて、既に十分に検討が行われているはずですが、テンプレートを保存する際には、再度、WBSに漏れや重複がないことを確認しましょう。さらに、完了したプロジェクト固有のタスクについては、削除するか名称を抽象的なものに変更しておきます。必要に応じてタスクのメモを使用し、WBSを補足する情報も添付するとよいでしょう。

リソース名は、個人名ではなく役割名に

タスクに割り当てるリソースは、「田中さん」といった個人名ではなく、「プログラマー」のような役割の標準リソースに置き換えておくことをお勧めします。その際に標準リソースの最大単位数は「1,000%（もしくは10.0)」のように複数の人数を想定した値に設定しておくと便利です。次にテンプレートを利用する際、まず「プログラマー」が何人必要なのか見積もりした後、具体的な担当者を割り当てることができます。

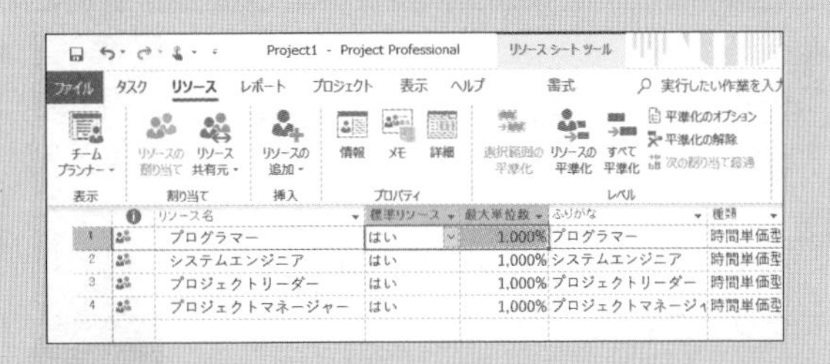

不要なデータの種類を削除する

完了したプロジェクトのデータを利用してテンプレートを保存する際に、不要なデータの種類を選択して削除しましょう。

- [基準計画の値]：基準計画に保存されたデータ
- [実績値]：実績として入力されたデータ
- [リソース率]：リソースの導入コスト、標準単価、超過単価
- [固定コスト]：タスクの固定コスト
- [Project Web Appに発行されたタスク]：Project Serverに発行したタスクのデータ

制約タイプは解除し、定期タスクは削除する

テンプレートを基に新しいプロジェクトを作成する際、まず [プロジェクト情報] ダイアログでプロジェクトの開始日を指定します。制約タイプが設定されているタスクは、開始日もしくは終了日に制約があるため、新しいプロジェクトでは解除します。定期タスクには自動的に [指定日以後に開始] という制約タイプが設定されるため、削除します。

8 Projectで作成したプロジェクト計画をExcelにエクスポートするには

Projectで作成したプロジェクト計画を、Excelなどの他のアプリケーションにエクスポートすることができます。プロジェクトの実績データを会計システムと連携させ、詳細なコストを計算するといった目的に使用することもできます。

Excelにプロジェクト計画をエクスポートする

1. [ファイル] タブの [名前を付けて保存] をクリックする。

2. [このPC] をクリックして [参照] をクリックする。

   ➡[ファイル名を付けて保存] ダイアログが表示される。

3. [ファイルの種類] で [Excelブック (*.xlsx)] を選択する。

4. エクスポート先のフォルダーを指定する。

5. [ファイル名]にExcelブックのファイル名を入力する。

6. [保存] をクリックする。

   ➡[エクスポートウィザード] が表示される。

7. [次へ] をクリックする。

   ➡[データ] 画面が表示される。

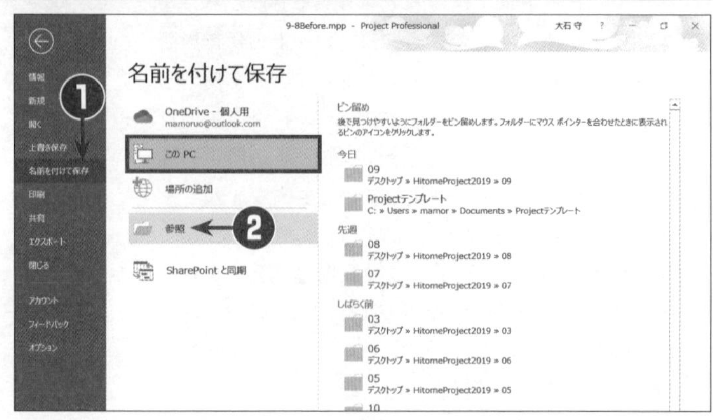

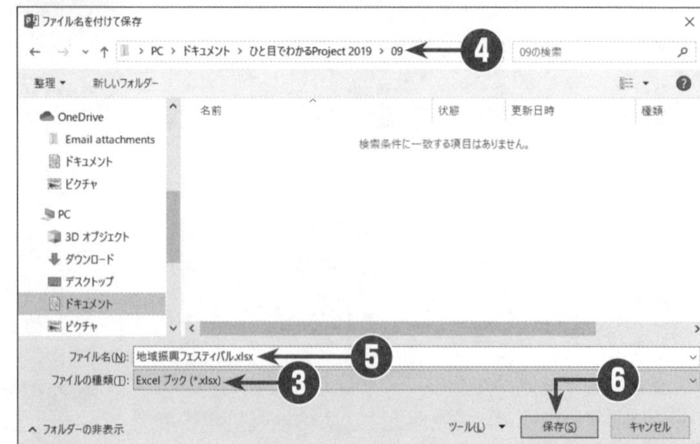

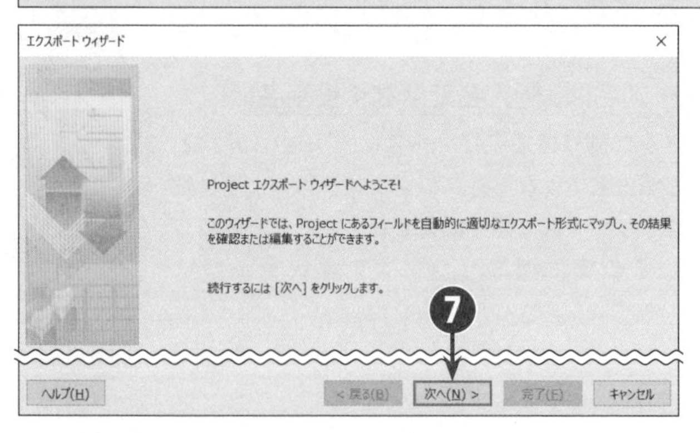

続く

8 [選択したデータ] を選択し、[次へ] をクリックする。

➡[マップ] 画面が表示される。

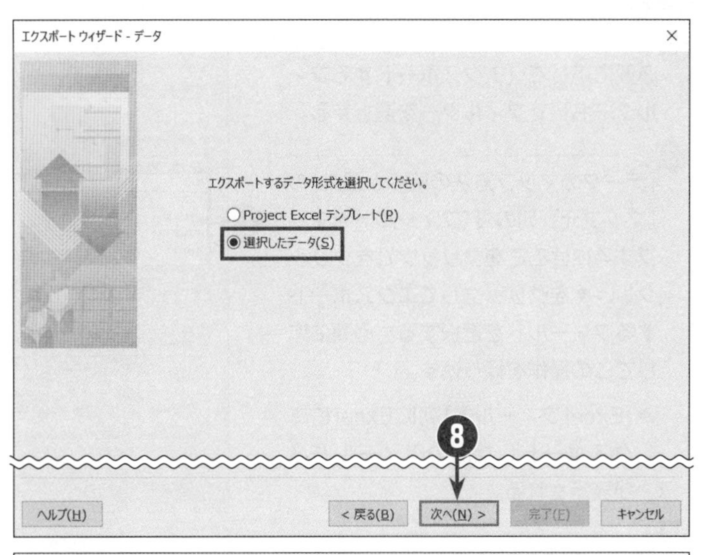

9 [新しいマップ] を選択し、[次へ] をクリックする。

➡[マップオプション] 画面が表示される。

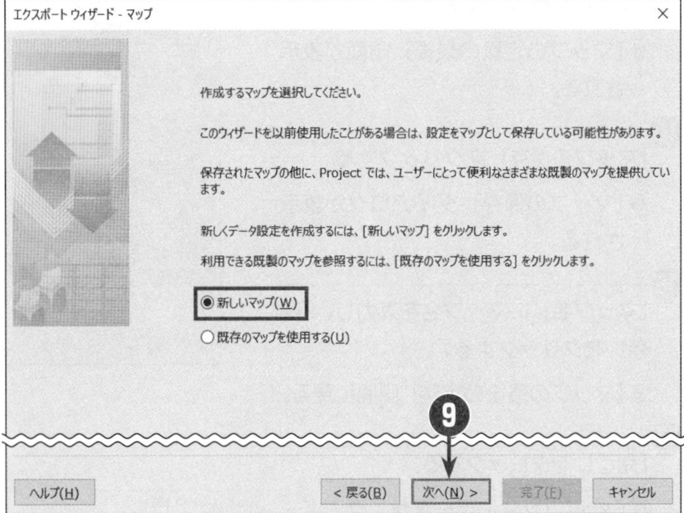

10 [エクスポートするデータの種類の選択] の [タスク] と、[Microsoft Excel オプション] の [ヘッダーを含めてエクスポートする] にチェックを入れる。

11 [次へ] をクリックする。

➡[タスクマップ] 画面が表示される。

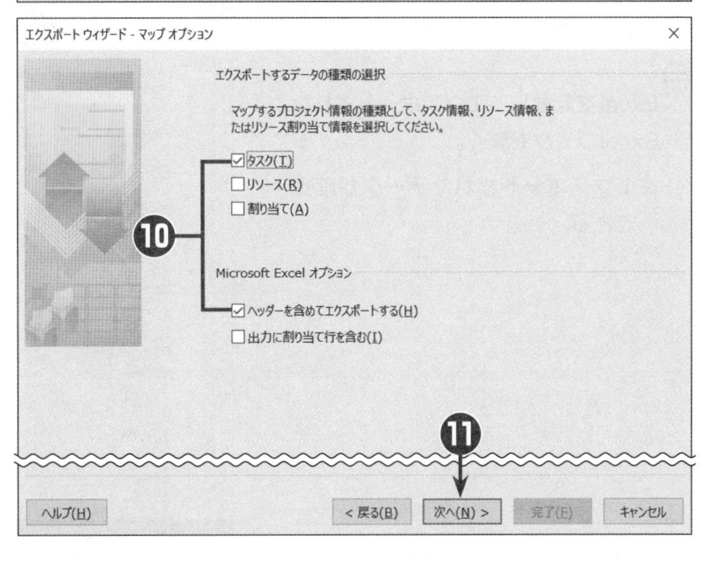

ヒント

簡単にExcelにデータを移行するには

もっと手軽にExcelにデータをエクスポートしたい場合は、Projectのテーブルでデータをコピーし、Excelのシートに貼り付けを行います。列名やインデントなどの書式を保った状態でデータが貼り付けられます（この章の9を参照）。

⑫ 必要に応じて［エクスポートするフィルター名］でフィルターを選択する。

⑬ ［データのマップ方法の確認と編集］の［マップ元］列の［(フィールドをマップするにはここをクリック)］をクリックし、▼をクリックしてエクスポートするフィールドを選択する。必要に応じてこの操作を繰り返す。

➡［Excelフィールド］列にExcelにエクスポートした際のフィールド名が表示される。

⑭ ［次へ］をクリックする。

➡［マップの定義の最後］画面が表示される。

⑮ ［マップの保存］をクリックする。

➡［マップの保存］ダイアログが表示される。

⑯ ［マップ名］にマップ名を入力し、［保存］をクリックする。

➡［マップの最後の定義］画面に戻る。

⑰ ［完了］をクリックする。

➡Excelブックにデータがエクスポートされる。

⑱ Excelを起動し、エクスポートされたExcelブックを開く。

➡エクスポートされたデータが確認できる。

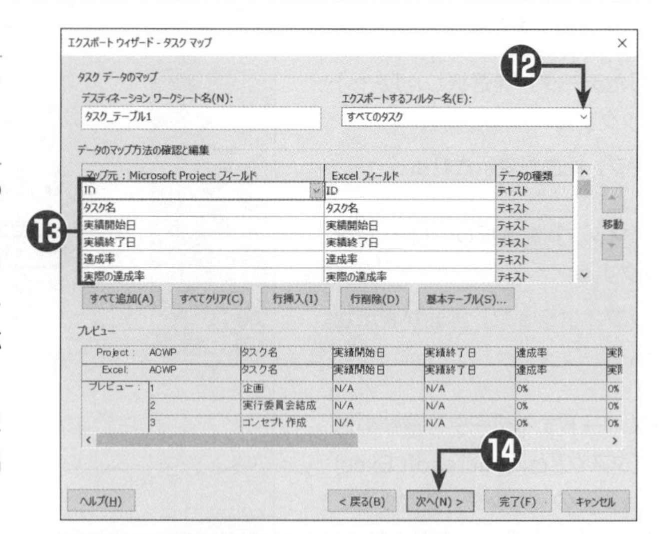

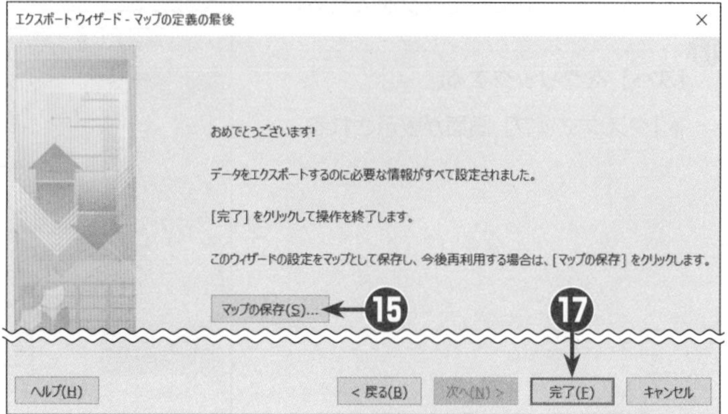

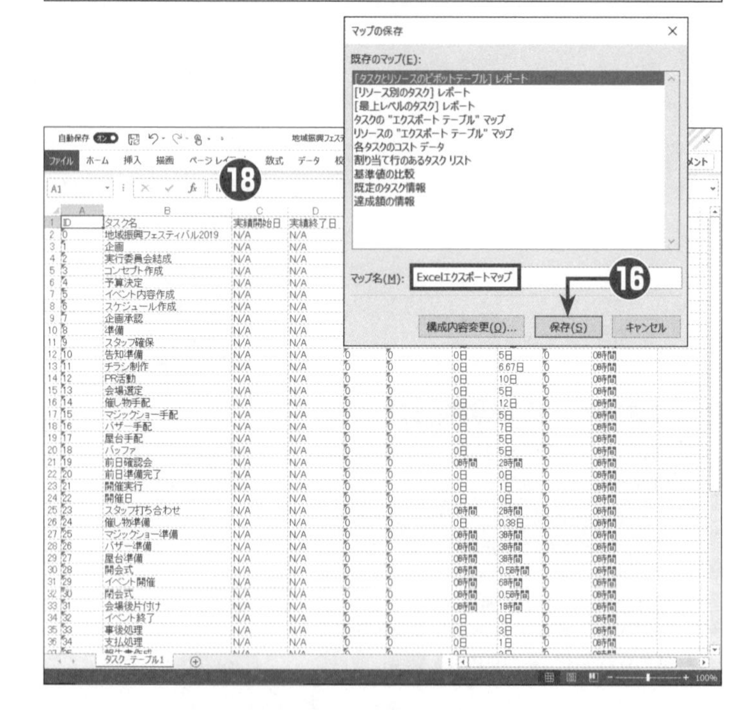

9 Projectのデータをコピーして他のアプリケーションに貼り付けるには

Projectのデータをコピーして他のOfficeアプリケーションに貼り付ける機能が、Project 2010以降では強化されています。テーブルのデータに加えて、タイムラインやクライアントレポートも、Excel、PowerPoint、Wordなどの Officeアプリケーションに、元の体裁を保ったまま貼り付けることができます。

テーブルのデータをExcelに貼り付ける

❶ Projectでテーブルの左上隅をクリックして、テーブル全体を選択する。

❷ [タスク] タブの [クリップボード] の [コピー]の▼をクリックして[コピー]をクリックする。

➡テーブルがコピーされる。

❸ Excelを起動し、空白のブックを新規作成する。

❹ Excelで [ホーム] タブの [クリップボード] の [貼り付け] をクリックする。

➡列名やインデントなどの書式を保った状態で、テーブルのデータが貼り付けられる。

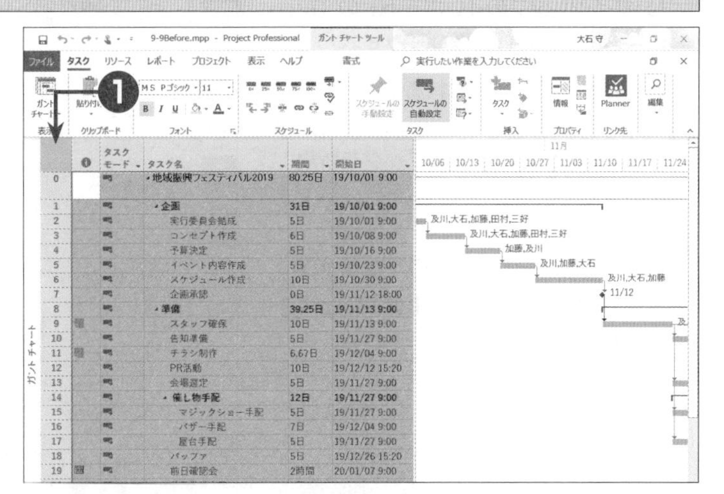

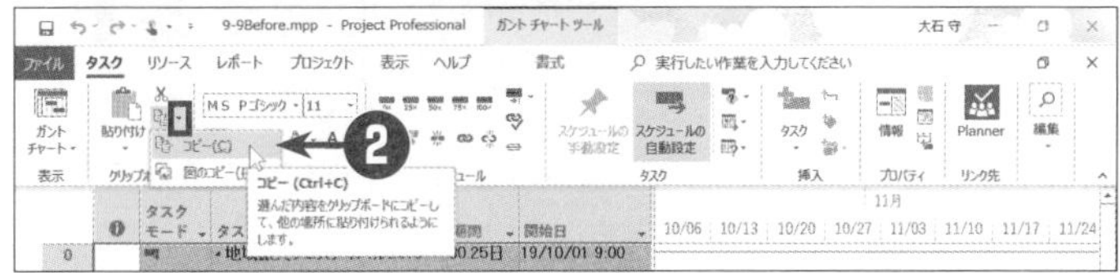

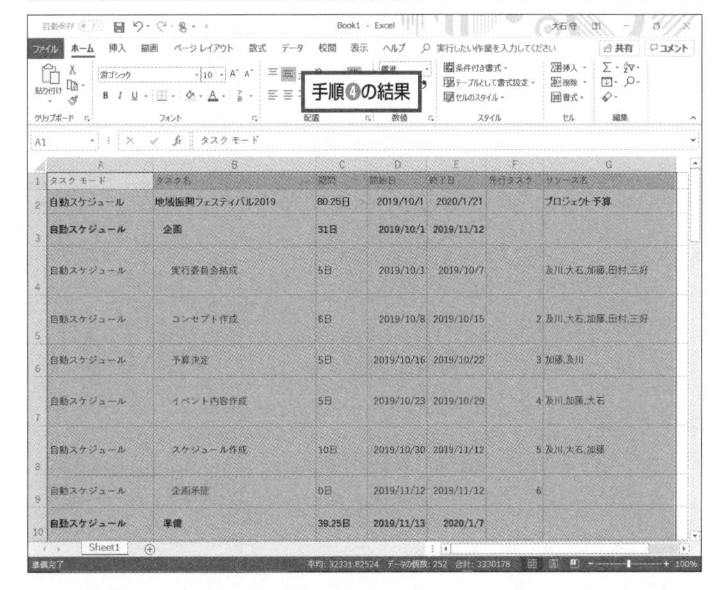

クライアントレポートをExcelに貼り付ける

1

Projectで［レポート］タブの［レポートの表示］の［ダッシュボード］をクリックし、［作業の概要］をクリックする。

➡［作業概要］レポートが表示される。

2

［デザイン］タブの［レポート］の［レポートのコピー］をクリックする。

➡レポートがコピーされる。

3

Excelを起動し、空白のブックを新規作成する。

4

Excelで［ホーム］タブの［クリップボード］の［貼り付け］（ボタンの上半分）をクリックする。

➡レポートが貼り付けられる。

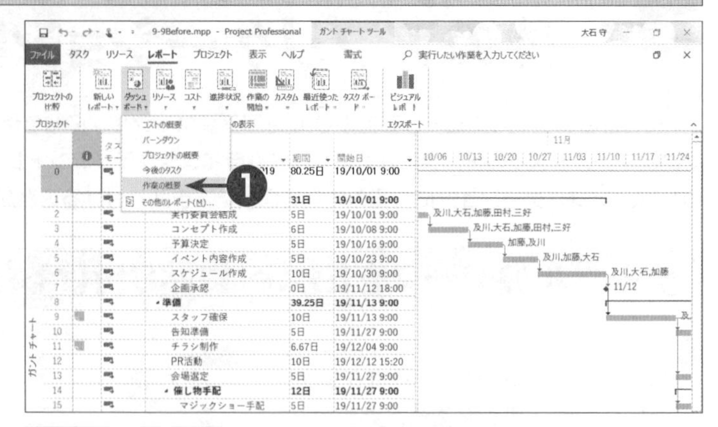

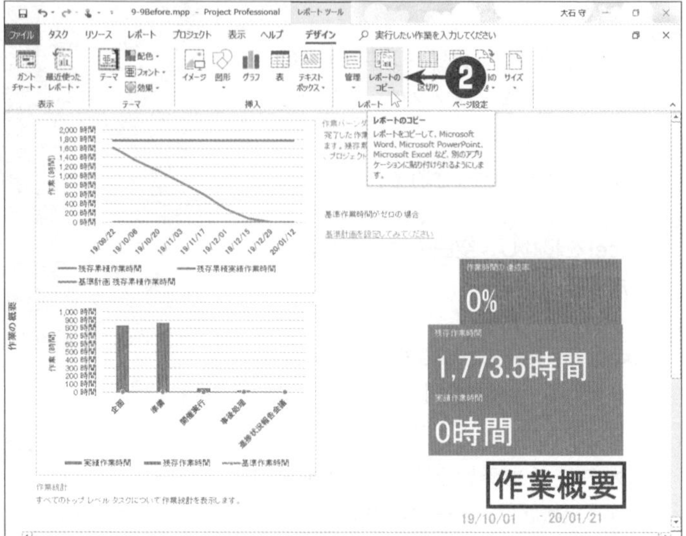

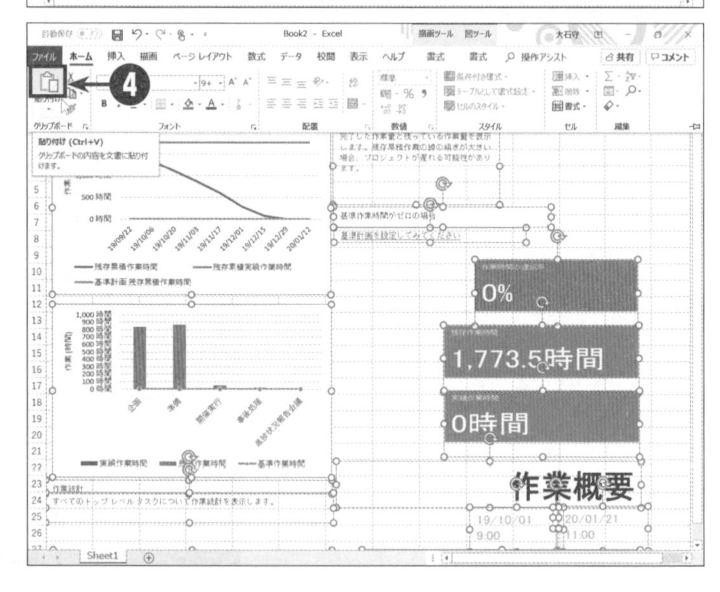

タイムラインをPowerPointに貼り付ける

❶
Projectで［表示］タブの［表示の分割］の［タイムライン］にチェックを入れる。

➡［タイムライン］ビューが表示される。

❷
［タイムライン］ビューを右クリックし、［タイムラインのコピー］の［プレゼンテーション用］をクリックする。

➡タイムラインがコピーされる。

❸
PowerPointを起動し、空白のプレゼンテーションを新規作成する。

❹
PowerPointで［ホーム］タブの［クリップボード］の［貼り付け］の▼をクリックし、［貼り付け先のテーマを使用］のアイコンをクリックする。

➡タイムラインが貼り付けられる。

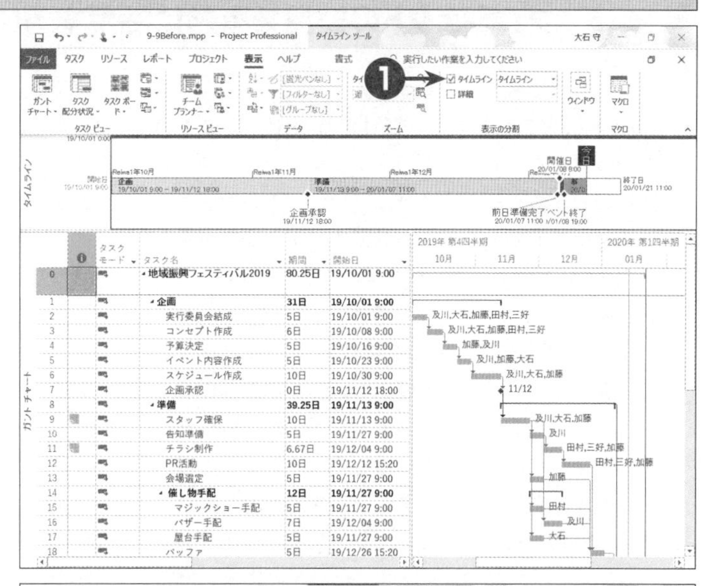

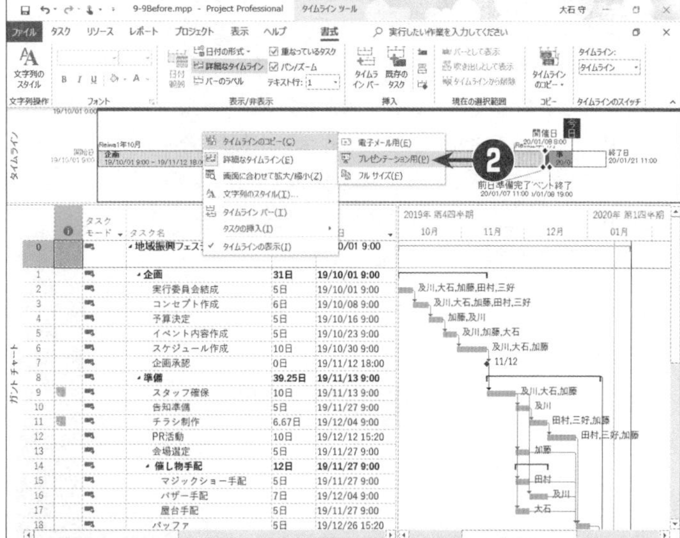

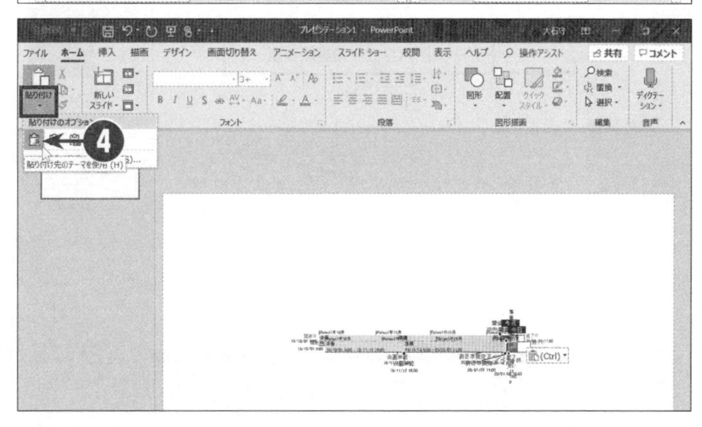

ヒント

タイムラインは図形として編集できる

タイムラインをPowerPointに貼り付けるときに［貼り付け先のテーマを使用］を選択すると、タイムラインを図形として編集することができます。

プロジェクトの知見を有効に活用するには

Projectをプランニングだけにしか使っていないという話をよく聞きます。確かにプランニングには大いに役立つツールですが、それだけにしか使わないのはとてももったいない話です。第7章でも紹介しているように、進捗管理に使用することで、Projectのメリットを大いに享受できます。

実際にプロジェクトの進捗状況を入力することで、常にプロジェクトの現在の状況を把握できるうえに今後の予測にも役立ちます。さらにプロジェクトの終了後に状況の推移を振り返り分析することもできます。もしプロジェクトの途中で基準計画との大きな乖離が発生したとしたら、どの時期にどのような状態になったのか、そしていつどのような対策を実施したのか、さらにいつどのような状態で完了したのか、もしくは完了できなかったのか、といったことを分析しておくことは大変重要です。

特にこの章で紹介されているレポート機能を活かして、アーンドバリュー（達成額）のグラフを出力することで、プロジェクトの状況の経緯を把握することができます。

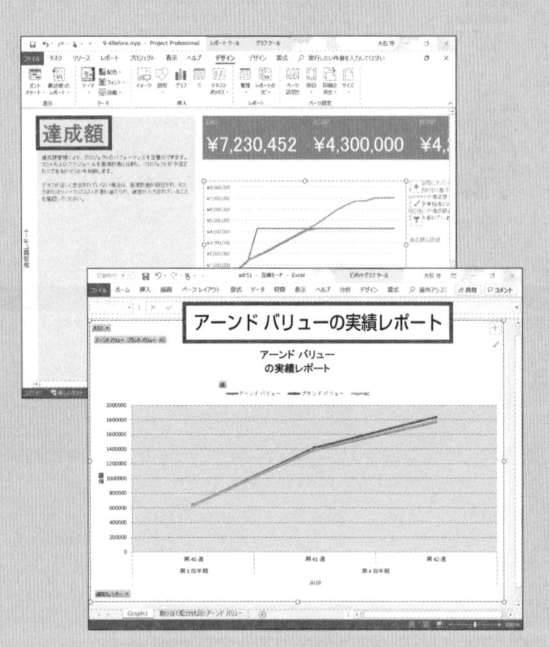

新しい分野のプロジェクトを初めて行う場合、未知の部分が多くなるはずです。当初想定したWBSよりも多くのタスクを実施しなければならなくなることは珍しくありません。そのために工数や期間が増大し、それに伴ってコストも増加することになるでしょう。その結果、基準計画と大きな乖離が発生してしまうことがあります。

そのようなプロジェクトを実施した際の実績をデータとして記録し分析しておくことで、今後のプロジェクトのプランニングに活かし、見積もりの精度を上げ、適切なリソースの用意と配分を行い、確実で正確なプロジェクトマネジメントを行うための参考材料にすることができます。

そういった過去の知見を元にして、同種のプロジェクトのためのWBSテンプレートを作成し、組織内で共有することは大変有効です。またProjectからWBSテンプレートにアクセスできるようにしておくと便利なのでお勧めです。

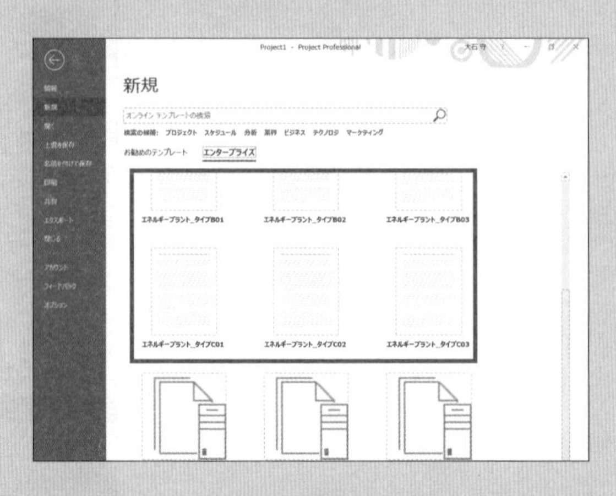

このような知見が詰め込まれているテンプレートを使用することで、経験が浅いプロジェクトマネージャーでも、プロジェクト計画のプランニングのハードルを下げることができます。

このようにして蓄積した実績データを、PMBOKで言われている「教訓」として、今後のプロジェクトの見積もりやマネジメントに活かしましょう。

プロジェクト計画を使いやすくする機能

第10章

この章では、Projectをユーザーの環境に合わせてカスタマイズする方法を中心に紹介します。Projectでは、ユーザー独自のプロジェクトのデータ項目（フィールド）を作成することができます。Excelのように計算式を定義して独自の加工データを表示することもできます。また目的に合わせて独自のビューを簡単に作成することもできます。さらにこれらのフィールドやビューを他のProjectファイルで使用できるようにコピーする手順も解説します。

1 テーブルに列を追加するには

ビューのテーブルに必要なフィールドの列をいつでも簡単に追加することができます。

テーブルに列を追加する

❶ [表示] タブの [タスクビュー] の [ガントチャート]の▼をクリックして[ガントチャート] をクリックする。

❷ 列を追加したい位置の右側の列（ここでは [開始日]）の見出し部分をクリックして列を選択し、[書式] タブの [列] の [列の挿入] をクリックする。

➡選択した列の左側に列が挿入される。

●ここでは例として [作業時間] 列を追加する。

❸ [列名の入力]に「作業時間」と入力する。

➡文字列「作業時間」を含むフィールド名がフィールド一覧に表示される。

❹ [作業時間] を選択して Enter を押す。

➡テーブルに [作業時間] 列が追加される。

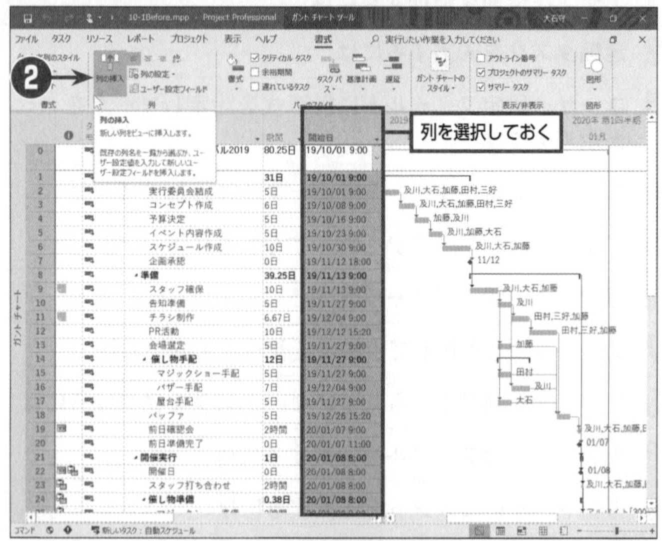

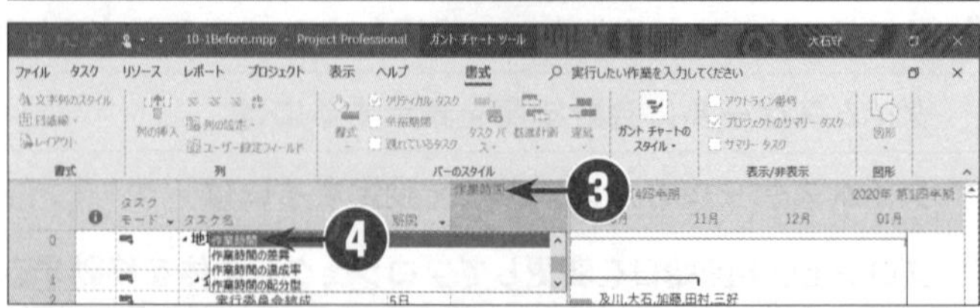

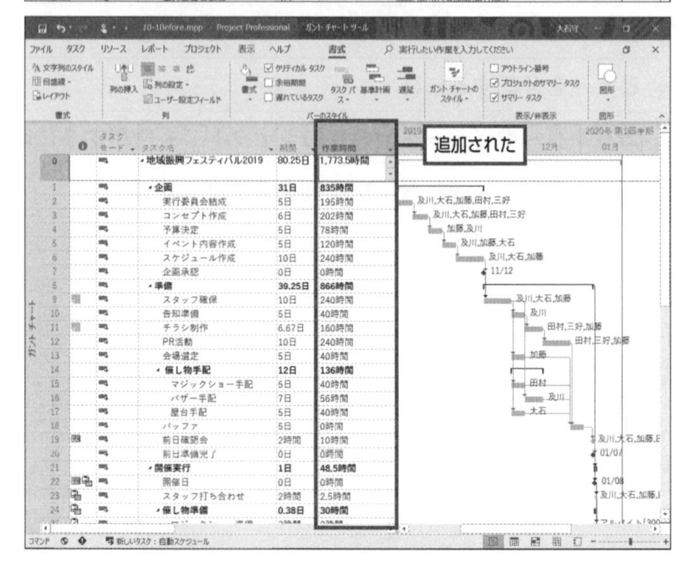

ヒント

列名を変更するには

列を右クリックして [フィールドの設定] をクリックし、[フィールドの設定] ダイアログの[タイトル]に列名を入力します。

列のフィールドを変更するには

列の見出し部分をダブルクリックし、フィールド名を入力します。

存在しないフィールド名を入力した場合

列の挿入時に列名に存在しないフィールド名を入力すると、自動的にユーザー設定フィールドが作成されます。

2 定期タスクを入力するには

タスクの中には、定期的に繰り返すタスクがあります。たとえば、毎週月曜日の午前中に行う進捗会議といったものが定期タスクに該当します。

定期タスクを入力する

❶ [タスク] タブの [挿入] の [タスク] の▼をクリックし、[定期タスク] をクリックする。

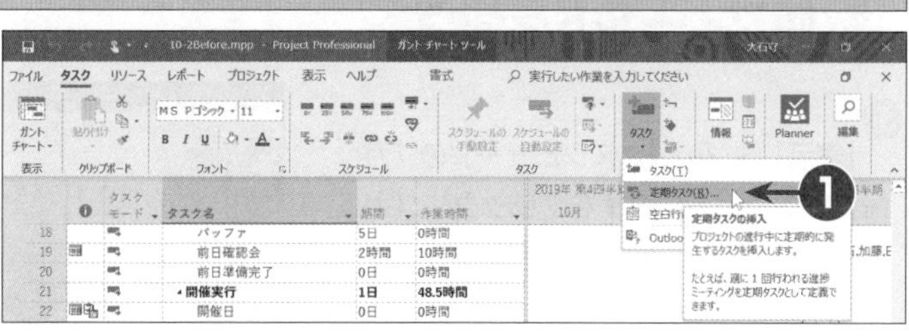

❷ [定期タスク情報] ダイアログで、[定期タスク名] [定期的パターン] [期間] を設定する。

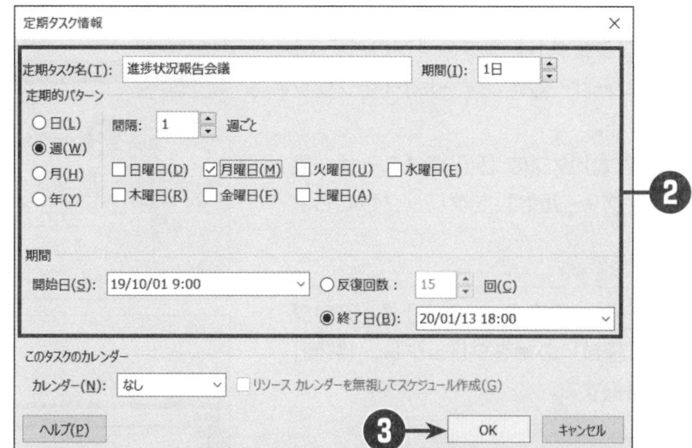

❸ [OK] をクリックする。

➡定期タスクが設定される。

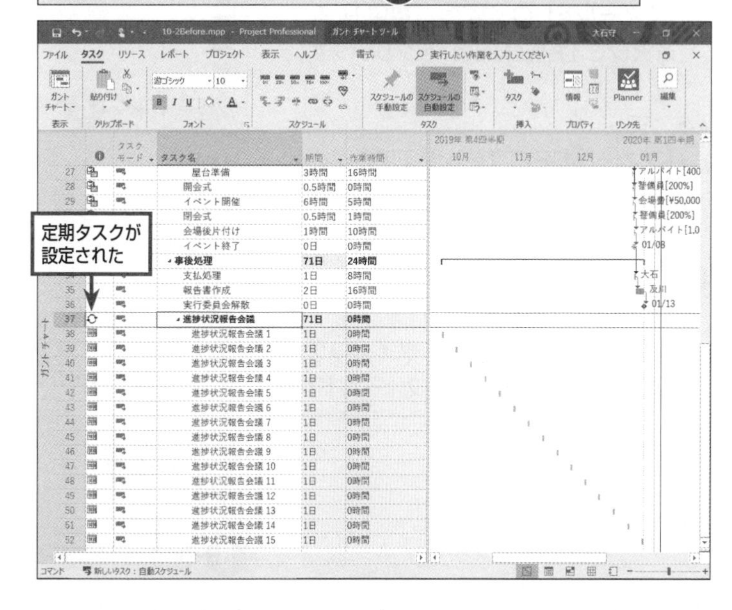

ヒント

表示されるアイコンについて

定期タスクを設定すると、テーブルの [状況説明マーク] 列に、定期タスクを示すアイコン (🔄) が表示されます。新しいタスクを作成する際に、自動/手動のどちらのスケジュール計算方法に設定しているかによって、定期タスクの設定も変わります。自動スケジュールの場合には、タスクに制約タイプが設定されます。手動スケジュールの場合は、手動スケジュールタスクとして設定されます。

3 ユーザー設定フィールドに計算式を設定しマークを表示するには

［ユーザー設定フィールド］には、ユーザー独自の情報が設定できます。たとえば、他のフィールドを参照し関数を使って計算したり、その結果を視覚的にマークで表示したりといった設定をすることができます。ここでは、タスクの進捗状況を信号機マークで表示するフィールドを作成します。

数値フィールドを使う

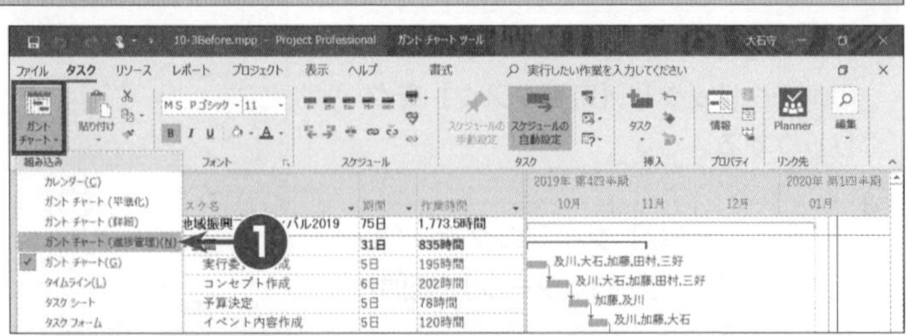

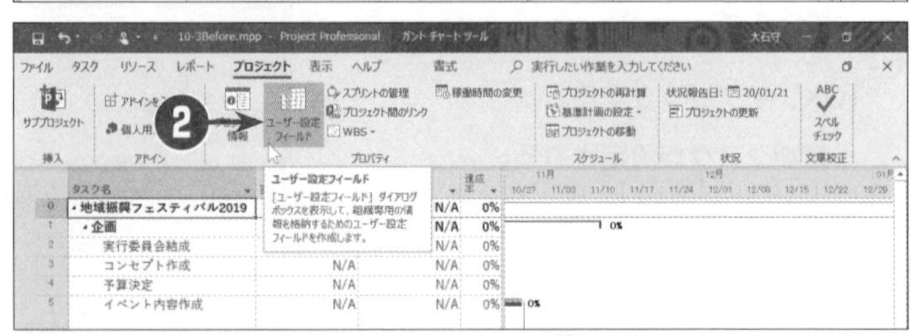

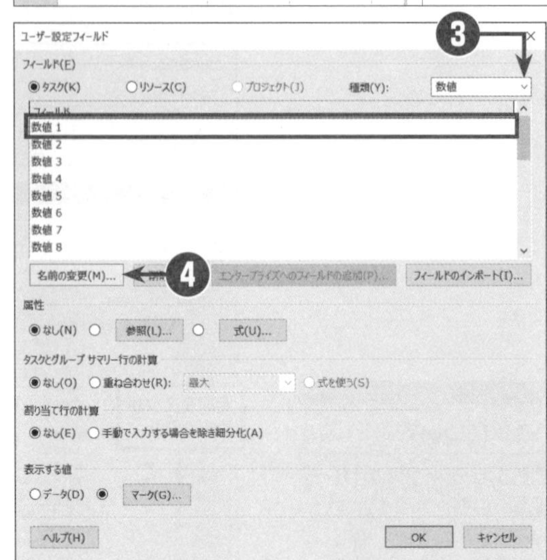

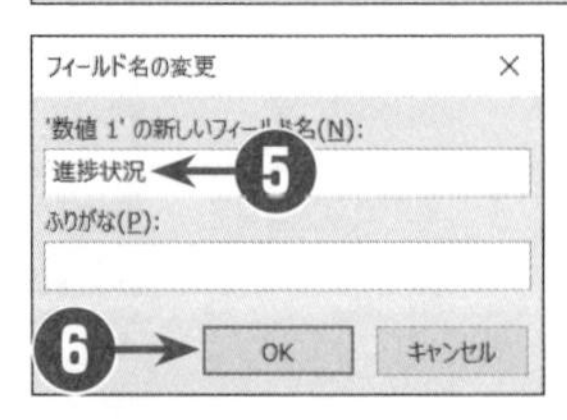

❶ ［表示］タブの［タスクビュー］の［ガントチャート］の▼をクリックし、［ガントチャート（進捗管理）］をクリックする。

❷ ［プロジェクト］タブの［プロパティ］の［ユーザー設定フィールド］をクリックする。

- ［書式］タブの［列］の［ユーザー設定フィールド］をクリックしてもよい。

❸ ［ユーザー設定フィールド］ダイアログの［種類］の▼をクリックし、［数値］を選択する。

❹ ［フィールド］の一覧で、［数値1］を選択して［名前の変更］をクリックする。

❺ ［フィールド名の変更］ダイアログの［'数値1' の新しいフィールド名］に「進捗状況」と入力する。

❻ ［OK］をクリックする。

➡［フィールド名の変更］ダイアログが閉じ、［ユーザー設定フィールド］ダイアログに戻る。

計算式を入力する

❶
[ユーザー設定フィールド]ダイアログの[フィールド]の一覧で[進捗状況(数値1)]が選択されている状態で、[属性]の[式]をクリックする。

➡['進捗状況'の式]ダイアログが表示される。

❷
[進捗状況=]に次の計算式を改行を入れずに入力し、[OK]をクリックする。

➡['進捗状況'の式]ダイアログが閉じ、[ユーザー設定フィールド]ダイアログに戻る。

```
IIf([達成率]<>100,IIf([実績開始日]>#2149/12/31#,ProjDateDiff([基準終了日],[終了日]),ProjDateDiff([開始日],[状況報告日])),0)/480
```

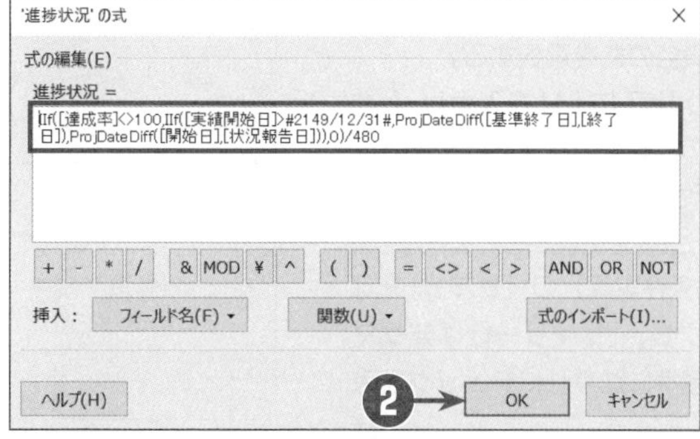

注意

IsNull式による日付の空白の判定

IsNull式では、日付フィールドの空白は判定できません。上記の方法で判定してください。
Project 2010がサポートする日付の最大値は「2049/12/31」でした。Project 2013以降では100年延長され「2149/12/31」となりました。

ヒント

計算式の意味について

IIF関数は、式の評価によって、2つの値のいずれか1つを返します。❶が真の場合は、❷以降を返し、❶が真でない場合は0を返します。❷が真の場合は❸を返し、❷が真でない場合は❹を返します。
計算式全体の意味としては、遅延している期間を計算します。

❶[達成率]<>100
タスクが完了しているかどうかを判定する。

❷[実績開始日]>#2149/12/31#
[実績開始日]が入力されているかどうかを判定する。Projectがサポートする日付の最大値より大きければ、入力されていないと判定する。

※日付フィールドの空白の判定については、このページの「注意」を参照。

❸ProjDateDiff([基準終了日],[終了日])
ProjDateDiff関数で、基準終了日と終了日の間の期間を取得する。

❹ProjDateDiff([開始日],[状況報告日]))
ProjDateDiff関数で、開始日と状況報告日の間の期間を取得する。

❺/480
式から計算される値は「分」単位であるため、日数(60分×8時間)に変換する。

計算式の結果に従って信号機マークを設定する

❶
[ユーザー設定フィールド]ダイアログの［フィールド］の一覧で［進捗状況（数値1）］が選択されている状態で、［表示する値］の［マーク］をクリックする。

➡［"進捗状況"のマーク］ダイアログが表示される。

❷
[マークの条件定義]の[非サマリー行]をクリックする。

❸
グリッドの列にそれぞれ以下の内容を入力する。

- 1行目の［値］に「2」を入力し、['進捗状況'の条件］で［より小さい］、［画像］で緑色の丸を選択する。
- 2行目の[値]に「2,4」を入力し、['進捗状況'の条件］での［範囲内］、[画像］で黄色の丸を選択する。
- 3行目の［値］に「4」を入力し、['進捗状況'の条件］で［より大きい］、［画像］で赤色の丸を選択する。

❹
[マークの条件定義］の［サマリー行］をクリックし、［サマリー行は非サマリー行の基準に従う］にチェックを入れる。

➡確認のダイアログが表示される。

❺
[はい]をクリックしてダイアログを閉じる。

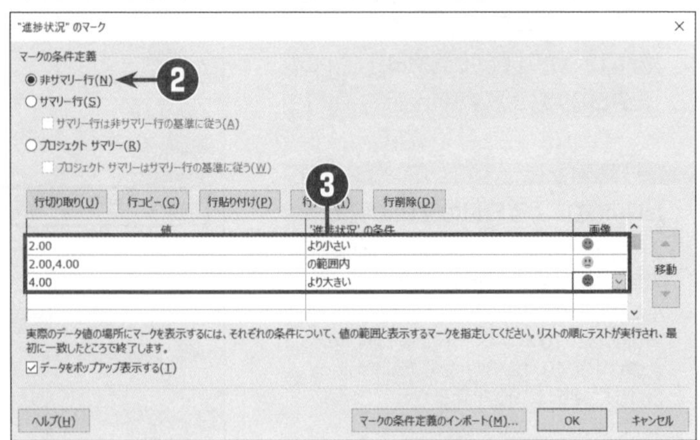

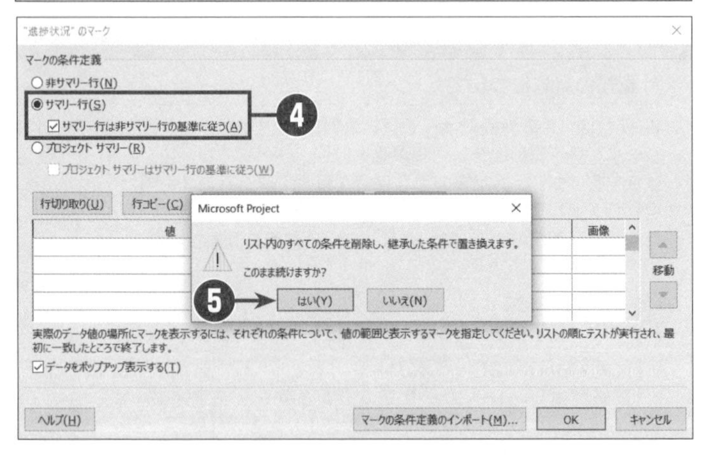

❻ ［マークの条件定義］の［プロジェクトサマリー］をクリックし、［プロジェクトサマリーはサマリー行の基準に従う］にチェックを入れる。

➡確認のダイアログが表示される。

❼ ［はい］をクリックしてダイアログを閉じる。

❽ ［"進捗状況" のマーク］ダイアログの［OK］をクリックしてダイアログを閉じる。

❾ ［ユーザー設定フィールド］ダイアログの［OK］をクリックしてダイアログを閉じる。

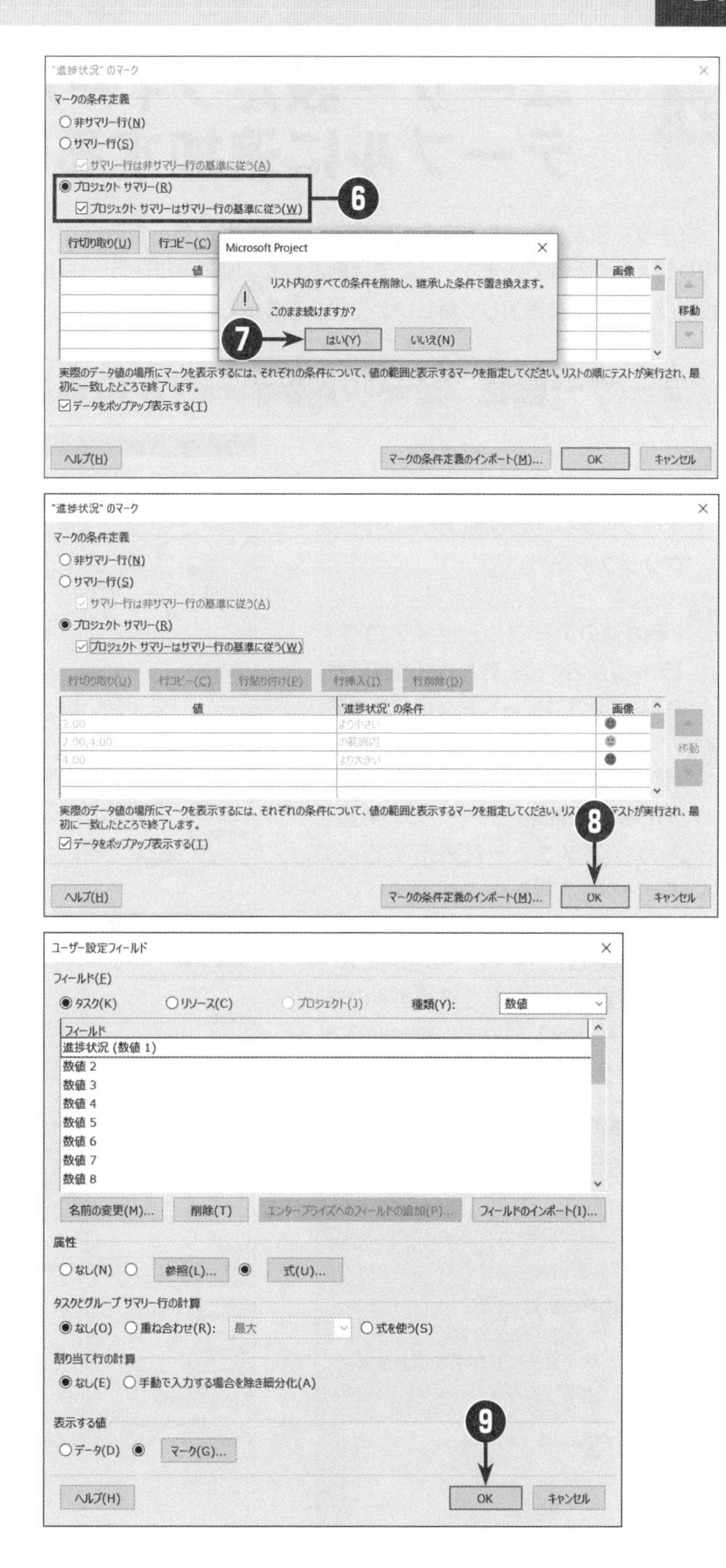

ここまでの手順で、［進捗状況］という名前のユーザー設定フィールドが作成できました。次の節では、ここで作成したフィールドを利用して、進捗状況を信号機マークで表示できるようにします。

4 ユーザー設定フィールドをテーブルに追加するには

ユーザー設定フィールドを含む特定のフィールドを選んでテーブルを作成しておくと、必要なときに表示を簡単に切り替えることができます。ここでは例として、[進捗管理] テーブルのコピーを作成し、前の節で作成したユーザー設定フィールドを追加して新しいテーブルを作成します。

ユーザー設定フィールドをテーブルに追加する

❶ [表示] タブの [データ] の [テーブル] をクリックし、[その他のテーブル] をクリックする。

❷ [その他のテーブル] ダイアログで [テーブル名] の一覧から [進捗管理] を選択し、[コピー] をクリックする。

❸ [テーブルの定義] ダイアログの [テーブル名] に作成するテーブルの名前を入力し、[メニューに表示する] にチェックを入れる。

❹ [実績開始日] フィールドの左側にユーザー設定フィールドを追加するので、[フィールド名] 列の [実績開始日] をクリックし、[行挿入] をクリックする。

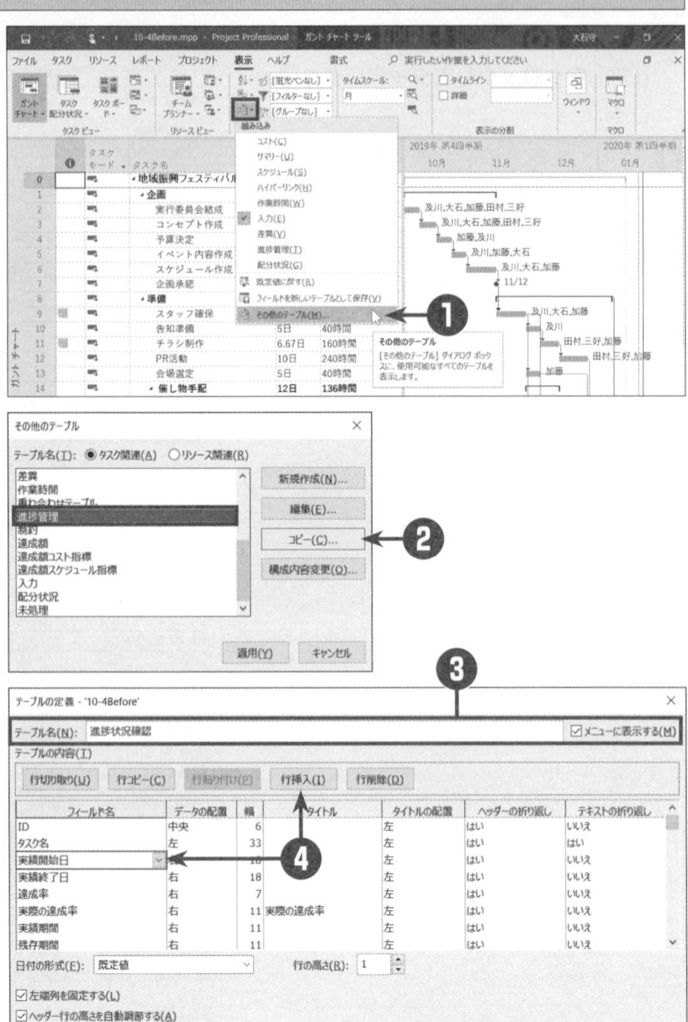

フィールド名	データの配置	幅	タイトル	タイトルの配置	ヘッダーの折り返し	テキストの折り返し
ID	中央	6		左	はい	いいえ
タスク名	左	33		左	はい	はい
実績開始日				左	はい	いいえ
実績終了日	右	18		左	はい	いいえ
達成率	右	7		左	はい	いいえ
実際の達成率	右	11	実際の達成率	左	はい	いいえ
実績期間	右	11		左	はい	いいえ
残存期間	右	11		左	はい	いいえ

ヒント

作成したテーブルを削除するには

次の手順で削除します。

❶ [その他のテーブル] ダイアログで、[構成内容変更] をクリックする。

❷ [構成内容の変更] ダイアログで、[テーブル] タブの ['Global.MPT'] の一覧から、削除するテーブル名を選択する。

❸ [削除] ボタンをクリックする。

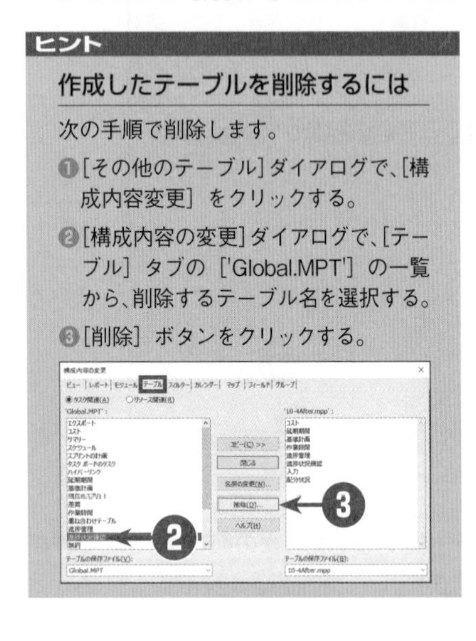

5
挿入した行の［フィールド名］列の▼をクリックし、ユーザー設定フィールド（ここでは前の節で作成した［進捗状況］）を選択する。

6
［データの配置］［幅］［タイトル］を適宜設定する。

7
［OK］をクリックする。

➡［その他のテーブル］ダイアログに戻り、［テーブル名］の一覧に新しいテーブルが追加されている。

8
［適用］をクリックする。

➡新しいテーブルが適用される。

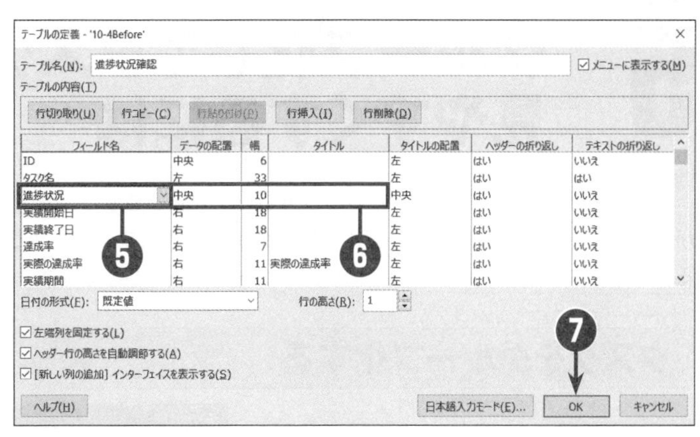

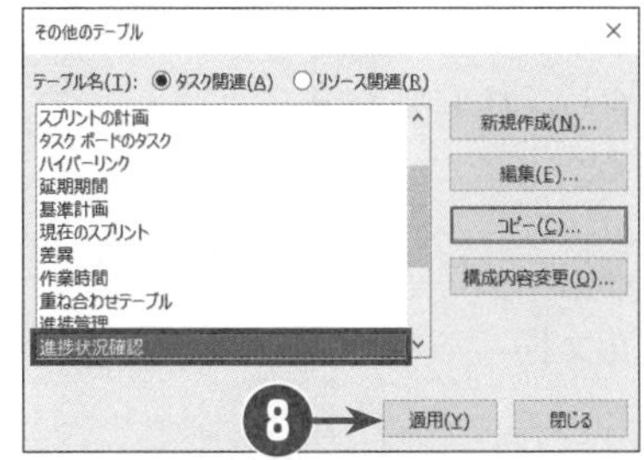

作成したテーブルを表示する

1
［表示］タブの［データ］の［テーブル］をクリックし、定義したテーブル名をクリックする。

➡ユーザー設定フィールドを含むテーブルが表示される。

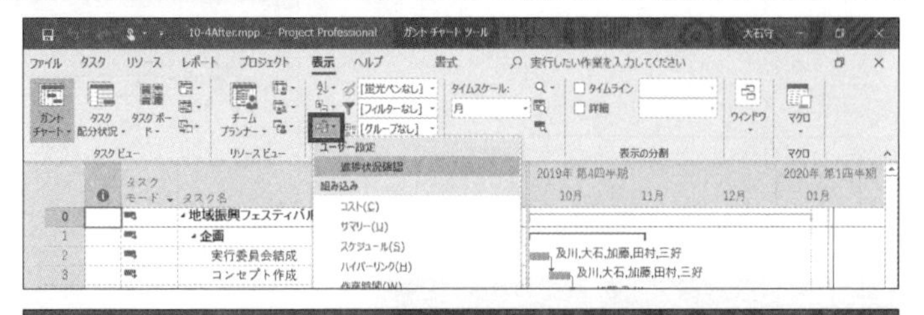

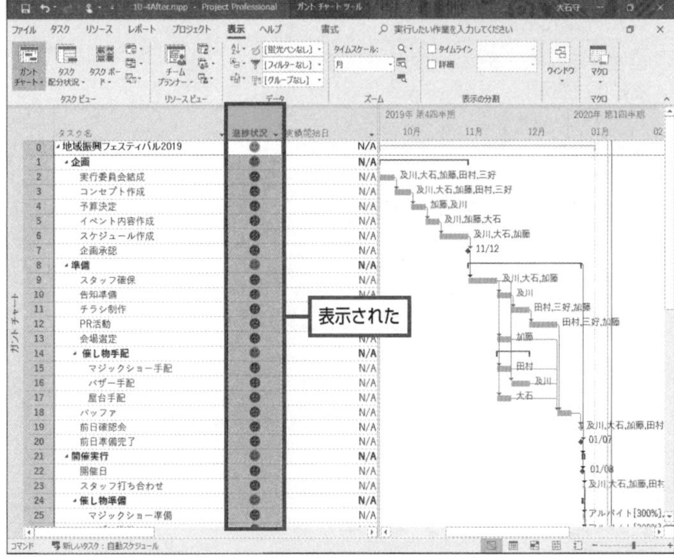

ヒント

作成したテーブルをビューの定義に使う

ユーザーが作成したテーブルをビューの定義に使用することができます。そのための方法は、この章の15のヒント「単一枠ビューの作成」を参照してください。

5 グループ化してタスクを見やすくするには

タスクの数が多い大規模なプロジェクト計画の場合、さまざまな切り口からプロジェクトのデータを確認する必要があります。こういった場合、グループ化の機能を利用すると便利です。ここでは、Projectの既定で設定されている、マイルストーンによるタスクのグループ化の方法を説明します。

タスクをグループ化する

❶ [表示] タブの [タスクビュー] の [ガントチャート] の▼をクリックし、[ガントチャート] をクリックする。

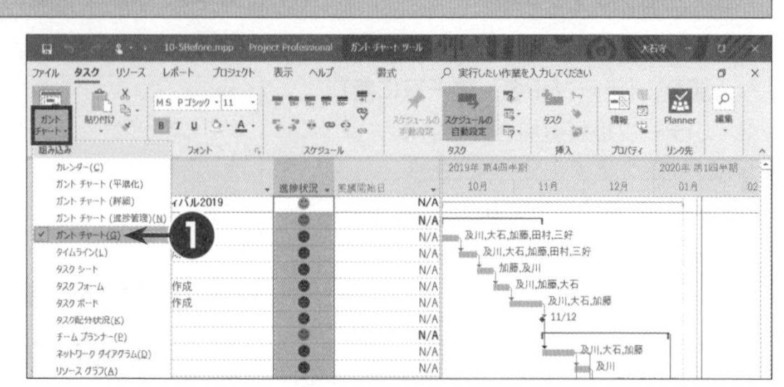

❷ [表示] タブの [データ] の [グループ化] の▼をクリックし、[マイルストーン] をクリックする。

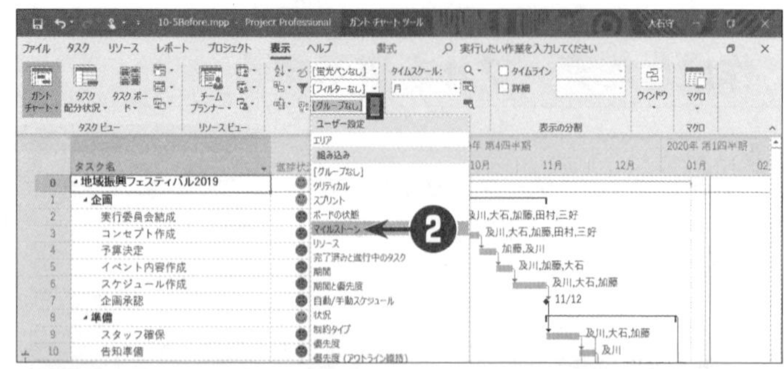

➡マイルストーンのタスクとそれ以外のタスクにグループ化される。

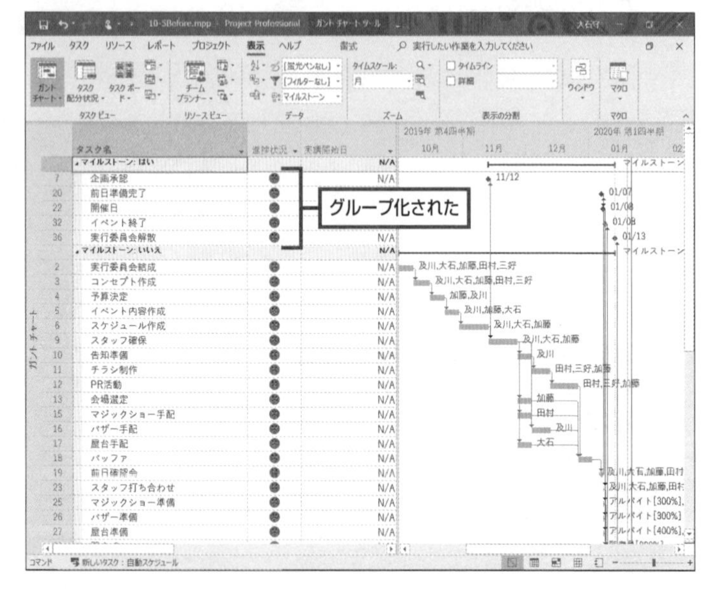

ヒント

グループ化を解除するには

現在表示しているグループ化を解除するには、[表示] タブの [データ] の [グループ化] の▼をクリックし、[グループなし] または [グループのクリア] をクリックします。

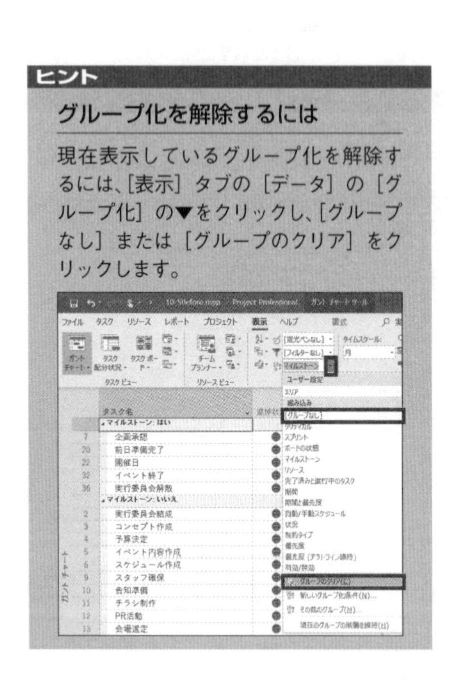

6 開始日と期間でグループ化するには

ユーザーが設定した独自の条件に基づいてグループ化する手順を説明します。ここでは例として、タスクを「開始日」と「期間」でグループ化します。

開始日と期間でグループ化する

❶ [表示] タブの [タスクビュー] の [ガントチャート] ボタンの▼をクリックし、[ガントチャート] をクリックする。

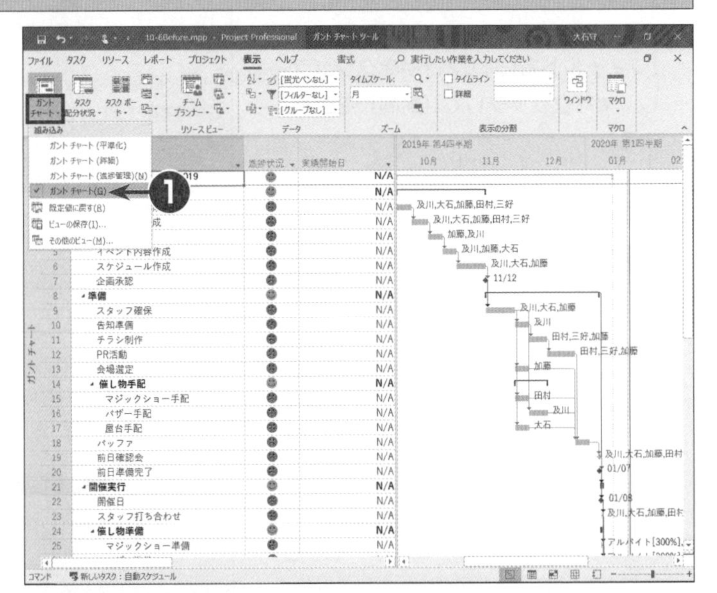

❷ [表示] タブの [データ] の [グループ化] の▼をクリックし、[新しいグループ化条件] をクリックする。

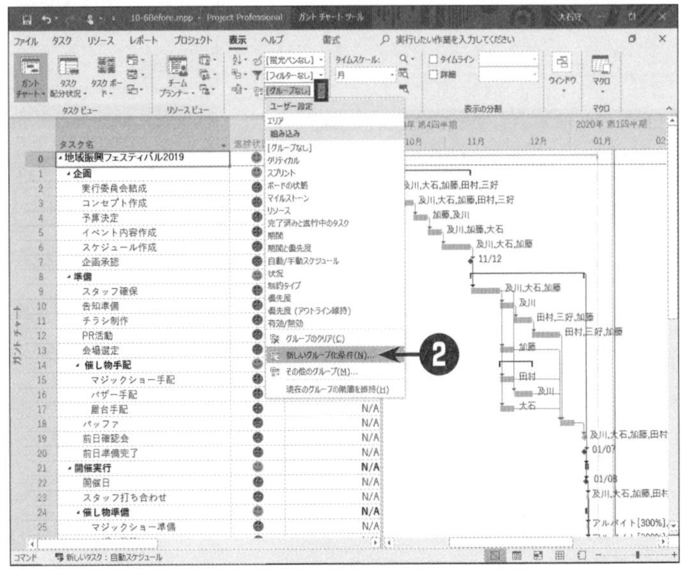

続く

❸ ['<ファイル名>' のグループ定義] ダイアログで [グループ名] に「開始日&期間」と入力し、[メニューに表示する] にチェックを入れる。

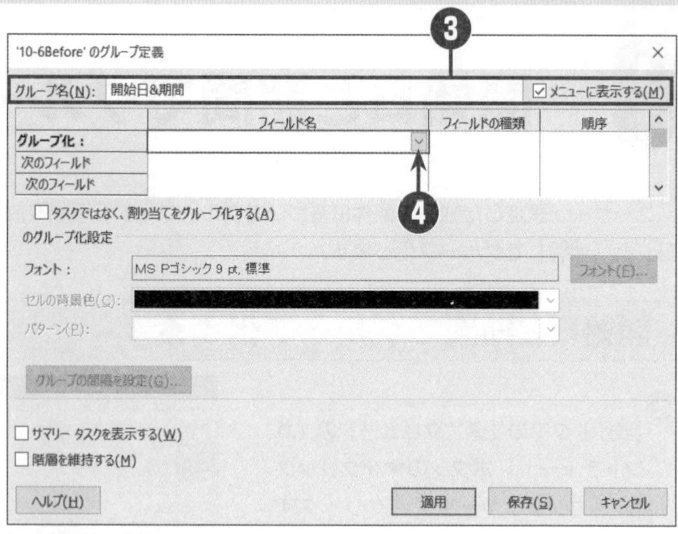

❹ [フィールド名] 列の1行目をクリックし、▼をクリックして [開始日] を選択する。

❺ [フィールド名] 列の2行目をクリックし、▼をクリックして [期間] を選択する。

❻ [適用] をクリックする。

➡開始日と期間でグループ化される。

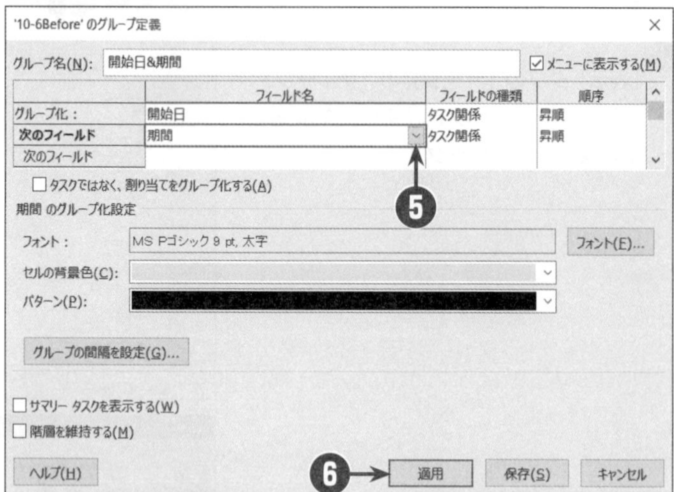

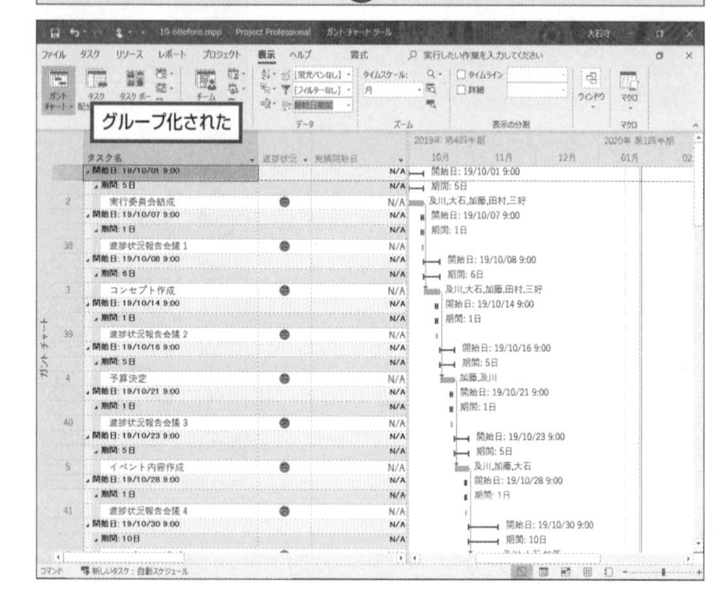

ヒント

['<ファイル名>' のグループ定義] ダイアログの内容

グループ化では、次の設定ができます。

- [フィールド名]：▼をクリックしてグループ化するフィールドを選択するか、またはフィールド名を直接入力して指定します。入力する場合、「開始日」と入力すると、「開始日」で始まる一覧が表示されるので、表示したいフィールドを選択します。
- [フィールドの種類]：フィールド名で選択したフィールドの種類が表示されます。
- [順序]：▼をクリックしてグループの一覧表示を昇順にするか降順にするかを指定します。既定値は [昇順] です。

グループ化の表示をカスタマイズする

グループ化の表示は、背景色や日付の間隔などをカスタマイズできます。

❶ グループ化したセルを右クリックし、[グループ化] をクリックする。

❷ [グループ化のユーザー設定]ダイアログの [セルの背景色] の▼をクリックし、目的の色（ここでは [薄い緑] を選択する。

❸ [グループの間隔を設定]をクリックする。

❹ [グループ間隔の設定] ダイアログの [グループ] の▼をクリックし、[週] を選択する。

❺ [OK] をクリックしてダイアログを閉じる。

❻ [グループ化のユーザー設定]ダイアログの [適用] をクリックする。

➡グループ化の色と間隔が変更される。

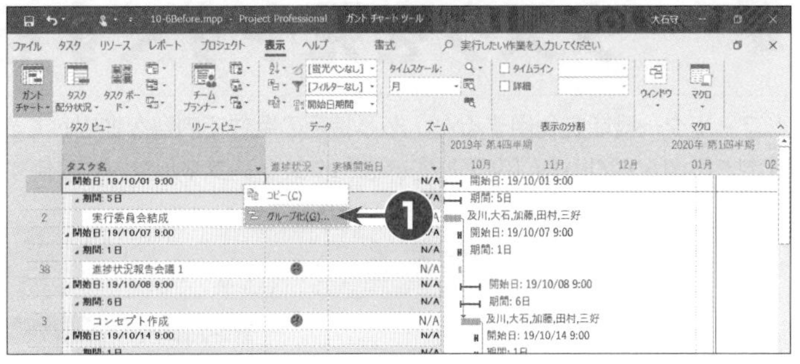

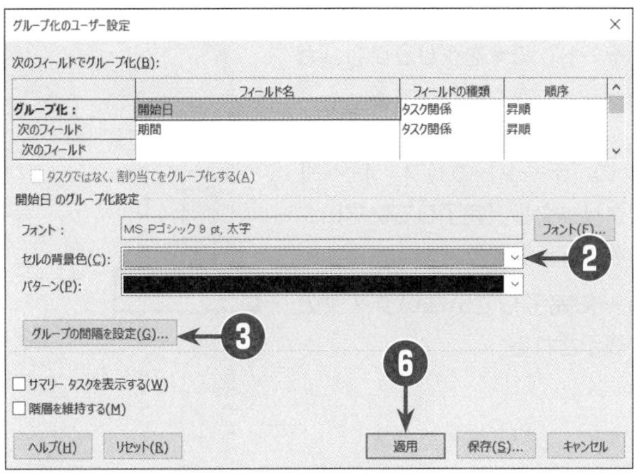

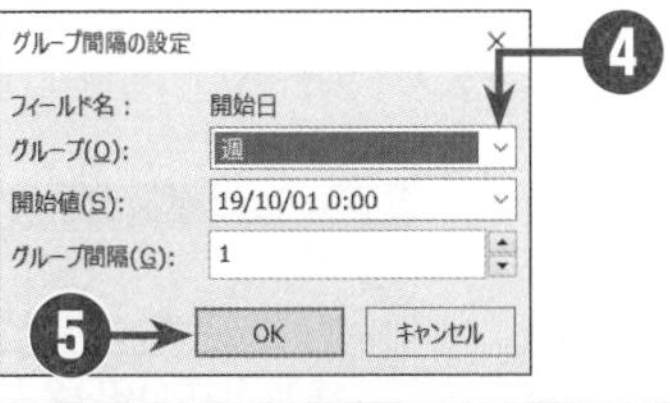

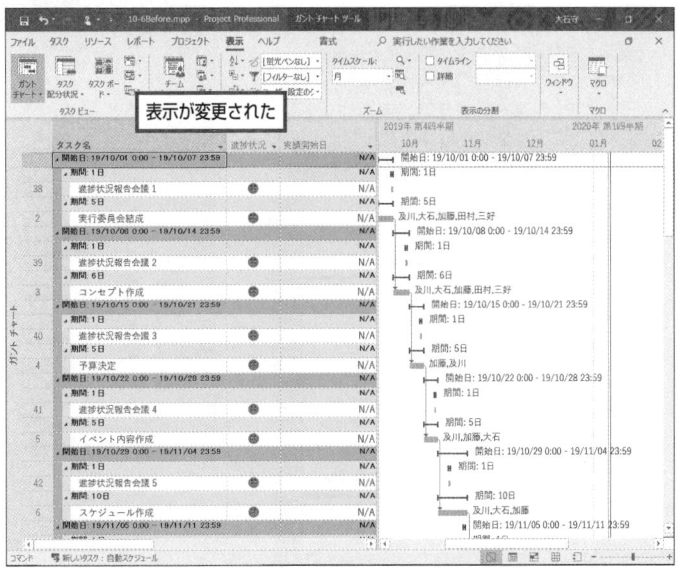

7 フィルターを使用して タスクを見やすくするには

フィルター機能を利用すると、ある特定の条件で内容を抽出して表示することができます。ここでは、Projectの既定で設定されている［完了していないタスク］フィルターを使用する手順を説明します。

フィルターを利用する

❶ ［表示］タブの［タスクビュー］の［ガントチャート］の▼をクリックし、［ガントチャート］をクリックする。

❷ ［表示］の［データ］の［フィルター］の▼をクリックし、［完了していないタスク］をクリックする。

➡ビューに完了していないタスクのみが表示される。

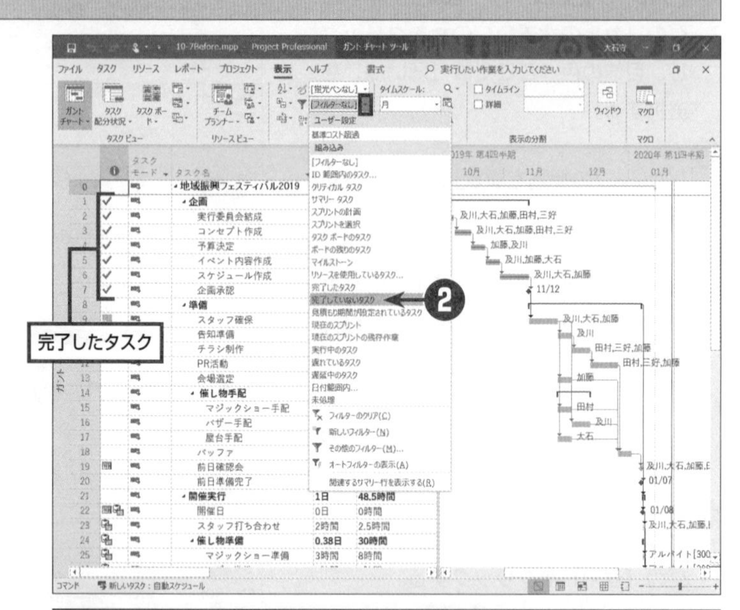

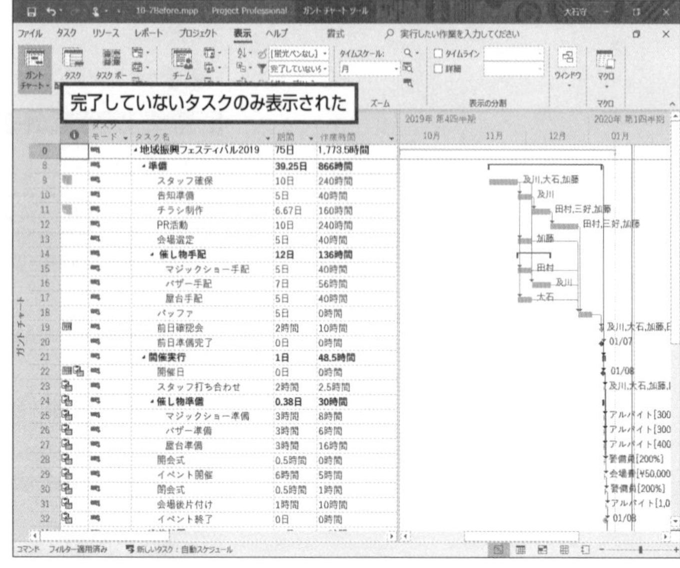

ヒント

フィルターを解除する

［表示］タブの［データ］の［フィルター］の▼をクリックし、［フィルターなし］または［フィルターのクリア］をクリックすると、フィルターが解除できます。

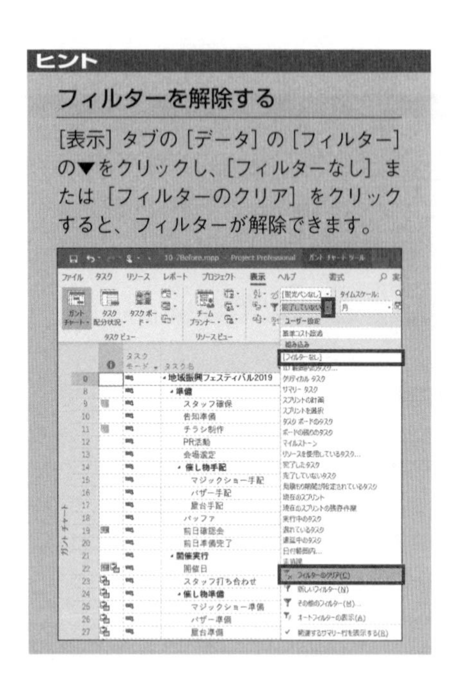

サマリータスクのみ表示する

1

［表示］タブの［データ］の［フィルター］の▼をクリックし、［サマリータスク］をクリックする。

➡サマリータスクが表示される。

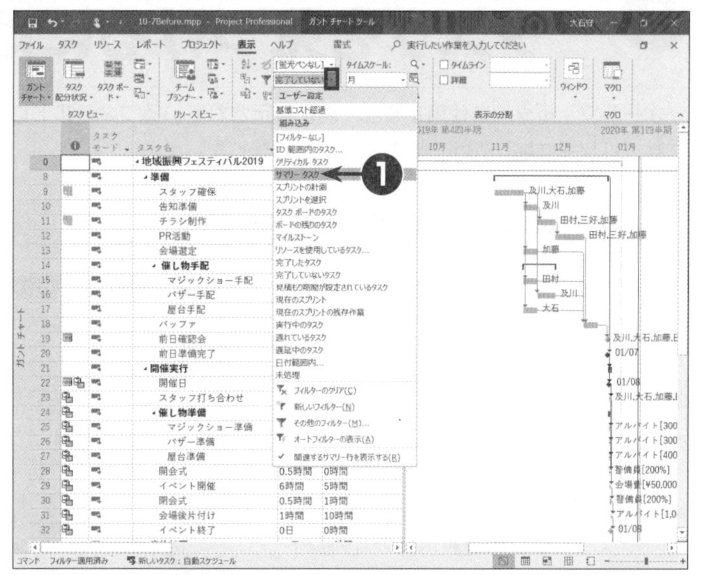

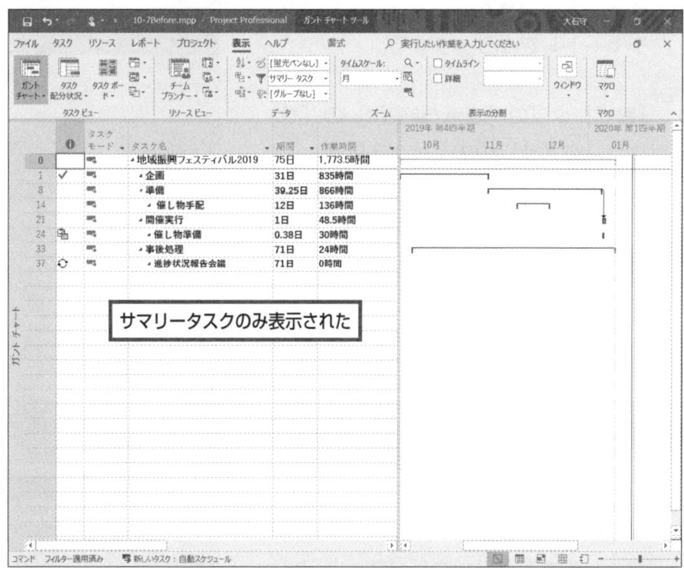

ヒント

複数の条件を組み合わせたフィルター

フィルターは複数の条件を組み合わせて作成することができます。フィルターの条件の定義方法については、既存のフィルターを参考にするとよいでしょう。

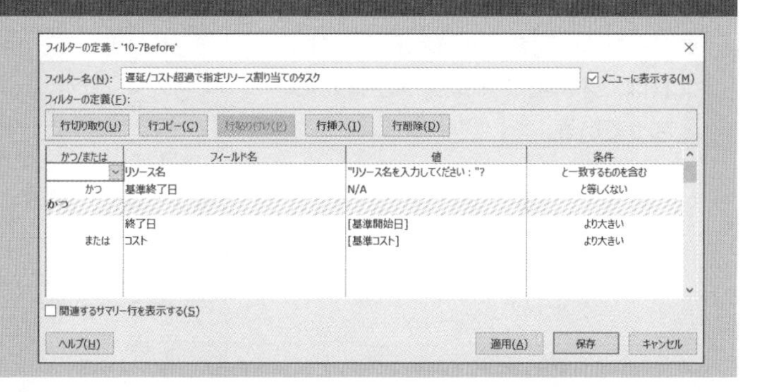

フィルターの定義 - '10-7Before'

フィルター名(N): 遅延/コスト超過で指定リソース割り当てのタスク　☑メニューに表示する(M)

フィルターの定義(E):

行切り取り(U)　行コピー(C)　行貼り付け(P)　行挿入(I)　行削除(D)

かつ/または	フィールド名	値	条件
	リソース名	"リソース名を入力してください : "?	と一致するものを含む
かつ	基準終了日	N/A	と等しくない
かつ			
	終了日	[基準開始日]	より大きい
または	コスト	[基準コスト]	より大きい

☐関連するサマリー行を表示する(S)

ヘルプ(H)　適用(A)　保存　キャンセル

8 リソースが割り当てられていないタスクを見つけるには

オートフィルターを使用すると、現在表示されているフィールドに対して簡単にフィルターを設定できます。ここでは［リソース名］列が空欄のタスクを確認しましょう。

サマリータスクを非表示にする

フィールドでフィルターすると、通常はリソースを割り当てないサマリータスクが画面に表示されます。この場合は、一時的にサマリータスクを非表示にすると便利です。

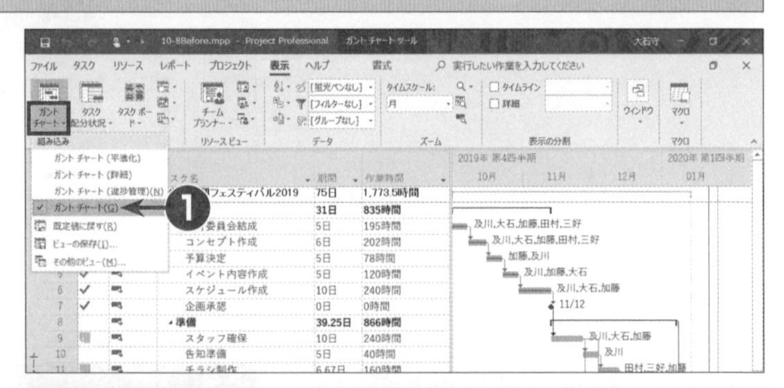

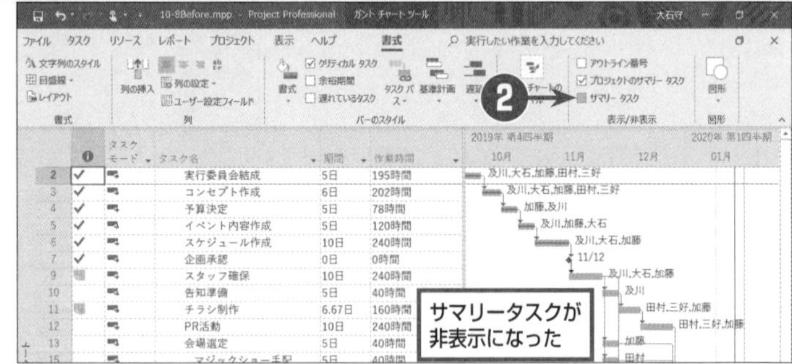

❶ ［タスク］タブの［表示］の［ガントチャート］の▼をクリックし、［ガントチャート］をクリックする。

❷ ［書式］タブの［表示/非表示］の［サマリータスク］のチェックを外す。

➡プロジェクトのサマリータスクと、サマリータスクが非表示になる。

オートフィルターを使う

❶ ［表示］タブの［データ］の［フィルター］の▼をクリックし、［オートフィルターの表示］をクリックする。

●テーブルの列名に▼が表示されていれば、オートフィルターが有効になっている。

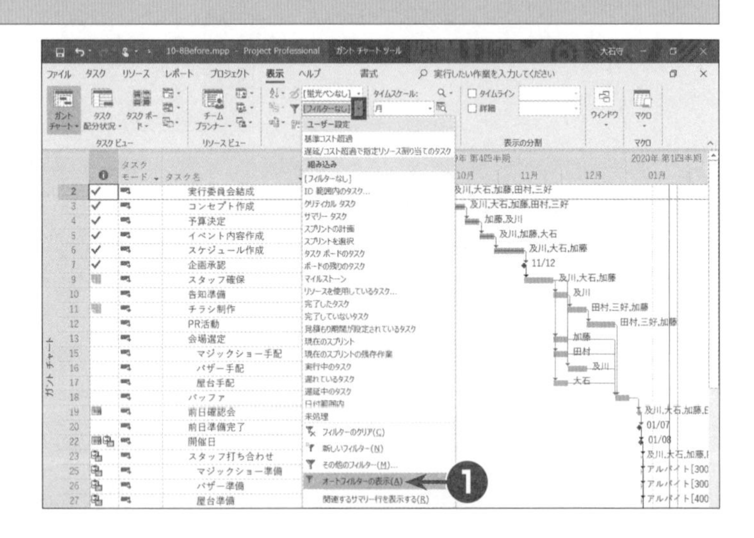

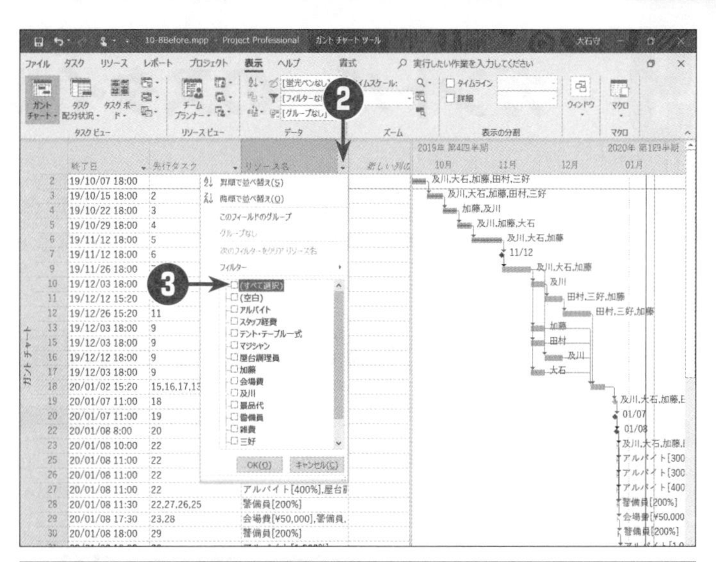

2

[リソース名]フィールドの▼をクリックする。

3

フィルターの［すべて選択］のチェックを外す。

4

フィルターの［(空白)］にチェックを入れる。

5

［OK］をクリックする。

➡リソースが割り当てられていないタスクが表示される。

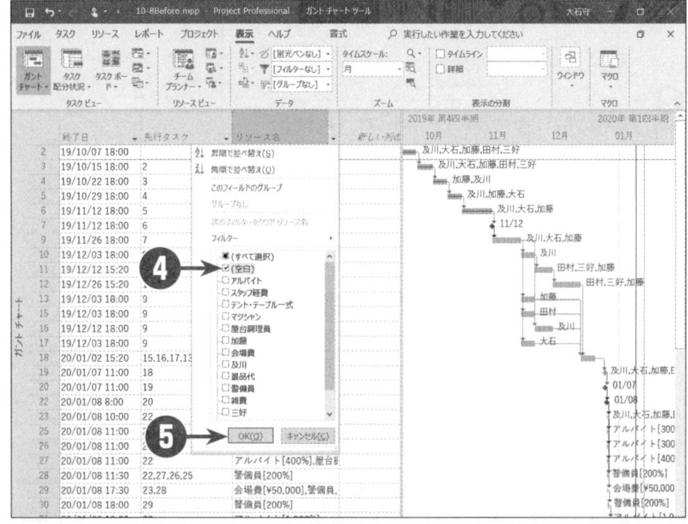

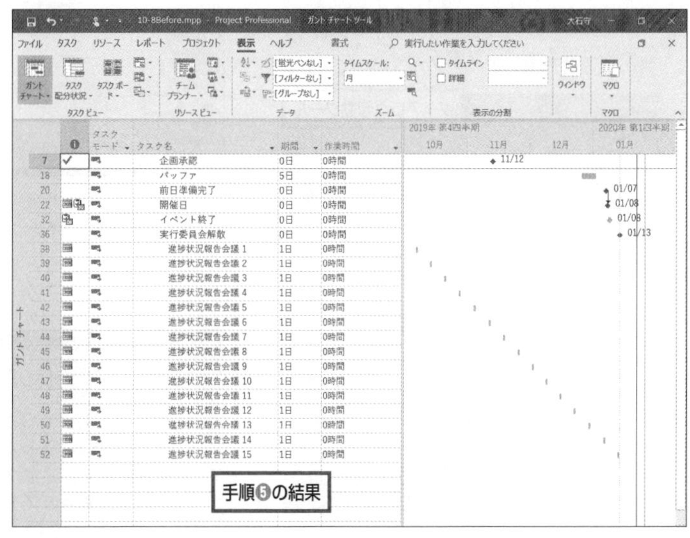

ヒント

フィルターが適用されているかどうかを確認する

フィルターが適用されているフィールドは、フィールド名の右端の▼の表示がフィルターのアイコンに変わります。

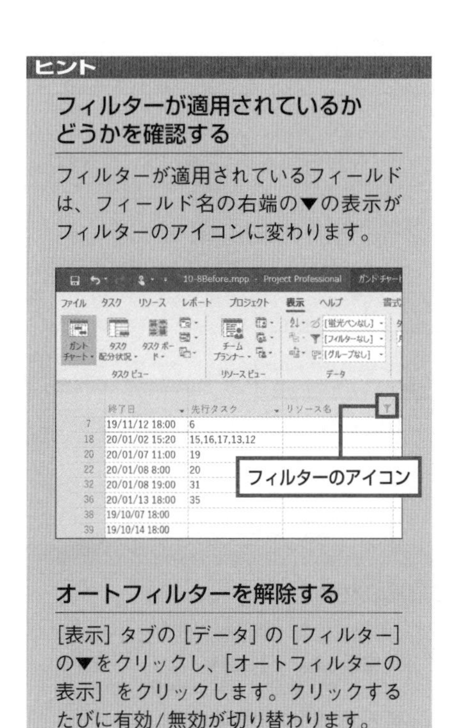

オートフィルターを解除する

［表示］タブの［データ］の［フィルター］の▼をクリックし、［オートフィルターの表示］をクリックします。クリックするたびに有効/無効が切り替わります。

9 ガントバーのスタイルを変更するには

ガントバーの形状、色、パターンなどはユーザーが独自に設定できます。また、ガントバーの文字列に表示するフィールドや表示する位置も指定できます。ここでは、[バーのスタイル] ダイアログを使う方法と、ガントチャートのスタイルを使う方法について解説します。

[バーのスタイル] ダイアログでスタイルを変更する

❶ [書式] タブの [バーのスタイル] の [書式] をクリックし、[バーのスタイル] をクリックする。

➡[バーのスタイル] ダイアログが表示される。

❷ [バーの形] タブの [バー] で、[形状] [パターン] [色] を変更する。

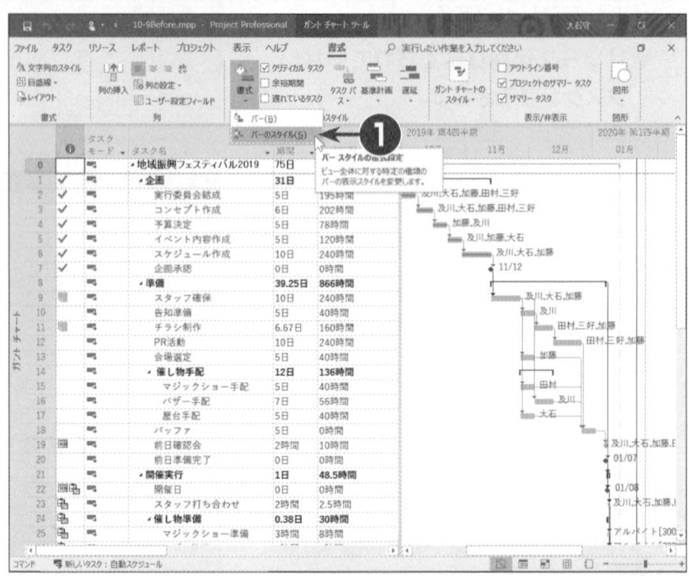

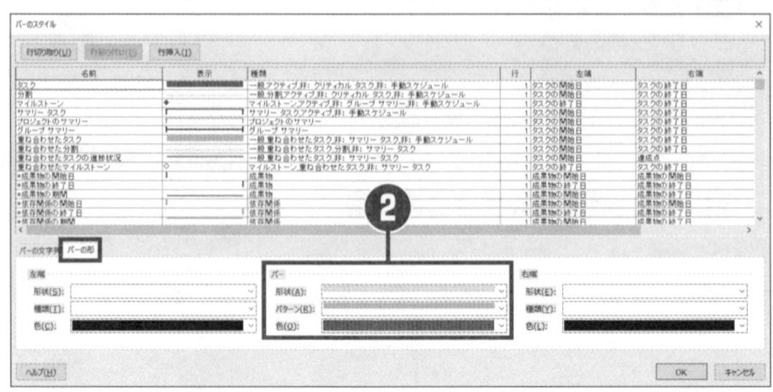

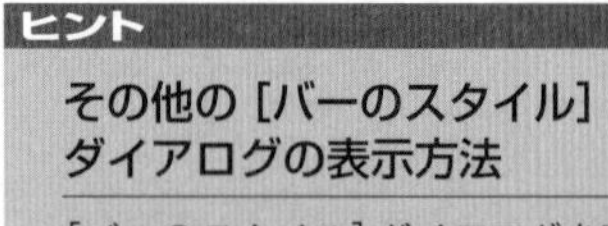

ヒント
その他の [バーのスタイル] ダイアログの表示方法

[バーのスタイル] ダイアログを表示するには、ほかにもいくつかの方法があります。

- [書式] タブの [ガントチャートのスタイル] をクリックして、[ガントチャートのスタイル] の右下のダイアログ起動ツールをクリックする。

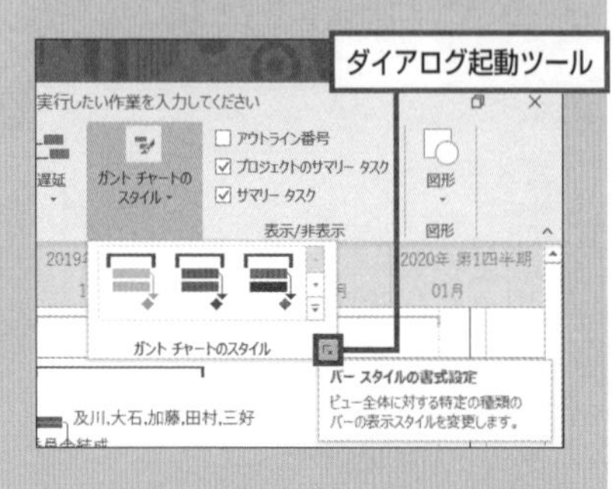

- ガントバーの空白部分をダブルクリックする。
- ガントバーの空白部分を右クリックし、[バーのスタイル] をクリックする。

ヒント
バーのスタイルの定義の描画の順番

バーのスタイルは、定義されている順番に従って描画が行われます。 そのため、上に定義したバーが先に描画され、下に定義したバーが後から描画されます。定義方法によっては、上に定義したバーが下に定義したバーで上書きされてしまうことがあるため注意が必要です。

❸ ［バーの文字列］タブに切り替え、［下側］のボックスをクリックして▼をクリックし、［タスク名］を選択する。

❹ ［OK］をクリックする。

➡ガントバーのスタイルが変更され、タスク名が表示される。

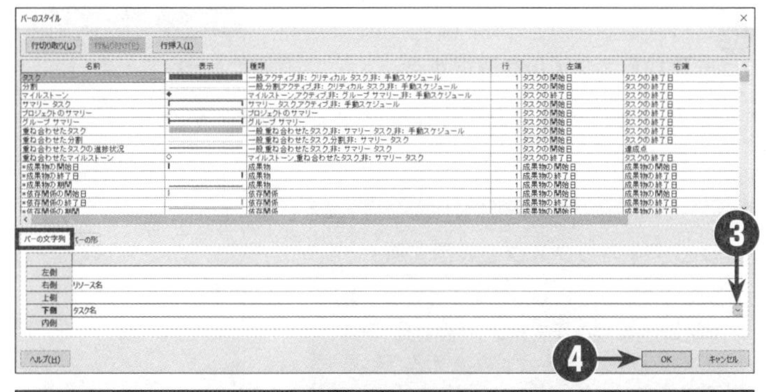

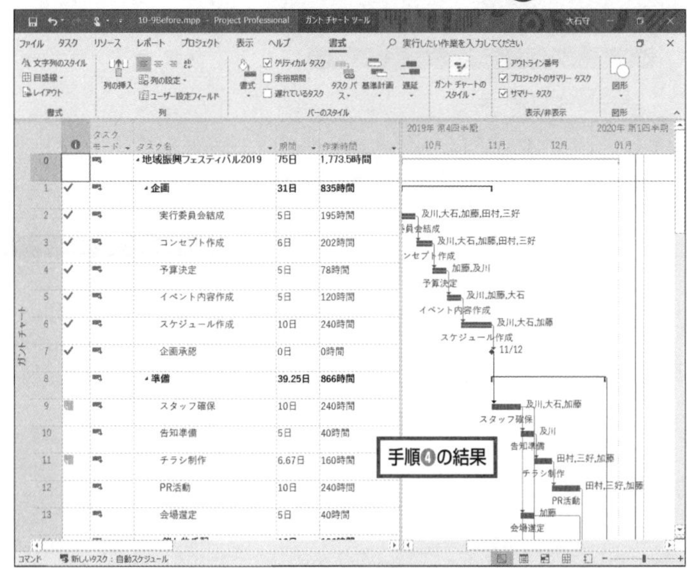

ガントチャートのスタイルを使う

ガントチャートのスタイルを使うと、［バーのスタイル］ダイアログよりも簡単にバーのスタイルを変更することができます。

❶ ［書式］タブの［ガントチャートのスタイル］をクリックする。

❷ ［ガントチャートのスタイル］の［その他］をクリックする。

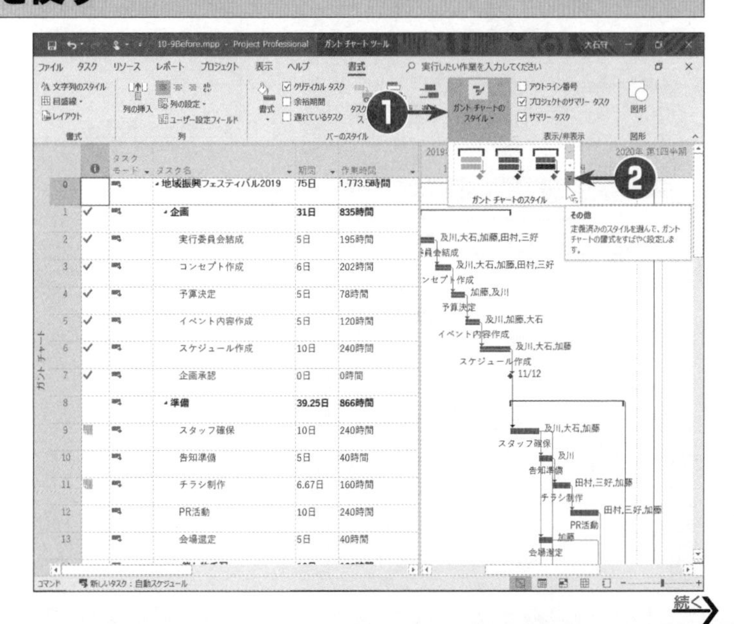

続く

❸ 一覧からスタイルを選択する。

➡ガントバーのスタイルが一括で変更される。

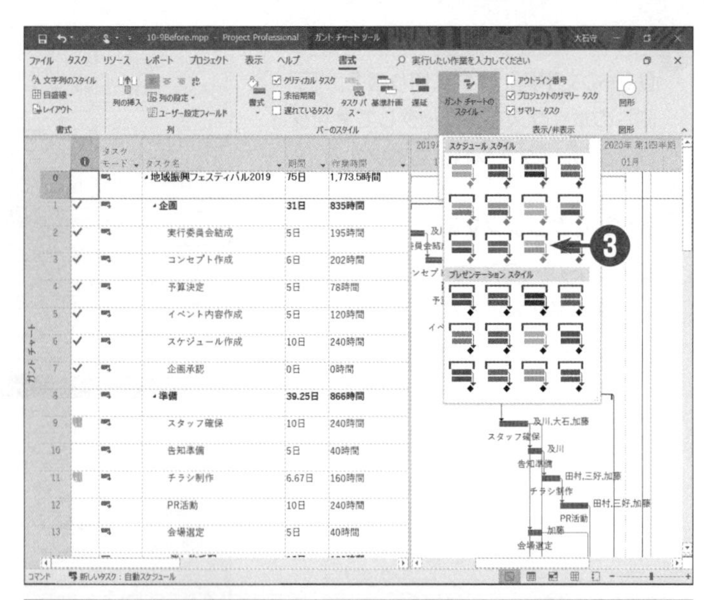

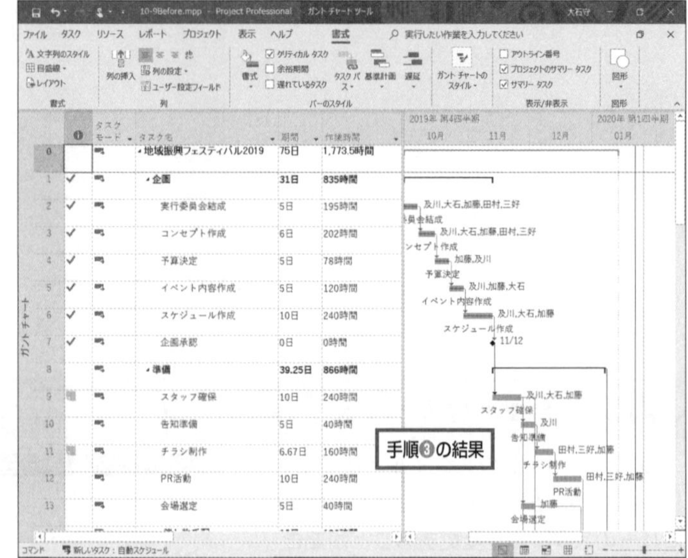

ヒント

クリティカルタスクを表示する

ガントチャートにクリティカルタスクを表示するには、[書式] タブの [バーのスタイル] の [クリティカルタスク] にチェックを入れます。

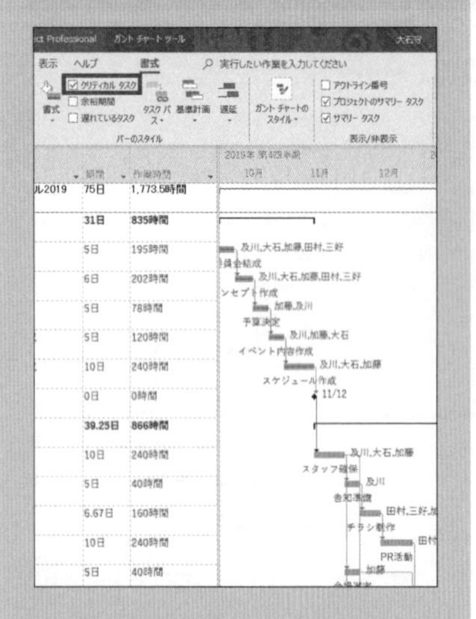

ガントチャートウィザードを使用するには

従来のガントチャートウィザードを使ってバーのスタイルを変更することもできます。ガントチャートウィザードを使用したい場合は、リボンに追加するか、操作アシストのテキストボックスで検索することで利用できます。

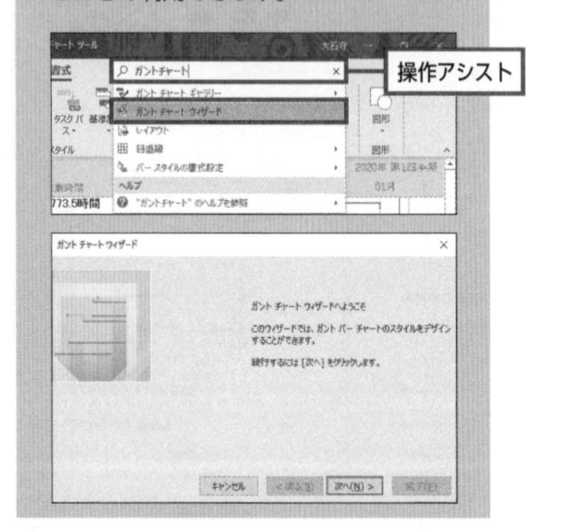

バーのスタイルの応用設定

ガントチャートのバーのスタイルの設定方法については、この章の9で触れていますので、ここではもう少し応用的なガントバーの設定、特に［バーのスタイル］ダイアログの詳細について解説します。

［バーのスタイル］ダイアログの設定

バーの形状、パターン、色などについてはこの章の9で説明したとおりですので、ここでは主に［種類］列の設定について解説します。この［種類］列に条件を入力することでガントバーの性質を定義します。［種類］列に定義できる主な条件を次に示します。これらをカンマ（,）で区切って、複数の条件を組み合わせることができます。

種類（条件）	説明
一般	通常のサブタスク
アクティブ	無効化されていないタスク
分割	タスクの分割された部分
手動スケジュール	手動スケジュールのタスク
サマリータスク	階層下にサブタスクを持つサマリータスク
プロジェクトのサマリー	プロジェクト全体を表すプロジェクトのサマリー タスク
マイルストーン	マイルストーンに設定されているタスク
成果物	Project Server使用時の成果物タスク
依存関係	成果物タスクに使用する
プレースホルダー	開始日/終了日の設定がされていないタスク
クリティカルタスク	クリティカルと判定されたタスク
外部タスク	別のプロジェクトファイルに存在するタスク
重ね合わせたタスク	サマリータスクに重ね合わせ表示するタスク
遅延中のタスク	状況報告日を基準にして遅れているタスク
フラグ1～20	フラグフィールド
非:	上記の条件の否定に使用する演算子（コロンは全角）

［左端］はバーの左端の開始点となる日付、［右端］はバーの右端の終了点となる日付を指定します。

フラグフィールドについて

フラグフィールドは、9種類のユーザー設定フィールドのうちの1つです。フラグフィールドは、［はい］と［いいえ］の2つの値のどちらかを選択することでき、オン/オフを表す目的に使用します。このフィールドを［バーのスタイル］ダイアログのバーの定義で使用することができます。フラグが［はい］の場合、バーの定義が有効になります。

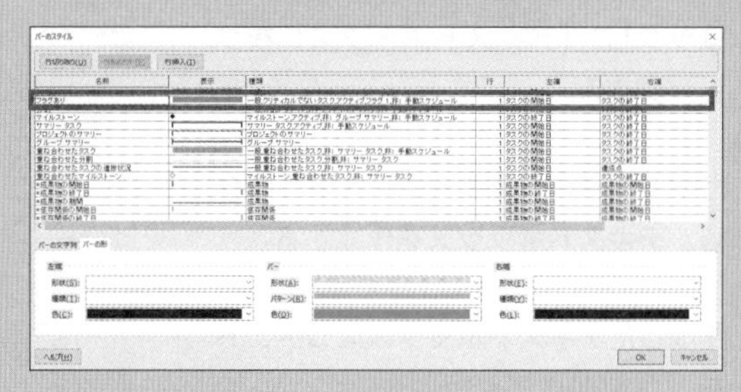

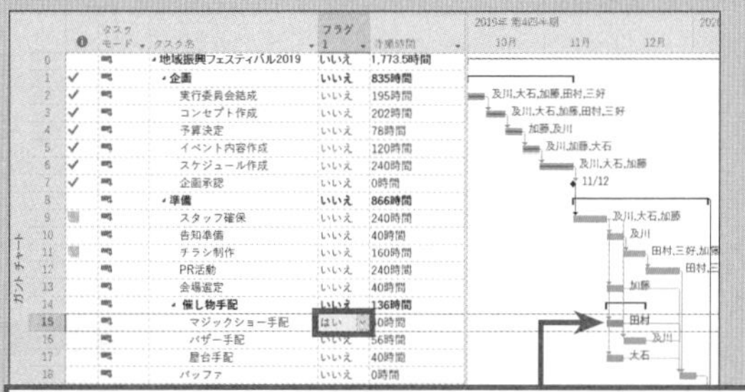

［フラグ1］が［はい］である、ID15のタスクバーの色が変わっている

強調表示フィルターとの違い

強調表示フィルターを使用すると、特定の条件を持ったタスクを強調表示することができます。フラグフィールドを使用して、ガントバーのスタイルを切り替えるのも、これと性質的によく似ています。両者の違いは、強調表示フィルターはテーブルの書式を変更するものだという点です。［バーのスタイル］ダイアログで、ガントバーのスタイルの条件を指定して定義することができますが、ここでは強調表示フィルターほど複雑な条件を定義することはできません。したがって、条件はフラグフィールドの式で定義し、その結果をフラグフィールドの値として設定するとよいでしょう。

10 ガントバーにコメントを挿入するには

ガントチャート上にテキストボックスを挿入し、タスクに関連する情報をテキストで表示することができます。たとえば中断したタスクに対して、その理由をコメントとして記入することができます。テキストボックスは、タイムスケールに対して添付することも、タスクに添付することも可能です。

テキストボックスを挿入する

1. [書式] タブの [図形] の [図形] をクリックし、[テキストボックス] をクリックする。
2. ガントチャート上でマウスをドラッグし、テキストボックスを作成する。
3. 作成したテキストボックスにコメントを入力する。

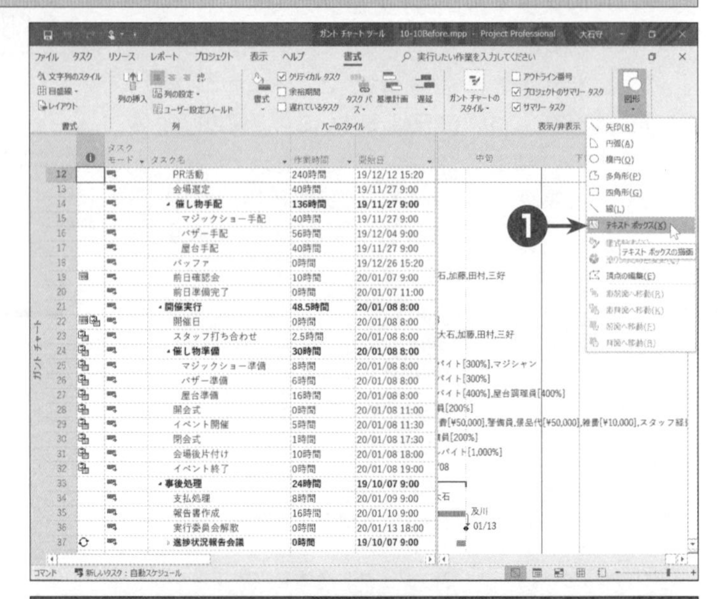

4 テキストボックスを右クリックし、[書式設定] をクリックする。

5 [図形の書式設定] ダイアログで [サイズと配置] タブをクリックする。

6 [配置] の [タスクに添付] をクリックし、添付するタスクのIDを入力する。

- 基点からの配置場所を設定できるので、必要に応じてそれぞれの設定をする。

7 [OK] をクリックする。

- ガントバーにコメントが表示される。

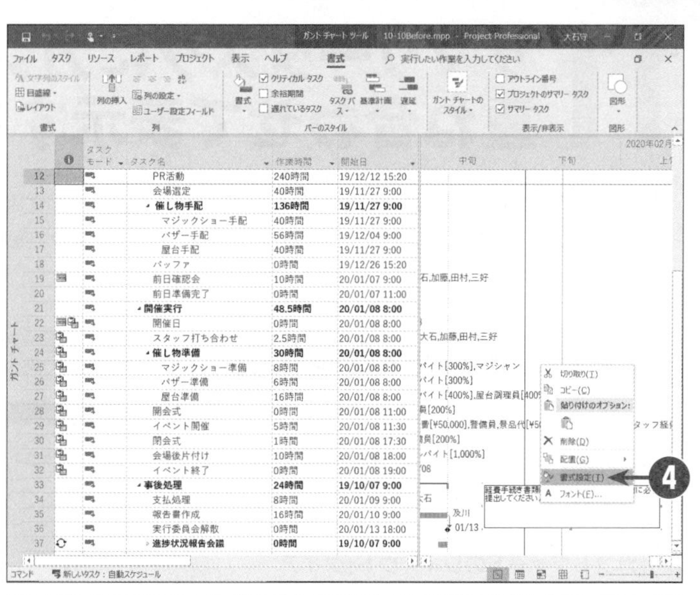

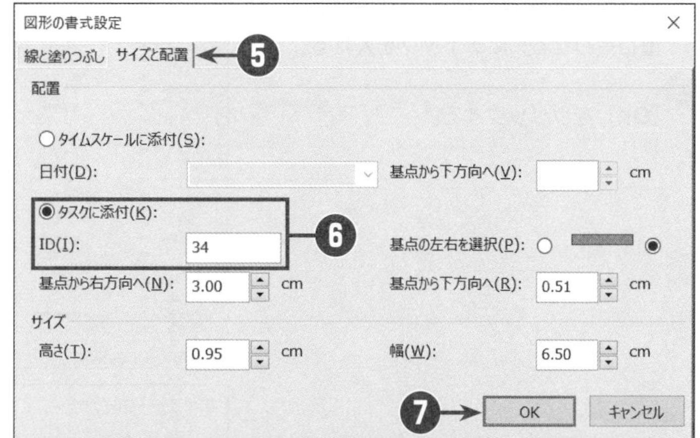

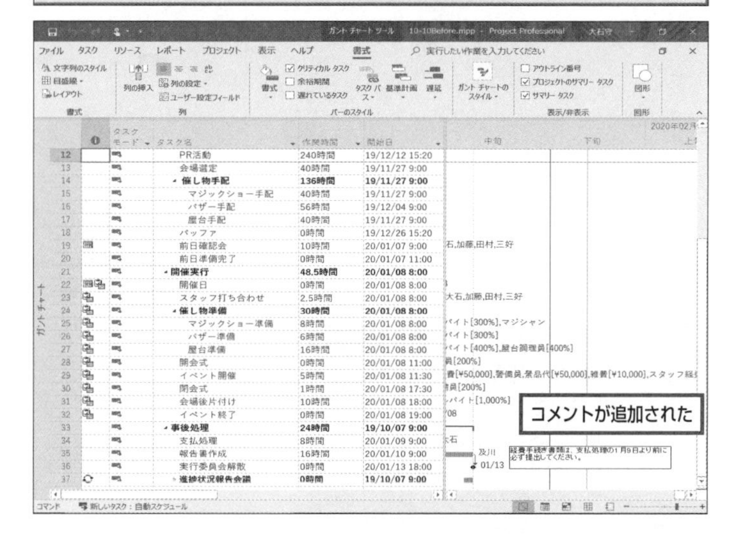

ヒント

テキストボックスを添付する位置

- [タイムスケールに添付]
指定した日付を基点にオフセットの値を指定します。
- [タスクに添付]
タスクの開始日もしくは終了日を基点にしてオフセットの値を指定します。

11 サマリータスクにガントバーを重ね合わせて表示するには

サマリータスクにガントバーを重ね合わせて表示することができます。ガントバーを重ね合わせることにより、マイルストーンもサマリータスク上に表示されるので、サブタスクを展開せずにサマリータスク上で重要な日付を確認できます。

ガントバーを重ね合わせる

❶ ［書式］タブの［書式］の［レイアウト］をクリックする。

❷ ［ガントチャートのレイアウト］ダイアログの［バー］の［ガントバーを常に重ね合わせる］にチェックを入れる。

❸ ［OK］をクリックする。

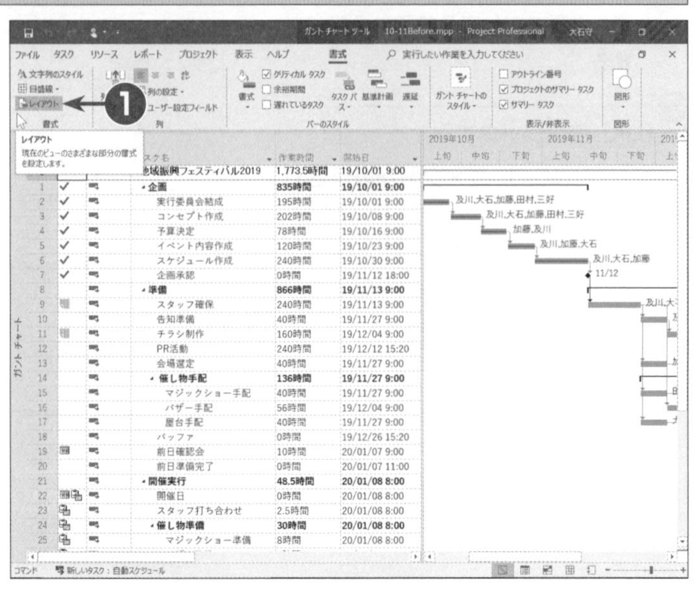

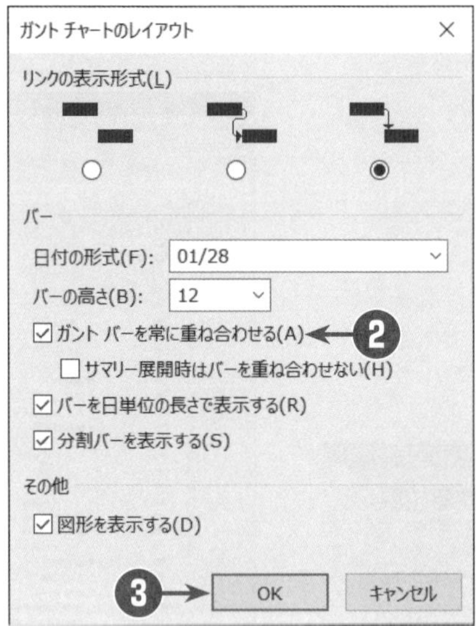

ヒント

サマリー展開時に重ね合わせないようにする

サマリー展開時に、バーを重ね合わせないように設定する場合は、［ガントチャートのレイアウト］ダイアログの［バー］の［サマリー展開時はバーを重ね合わせない］にチェックを入れます。

➡サマリータスクにガントバーが表示される。

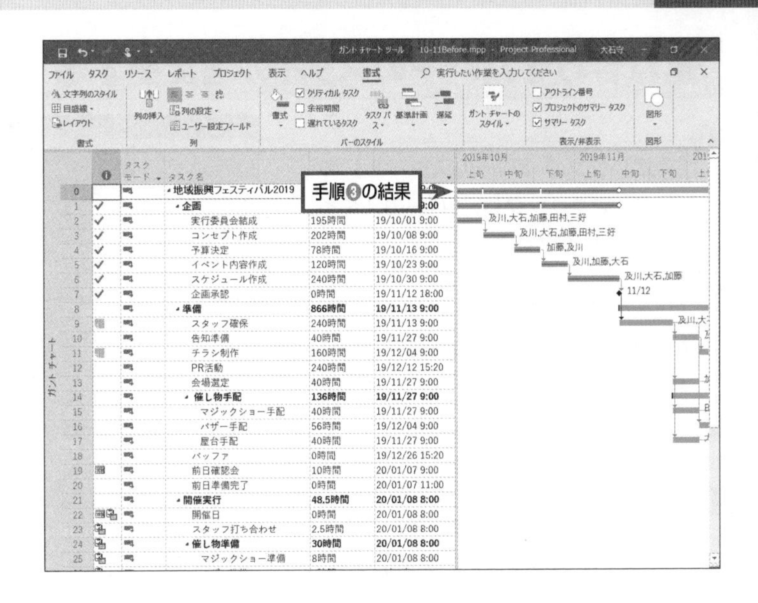

特定のタスクを重ねる

特定のタスクを選択し、サマリータスクにガントバーを重ね合わせることができます。

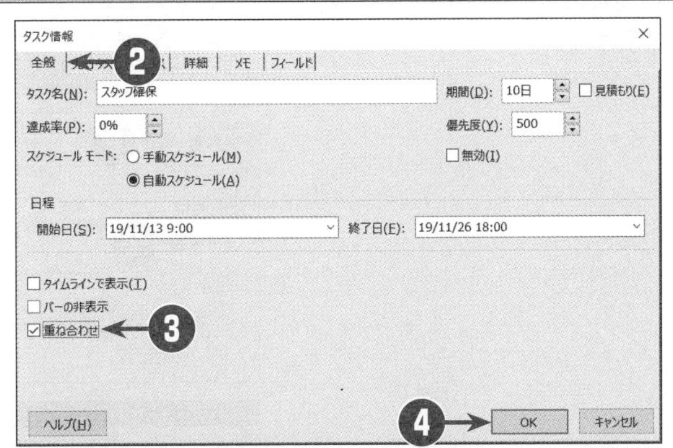

❶ サマリータスクに重ね合わせるタスクの［タスク名］をダブルクリックする。

❷ ［タスク情報］ダイアログで、［全般］タブをクリックする。

❸ ［重ね合わせ］にチェックを入れる。

❹ ［OK］をクリックする。

➡選択したタスクのガントバーがサマリータスクに表示される。

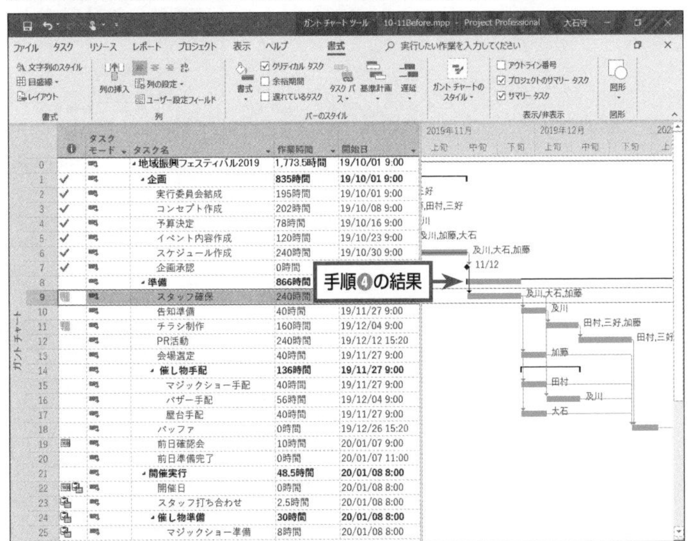

重ね合わせたバーのスタイルを変更する

❶ ［書式］タブの［バーのスタイル］の［書式］をクリックし、［バーのスタイル］をクリックする。

❷ ［バーのスタイル］ダイアログの［名前］の一覧から［重ね合わせたタスク］をクリックする。

❸ ［バーの文字列］タブをクリックする。

❹ ［下側］のボックスをクリックして▼をクリックし、［タスク名］を選択する。

❺ ［OK］をクリックする。

➡重ね合わせたバーの下側にタスク名が表示される。

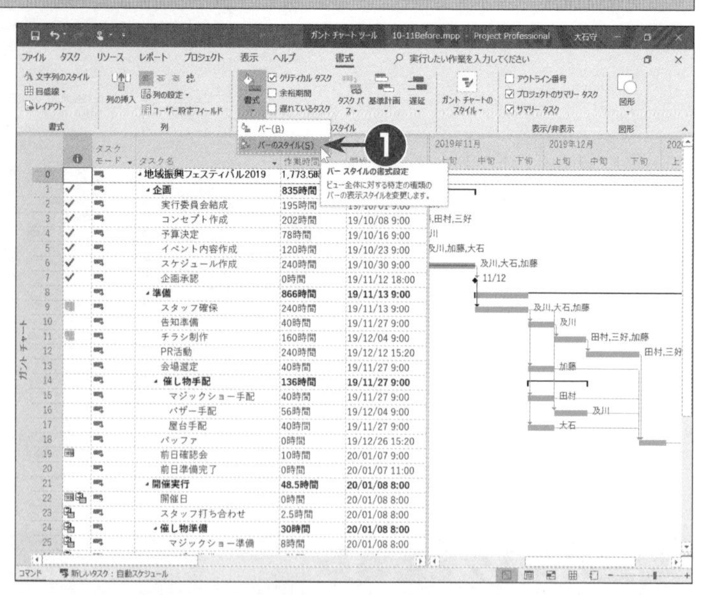

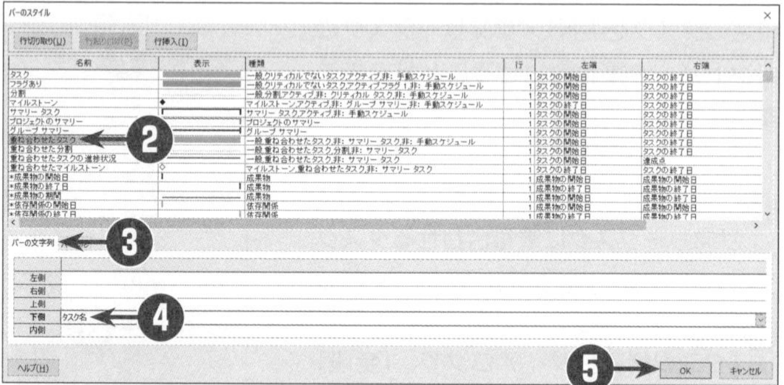

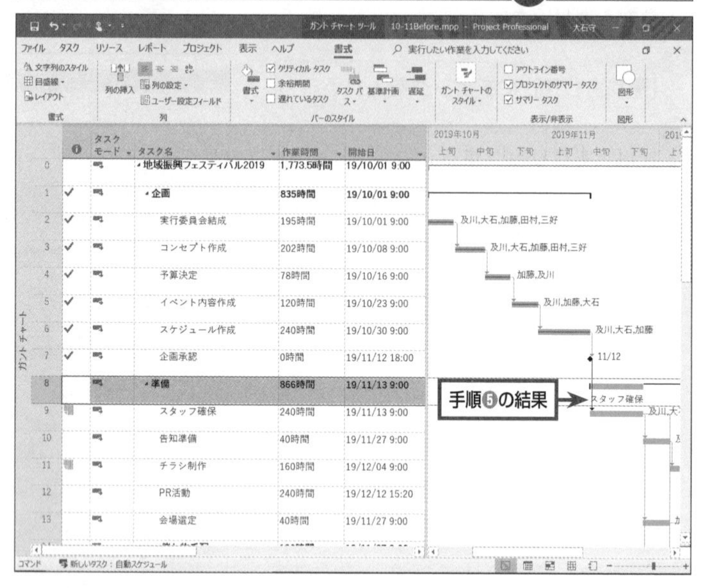

12 タイムスケールに会計年度を表示するには

企業独自の会計年度をタイムスケールに設定することができます。たとえば、会計年度を4月スタートとし、四半期を表示することが可能です。

会計年度を設定する

❶ ［ファイル］タブの［オプション］をクリックする。

❷ ［Projectのオプション］ダイアログの［スケジュール］をクリックする。

❸ ［次のプロジェクトのカレンダーオプション］の［年の開始月］の▼をクリックし、［4月］を選択する。

❹ ［日本式の会計年度を適用する］にチェックを入れる。

❺ ［OK］をクリックする。

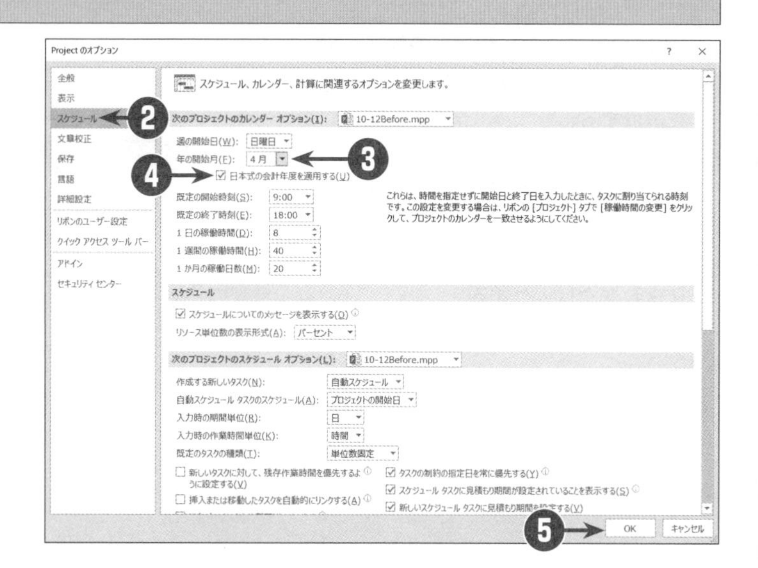

タイムスケールに会計年度を表示する

❶ ガントチャート上のタイムスケールを右クリックし、［タイムスケール］をクリックする。

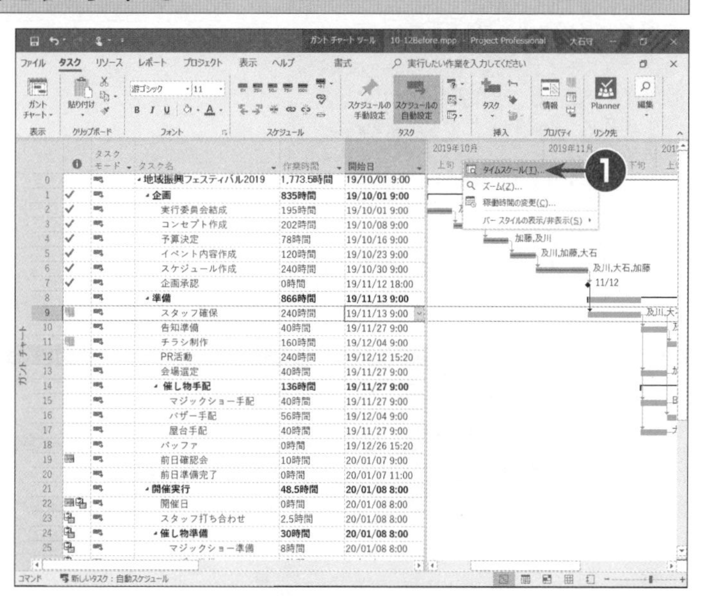

続く

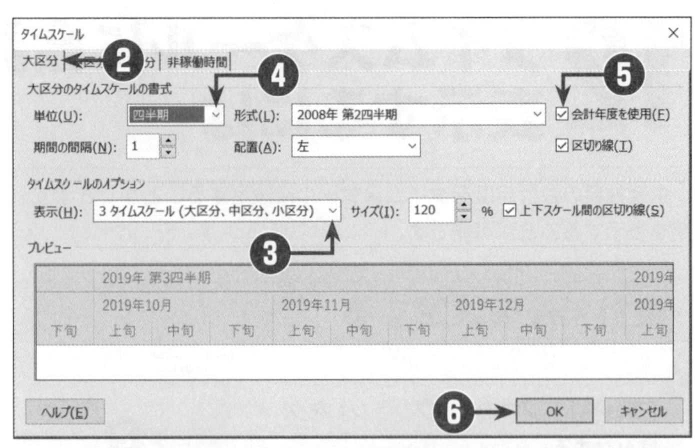

❷ [タイムスケール] ダイアログの [大区分] タブをクリックする。

❸ [タイムスケールのオプション] の [表示] の▼をクリックし、[3タイムスケール (大区分、中区分、小区分)] を選択する。

❹ [大区分のタイムスケールの書式] の [単位] の▼をクリックし、[四半期] を選択する。

❺ [会計年度を使用] にチェックを入れる。

❻ [OK] をクリックする。

➡タイムスケールに会計年度の四半期が表示される。

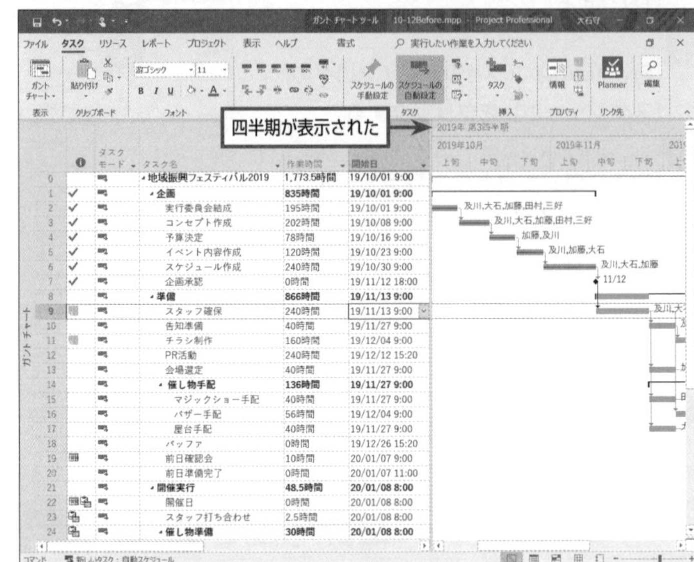

ヒント

タイムスケールの表示サイズ

ズームスライダーの [縮小] や [拡大] ボタンを使うと、現在表示されているタイムスケールの表示サイズが変更され、もともとの区分ごとの設定は保持されません。現在のタイムスケールの設定のまま、タイムスケールを伸ばしたり縮めたりするには、[タイムスケール] ダイアログの [サイズ] の値 (%) を調整してください。

ヒント

タイムスケールの3段表示

タイムスケールは、[大区分] [中区分] [小区分] の3段まで表示することができます。常に大きい区分の時間の単位を下の区分より大きく設定する必要があります。正しく設定されていない場合、エラーメッセージが表示されます。

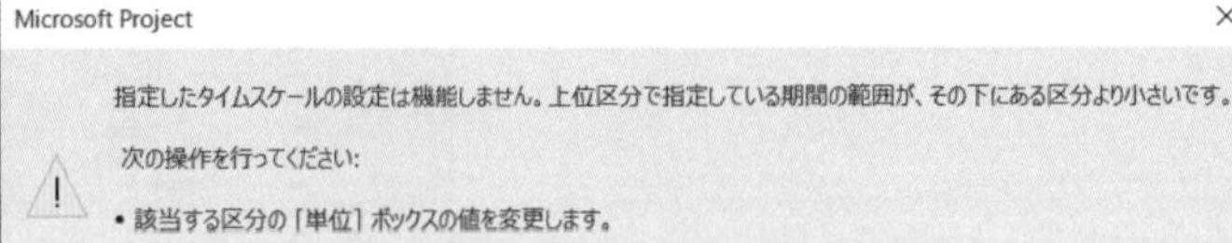

13 タイムスケールのカレンダーを設定するには

タイムスケールには、プロジェクトのカレンダーとは異なるカレンダーを使用することできます。[プロジェクト情報] ダイアログでカレンダーを指定しても、タイムスケール用のカレンダーは自動的に更新されないので注意してください。ここでは、非稼働時間をタイムスケールに表示する方法を解説します。

タイムスケールに異なるカレンダーを設定し非稼働時間を表示する

1. ガントチャート上のタイムスケールを右クリックし、[タイムスケール] をクリックする。
2. [タイムスケール] ダイアログの [小区分] タブをクリックする。
3. [単位] の▼をクリックし、[日] を選択する
4. [非稼働時間] タブをクリックする。
5. [カレンダー名] の▼をクリックし、タイムスケールに使用するカレンダーを選択する。
6. [OK] をクリックする。

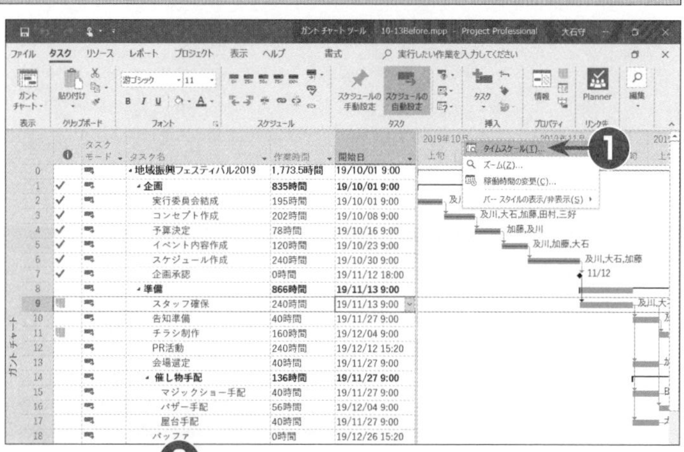

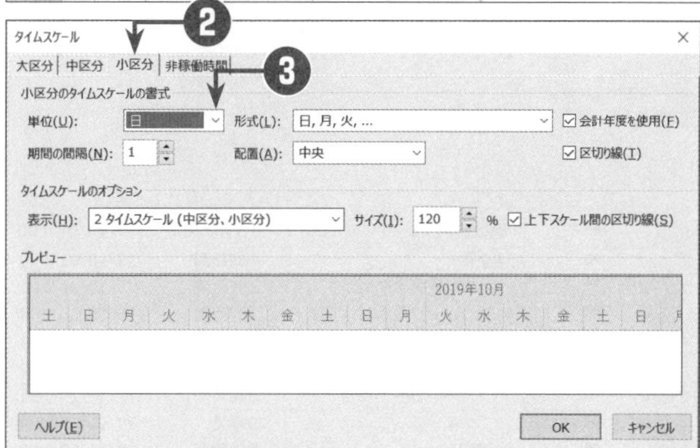

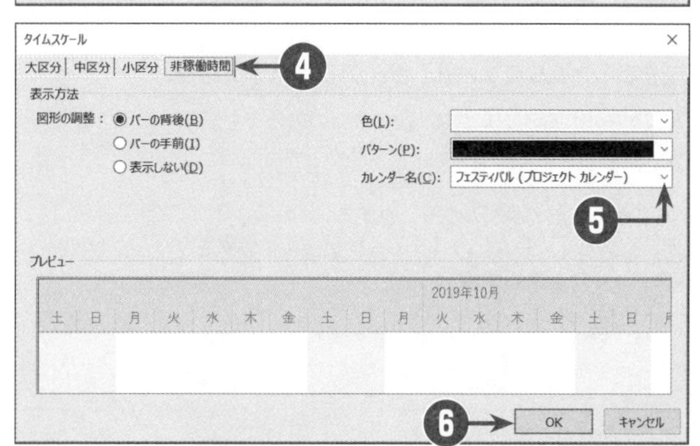

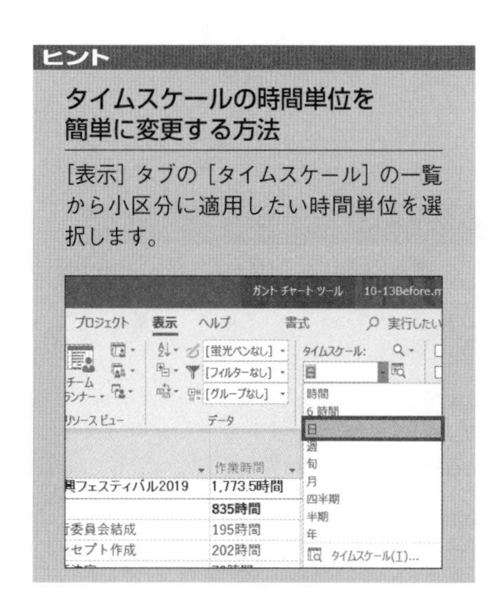

ヒント

タイムスケールの時間単位を簡単に変更する方法

[表示] タブの [タイムスケール] の一覧から小区分に適用したい時間単位を選択します。

続く→

➡タイムスケールに非稼働時間が表示される。

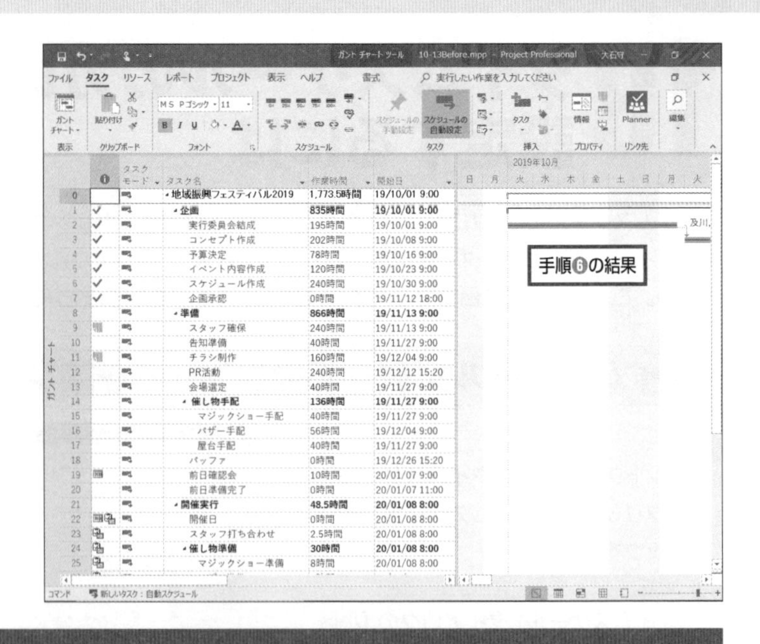

ヒント

非稼働時間の表示位置

［タイムスケール］ダイアログの［非稼働時間］タブでは、非稼働時間を表す図形の位置を調整することができます。［バーの手前］を選択すると、非稼働時間の部分ではガントバーが隠れます。［バーの背後］を選択すると、非稼働時間がガントバーの背後に隠れます。

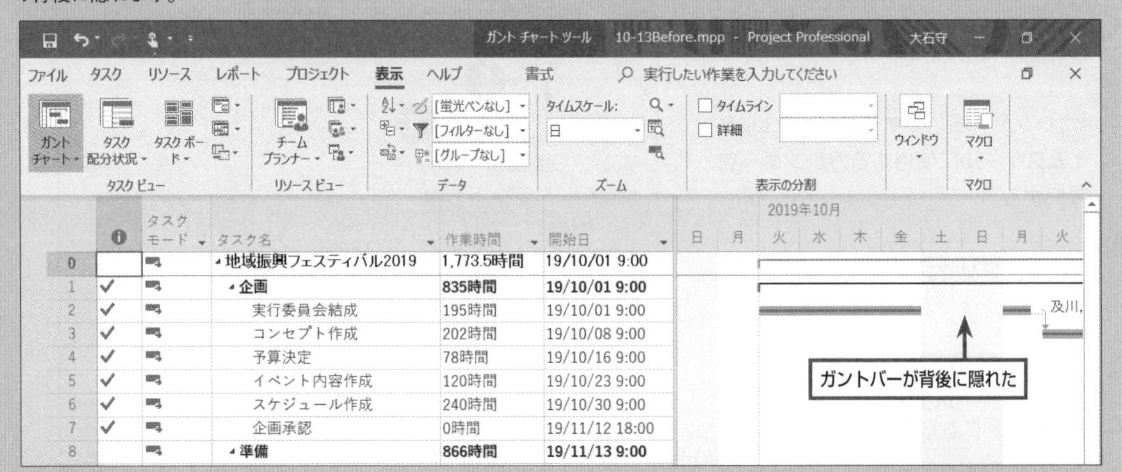

他の方法で［タイムスケール］ダイアログを表示する

［タイムスケール］ダイアログは、次の2つの方法でも表示することができます。

- タイムスケール上でダブルクリックする。
- ［表示］タブの［ズーム］の［タイムスケール］の▼をクリックし、［タイムスケール］を選択する

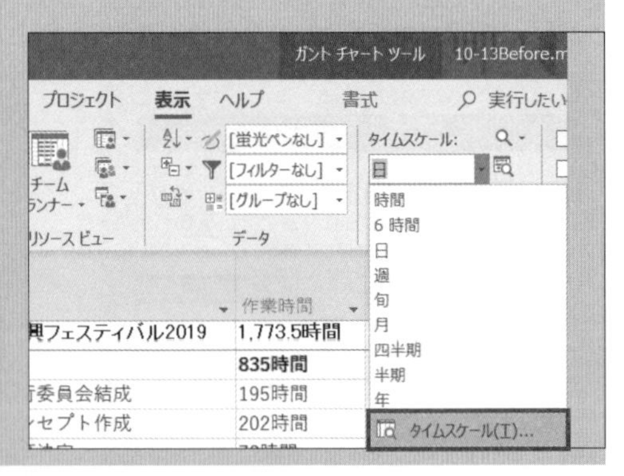

14 プロジェクト開始日を変更して プロジェクト全体を移動するには

完了したプロジェクトのファイルを利用して、新たにプロジェクト計画を作成するということはよくあります。その場合、完了したプロジェクトに特有の期限や制約がタスクに設定されていることがあります。プロジェクト開始日を変更しただけでは、それらの設定は変更されません。こういった場合、「プロジェクトの移動」機能を使用すると、新たなプロジェクト開始日を指定するだけで、期限などによって日付が指定されているタスクをプロジェクト開始日からの相対的に時間差を加味して自動的に移動してくれるので便利です。

プロジェクトを移動する

❶ [プロジェクト］タブの［スケジュール］の［プロジェクトの移動］をクリックする。

➡［プロジェクトの移動］ダイアログが表示される。

❷ [新しいプロジェクトの開始日]に移動したい日付を入力する。

❸ 期限も一緒に移動する場合は、[期限を移動する］にチェックを入れる。

❹ [OK］をクリックする。

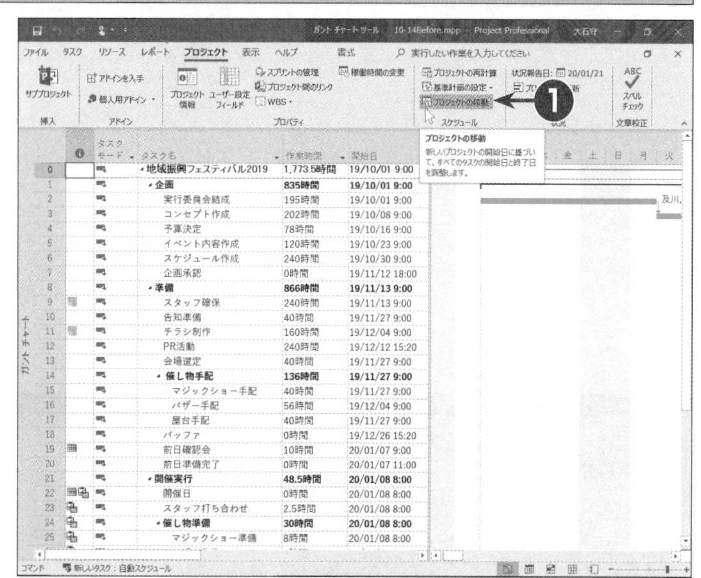

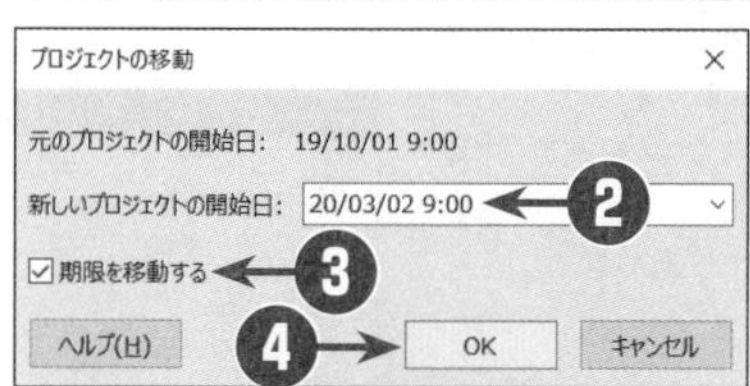

注意

[プロジェクトの移動] 使用時の注意事項

「プロジェクトの移動」機能を使用してプロジェクト全体が移動できたように見えても、タスクカレンダーが設定されているタスクは特定の期間に制約を受けている場合があります。タスクカレンダーが設定されている場合は、カレンダーの稼働時間を確認することも忘れないようにしましょう。また実績が入っている状態で［プロジェクの移動］実行すると、警告メッセージが表示されます。[はい］をクリックして続行できますが、実績値を削除してから実行することをお勧めします。

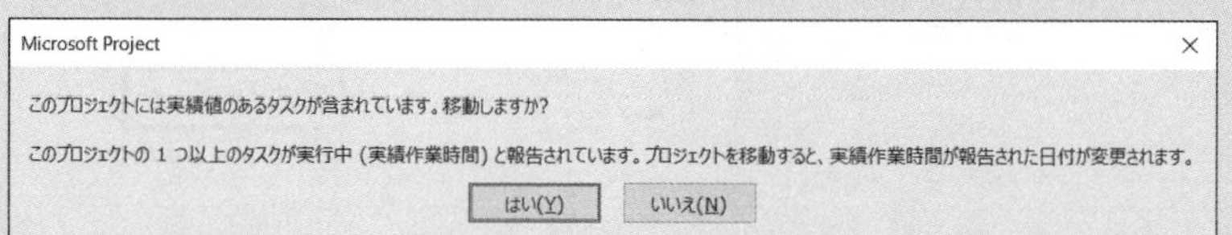

続く→

➡指定したプロジェクト開始日に従って、プロジェクト全体が移動する。

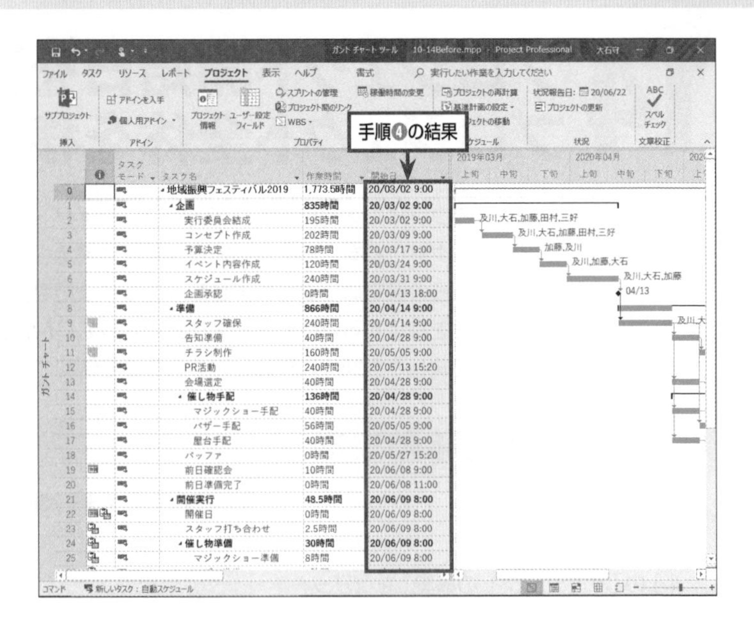

ヒント

[プロジェクト情報]でプロジェクト開始日を変更した場合

[プロジェクト情報] でプロジェクト開始日を変更しても、期限や制約が設定されていない場合は、タスクの依存関係に従ってスケジュールが再計算され、「プロジェクトの移動」機能を使用した場合と同様にプロジェクト全体が移動します。しかし、タスクに制約が設定されているとスケジュール計算に矛盾が発生したり、期限が設定されている場合は期限超過の警告が発生することがあります。

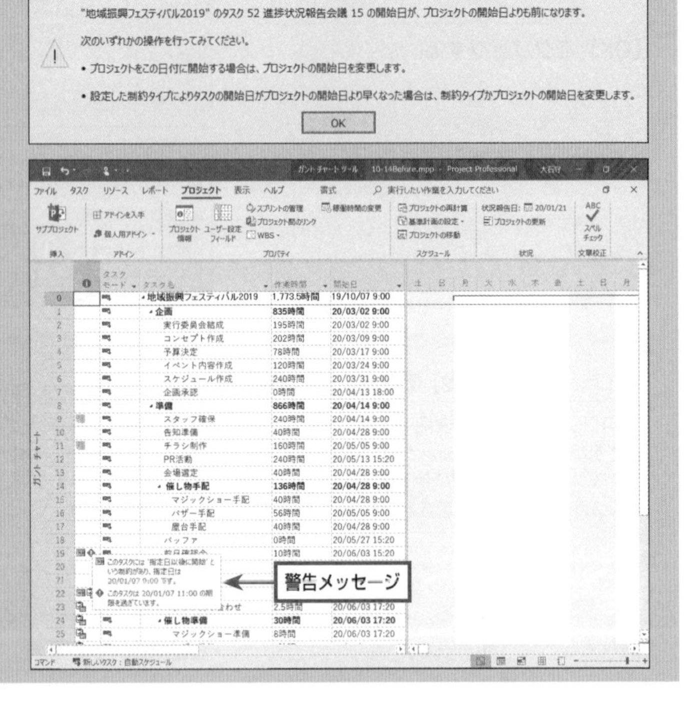

15 独自のビューを作成して リボンのメニューに登録するには

よく使用するビューをリボンのメニューに登録しておくと、すばやく切り替えられて便利です。ここでは、新しいビューを作成して登録する方法と、登録したビューを削除する方法を説明します。

ビューを新規作成する

1. [タスク] タブの [表示] の [ガントチャート] の▼をクリックし、[その他のビュー] をクリックする。
2. [その他のビュー] ダイアログの [新規作成] をクリックする。
3. [新しいビューの定義] ダイアログの [分割ビュー] をクリックし、[OK] をクリックする。
4. [ビューの定義] ダイアログの [ビュー名] に任意の名前を入力する。
5. [ビューの選択] の [主要ビュー] と [詳細ウィンドウ] の▼をそれぞれクリックし、表示するビューを選択する。
6. [メニューに表示する]にチェックを入れる。
7. [OK] をクリックしてダイアログを閉じる。

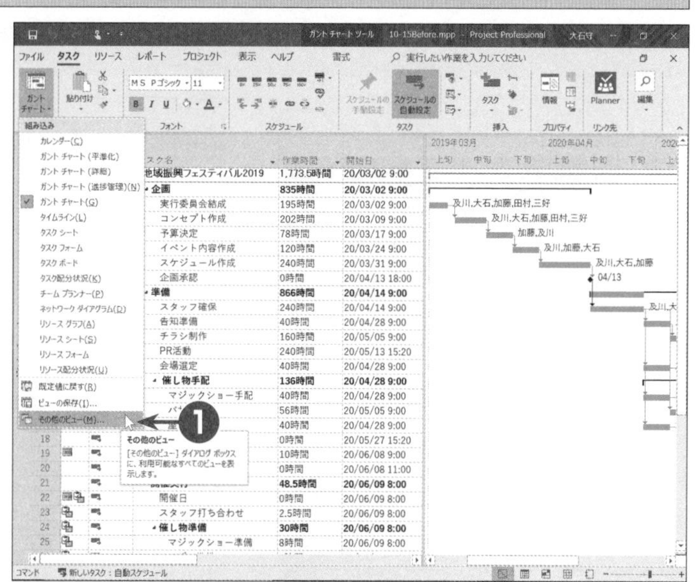

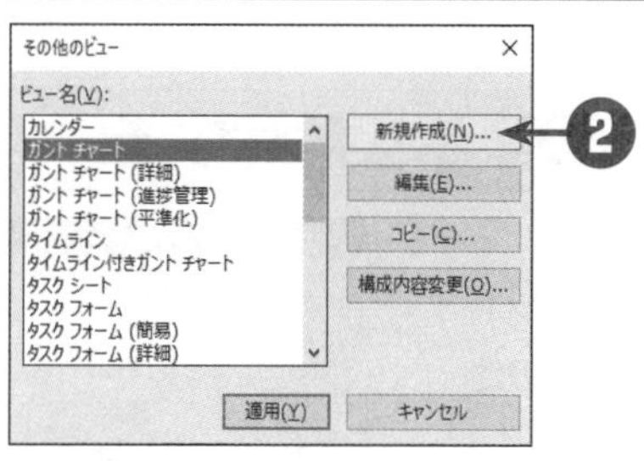

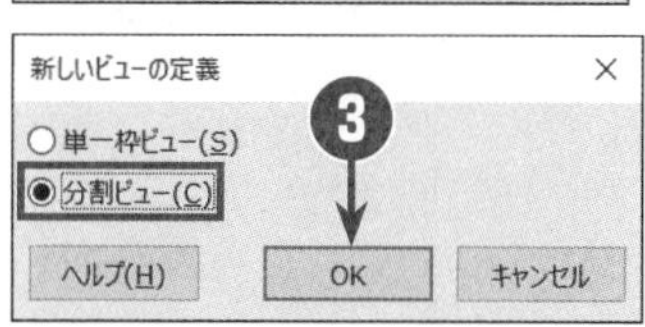

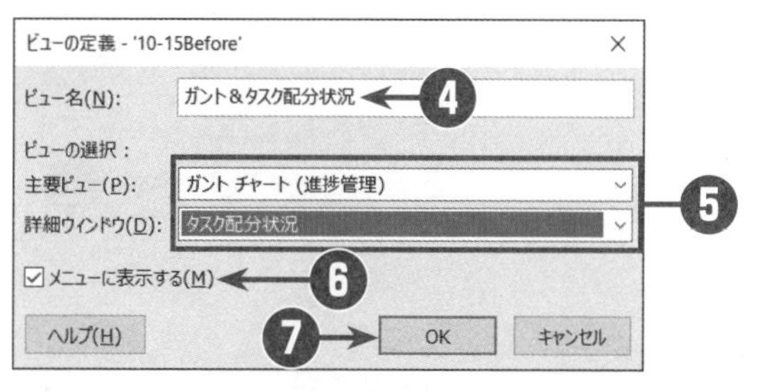

用語

ビュー

Projectでは、[ガントチャート] や [リソースグラフ] などの表示画面のことを「ビュー」と呼びます。ビューには、大きく分けて [タスク] ビューと [リソース] ビューの2種類があります。また、タイムスケールを含むものと含まないものがあります。

続く→

8 ［その他のビュー］ダイアログで、作成したビューが選択されていることを確認して［適用］をクリックする。

➡作成したビューが適用され、［タスク］タブの［表示］の［ガントチャート］ボタンの▼をクリックすると、作成したビューの名前が表示される。

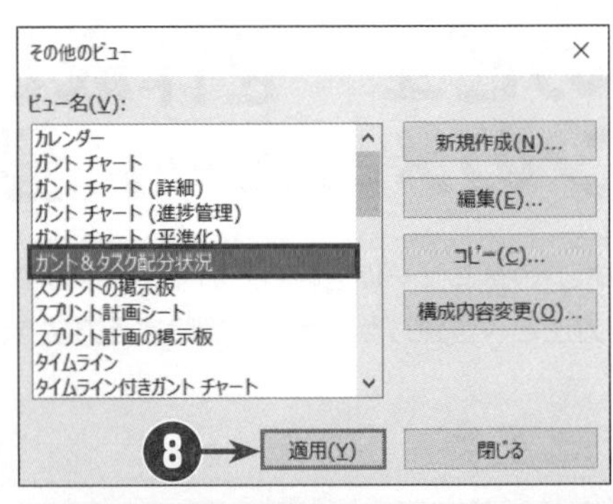

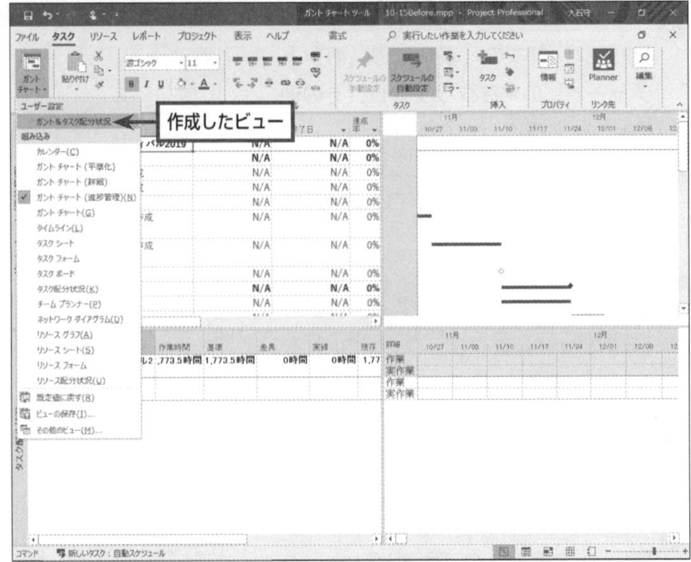

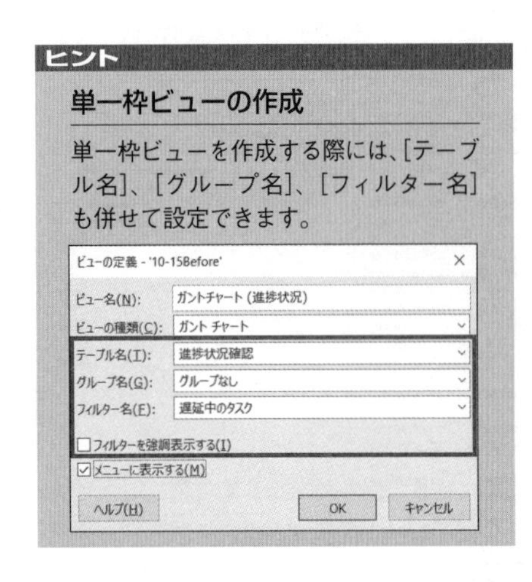

ヒント

単一枠ビューの作成

単一枠ビューを作成する際には、［テーブル名］、［グループ名］、［フィルター名］も併せて設定できます。

リボンのメニューへの表示を解除する

1 ［タスク］タブの［表示］の［ガントチャート］の▼をクリックし、［その他のビュー］をクリックする。

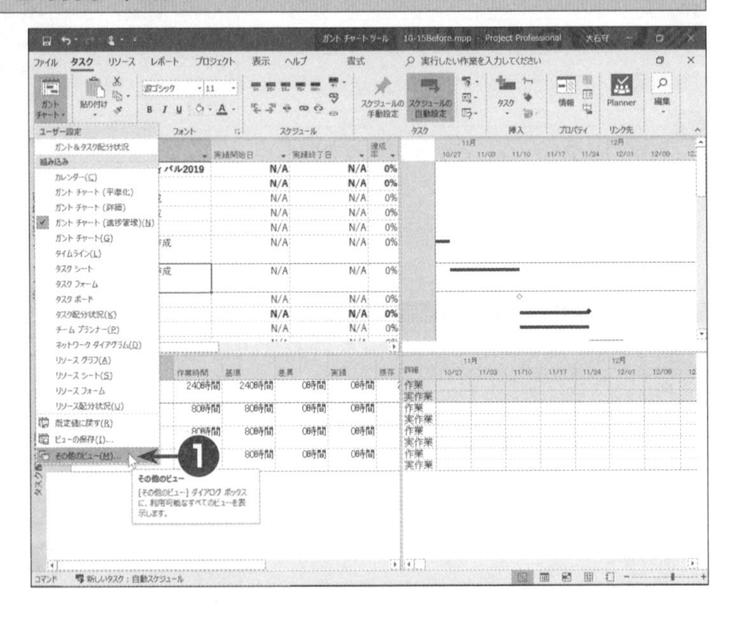

❷ [その他のビュー] ダイアログの [ビュー名] からビューを選択し、[編集] をクリックする。

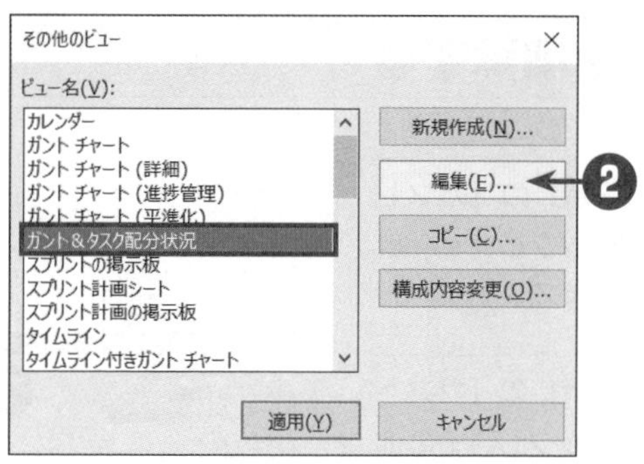

❸ [ビューの定義] ダイアログの [メニューに表示する]のチェックを外す。

❹ [OK] をクリックしてダイアログを閉じる。

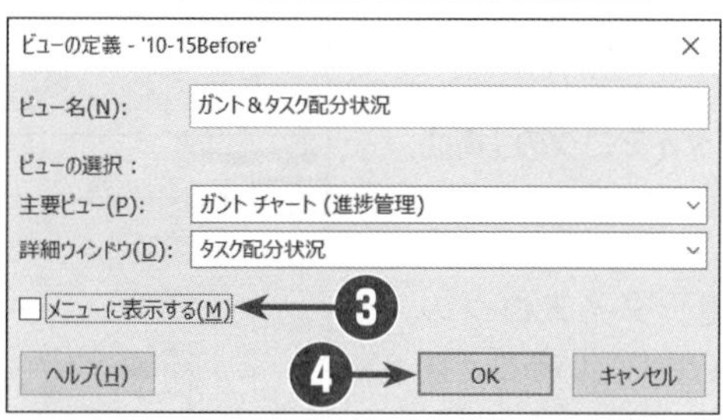

❺ [その他のビュー] ダイアログの [閉じる] をクリックする。

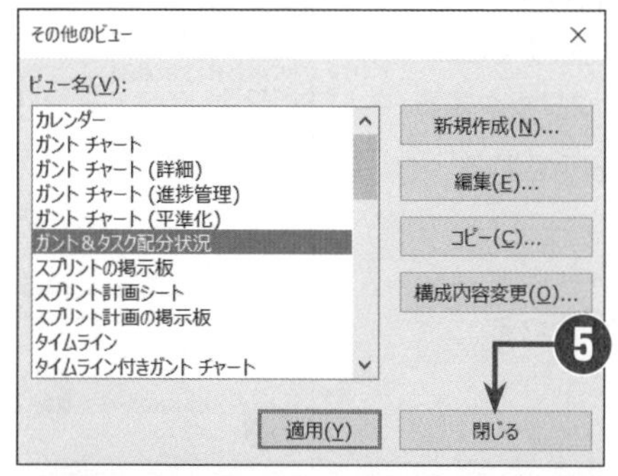

❻ [タスク] タブの [表示] の [ガントチャート] の▼をクリックする。

➡メニューへの登録がキャンセルされている。

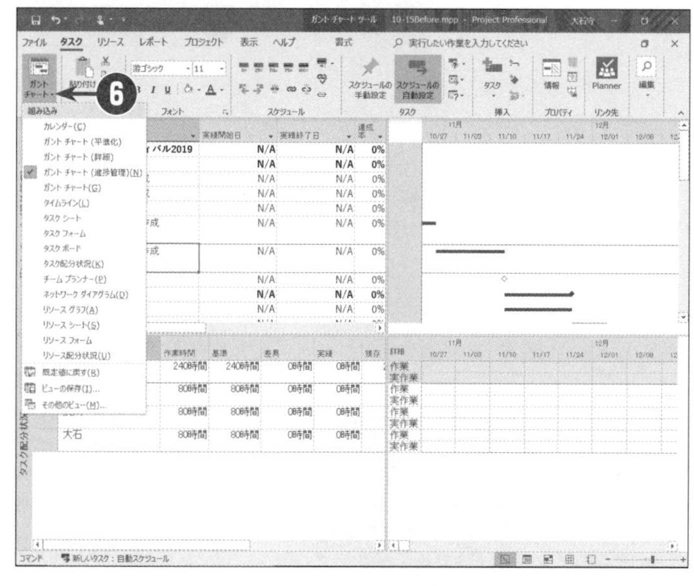

ヒント

ビューを切り替える別の方法

画面左側に表示されているビュー名を右クリックするとビューの一覧が表示され、表示したいビューを選択することができます。

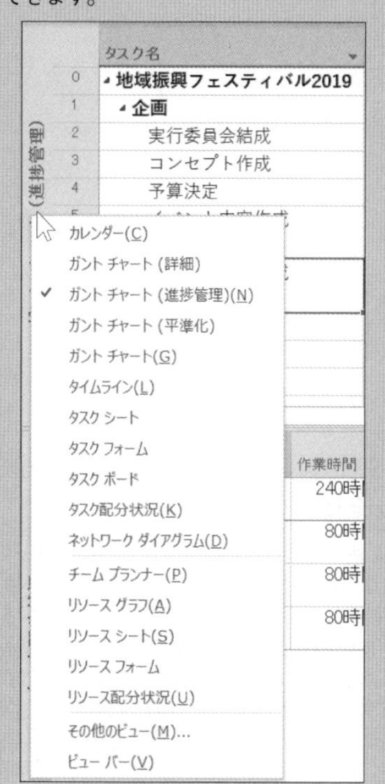

独自のビューを削除する

❶ [タスク] タブの [表示] の [ガントチャート] の▼をクリックし、Projectの標準のビューを選択する。

❷ [タスク] タブの [表示] の [ガントチャート] の▼をクリックし、[その他のビュー] をクリックする。

❸ [その他のビュー] ダイアログの [構成内容変更] をクリックする。

❹ [構成内容の変更] ダイアログの[ビュー]タブが選択されていることを確認し、右側の現在開いているプロジェクト名の一覧から削除するビュー名を選択して [削除] をクリックする。

➡確認のダイアログが表示される。

❺ [はい] をクリックする。

➡選択したビューが削除される。

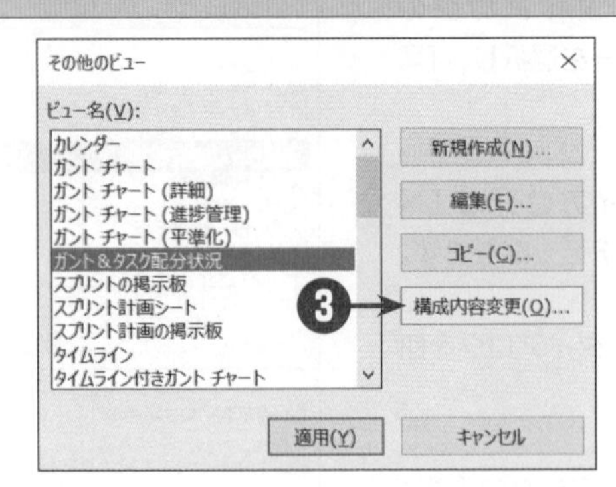

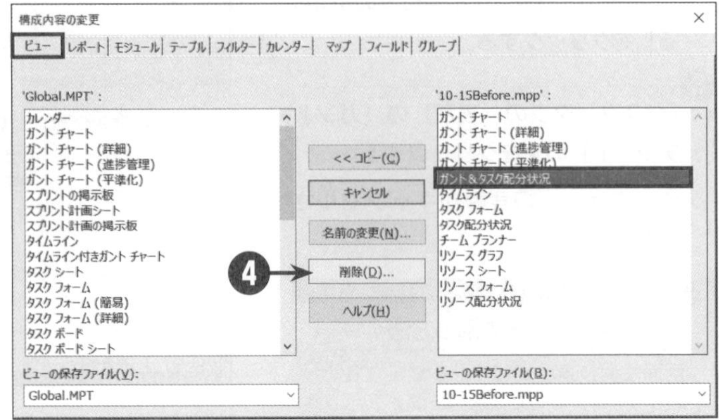

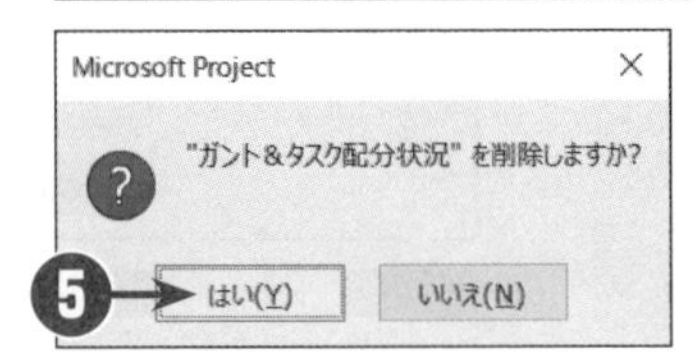

ヒント

使用中のビューは削除できない

現在使用中のビューを削除しようとすると、警告のダイアログが表示されます。使用中のビューは削除できないためです。いったん他のビューを適用した後、削除します。

注意

Projectが標準で用意しているビューは削除しない

[構成内容の変更] ダイアログを使って、Global.MPTからProjectの標準ビューを削除するのは、特別な理由がない限り避けてください。一度Global.MPTからビューを削除してしまうと、Projectがインストールされた環境自体から削除されてしまうため使用できなくなります。このため本書では、使用しないビューは削除ではなくメニューに表示しないことをお勧めします。万が一、標準ビューを削除してしまった場合は、別の環境で作成したProjectファイル（.mpp）から [構成内容の変更] でコピーして復元してください。

16 ビューを分割するには

Projectでは、ウィンドウを上下に分割してそれぞれ別のビューを表示することができます。ビューを分割することにより、1つのプロジェクトを2種類の異なる形式で確認することができ、効率良く作業できます。また、ビューの分割だけでなく、1つのプロジェクト計画を個別のウィンドウとして上下に表示することもできます。

ビューを上下に分割する

❶ ［タスク］タブの［表示］の［ガントチャート］の▼をクリックし、［ガントチャート］をクリックする。

❷ ［表示］タブの［表示の分割］の［詳細］にチェックを入れる。

➡ビューが上下に分割され、上段には［ガントチャート］ビュー、下段には［タスクフォーム］ビューが表示される。

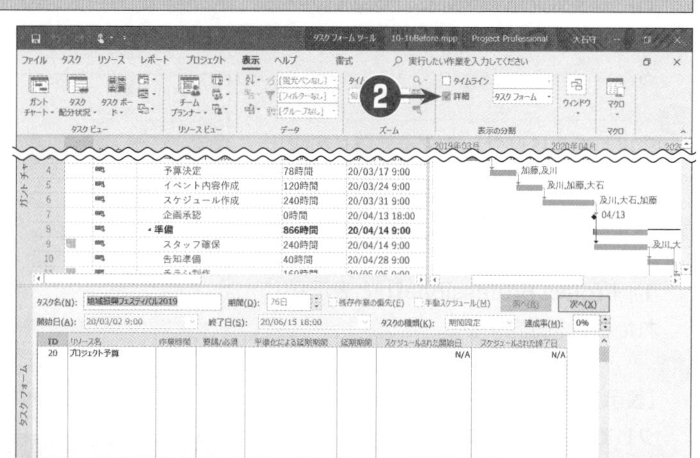

❸ 画面下段のビューを切り替えるには、［表示］タブの［表示の分割］の［詳細］の▼をクリックし［タスク配分状況］をクリックする。

➡下段に［タスク配分状況］ビューが表示され、上段で選択したタスクの詳細を確認できる。

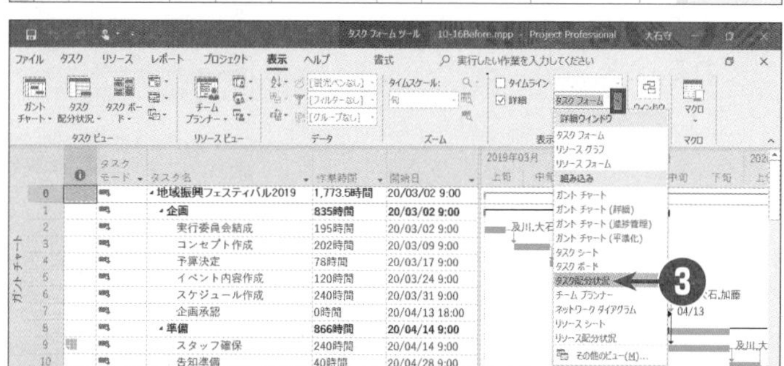

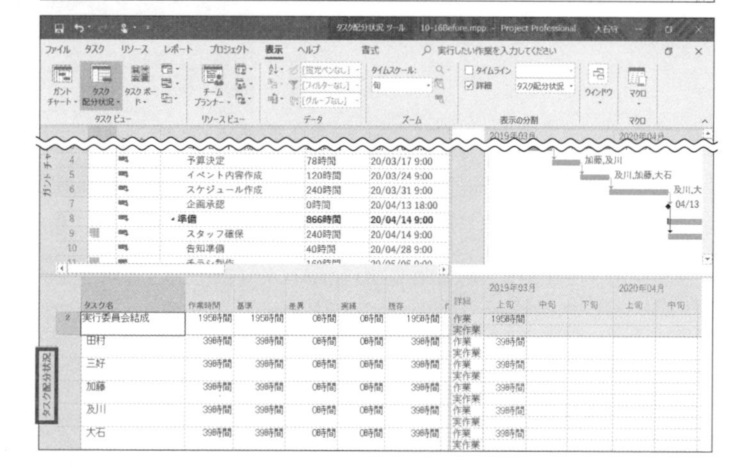

> **ヒント**
>
> **分割したビューを元に戻すには**
>
> 分割したビューを元に戻すには、次の2つの方法があります。
>
> - ［表示］タブの［表示の分割］の［詳細］のチェックを外す。
> - 分割バーをポイントし、マウスポインターが二重線の上下矢印に変わったら、ダブルクリックする。

個別のウィンドウを上下に表示する

❶ ［表示］タブの［ウィンドウ］をクリックして［新しいウィンドウを開く］をクリックする。

❷ ［新しいウィンドウを開く］ダイアログでプロジェクト名を選択し、［ビュー名］の▼をクリックして、もう1つのウィンドウで使用するビューを選択する。

❸ ［OK］をクリックしてダイアログを閉じる。

❹ タイトルバーに「＜プロジェクト名＞:1 - Project Professional」と表示されたことを確認する。

❺ ［表示］タブの［ウィンドウ］をクリックして［整列］をクリックする。

➡上下に個別のウィンドウが表示される。

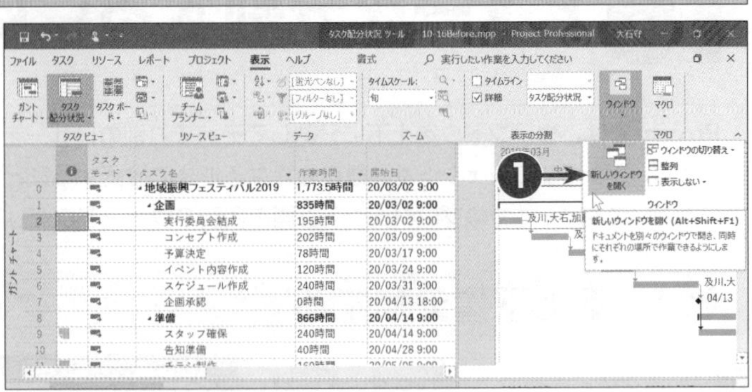

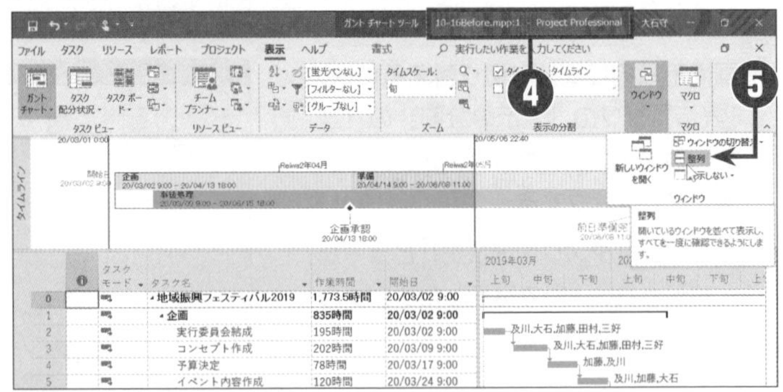

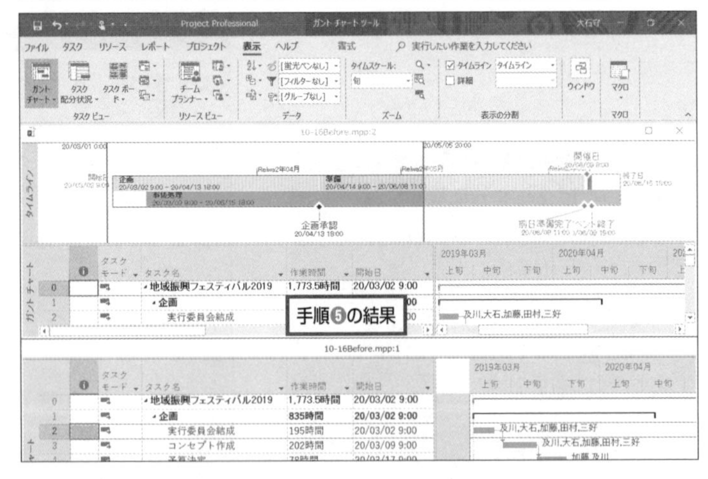

コラム

ビューの使い方

上段と下段の関係

ビューを分割して使用する場合、上段で選択したタスクやリソースの情報のみが下段に表示されるので注意してください。たとえば、上段と下段で同じ［ガントチャート］を表示し、上段で「実行委員会結成」というタスクを選択すると、下段には「実行委員会結成」のみが表示されます。

1つのプロジェクト計画を2種類のビューで画面に表示しているため、上段のビューでプロジェクト計画の変更を行うと下段に反映され、下段のビューでプロジェクト計画の変更を行うと上段に反映されます。

アクティブ画面による使用できるアイテムの制限

Projectに限らずOffice製品共通の特徴として、選択したアイテムによって、使用できるコマンドが変わります。たとえば、上段に［ガントチャート］、下段に［リソースシート］を表示して、［リソースシート］を選択しているときには、［タスク］タブの［スケジュール］の［達成率］のボタンは無効になり使用できません。

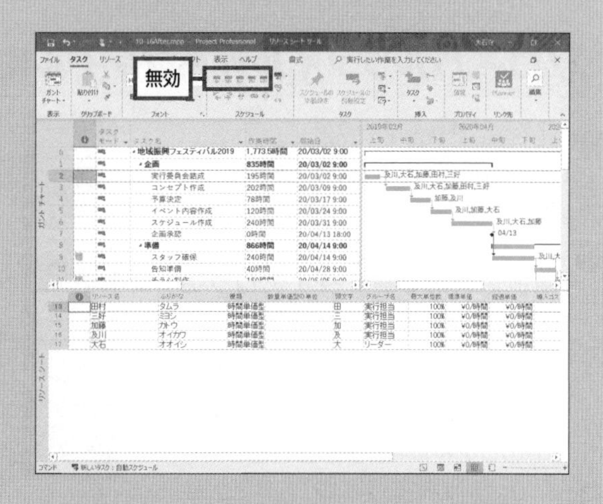

Projectを使用中に、目的のボタンなどが使用できない場合は、まずは上段と下段どちらのビューを選択しているのか確認してください。

また選択中のビューによって、そのビューに固有のツールがリボンとして表示されます。［ガントチャート］選択時には［ガントチャートツール］、［リソースシート］選択時には［リソースシートツール］と表示され、現在どのビューのコマンドが有効になっているのかがわかるようになっています。

組み合わせに制限のあるビュー

一部のビューは組み合わせに制限があります。［チームプランナー］は、タイムスケールを持たないビューのみと組み合わせることができます。［タイムライン］は、上段にのみ表示することができます。

17 カレンダーやビューを他のプロジェクトでも使用するには

カレンダーやビューを作成すると、グローバルファイル（Global.MPT）とその際に使用していたファイルの両方に保存されます。アイテムを作成した環境とは異なる環境でも使用する場合は、それらのアイテムが含まれるファイルを経由して、別の環境のグローバルファイルにコピーすることで使用できるようになります。

グローバルファイルからファイルにアイテムをコピーする

❶ [ファイル] タブの [情報] 画面で [構成内容変更] をクリックする。

❷ [構成内容の変更] ダイアログの [ビュー] タブをクリックする。

➡画面の左側にGlobal.MPT、画面の右側に現在開いているプロジェクトのファイル名が表示される。

❸ 左側の一覧から作成したビューのビュー名を選択する。

❹ [コピー] をクリックする。

➡使用中のファイルにコピーされる。

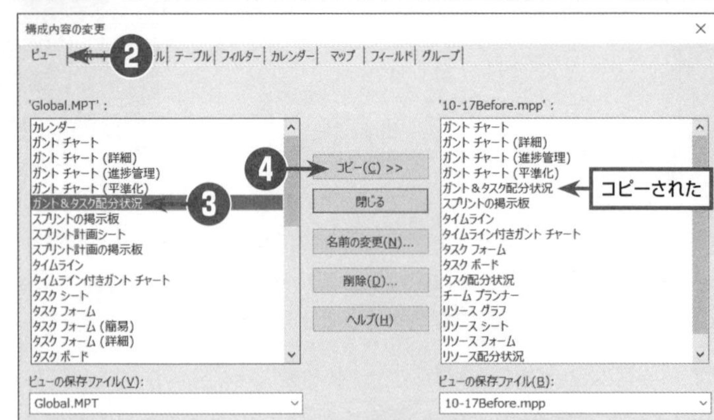

❺ [カレンダー] タブをクリックする。

❻ 左側の一覧から作成したカレンダーのカレンダー名を選択する。

❼ [コピー] をクリックする。

➡使用中のファイルにコピーされる。

❽ [閉じる] をクリックする。

❾ [ファイル] タブの [上書き保存] をクリックし、[閉じる] をクリックする。

➡作業中のプロジェクトファイルが閉じる。

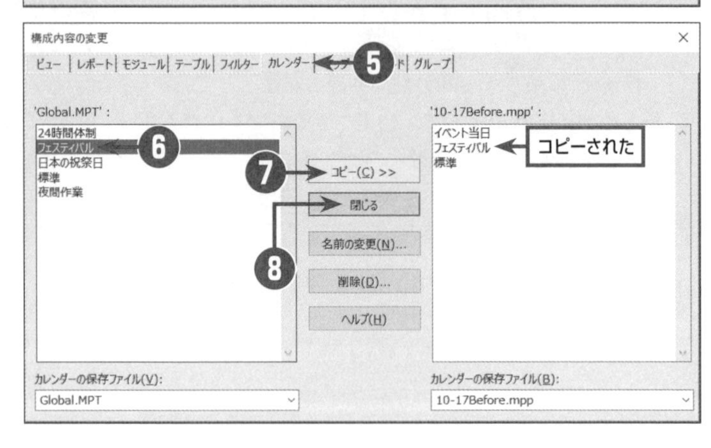

ファイルからグローバルファイルにアイテムをコピーする

❶ ［ファイル］タブの［開く］をクリックし、アイテムの含まれるファイルを開く。

❷ ［ファイル］タブの［情報］をクリックし、［構成内容変更］をクリックする。

❸ ［構成内容の変更］ダイアログの［ビュー］タブをクリックする。

➡画面の左側にGlobal.MPT、画面の右側に現在開いているプロジェクトのファイル名が表示される。

❹ 右側の一覧からビュー名を選択し、［コピー］をクリックする。

➡Global.MPTにコピーされる。

❺ ［カレンダー］タブをクリックする。

❻ 右側の一覧からカレンダー名を選択する。

❼ ［コピー］をクリックする。

➡Global.MPTにコピーされる。

❽ ［閉じる］をクリックする。

❾ ［ファイル］タブの［閉じる］をクリックする。

➡ファイルが閉じる。

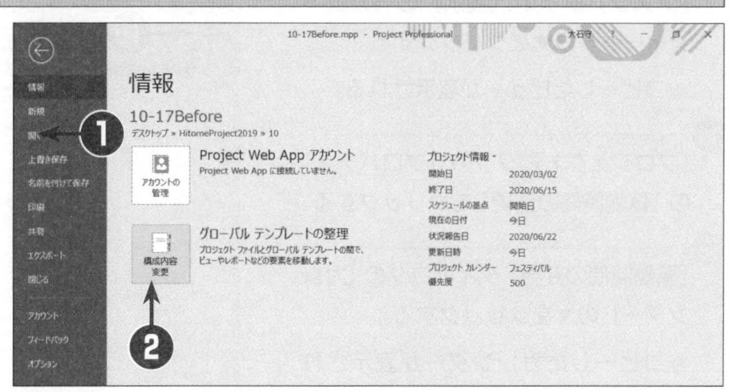

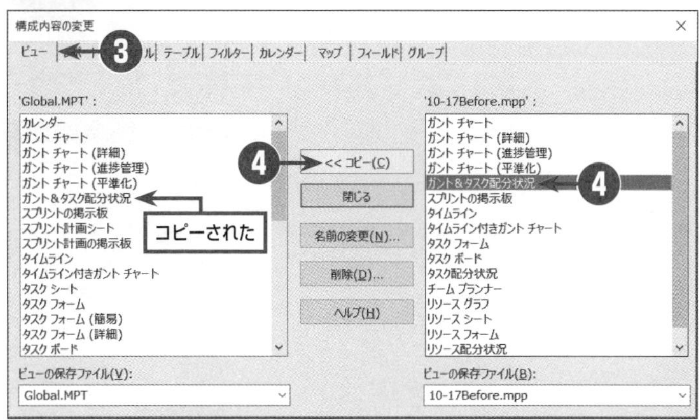

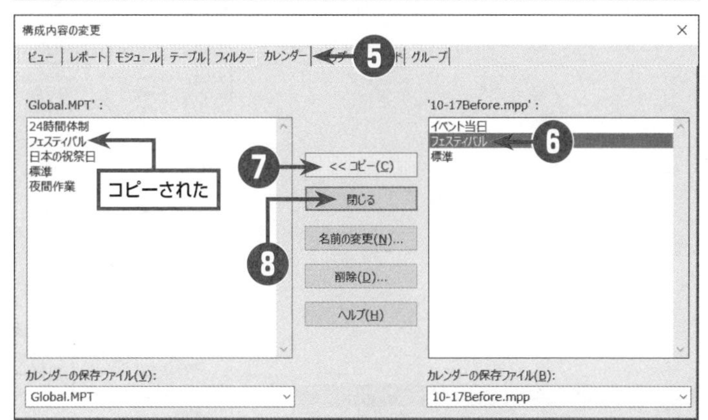

用語

Global.MPT

Global.MPTとは、Projectの既定の設定が保存されているグローバルテンプレートファイルのことです。WordのNormal.dotのような位置付けのファイルです。Global.MPTには、［構成内容の変更］にある要素のほかにオプションの設定も含まれています。

続く→

⑩

［タスク］タブの［表示］の［ガントチャート］の▼をクリックする。

➡コピーしたビューが表示される。

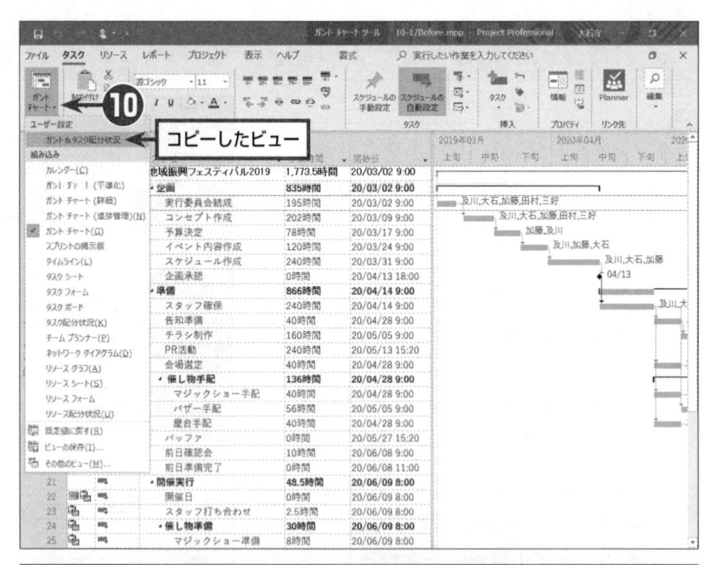

⑪

［プロジェクト］タブの［プロパティ］の［稼働時間の変更］をクリックする。

⑫

［稼働時間の変更］ダイアログの［カレンダー］の▼をクリックする。

➡コピーしたカレンダーが表示される。

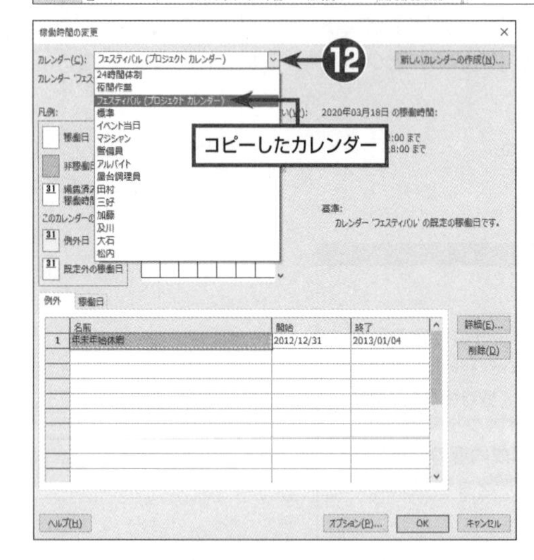

ヒント

Global.MPTにアイテムをコピーする意味

使用中のファイルにビューやカレンダーなどのアイテムが含まれていれば、別のProjectの環境でも使用することはできます。しかし、そのままではそれを含むプロジェクトファイルでしか該当のアイテムを使用できません。Global.MPTにアイテムが含まれていることで、別のプロジェクトでも使用できるようになります。

18 期間や日付フィールドに文字列を入力するには

タスクの［開始日］［終了日］［期間］など、はっきりとした日程や期間が決定していない場合でも、現在の状況がわかっていれば、［開始日］［終了日］［期間］フィールドにメモ書きのように文字列を入力しておくことができます。

［期間］や［日付］フィールドに文字列を入力する

❶ ［開始日］［終了日］［期間］フィールドで入力するフィールドをクリックして選択する。

❷ 選択したフィールドに、たとえば「3月上旬」と入力する。

➡入力した文字が斜体で表示される。

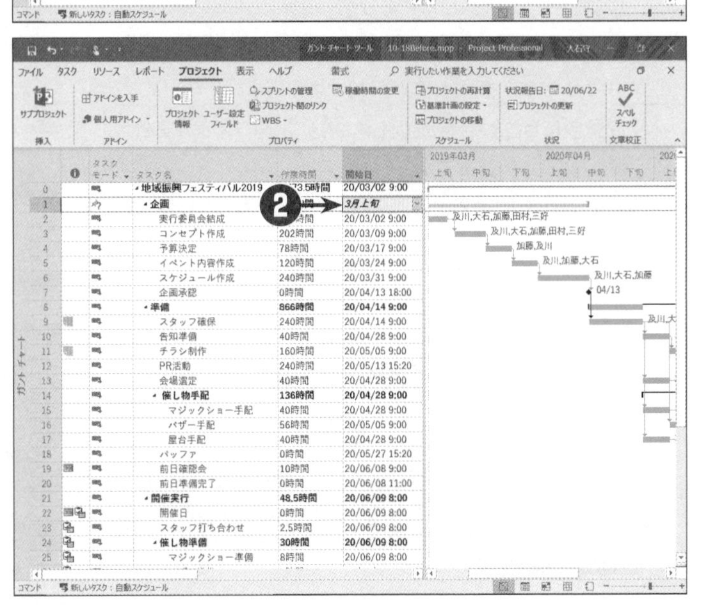

ヒント

［期間］や［日付］フィールドに文字列が入力できるタスク

タスクモードが［手動スケジュール］のタスクのみ、文字列を入力することができます。タスクモードを［自動スケジュール］に変更すると、入力したデータはリセットされ自動的に計算が行われます。ただし、サマリータスクの場合のみ、文字列を入力すると［自動スケジュール］が［手動スケジュール］に変更されます。

注意

日付データと文字列データ

入力したデータは文字列データとして扱われ、斜体で表示されます。日付データにする場合は数字や日付を入力します。［期間］［開始日］［終了日］フィールドが対応しています。［期間］［開始日］［終了日］形式のユーザー設定フィールドは対応していません。

サマリータスク行を目立たせ、完了タスクの行をグレー表示にするには

筆者の仕事柄、Excelで作成されたWBSやガントチャートを拝見することがよくあります。中には、単純なものではなく、マクロなどを駆使してある程度のことが自動化されており、大変よくできているものも見かけることがあります。そのようなExcelのガントチャートでよく行われていることに、サマリータスクの行を目立つようにする、さらに完了タスクの行をグレー表示にする、などといったものがあります。

Projectでも、[文字列のスタイル]と蛍光ペン（強調表示）の機能を組み合わせることで、これとほぼ同じことを実現できます。

サマリータスク行を目立たせる

まずは[文字列のスタイル]を使用して、サマリータスク行と強調表示したタスクの背景色を設定し、先にサマリータスク行の表示を確認しましょう。

❶[書式]タブで、[文字列のスタイル]をクリックする。

❷[文字列のスタイル]ダイアログの[設定の対象]で[サマリータスク]を選択する。

❸背景色に目立つ色を選択し、フォントのスタイルに[太字]を選択する。

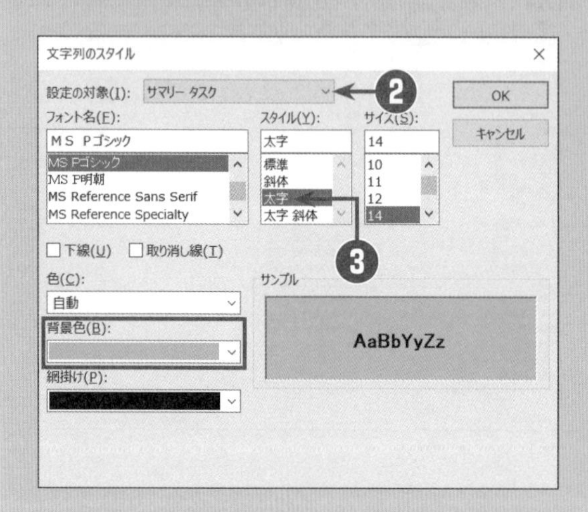

❹続いて、[設定の対象]で[強調表示したタスク]を選択する。

❺背景色にグレーを選択し、[OK]をクリックする。

➡サマリータスク行の背景色とフォントが変更される。

完了タスクの行をグレー表示にする

次に蛍光ペン（強調表示）を使用して、完了タスクの行をグレー表示にしてみましょう。この方法の場合、蛍光ペンの設定を解除する、もしくはフィルターを設定すると、完了タスクのグレー表示も解除されます。

❶[表示]タブで、[強調表示]の▼をクリックして[完了したタスク]を選択する。

➡完了したタスクの行がグレー表示になる。

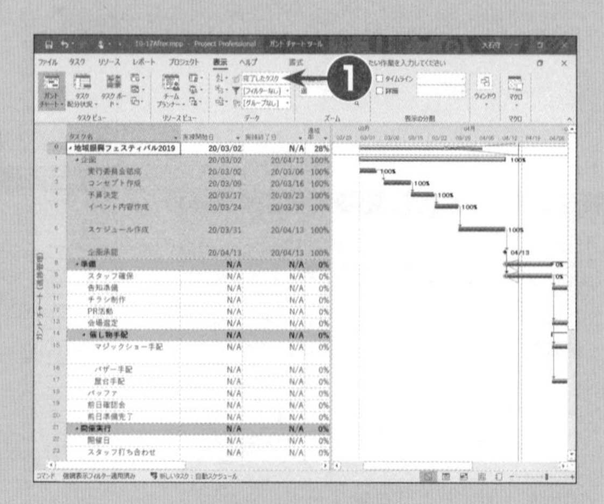

ここで紹介した方法は、1つの例です。他の方法として、[文字列のスタイル]で[マークしたタスク]の書式を設定し、[マークしたタスク]フィールドでフラグを「はい」にすることで、完了したタスク行の書式を変更することもできます。この場合は、テーブルで[マークしたタスク]の値を変更する必要があります。

第11章 複数プロジェクトの統合とリソースの共有

Projectには、プロジェクトに階層構造を持たせることができるプロジェクトの統合機能があります。これにより複数のプロジェクトの情報を一元管理できます。複数のプロジェクト間でリソースを共有すると、プロジェクトを横断するリソースの負荷状況を確認することができます。この章では、統合プロジェクトの使い方を解説します。

1 マスタープロジェクトに サブプロジェクトを挿入するには

タスクの数が数千個に及ぶような大規模プロジェクトの場合、1人のプロジェクトマネージャーが単一のプロジェクト計画を使ってプロジェクト全体をマネジメントするのは現実的ではありません。このような場合、プロジェクトを意味のあるまとまりに分割し、それぞれを1つのプロジェクトとして扱い、それらのプロジェクトを改めて複数のプロジェクトの集合体として統合し全体をマネジメントするという方法が用いられます。

分割されたプロジェクトを「サブプロジェクト」、それらのサブプロジェクトを統合し、1つにまとめたプロジェクトを「マスタープロジェクト」、サブプロジェクトとマスタープロジェクトで構成されるプロジェクトを「統合プロジェクト」と呼びます。ここでは、マスタープロジェクトにサブプロジェクトを挿入する手順を解説します。

サブプロジェクトを挿入する

❶ ［ファイル］タブの［新規］をクリックし、［空のプロジェクト］をクリックする。

➡新しいプロジェクトが作成される。

●このプロジェクトをマスタープロジェクトとして使用する。

❷ マスタープロジェクト上で、サブプロジェクトを挿入する位置にあるセルをクリックする。

❸ ［プロジェクト］タブの［挿入］の［サブプロジェクト］をクリックする。

➡［プロジェクトの挿入］ダイアログが表示される。

ヒント

マスタープロジェクトへのサブプロジェクトの挿入位置

マスタープロジェクトで選択した行にサブプロジェクトが挿入されます。複数のサブプロジェクトを同時に挿入する場合、［サブプロジェクトの挿入］ダイアログに表示された順番とは逆の順番で挿入されます。また挿入する直前の行と同じアウトラインの階層に設定されます。サブプロジェクトの直下の同じ階層に別のサブプロジェクトを追加したい場合は、サブプロジェクトのアウトラインを閉じた状態で挿入します。

4

［プロジェクトの挿入］ダイアログで、サブプロジェクトとして挿入するプロジェクトファイルを選択する。

- 複数のファイルを選択してもよい。
- ［リンクする］オプションについては、このページのヒントを参照。
- 右の画面のようにファイル名の先頭にチェックボックスを表示するには、Windowsのエクスプローラーの［表示］タブの［表示/非表示］で［項目チェックボックス］にチェックを入れる。

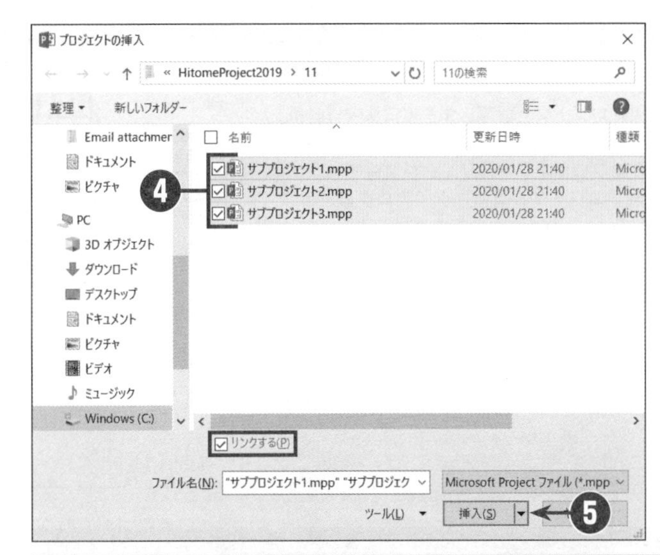

5

［挿入］をクリックする。

➡ マスタープロジェクトにサブプロジェクトが挿入される。

6

サブプロジェクトのタスク名の左側のアウトライン記号をクリックする。

- サブプロジェクトの確認方法については、この章の2のコラムを参照。

➡ サブプロジェクトが展開される。

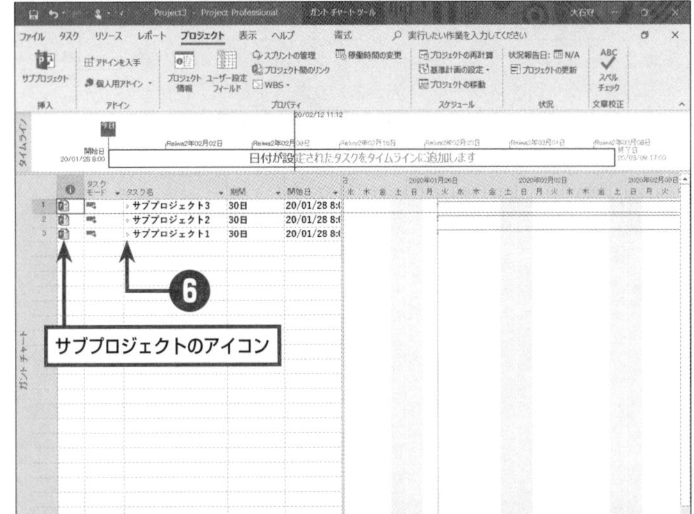

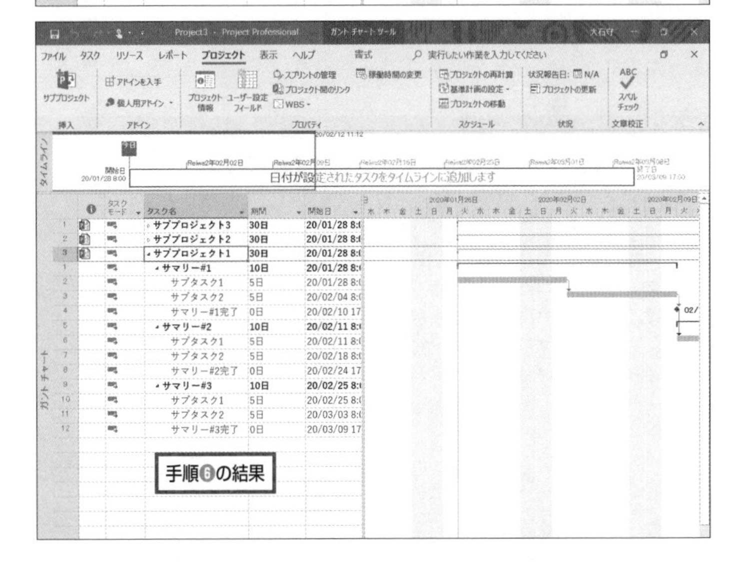

ヒント

［プロジェクトの挿入］ダイアログの［リンクする］オプション

- **［リンクする］にチェックを入れる**
  サブプロジェクトはプロジェクトとして挿入されます。マスタープロジェクト側でサブプロジェクトを編集すると、元のサブプロジェクトに変更内容が反映されます。
- **［リンクする］のチェックを外す**
  サブプロジェクトはタスクとして挿入されます。マスタープロジェクト側でサブプロジェクトを編集しても、元のサブプロジェクトに変更内容は反映されません。

ヒント

サブプロジェクトのリンクを解除するには

［挿入プロジェクト情報］ダイアログの［詳細］タブで［プロジェクトへリンク］をオフにすると、サブプロジェクトのリンクが解除されます。［挿入プロジェクト情報］ダイアログは、サブプロジェクトのタスクの行をダブルクリックすると表示できます。

挿入プロジェクト情報

全般 | 先行タスク | リソース | 詳細 | メモ | フィールド

タスク名(N): 要件定義　期間(D): 20日　見積もり(E)

ソース プロジェクト

プロジェクトへリンク(K): C:¥Users¥mamor¥Desktop¥HitomeProject2019¥　参照(B)...

読み取り専用(R)

ヘルプ(H)　プロジェクト情報(I)...　OK　キャンセル

ヒント

サブプロジェクトのタスクID

マスタープロジェクトに挿入されたサブプロジェクトのタスクは、マスタープロジェクトのタスクとは別に扱われます。その場合、タスクのIDはサブプロジェクトのタスクとして採番されます。

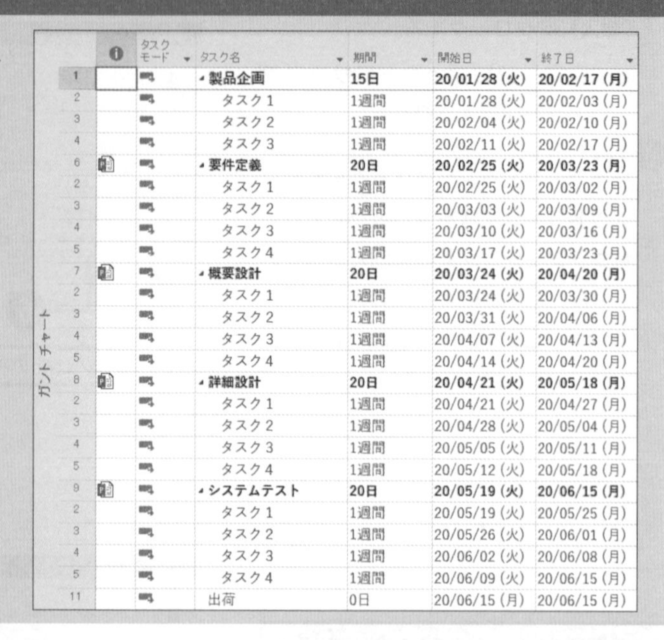

		タスクモード	タスク名	期間	開始日	終了日
1			製品企画	15日	20/01/28 (火)	20/02/17 (月)
2			タスク1	1週間	20/01/28 (火)	20/02/03 (月)
3			タスク2	1週間	20/02/04 (火)	20/02/10 (月)
4			タスク3	1週間	20/02/11 (火)	20/02/17 (月)
6			要件定義	20日	20/02/25 (火)	20/03/23 (月)
2			タスク1	1週間	20/02/25 (火)	20/03/02 (月)
3			タスク2	1週間	20/03/03 (火)	20/03/09 (月)
4			タスク3	1週間	20/03/10 (火)	20/03/16 (月)
5			タスク4	1週間	20/03/17 (火)	20/03/23 (月)
7			概要設計	20日	20/03/24 (火)	20/04/20 (月)
2			タスク1	1週間	20/03/24 (火)	20/03/30 (月)
3			タスク2	1週間	20/03/31 (火)	20/04/06 (月)
4			タスク3	1週間	20/04/07 (火)	20/04/13 (月)
5			タスク4	1週間	20/04/14 (火)	20/04/20 (月)
8			詳細設計	20日	20/04/21 (火)	20/05/18 (月)
2			タスク1	1週間	20/04/21 (火)	20/04/27 (月)
3			タスク2	1週間	20/04/28 (火)	20/05/04 (月)
4			タスク3	1週間	20/05/05 (火)	20/05/11 (月)
5			タスク4	1週間	20/05/12 (火)	20/05/18 (月)
9			システムテスト	20日	20/05/19 (火)	20/06/15 (月)
2			タスク1	1週間	20/05/19 (火)	20/05/25 (月)
3			タスク2	1週間	20/05/26 (火)	20/06/01 (月)
4			タスク3	1週間	20/06/02 (火)	20/06/08 (月)
5			タスク4	1週間	20/06/09 (火)	20/06/15 (月)
11			出荷	0日	20/06/15 (月)	20/06/15 (月)

ヒント

プロジェクトファイルの場所を移動する際の注意点

挿入したサブプロジェクトを別のフォルダーに移動してしまうと、マスタープロジェクトから参照できなくなります。ただし、マスタープロジェクトとサブプロジェクトを一緒に移動すると、自動的に同じフォルダーのサブプロジェクトを参照するように変更されます。マスタープロジェクトが参照するサブプロジェクトの場所は、［状況説明マーク］列のサブプロジェクトのアイコンをマウスでポイントするとポップアップで表示されます。

		タスクモード	タスク名	期間	開始日
1			サブプロジェクト3	30日	20/01/28
2				30日	20/01/28
3				30日	20/01/28
1				10日	20/01/28
2			サブタスク1	5日	20/01/28
3			サブタスク2	5日	20/02/04
4			サマリー#1完了	0日	20/02/10
5			サマリー#2	10日	20/02/11
6			サブタスク1	5日	20/02/11
7			サブタスク2	5日	20/02/18
8			サマリー#2完了	0日	20/02/24
9			サマリー#3	10日	20/02/25
10			サブタスク1	5日	20/02/25
11			サブタスク2	5日	20/03/03
12			サマリー#3完了	0日	20/03/09

このプロジェクトは、'C:¥Users¥mamor¥Desktop¥Test¥サブプロジェクト3.mpp' から編集可能で挿入されました。

ガントチャート

2 サブプロジェクトに依存関係を設定するには

通常のプロジェクトのサマリータスクと同様の手順で、サブプロジェクト間にリンク（依存関係）が設定できます。また、サブプロジェクトに含まれるタスク間にもリンクが設定できます。

サブプロジェクト同士に依存関係を設定する

❶ ここでは例として、マスタープロジェクトに「要件定義」「概要設計」「詳細設計」「システムテスト」という4つのサブプロジェクトを挿入する。

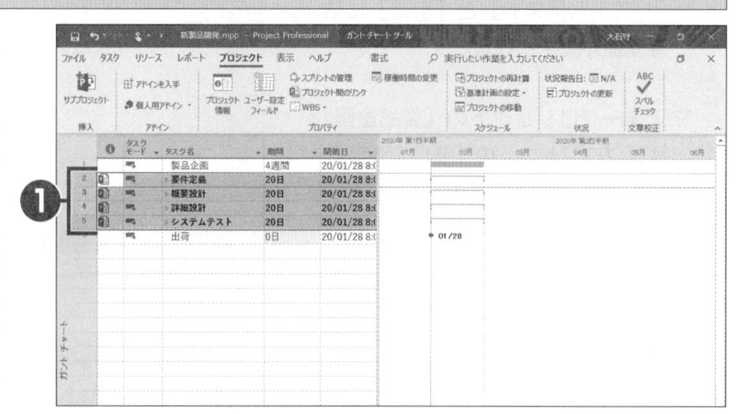

❷ 挿入したサブプロジェクトを「要件定義」「概要設計」「詳細設計」「システムテスト」の順に選択し、[タスク] タブの [スケジュール] の [選択したタスク間をリンク] をクリックする。

➡「要件定義」「概要設計」「詳細設計」「システムテスト」に依存関係が設定される。

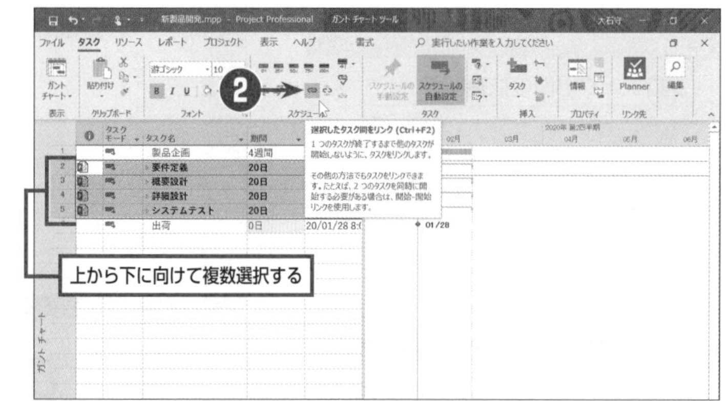

依存関係が設定された

ヒント

サブプロジェクトのタスク間の依存関係は最小限に

サブプロジェクトのタスク間の依存関係は最小限にとどめることをお勧めします。特に、各プロジェクトを別のプロジェクトマネージャーが管理している場合、サブプロジェクトの外で発生した遅延が自分のプロジェクトのスケジュールに影響するため、管理が非常に難しくなります。タスクに依存関係を設定する場合は、個別のタスクに対してではなく、サブタスク内にマイルストーンを設定し、マイルストーンに対して依存関係を設定してください。

マスタープロジェクトのタスクとサブプロジェクトに依存関係を設定する

❶
サブプロジェクトの「システムテスト」とマスタープロジェクトの「出荷」を選択し、[タスク] タブの [スケジュール] の [選択したタスク間をリンク] をクリックする。

➡「システムテスト」と「出荷」に依存関係が設定される。

❷
マスタープロジェクトの「製品企画」とサブプロジェクトの「要件定義」を選択し、[タスク] タブの [スケジュール] の [タスクのリンク] をクリックする。

➡後続タスクのサブプロジェクトのスケジュールも変更される。

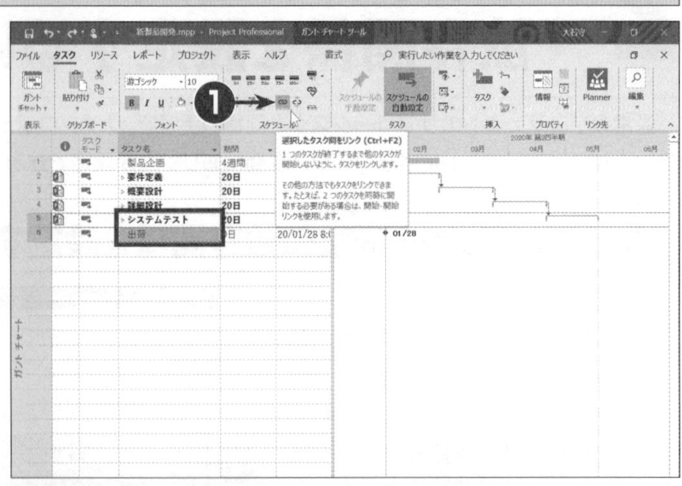

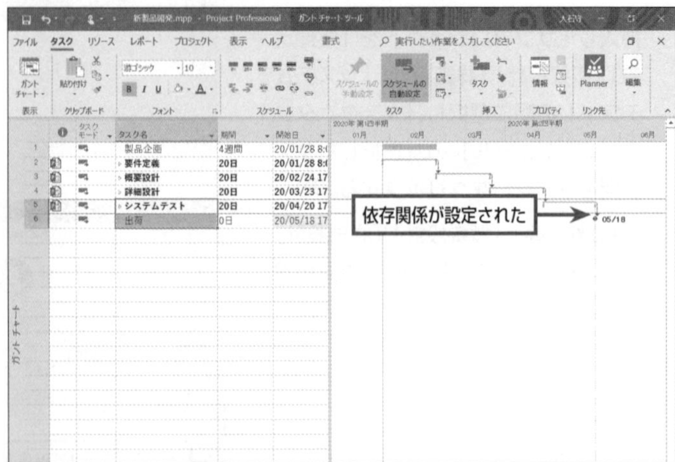

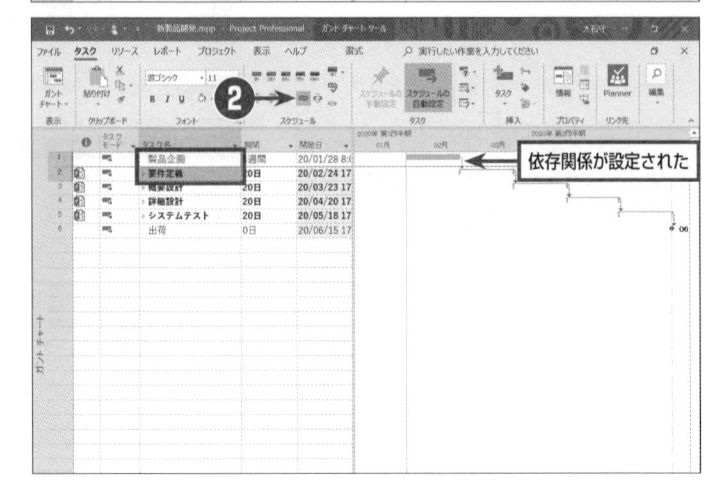

ヒント

プロジェクト間の依存関係

マスタープロジェクトのタスクとサブプロジェクトのタスク間、さらに異なるサブプロジェクトのタスク間にも依存関係を設定することができます。プロジェクト間の依存関係を確認するには、[プロジェクト] タブの [プロジェクト間のリンク] をクリックします。

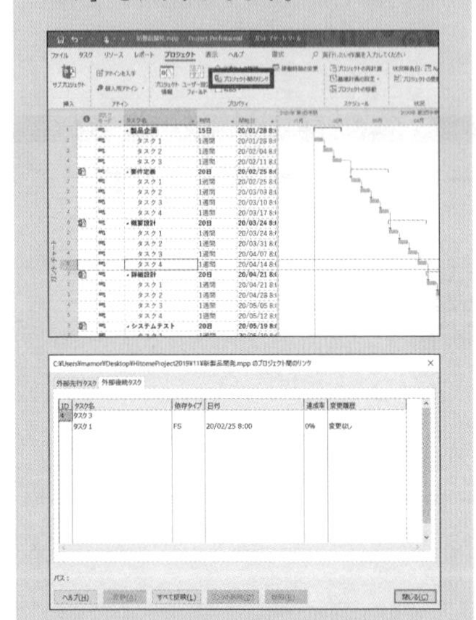

サブプロジェクトを確認する方法と注意点

マスタープロジェクトにサブプロジェクトを挿入し統合プロジェクトを作成した場合、どのタスクがサブプロジェクトのものなのか把握する必要があります。ここでは、サブプロジェクトのタスクを把握するさまざまな方法を紹介します。

テーブルの列で確認する

既定の［ガントチャート］ビューの場合、［入力］テーブルの一番左側の［状況説明マーク］列にサブプロジェクトのアイコンが表示されます。

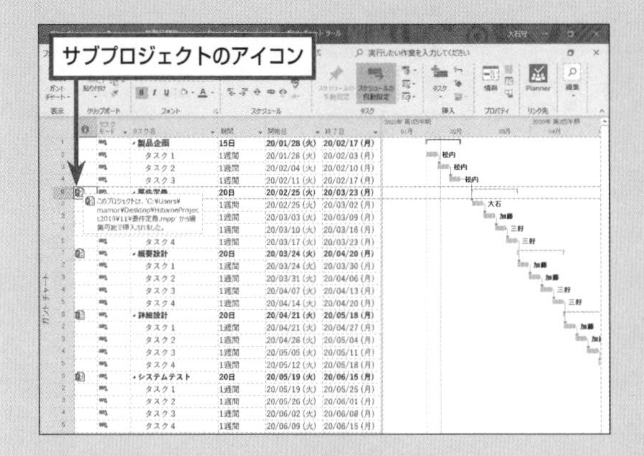

またテーブルに［サブプロジェクトファイル］もしくは［プロジェクト］列を追加すると、タスクがどのプロジェクトファイルに紐付いているのか確認できます。

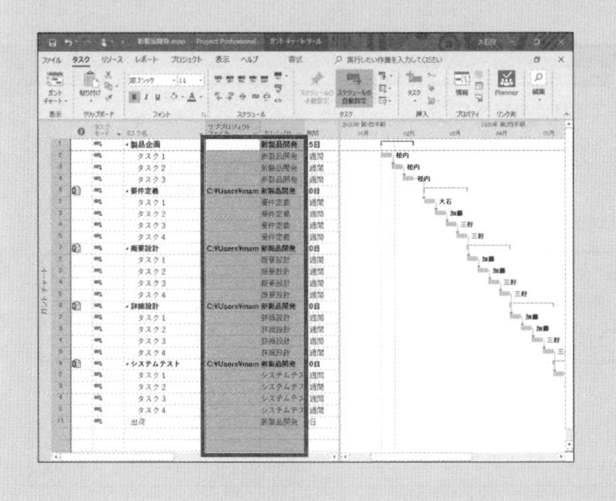

フィルターを作成し強調表示で確認する

サブプロジェクトのみを表示するフィルターを作成し適用する、もしくは該当する行を強調表示することで、サブプロジェクトを把握しやすくなります。

❶［表示］タブの［フィルター］の▼をクリックして［新しいフィルター］をクリックする。

❷［フィルターの定義］ダイアログで、次の内容でフィルターを作成して保存する。

- フィルター名：「サブプロジェクト」と入力
- フィールド名：［サブプロジェクトファイル］を選択
- 値：（空白）
- 条件：［と等しくない］を選択

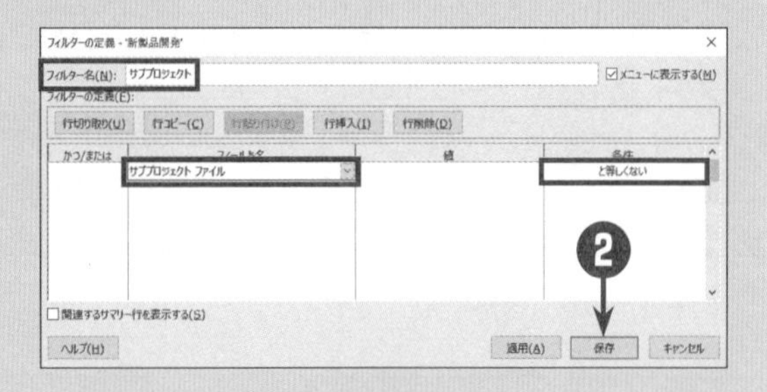

❸［表示］タブの［強調表示］の▼をクリックして［サブプロジェクト］を選択する。

➡サブプロジェクト行が強調表示される。

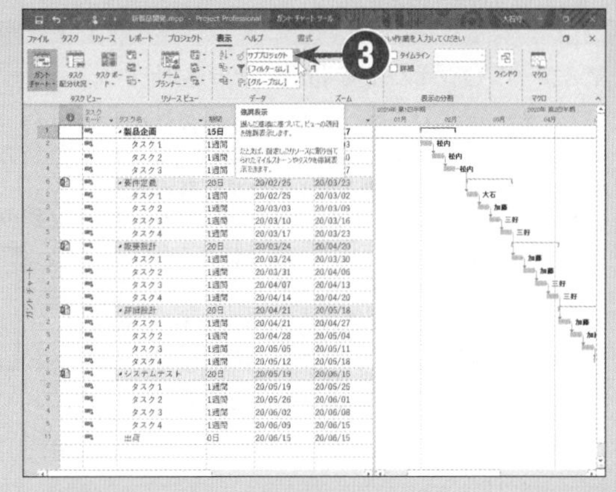

❹［表示］タブの［フィルター］の▼をクリックして［サブプロジェクト］を選択する。

➡強調表示が解除され、サブプロジェクト行のみがフィルターされて表示される。

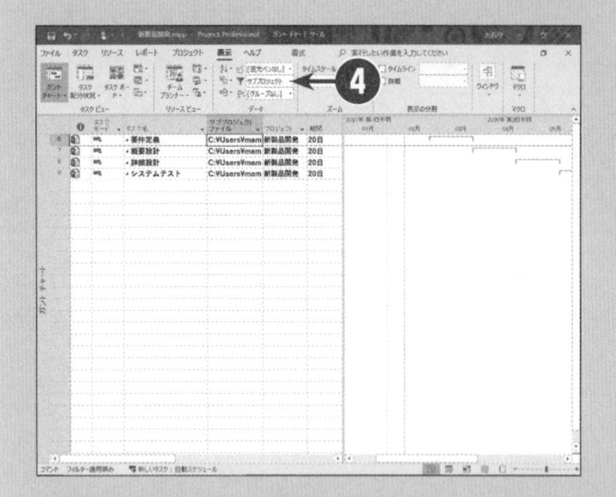

いったんリンクしたサブプロジェクトを解除するには［挿入プロジェクト情報］ダイアログの［詳細］タブ、もしくはテーブルの［サブプロジェクトファイル］列で、サブプロジェクトファイルへのパスを削除します。

サブプロジェクトの注意点

サブプロジェクトを挿入した場合、サブプロジェクトのファイルを別の場所に移動すると、マスタープロジェクトから参照できなくなります。サブプロジェクトが指定のフォルダーに存在しない場合、［挿入プロジェクトが見つかりません］というダイアログが表示されます。サブプロジェクトファイルを元の場所に戻すか、ダイアログで新しい場所を指定すると、データを読み込むことができます。

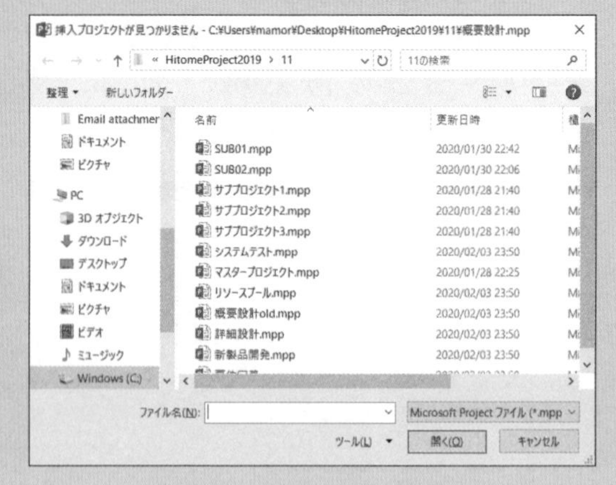

ヒント

マスタープロジェクトを開くときの選択肢

リソースを共有しているプロジェクトを含むマスタープロジェクトを開くと、リソース共有元ファイルを開くかどうか確認するダイアログが表示されます。リソースの編集やリソースの割り当てを変更する場合は［すべてのリソース共有先にある割り当てを確認できるように、リソース共有元を開く。］を選択します。それ以外の場合は［他のファイルは開かない。］を選択します（リソースの共有については、この章の4を参照）。

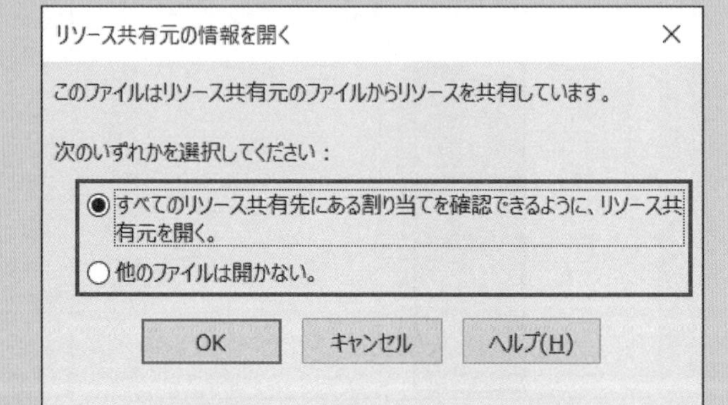

3 マスタープロジェクトで作業実績を入力するには

マスタープロジェクトでも、作業実績を入力してプロジェクト計画に反映させることができます。ここでは［タスク］タブの［スケジュール］の［達成率］ボタンを使用して作業実績を入力する方法を説明します。例として、達成率50%の作業実績を反映させます。

マスタープロジェクトで作業実績を入力する

❶ ［タスク］タブの［表示］の［ガントチャート］の▼をクリックし、［ガントチャート（進捗管理）］をクリックする。

❷ 作業実績を入力するタスクをクリックする。

❸ ［タスク］の［スケジュール］の［達成率50%］をクリックする。

➡進捗状況が反映される。

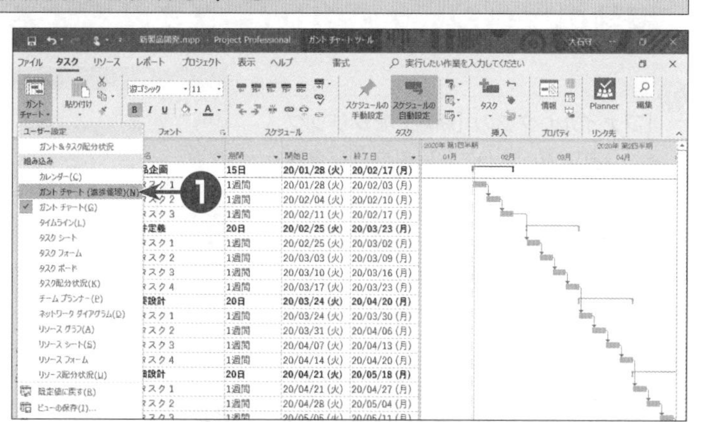

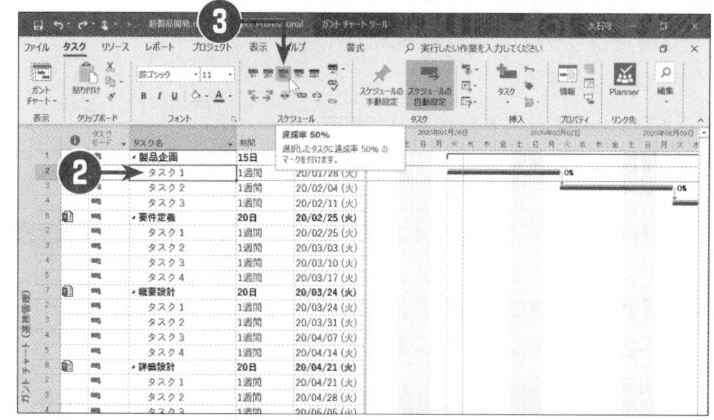

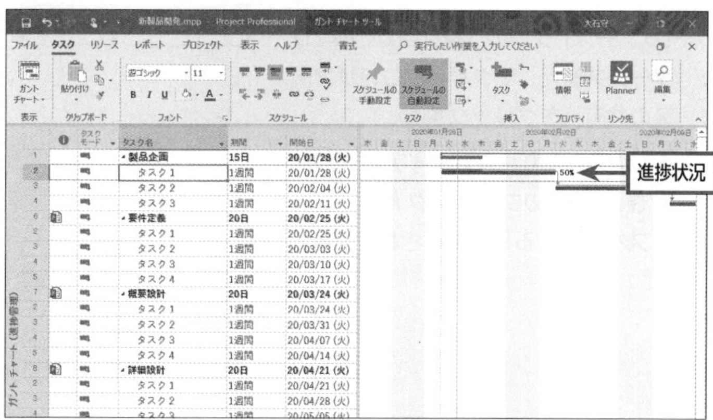

ヒント

サブプロジェクトの編集をさせたくないときは

サブプロジェクトを挿入する際に、［プロジェクトの挿入］ダイアログで［リンクする］のチェックを外した場合、マスタープロジェクトでサブプロジェクトを編集すると、自動的に元のサブプロジェクトに反映されます。マスタープロジェクトからサブプロジェクトの編集をさせたくない場合には、［プロジェクトの挿入］ダイアログで［挿入］の▼をクリックして［読み取り専用として挿入］を選択します。

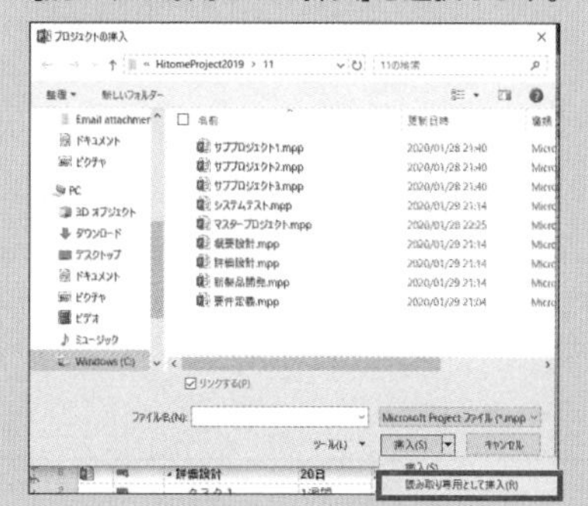

4 複数のプロジェクトでリソースを共有するには

プロジェクトのタスクに割り当てるリソース（担当者など）は、通常、プロジェクトファイルごとにリソースシートで管理します。しかし、1人の担当者が複数のプロジェクトに参加してタスクを割り当てられているケースは少なくありません。Projectでは、「リソースの共有」機能を使用して複数のプロジェクトに使用するリソースを共有することができます。共有するリソースを登録するファイルを「リソース共有元ファイル」と呼びます。

複数のプロジェクトでリソースを共有する

❶ ［ファイル］タブの［新規］をクリックし、［空のプロジェクト］をクリックして、新しいプロジェクトを作成する。

➡新しいプロジェクトが作成される。

●このプロジェクトをリソース共有元ファイルとして使用する。

❷ リソース共有元ファイルで［タスク］タブの［表示］の［ガントチャート］の▼をクリックし、［リソースシート］をクリックする。

➡［リソースシート］ビューが表示される。

❸ 共有するリソースを登録する。

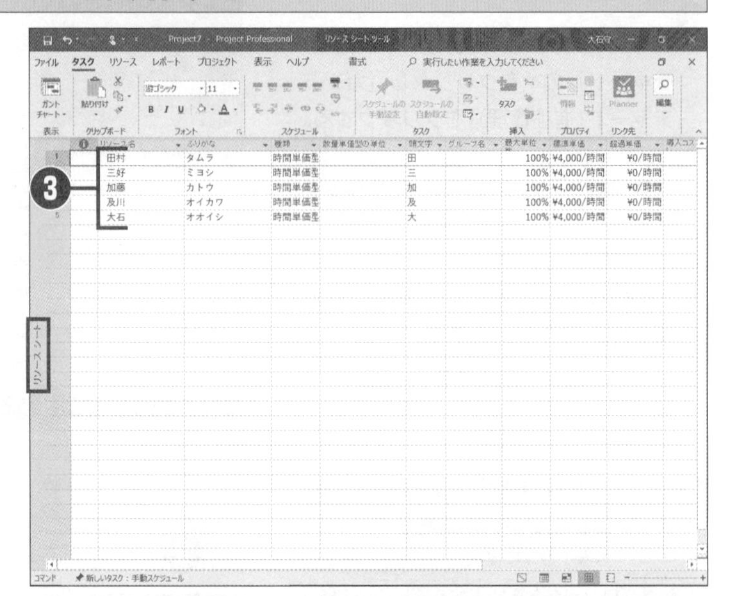

❹ ［ファイル］タブの［名前を付けて保存］をクリックし、リソース共有元ファイルを保存する。

❺ ［リソース］タブの［割り当て］の［リソース共有元］をクリックし、［リソースの共有］をクリックする。

➡［リソースの共有］ダイアログが開き、［現在のプロジェクトのリソースを使用する］が選択されている。

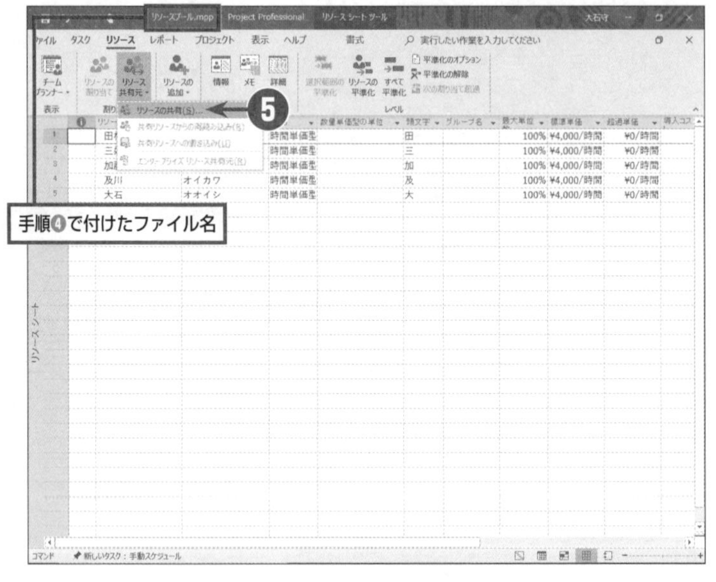

❻ そのまま［OK］をクリックする。リソース共有元ファイルは開いたままにしておく。

❼ 共有したリソースを使用するプロジェクトファイルを開き、［タスク］タブの［表示］の［ガントチャート］の▼をクリックし、［リソースシート］をクリックする。

➡［リソースシート］ビューが表示される。

❽［リソース］タブの［割り当て］の［リソース共有元］をクリックし、［リソースの共有］をクリックする。

❾［リソースの共有］ダイアログで［指定のプロジェクトからリソースを共有する］を選択する。

❿［共有元］の▼をクリックして、リソース共有元のファイルを選択する。

⓫［OK］をクリックする。

➡プロジェクトファイルにリソース共有元ファイルのリソースが追加される。

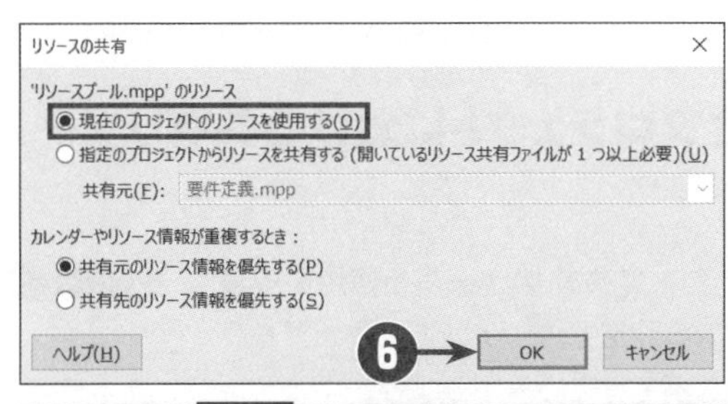

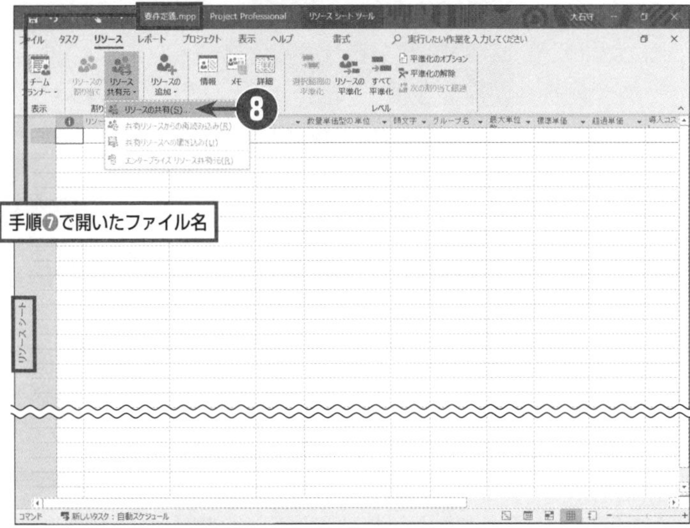

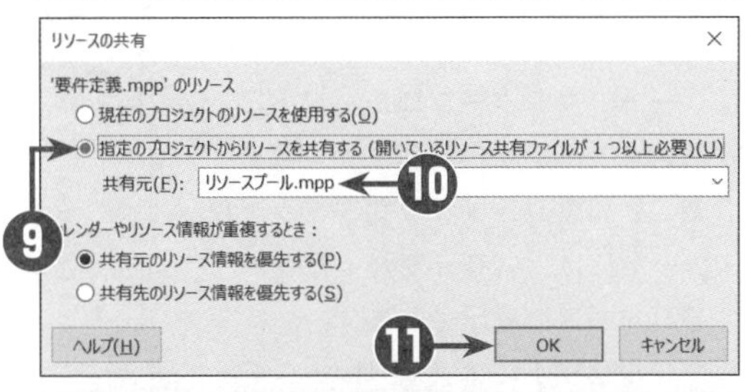

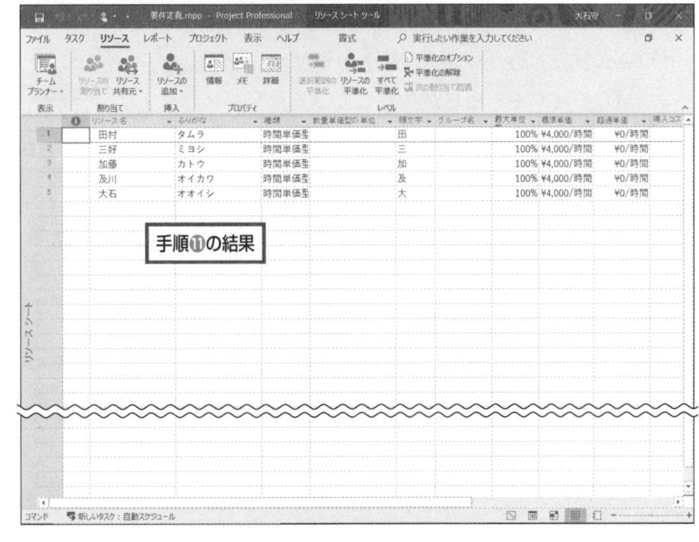

ヒント

リソースの共有を解除する

解除するプロジェクトの［リソースの共有］ダイアログで［現在のプロジェクトのリソースを使用する］を選択します。リソース共有を解除しても、そのプロジェクトファイルでタスクに対して割り当てたリソースの情報は削除されません。

統合プロジェクトにおける共有リソースの取り扱い

統合プロジェクトで共有リソースを使用する場合、共有リソースの設定方法によって動作が異なります。次のような例で考えてみましょう。

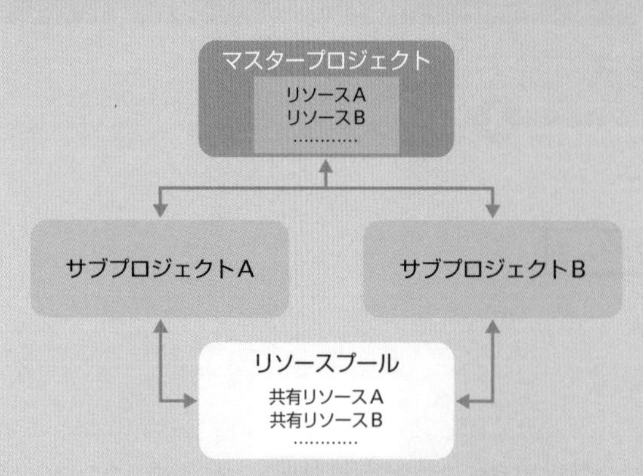

この図では、マスタープロジェクトにはAとBの2つのサブプロジェクトが含まれています。さらに、サブプロジェクトAとBは、リソースプール（リソースのみが定義されているプロジェクト）のリソースを共有しています。一方、マスタープロジェクトには共有リソースが設定されていない状態です。共有リソースを設定したことにより、サブプロジェクトAとBのリソースシートには、共有元であるリソースプールに存在するリソースが表示されます。

一方、マスタープロジェクトには共有リソースの設定はされていませんが、リソースシートにはリソースプールのリソースが表示されます。これはサブプロジェクトAとBが共有しているリソースがマスタープロジェクトにも表示されるためです。

ちなみに他のファイルに存在するリソースを共有すると、もともとファイルにリソースが定義されていても、共有元のリソースに置き換えられます。ただし、先ほどの図のマスタープロジェクトのような場合、共有リソースを設定していないため、もともとファイルに定義されているリソースがあれば、それらも合わせてリソースシートに表示されます。

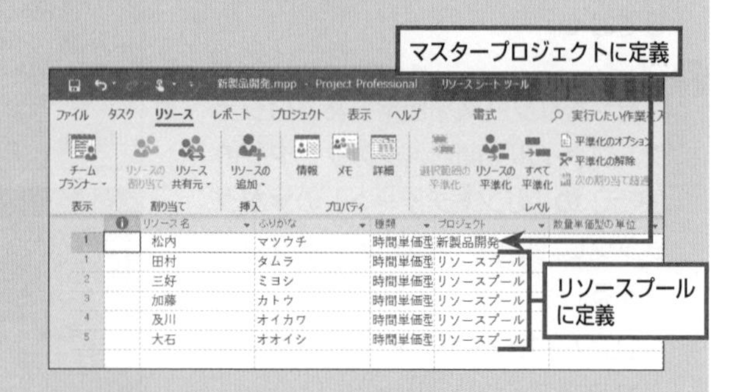

ただし、マスタープロジェクト内で定義されているリソースは、マスタープロジェクトのタスクにしか割り当てることはできません。またマスタープロジェクトのリソースシートには、サブプロジェクトが共有しているリソースプールのリソースが表示されますが、マスタープロジェクト内のタスクには割り当てることはできません。

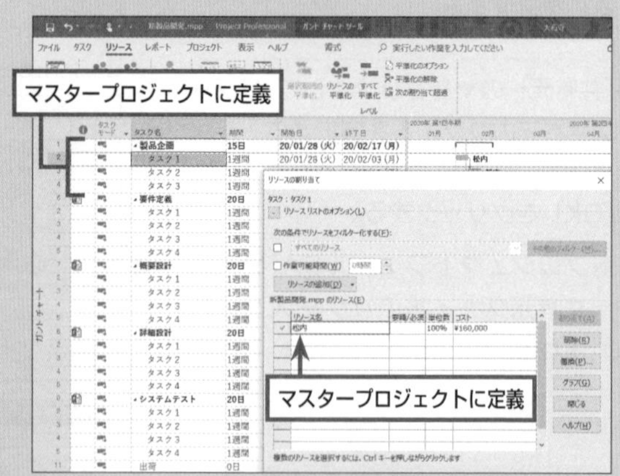

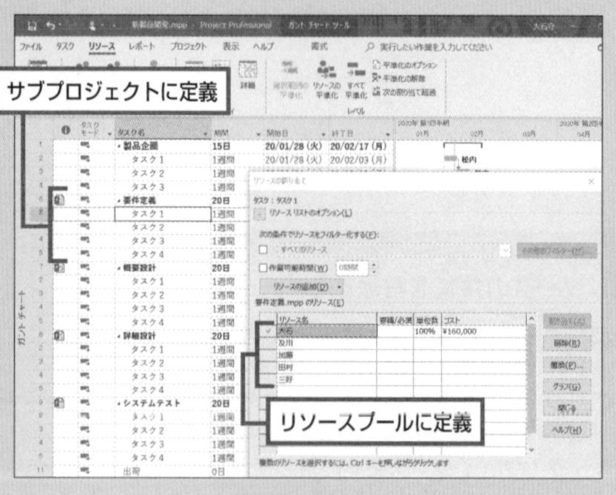

5 共有リソースの負荷状況を確認するには

リソース共有元ファイルを使用する利点は、複数のプロジェクトにまたがるリソースの負荷状況が1か所で確認できるので、リソースの調整が容易になる点です。リソースの負荷状況の確認をしてみましょう。

共有リソースの負荷状況を確認する

❶ [ファイル] タブの [開く] をクリックし、[参照] をクリックしてリソース共有元ファイルを開く。

❷ [リソース共有元を開く] ダイアログの [リソース情報についての変更が追加できるように、リソース共有元を編集可能モードで開く] をクリックし、[OK] をクリックする。

➡リソースの共有元ファイルが開く。

❸ リソース共有元ファイルで、[リソース] タブの [表示] の [チームプランナー] の▼をクリックし、[リソース配分状況] をクリックする。

➡[リソース配分状況] ビューが表示される。

❹ 各タスクのプロジェクト名を表示する列を追加するため、[作業時間] の列名を右クリックし、[列の挿入] をクリックする。

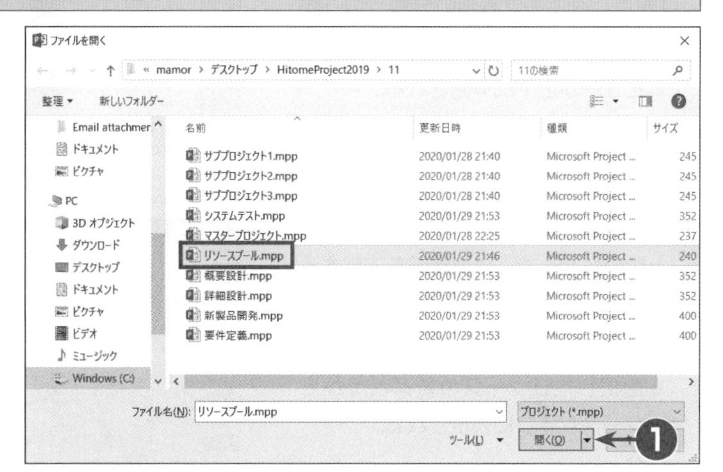

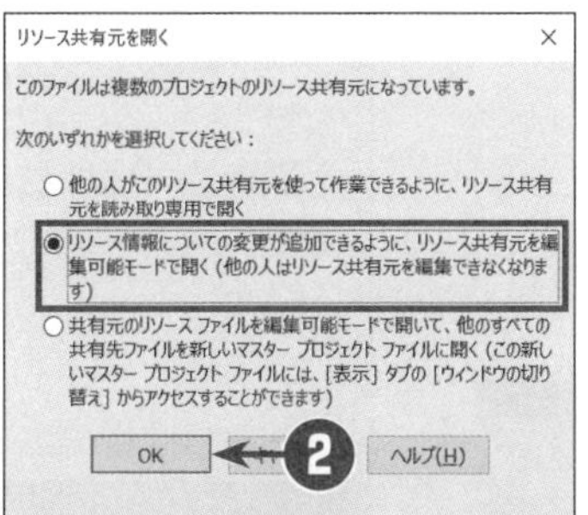

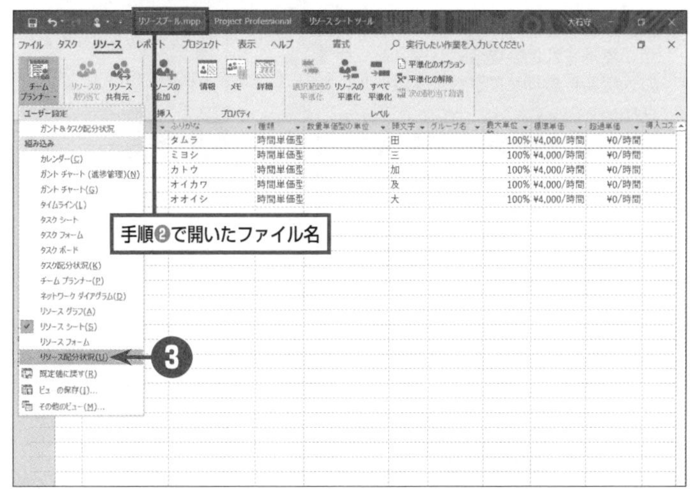

続く

5 [列名の入力] に「プロジェクト」と入力し、表示された [プロジェクト] をクリックする。

➡プロジェクトファイル名を表示する [プロジェクト] フィールドが追加される。

6 [表示] タブの [表示の分割] の [詳細] にチェックを入れる。

➡ビューが上下に分割される。

7 [詳細ビュー] の▼をクリックして [リソースグラフ] をクリックする。

8 上段のビューで、負荷状況を確認するリソースのリソース名をクリックする。

➡選択したリソースの負荷状況がリソースグラフに表示される。

ヒント

リソースグラフが表示されないときは

選択したリソースのリソースグラフが画面に表示されない場合は、[タスク] タブの [編集] の [タスクへスクロール] をクリックします。

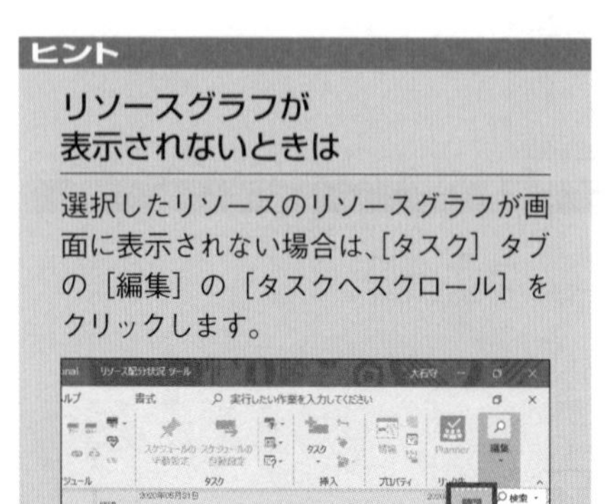

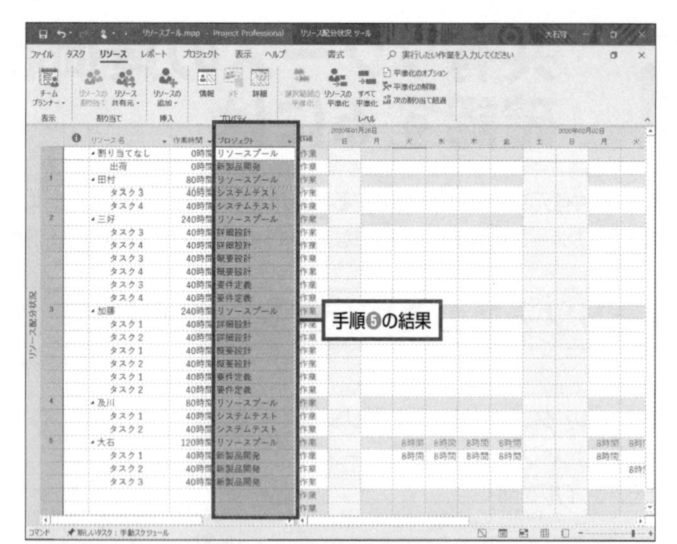

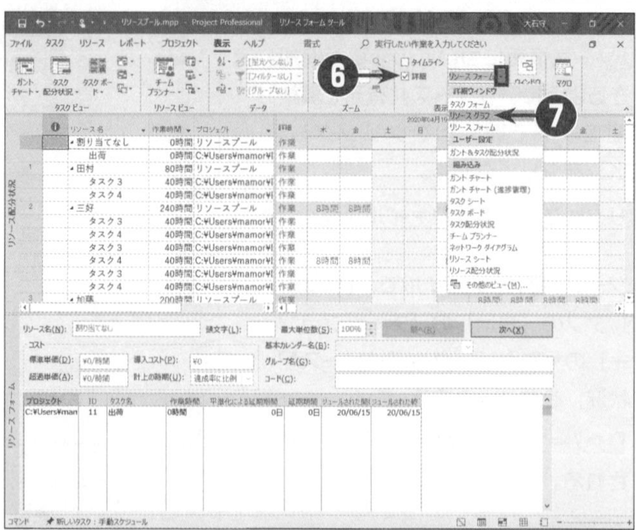

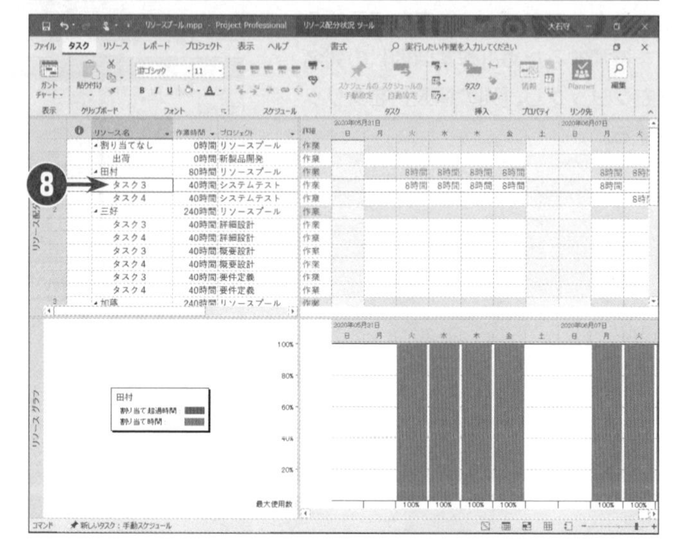

第12章 アジャイルプロジェクトの管理

Projectは、一般的にウォーターフォール型のプロジェクトでよく使われています。近年はソフトウェア開発を筆頭にアジャイル型のプロジェクトが一般的になってきています。そのため、Project 2019からスクラムやカンバンといったアジャイル型プロジェクトの管理に適した手法を活用できる機能が追加されています。この章では、Project Onlineデスクトップクライアントのみで利用できるアジャイル型プロジェクト向けの機能について解説します。

1 新しいスプリントプロジェクトを作成するには

Project Onlineのサブスクリプションを利用している場合、Project Onlineデスクトップクライアントで、アジャイルプロジェクトを管理するのに適した機能を使用できます。ここでは、スクラムの方法論でスプリントベースのプロジェクトを作成する方法を解説します。

新しいスプリントプロジェクトを作成する

1. ［ファイル］タブをクリックし、［新規］をクリックする。
2. ［お勧めのテンプレート］を選択し、［スプリントプロジェクト］をクリックする。
   - ［スプリント計画の掲示板］ビューが表示される。

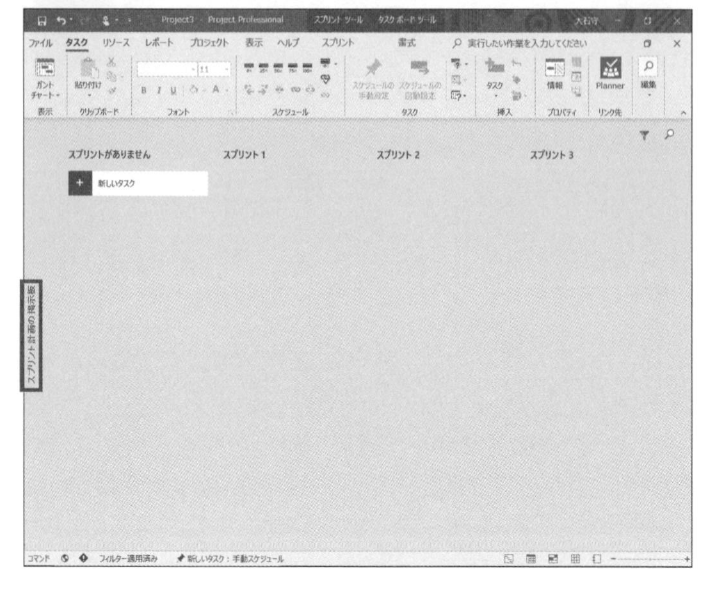

用語

スクラム

ソフトウェア開発における反復的で漸進的なアジャイル開発手法の1つです。まずはスプリント計画において、ソフトウェアの完成に必要な要求項目の一覧を作成し、それらをどのように実現するかを検討し、機能に優先順位をつけます。優先順位の高いものから、**スプリント**と呼ばれる開発サイクルにおいて機能を実装します。さらにスプリントを繰り返すことで、機能の追加開発を行います。ウォーターフォール型の開発よりも柔軟に計画を調整することで、手戻りや無駄を取り除くことを目的とします。

スプリント

1～4週間の固定された期間の開発サイクル。短期間のサイクルを繰り返すことで、柔軟に計画を調整しながら開発を漸進的に進めていきます。

ヒント

スプリントプロジェクトと従来のプロジェクトの関係

プロジェクトの一部のタスクのみをスプリントに組み込むこともできます。[ガントチャート]ビューで、テーブルに[ボードに表示]列を追加し、[はい]を選択するとタスクボードにタスクが表示されます。

	タスクモード	タスク名	ボードに表示	期間	開始日
1		ユーザー調査	いいえ	35 日	20/02/17
2		アンケート	いいえ	3 週	20/02/17
3		問い合わせ分析	いいえ	1 週	20/03/09
4		ヒアリング	いいえ	3 週	20/03/16
5		調査完了	いいえ	0 日	20/04/03
6		プランニング	いいえ	25 日	20/04/06
7		ニーズ分析	いいえ	1 週	20/04/06
8		機能一覧作成	いいえ	1 週	20/04/13
9		機能概要作成	いいえ	2 週	20/04/20
10		機能優先順位付け	いいえ	1 週	20/05/04
11		完了	いいえ	0 日	20/05/08
12		スプリント1	いいえ	3 日	20/05/11
13		機能A	はい	3 日	20/05/11
14		機能B	はい	3 日	20/05/11
15		機能C	いいえ	3 日	20/05/11
16		機能D	はい	3 日	20/05/11

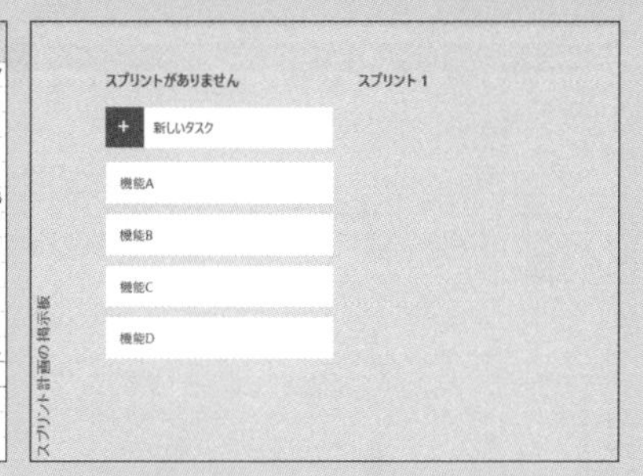

注意

Project Onlineデスクトップクライアントが必要

この章で紹介する機能は、Project Onlineのサブスクリプションで利用できるProject Onlineデスクトップクライアントでのみ有効になります。使用中のProjectがサブスクリプションかどうかを確認するには、[ファイル] タブの [アカウント] をクリックし、[製品情報] に表示されるバージョンを確認します。

アジャイル機能で使用するタスクボードとは

本格的にProjectのアジャイル機能の使い方に入る前に、ここでタスクボード関連の機能と用語について整理しておきましょう。既にこの章の1でも出てきましたが、Projectのアジャイル向けの機能は、スクラムやカンバンと呼ばれる手法でよく使われるツールがベースになっています。

一般的なタスクボード

タスクボードは、もともとプロジェクトのチームメンバーが集まる場所にある壁やホワイトボードを利用して、タスクの進捗状況をひと目で把握できるようにしたものです。多くの場合、ボードを縦に「未着手（To Do）」、「作業中（Doing）」、「完了（Done）」のように3つの区画に分割し、それぞれの区画にタスクを割り当てます。よくある方法としては、付箋にタスクと担当者の名前を書き、まず「未着手（To Do）」の区画に貼り付け、タスクの状況に応じて次の列に付箋を移動させていきます。これにより、チーム全体のタスクの量とその状況がひと目で把握できるというメリットがあります。Projectもこのタスクボード形式の機能を備えています。

[タスクボード] ビュー

[タスクボード] ビューは、一般的なタスクボード形式の機能として実装されたものです。Projectで定義したタスクのうち任意のものを [タスクボード] ビューで管理できます。

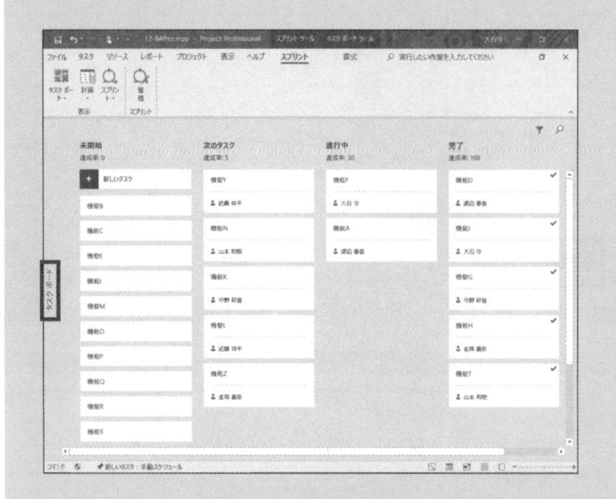

[タスクボードシート] ビュー

[タスクボードシート] ビューは、[タスクボード] ビューに表示したタスクをタスクシート形式で閲覧、編集することができます。すべてのタスクの詳細な情報を全体的に把握するのに便利です。

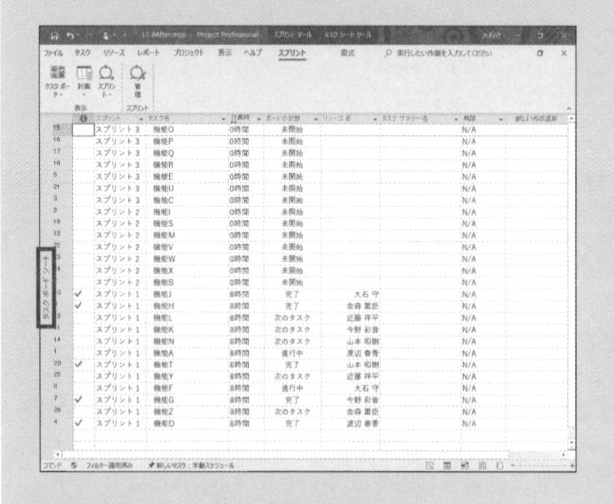

[スプリント計画の掲示板] ビューと [現在のスプリントの掲示板] ビュー

[スプリント計画の掲示板] ビューは、複数のスプリントのうち、タスクを特定のスプリントに割り当て、スプリントごとの割り当て状況を確認することができます。またスプリントごとのタスクの進捗状況を把握するのに便利です。[現在のスプリントの掲示板] ビューは、現在実行中のスプリントのタスクのみをタスクボード形式にしたものです。

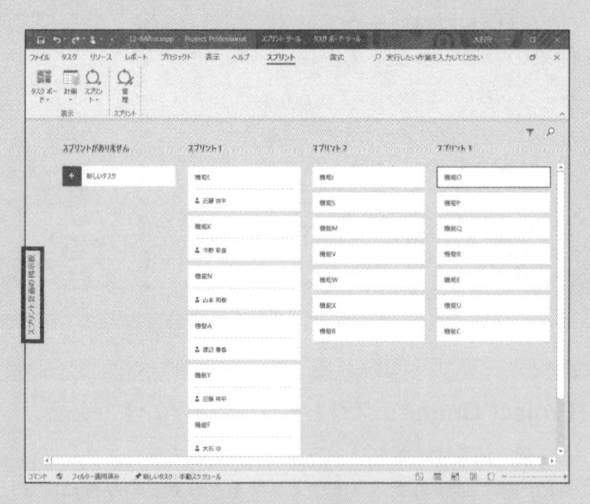

[スプリント計画シート] ビューと [現在のスプリントのシート] ビュー

[スプリント計画シート] ビューは、スプリントごとにタスクをタスクシート形式で閲覧、編集することができます。スプリントに割り当てられたタスクの詳細な情報を全体的に把握するのに便利です。[現在のスプリントのシート] ビューは、現在実行中のスプリントのタスクだけをタスクシート形式で閲覧、編集することができます。現在のスプリントのタスクだけをフィルターしたビューとも言えます。

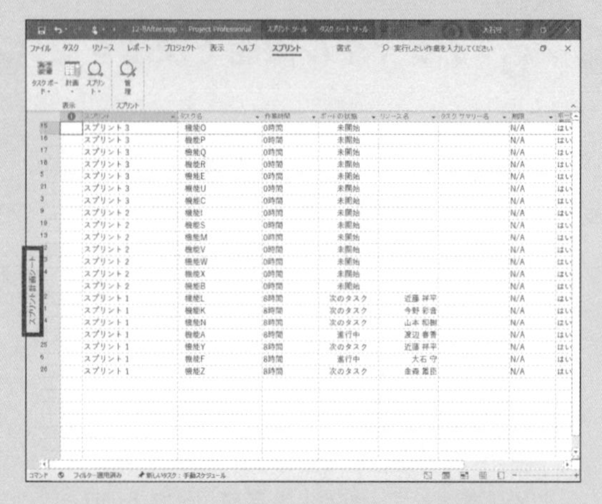

Projectでは、これらのタスクボード関連の機能を総称してタスクボードと呼んでいます。

2 スプリントを使用してプロジェクトを計画するには

スプリントプロジェクトを作成したら、タスクを追加してプロジェクトを計画します。タスクを追加するには、[スプリント計画シート] もしくは [スプリント計画の掲示板] を使用します。

[スプリント計画シート] でタスクを追加する

❶ [スプリント] タブをクリックし、[計画] の [スプリント計画シート] をクリックする。

➡ [スプリント計画シート] ビューが表示される。

❷ [タスク名] 列にタスク名を入力する。

➡ タスク行が追加され、[スプリント] 列に「スプリントがありません」と表示される。

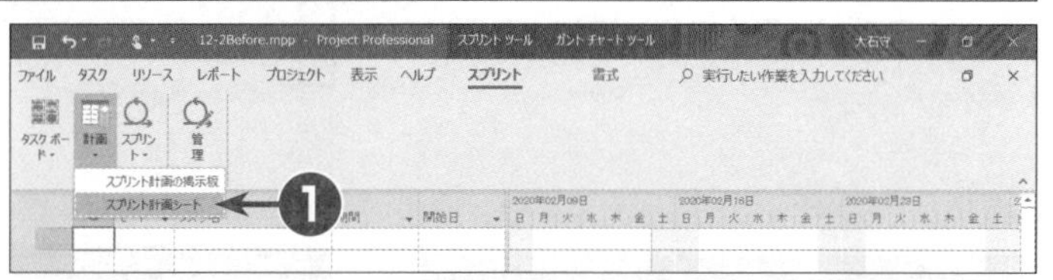

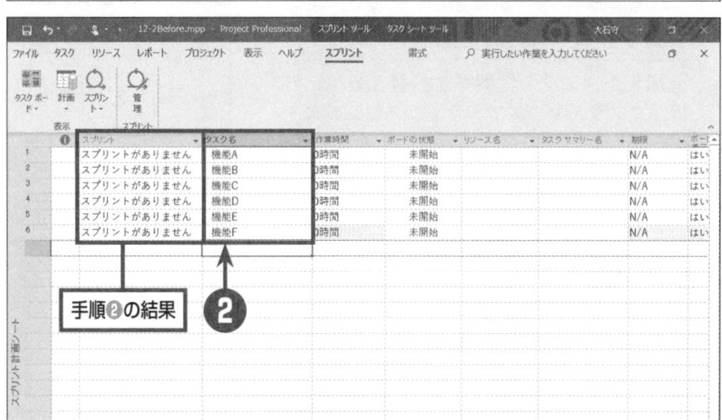

用語

[スプリント計画シート]

スプリントやタスクをテーブル形式で定義することができるビューです。

[スプリント計画の掲示板]

スプリントにタスクを割り当てることができるタスクボード形式のビューです。

[スプリント計画の掲示板] でタスクを追加する

❶ [スプリント] タブをクリックし、[計画] の [スプリント計画の掲示板] をクリックする。

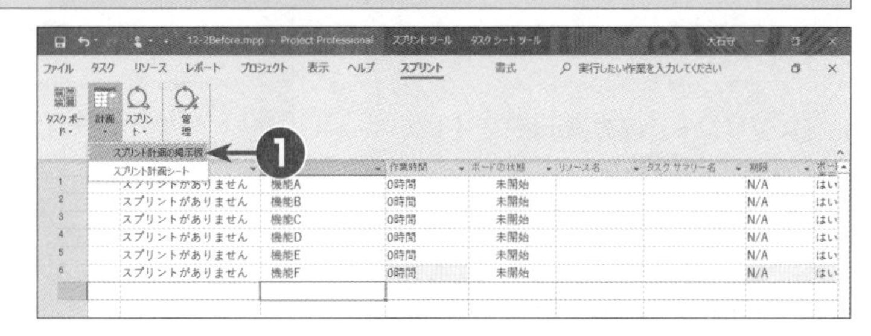

➡[スプリント計画の掲示板] ビューが表示され、[スプリントがありません] 列にタスクが表示されている。

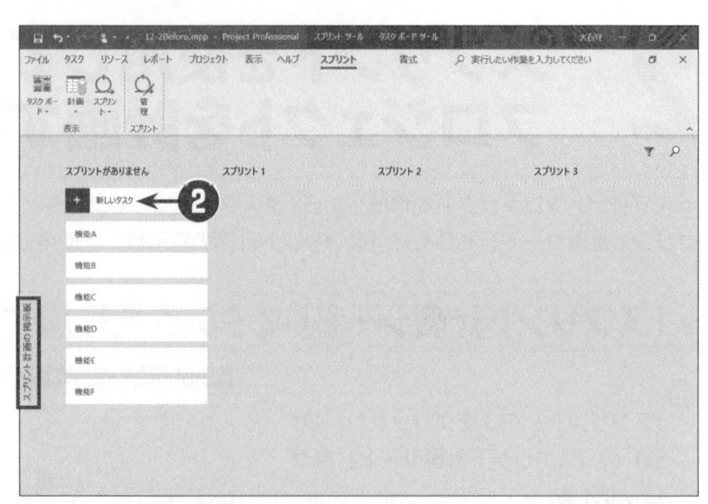

2 [新しいタスク] をクリックする

3 タスク名を入力し、[追加] をクリックする。

➡タスクが一番上の行に追加される。

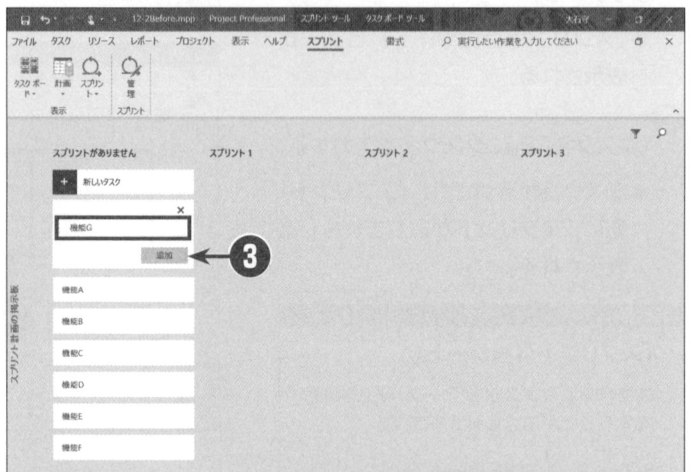

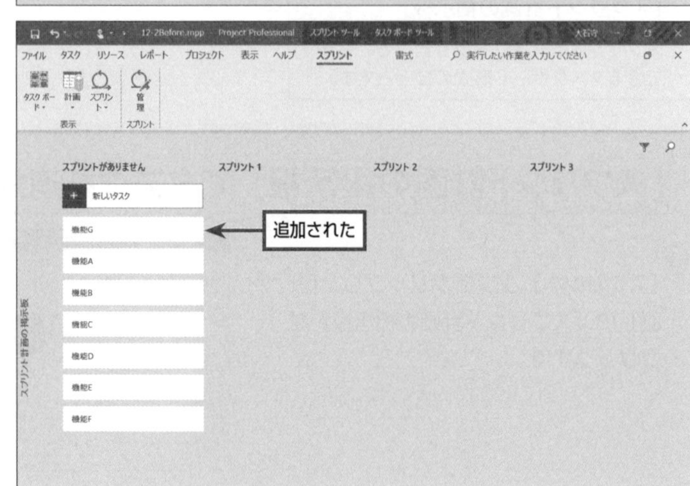

ヒント

タスクを並べ替えるには

追加したタスクの位置を並べ替えるには、タスクをマウスでドラッグアンドドロップします。

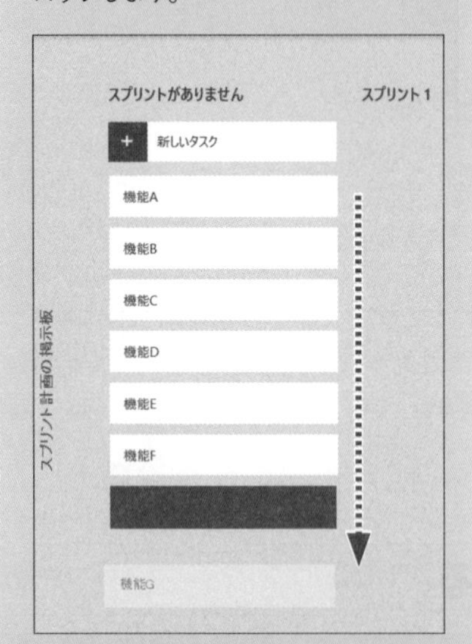

[スプリント計画の掲示板] と [タスクボード] の違い

[スプリント計画の掲示板] と [タスクボード] のどちらも、アジャイルプロジェクトの管理用に用意されているタスクボードの一種です。[スプリント計画の掲示板] は、タスクをスプリントごとに分類して表示します。一方、[タスクボード] は、スプリントとは関係なく、タスクを進捗状況ごとに分類して表示します。

3 タスクボードでタスクをスプリントに割り当てるには

スプリントにタスクを割り当てるにはタスクボードを使用します。ここでは［スプリント計画の掲示板］および［スプリント計画シート］ビューを使用して、タスクをスプリントに割り当てます。

［スプリント計画の掲示板］でスプリントにタスクを割り当てる

❶ ［スプリント］タブをクリックし、［計画］をクリックして［スプリント計画の掲示板］をクリックする。

➡［スプリント計画の掲示板］ビューが表示される。

❷ タスクを実行するスプリントの列にマウスでドラッグアンドドロップする。

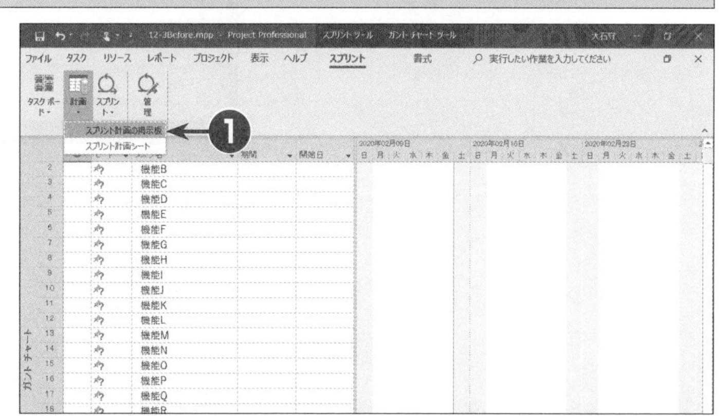

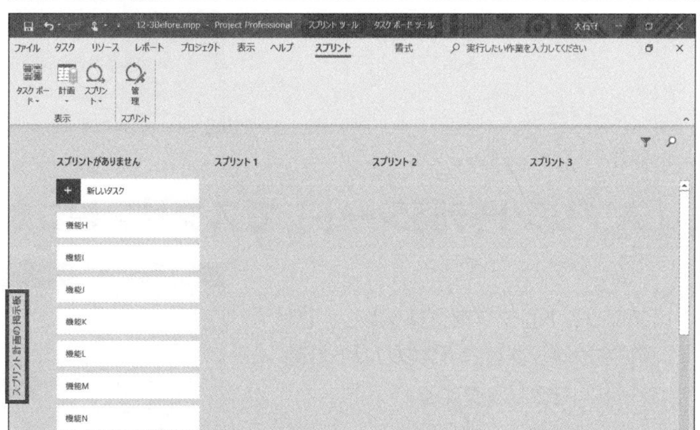

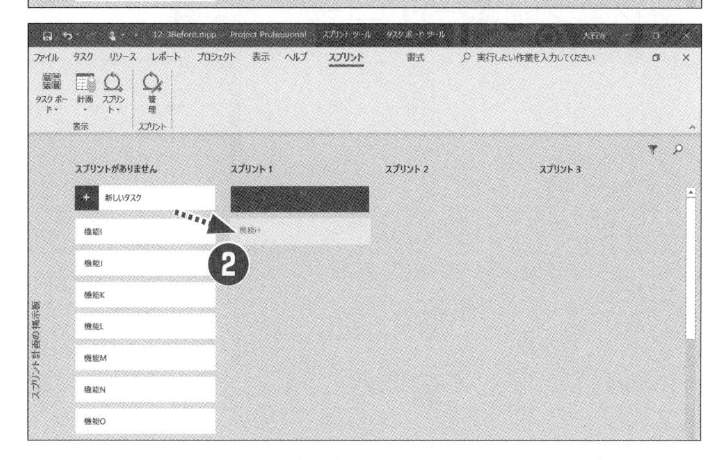

➡タスクがスプリントに移動する。

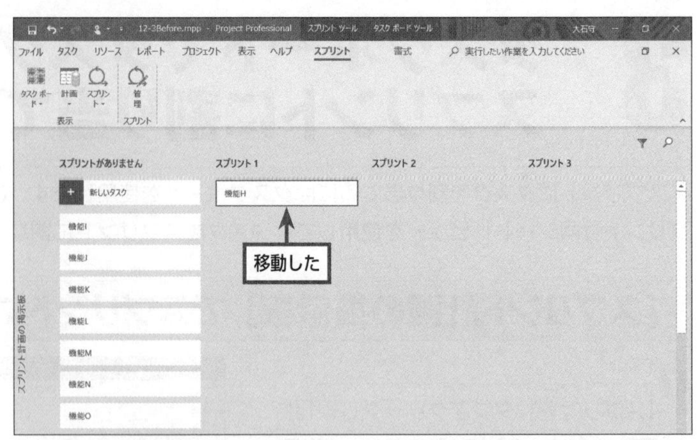

❸ 別のスプリント列に別のタスクをマウスでドラッグアンドドロップする。

➡タスクがスプリントに移動する。

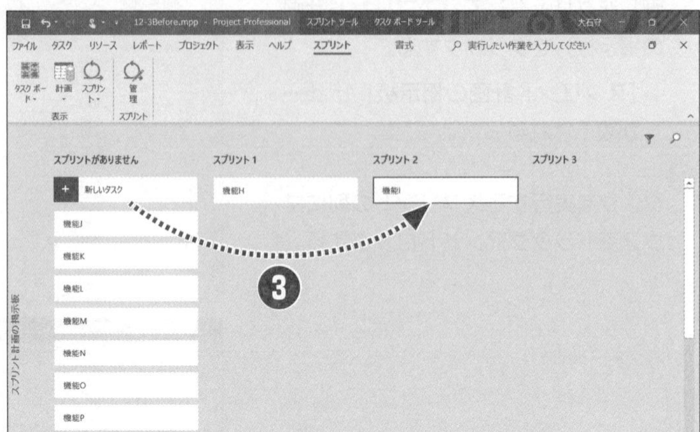

[スプリント計画シート] でスプリントにタスクを割り当てる

❶ [スプリント] タブをクリックし、[計画] をクリックして [スプリント計画シート] をクリックする。

➡[スプリント計画シート] ビューが表示される。

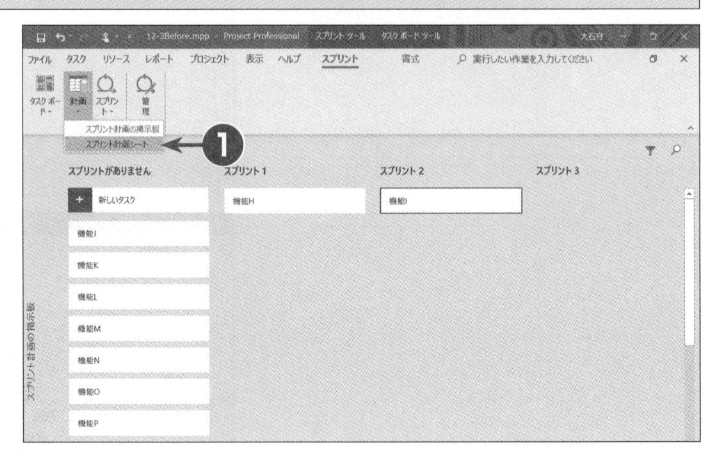

❷

スプリントに割り当てたいタスクの行で、[スプリント] 列を選択して▼をクリックし、タスクを割り当てたいスプリントを選択する。

➡スプリントにタスクが割り当てられる。

❸

確認のために、[スプリント] タブの [計画] をクリックして [スプリント計画の掲示板] をクリックする。

➡[スプリント計画の掲示板] でもタスクがスプリントに割り当てられていることが確認できる。

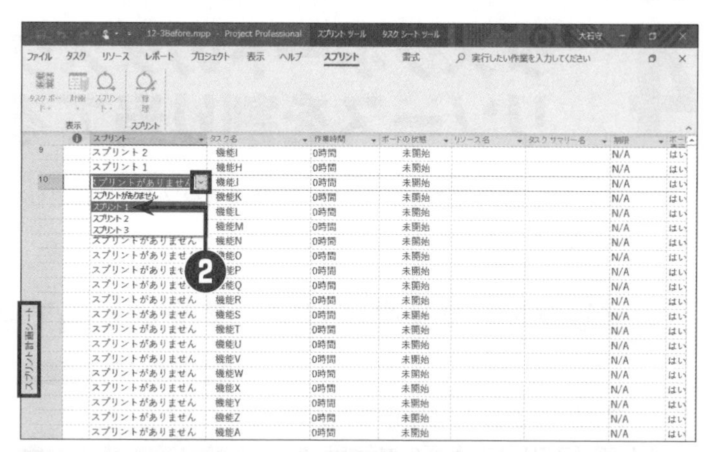

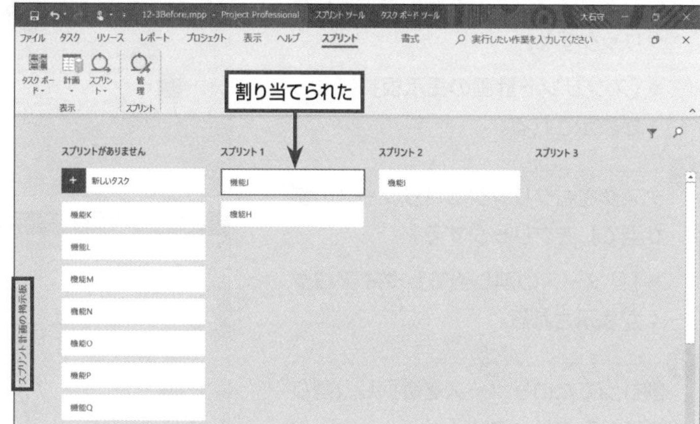

ヒント

スプリントに割り当てたタスクだけを表示するには

特定のスプリントに割り当てたタスクのみを表示するには、そのスプリント専用のビューを使用します。

❶[スプリント] タブをクリックし、[スプリント] の▼をクリックする。

❷[現在のスプリントのシート] を選択する。

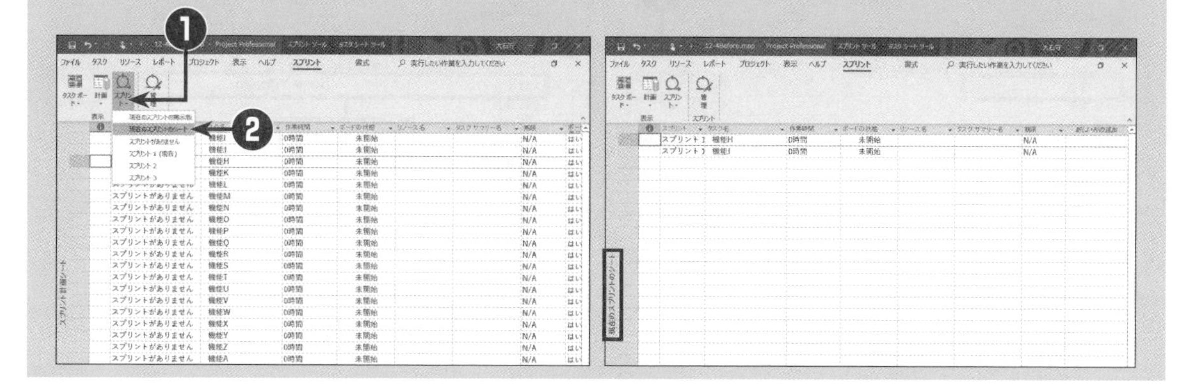

4 タスクボードのタスクにリソースを割り当てるには

タスクボードに表示しているタスクにも、通常のタスクと同様にリソースを割り当てることができます。ここでは、第5章で説明している以外の方法を解説します。

スプリントのタスクにリソースを割り当てる

❶ [スプリント] タブで、[計画] をクリックして [スプリント計画の掲示板] をクリックする。

➡[スプリント計画の掲示板] ビューが表示される。

❷ タスクを右クリックし、[リソースの割り当て] をクリックする。

➡[リソースの割り当て] ダイアログが表示される。

❸ 割り当てたいリソースを選択し、[割り当て] をクリックする。

➡リソースが割り当てられる。

❹ [閉じる]をクリックしてダイアログを閉じる。

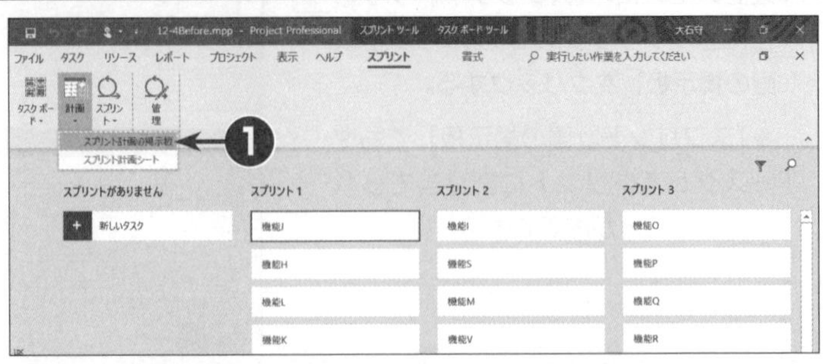

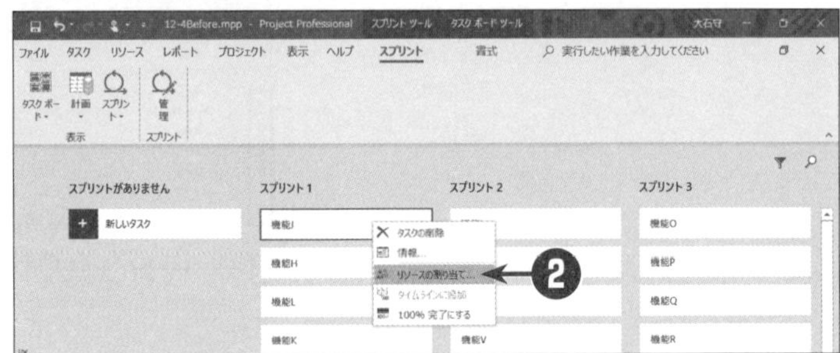

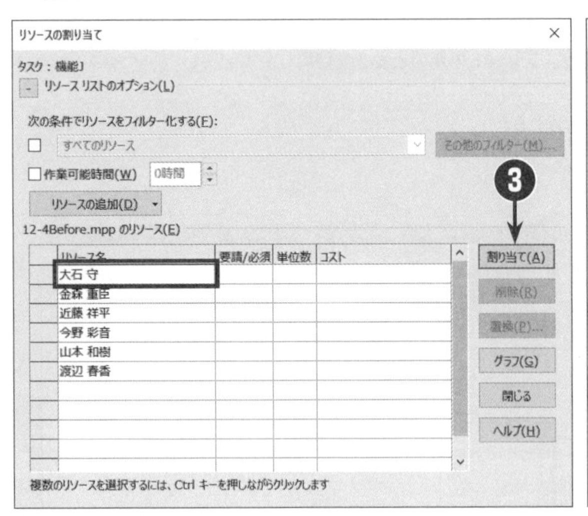

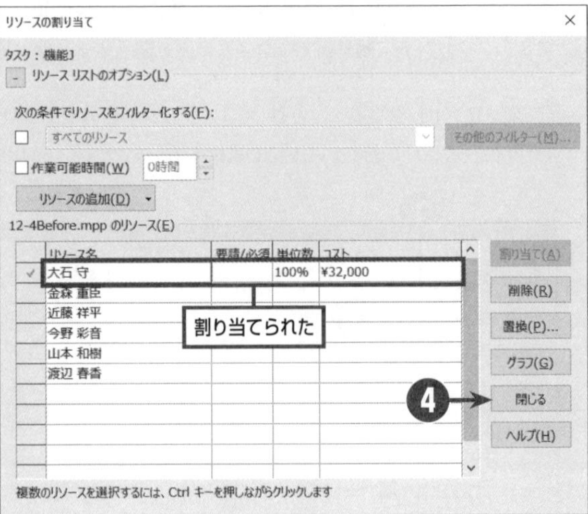

5

確認のために、[スプリント] タブの[計画] をクリックして [スプリント計画シート] をクリックする。

➡手順❸で割り当てたリソースが確認できる。

注意

タスクボードカードでのリソースの割り当ては即座に反映されない

本書の執筆時点では、タスクボードの[リソースの割り当て] ダイアログでリソースの割り当てをしても、すぐにはタスクボードカードに表示が反映されません。割り当てを確認しながら連続的にリソースの割り当てを行いたい場合は、[スプリント計画シート] や [タスクボードシート] で割り当てることをお勧めします。

[スプリント計画シート] でリソースを割り当てる

1

[スプリント] タブをクリックし、[計画] をクリックして [スプリント計画シート] をクリックする。

➡[スプリント計画シート] ビューが表示される。

2

リソースを割り当てたいタスクの行で、[リソース名] 列を選択して▼をクリックする。

3

割り当てたいリソースにチェックを入れて Enter を押す。

➡リソースが割り当てられる。

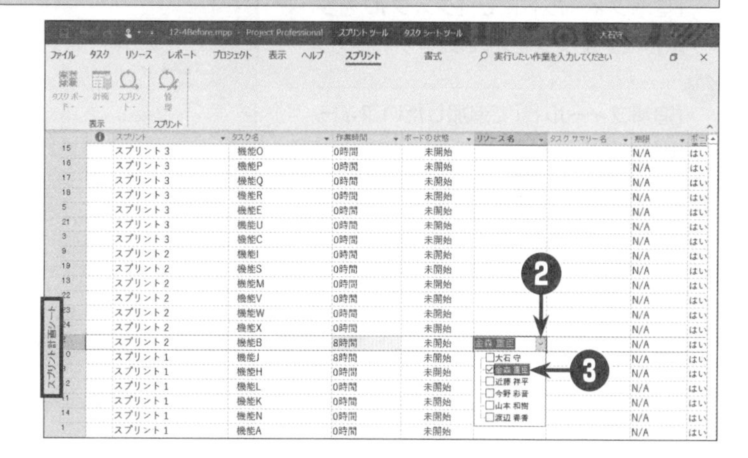

5 タスクボードカードに情報を追加するには

タスクボードに表示されるタスクカードには、既定ではタスク名と、割り当てられているリソースのリソース名のみが表示されます。ここでは、タスクカードに情報を追加する方法について解説します。

タスクボードカードに情報を追加する

❶ [スプリント] タブで、[タスクボード] をクリックして [タスクボード] を選択する。

➡[タスクボード] ビューが表示される。

❷ [書式] タブで、[カードのカスタマイズ] をクリックする。

➡[タスクボードのカードのカスタマイズ] ダイアログが表示される。

❸ [基準フィールド] で [タスクIDを表示] にチェックを入れる。

❹ [追加フィールド]で追加したいフィールドを選択する。

❺ [OK] をクリックする。

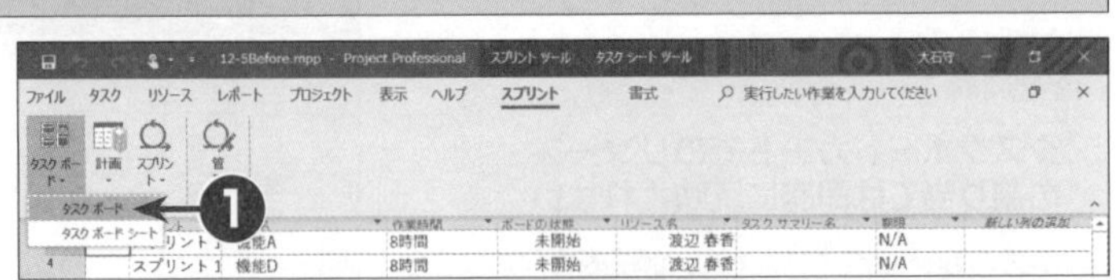

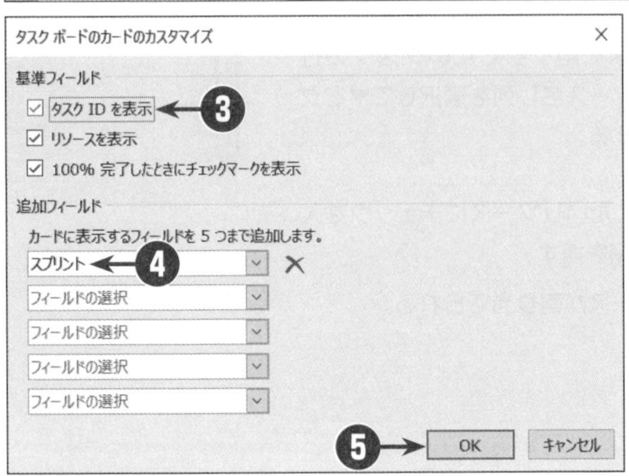

▶タスクボードカードに情報が追加される。

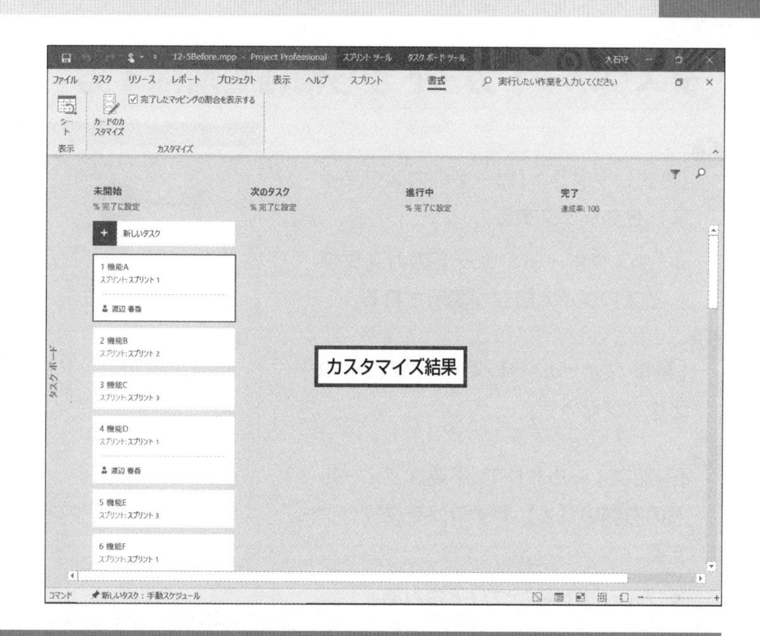

ヒント

カードのカスタマイズの影響範囲

カードのカスタマイズで設定した内容は、すべてのタスクボード形式のビューに反映されます。

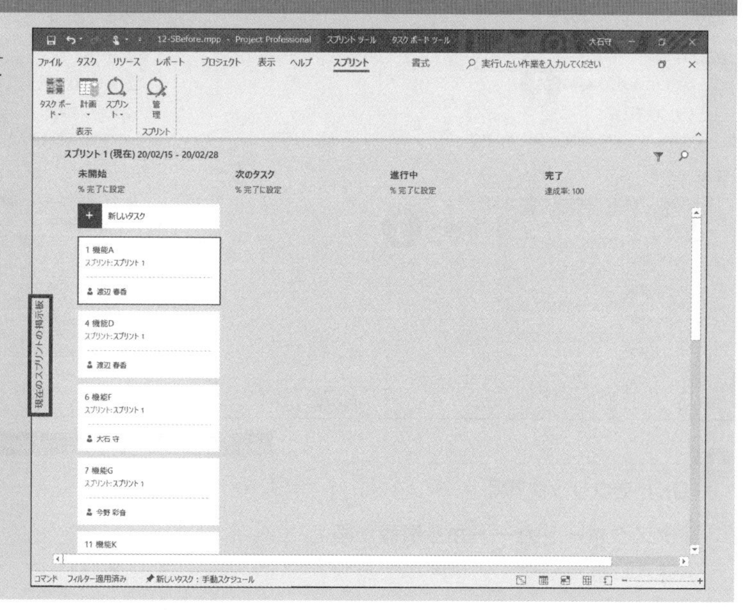

タスクボードカードから情報を削除する

❶ ［書式］タブで、［カードのカスタマイズ］をクリックする。

▶［タスクボードのカードのカスタマイズ］ダイアログが表示される。

❷ ［基準フィールド］で不要な表示のチェックを外す。

❸ ［追加フィールド］で、不要なフィールドの右側の［×］アイコンをクリックする。

▶フィールド名がクリアされる。

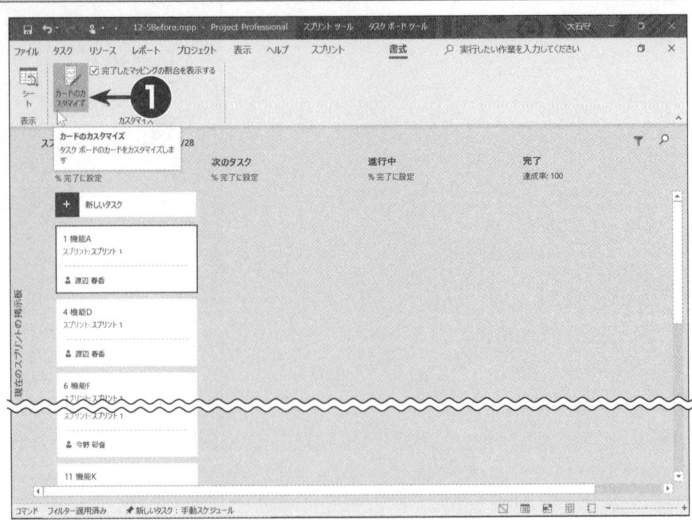

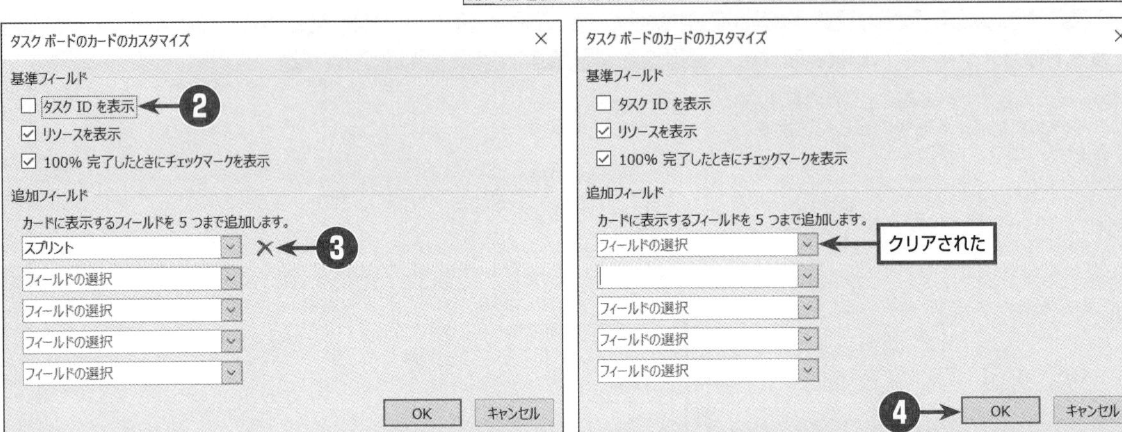

❹ ［OK］をクリックする。

▶タスクボードカードから情報が削除される。

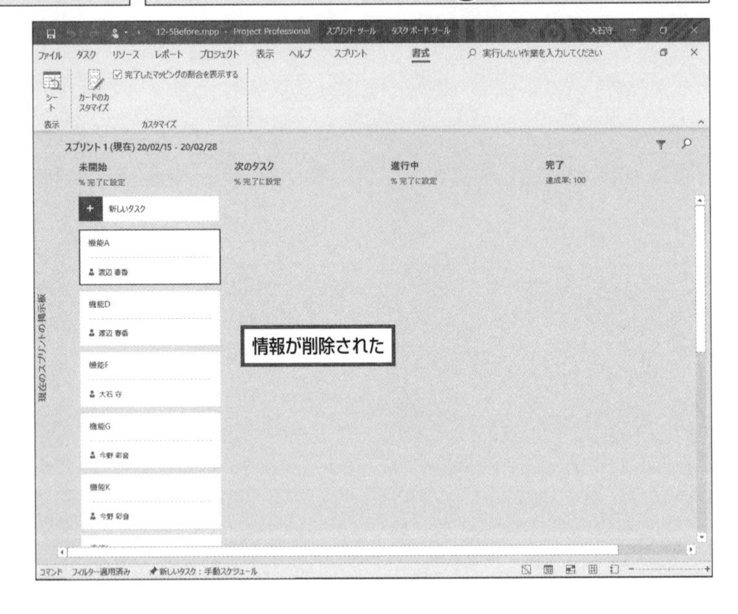

6 スプリントの掲示板でタスクの状況を管理するには

スプリントの掲示板を使用して、スプリントごとに割り当てたタスクの状況を管理できます。ここでは、現在のスプリントのタスクの進捗段階ごとに進捗率を設定し、進捗に応じてタスクを移動する方法を解説します。

タスクの進捗段階ごとに進捗率を設定する

❶ [スプリント] タブで、[スプリント] をクリックして [現在のスプリントの掲示板] をクリックする。

➡[現在のスプリントの掲示板]ビューが表示される。

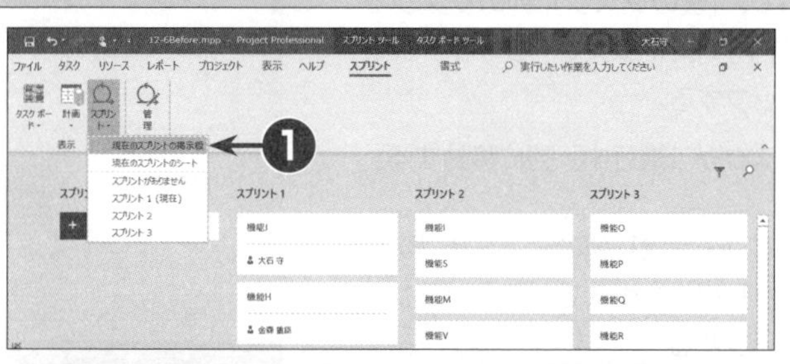

❷ [未開始] 列の下の [%完了に設定] をクリックし、「0」と入力する。

❸ 同様に [次のタスク] 列と [進行中] 列に対しても値を設定する。

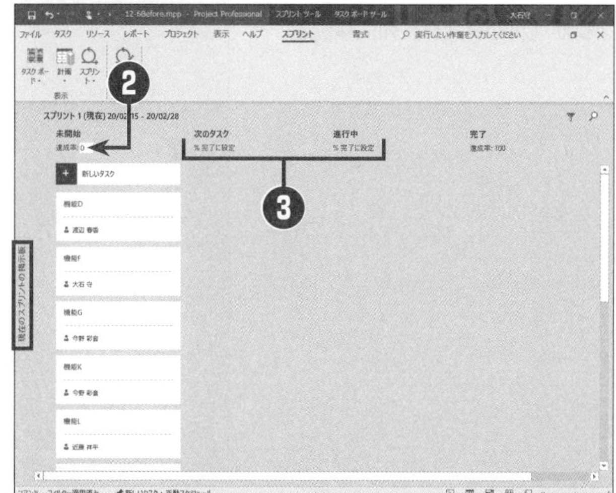

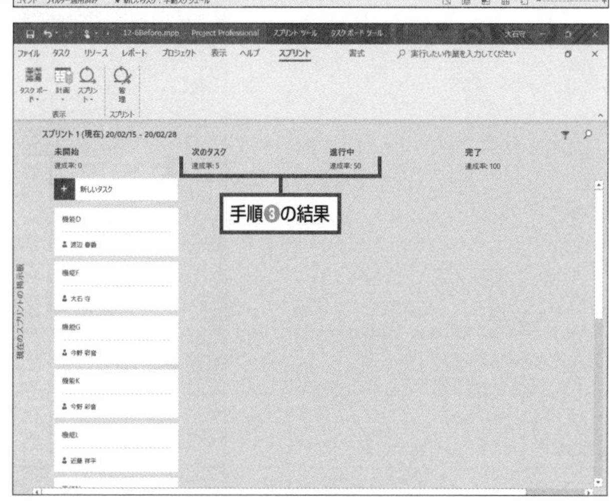

ヒント

[スプリント計画の掲示板] と [現在のスプリントの掲示板] の違い

[スプリント計画の掲示板] には、すべてのタスクがスプリントごとに分類されて表示されます。[現在のスプリントの掲示板] には、現在実施中のスプリントのタスクのみが、進行状況ごとに分類されて表示されます。

進捗段階に応じてタスクを移動する

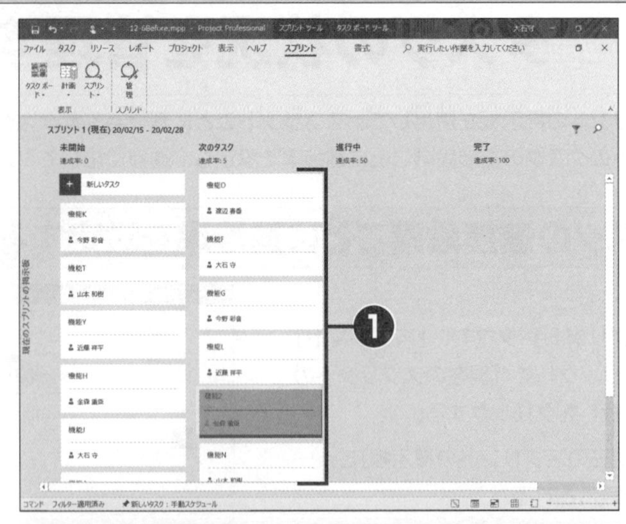

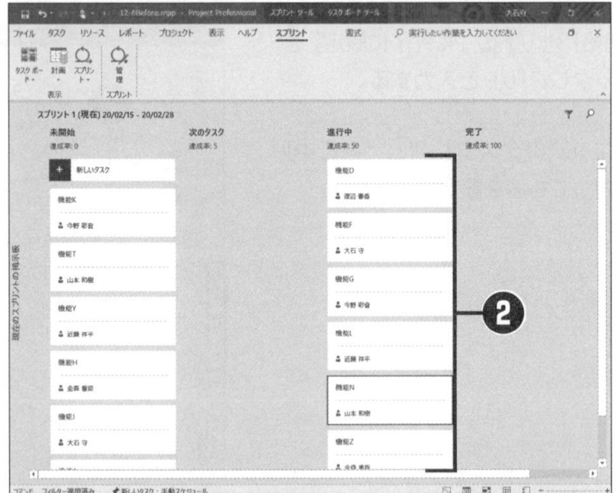

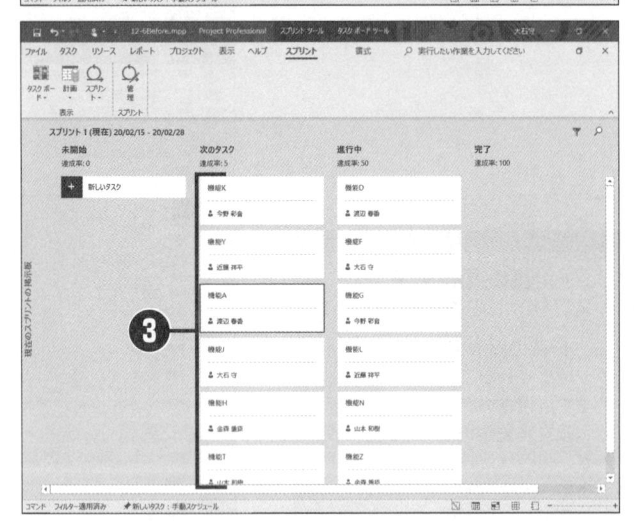

❶ 開始準備の整ったタスクを［未開始］列から［次のタスク］列にマウスでドラッグアンドドロップする。

➡タスクが次のステップに移動する。

❷ 続いて、［次のタスク］列のタスクを［進行中］列にマウスでドラッグアンドドロップする。

➡タスクが［進行中］列に移動する。

❸ 続いて、［未開始］列のタスクを［次のタスク］列にマウスでドラッグアンドドロップする。

➡タスクが［次のタスク］列に移動する。

❹

続いて、［進行中］列のタスクを［完了］列にマウスでドラッグアンドドロップする。

➡タスクが［完了］列に移動し、タスクカードの右上にチェックマーク（✔）が表示される。

❺

手順❷～❹を繰り返す。

➡すべてのタスクが［完了］列に移動し、現在のスプリントのタスクがすべて完了する。

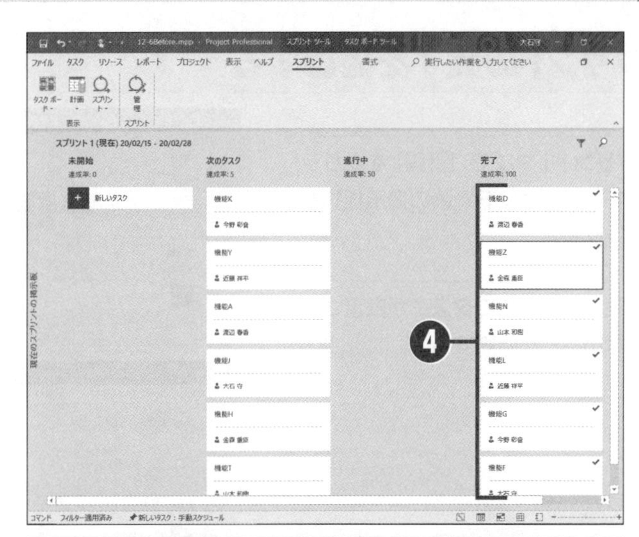

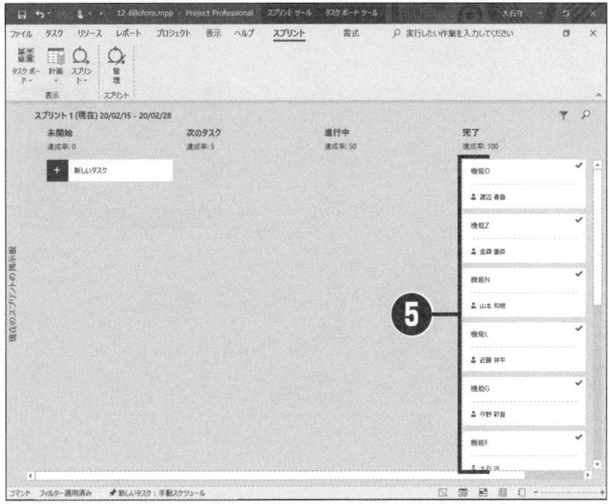

スプリントの完了を確認する

❶ [スプリント] タブで、[計画] をクリックして [スプリント計画の掲示板] をクリックする。

❷ [スプリント1] 列にタスクが表示されていないことを確認する。

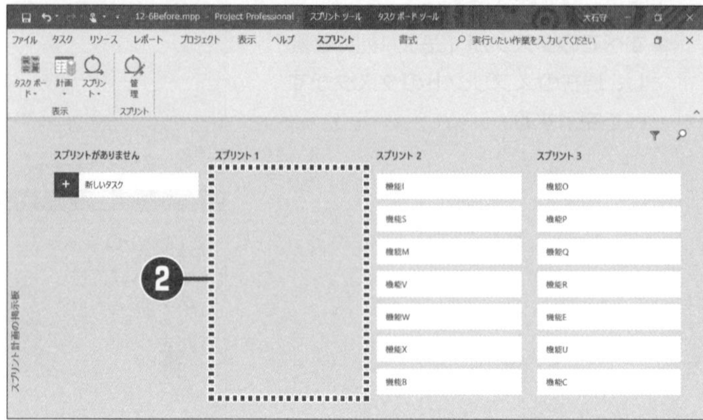

ヒント

現在のスプリント

現在のスプリントは、スプリントに設定された期間で判断されます。期間終了前に現在のスプリントのタスクがすべて完了しても、自動的に次のスプリントには進みません。

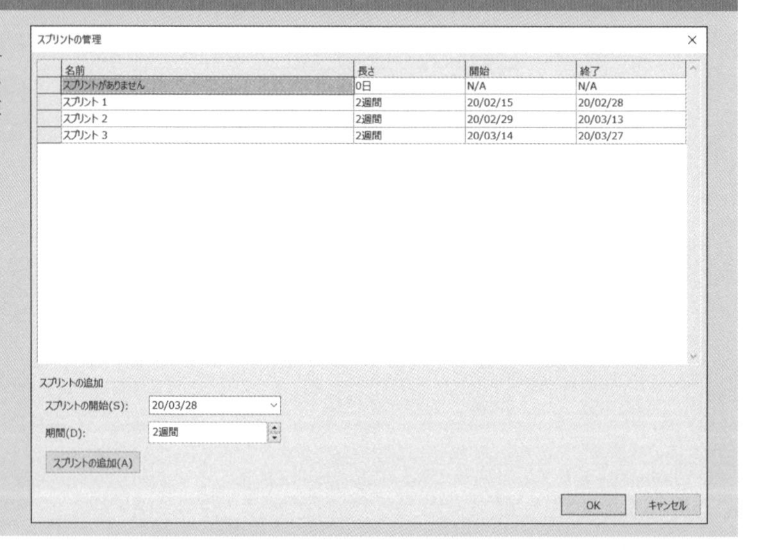

名前	長さ	開始	終了
スプリントがありません	0日	N/A	N/A
スプリント 1	2週間	20/02/15	20/02/28
スプリント 2	2週間	20/02/29	20/03/13
スプリント 3	2週間	20/03/14	20/03/27

7 既存のプロジェクトにスプリントを追加するには

［お勧めのテンプレート］の［スプリントプロジェクト］から新規作成したプロジェクトには、あらかじめテンプレートに3つのスプリントが定義され、メニューに［スプリント］タブが追加されています。一方、通常のプロジェクトを新規作成した場合は、既定で1つのスプリントが定義されていますが、［スプリント］タブは表示されません。ここでは、通常のプロジェクトに後からスプリントを追加する方法を解説します。

スプリントを追加する

❶ ［プロジェクト］タブの［スプリントの管理］をクリックする。

➡［スプリントの管理］ダイアログが表示される。

❷ ［スプリントの追加］をクリックする。

➡「スプリント2」が追加される。

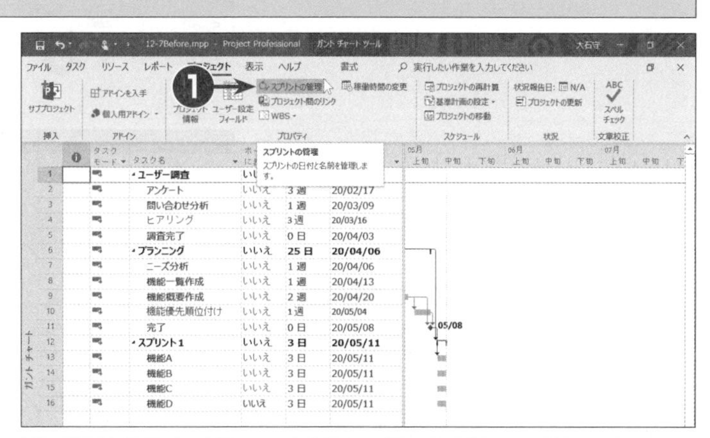

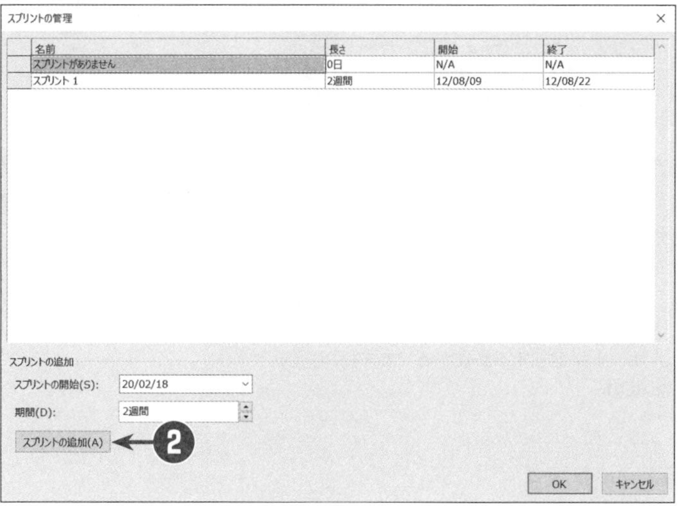

3 さらに［スプリントの追加］をクリックする。

➡「スプリント3」が追加される。

4 ［OK］をクリックしてダイアログを閉じる。

➡［スプリント］タブが追加されている。

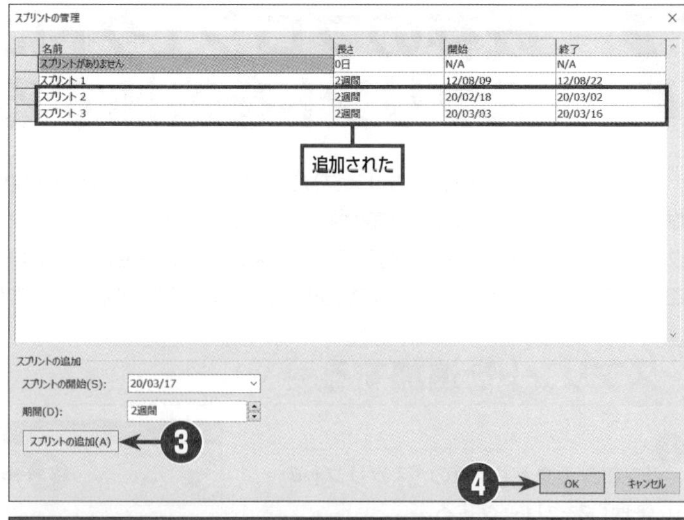

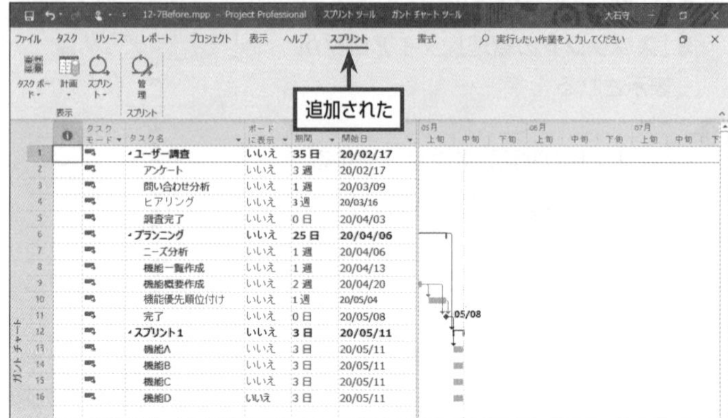

ヒント

スプリントを追加すると［スプリント］タブが表示される

既定では、「スプリントがありません」と「スプリント1」が定義されていますが、この状態ではメニューに［スプリント］タブは表示されません。既定の状態から新たにスプリントを追加すると［スプリント］タブが追加されます。

注意

スプリントを追加しただけではタスクは表示されない

スプリントを追加しても、それだけでは［スプリント計画シート］や［スプリント計画の掲示板］にタスクは追加されません。タスクボードに追加する必要があります（次の項を参照）。

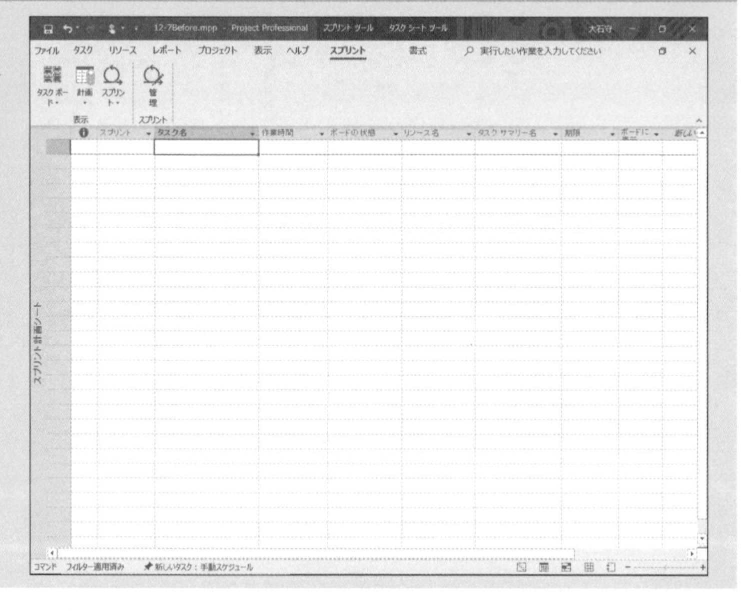

タスクをスプリントに追加する

❶ [スプリント] タブで、[計画] をクリックして [スプリント計画シート] をクリックする。

➡ [スプリント計画シート] ビューが表示され、タスクが何も表示されていない。

❷ [タスク] タブで、[ガントチャート] の▼をクリックして[ガントチャート] をクリックする。

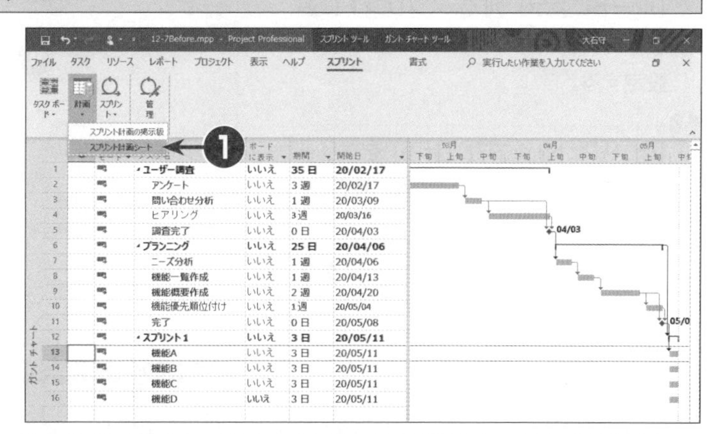

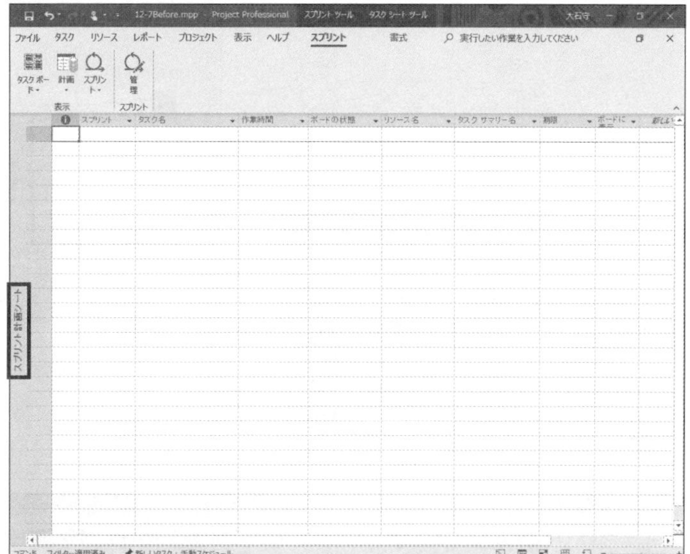

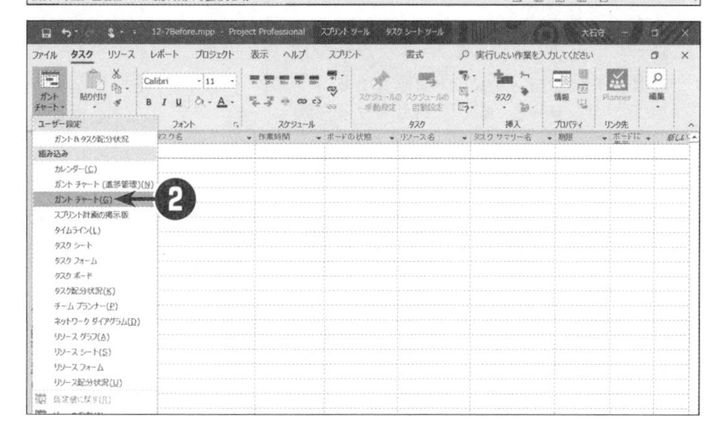

3
［ボードに表示］列で、スプリントに追加したいタスクのフラグを［はい］に設定する。

4
［スプリント］タブで、［計画］をクリックして［スプリント計画の掲示板］をクリックする。

➡［スプリント計画の掲示板］にタスクが追加されている。

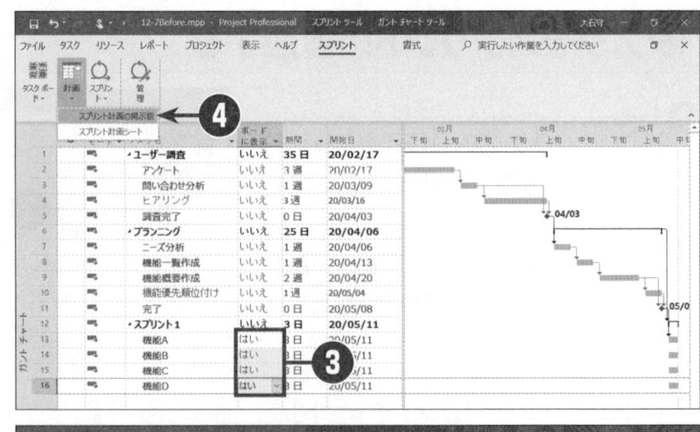

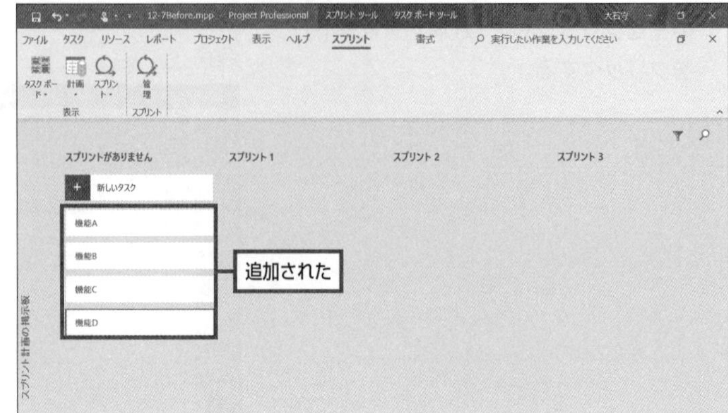

ヒント

タスクボードのみで使用する

Projectの通常の使い方とはやや異なりますが、スプリントにタスクを割り当てずタスクボードのみでシンプルにタスクの進捗管理をするといった、Microsoft Planner（この章の9を参照）のような使い方もできます。

ヒント

［スプリント計画シート］でタスクを確認する

通常のプロジェクトのタスクをスプリントに追加すると、［スプリント計画シート］の［タスクサマリー名］に上位のサマリータスク名が表示されます。

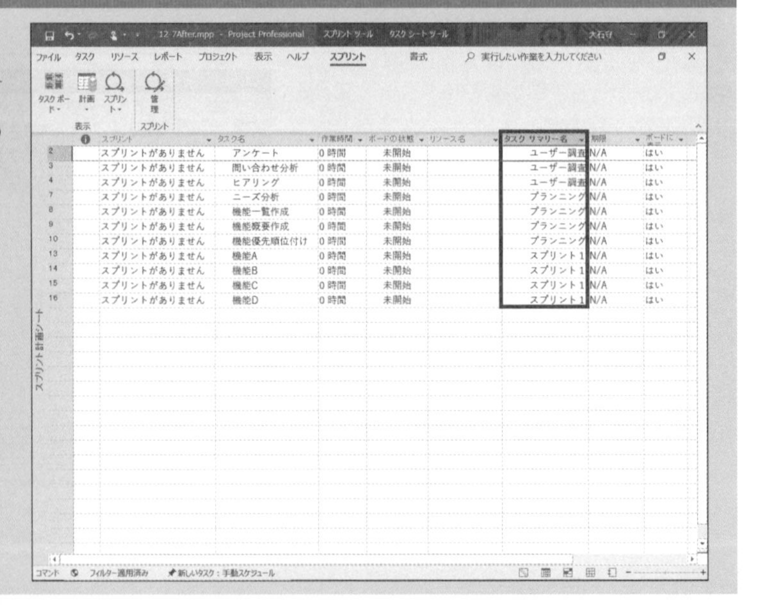

8 アジャイルレポートを表示するには

新たにアジャイルプロジェクト用のクライアントレポートが用意されています。ここでは、[スプリントの状態] [現在のスプリント - タスクの状態] [現在のスプリント - 作業の状態] レポートを紹介します。

[スプリントの状態] レポートを表示する

❶ [レポート] タブで、[タスクボード] をクリックして [スプリントの状態] をクリックする。

➡ [スプリントの状態] レポートが表示される。

❷ [スプリントごとの作業] のグラフをクリックする。

➡ [フィールドリスト] 作業ウィンドウが表示される。

❸ [リソース] タブをクリックする。

➡ リソース単位の作業時間のグラフが表示される。

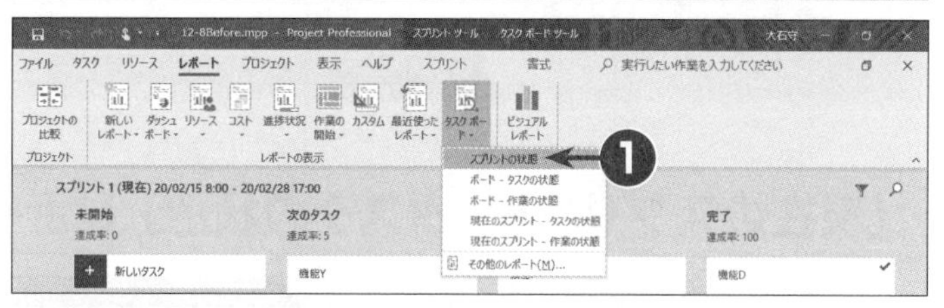

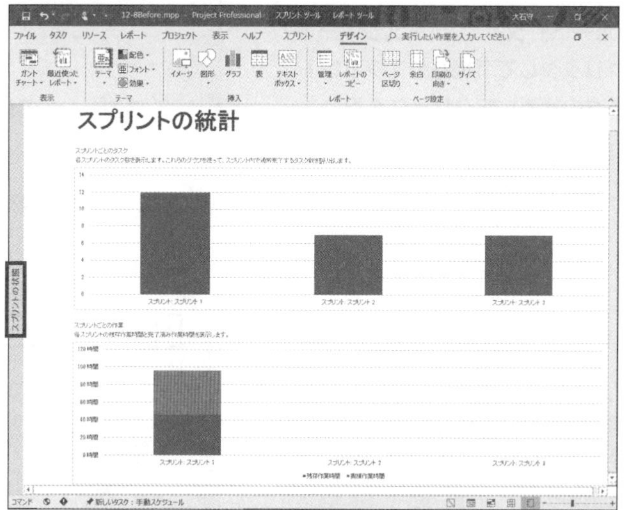

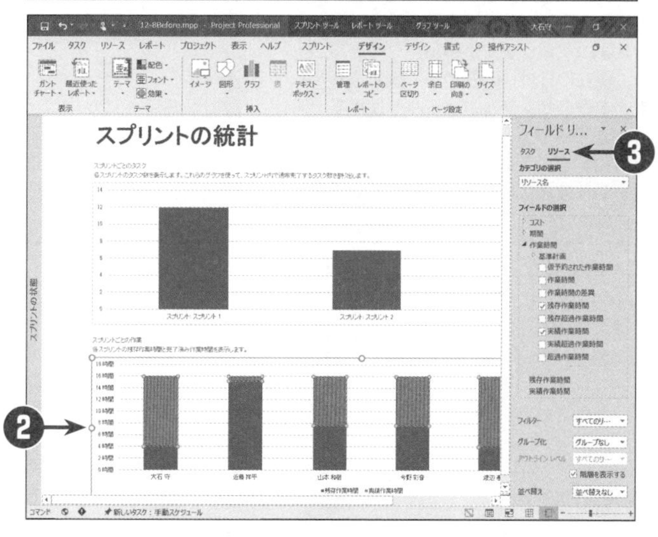

ヒント [スプリントの状態] レポート

タイトルは [スプリントの統計] ですが、ビュー名は [スプリントの状態] です。[スプリントごとのタスク] の下には、スプリントごとのタスクがグラフとして表示されています。[スプリントごとの作業] の下には、スプリントごとのタスクの実績作業時間と残存作業時間が積み上げグラフとして表示されています。

ヒント

フィールドリストが表示されないときは

グラフをクリックしてもフィールドリストが表示されない場合は、グラフを右クリックして［フィールドリストを表示する］をクリックします。

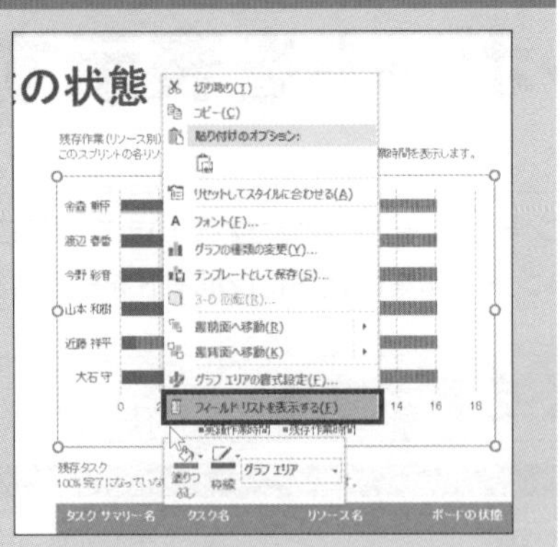

［現在のスプリント - タスクの状態］レポートを表示する

❶ ［レポート］タブで、［タスクボード］をクリックして［現在のスプリント - タスクの状態］をクリックする。

➡［現在のスプリント - タスクの状態］レポートが表示される。

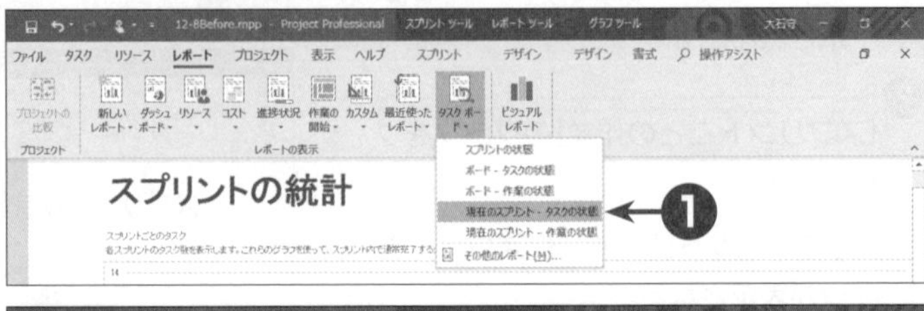

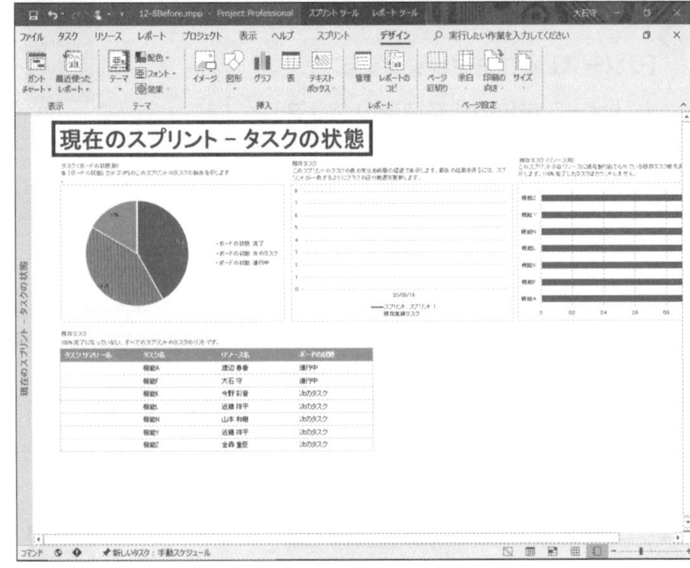

ヒント

現在のスプリントとは

［現在のスプリントの掲示板］や［現在のスプリントのシート］で表示されるスプリントは、［プロジェクト情報］ダイアログの［現在の日付］に基づいて表示されます。本書のサンプルファイルを使用するときは、サンプルファイルの［プロジェクト情報］ダイアログで［現在の日付］をサンプルのスプリントに合わせて変更してください。

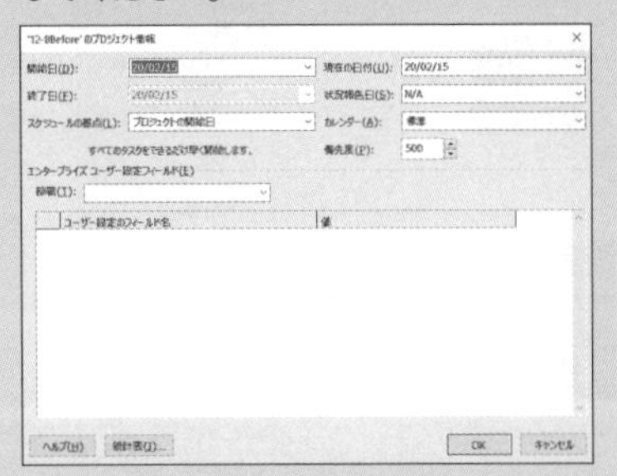

2
[残存タスク] の一覧をクリックする。

➡[フィールドリスト] 作業ウィンドウが表示される。

3
[フィルター] で、[現在のスプリント] を選択する。

4
[グループ化] で、[リソース] を選択する。

5
[アウトラインレベル] で、[レベル2] を選択する。

➡現在のスプリントのタスクが担当するリソースでグループ化して表示される。

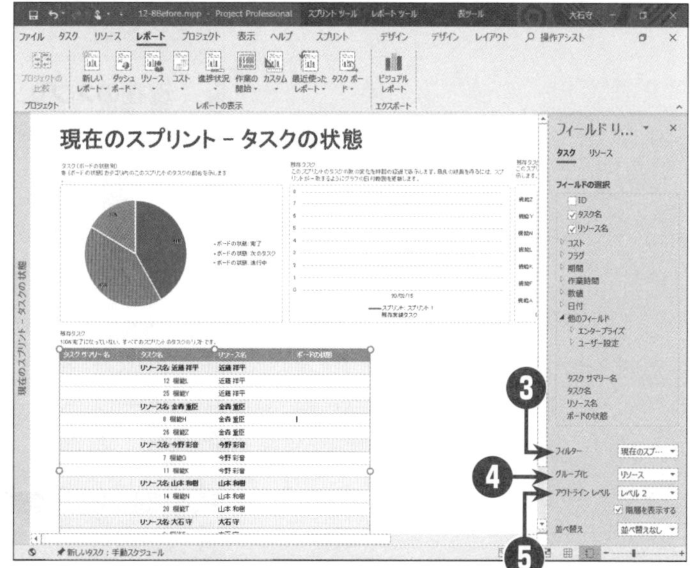

ヒント

[現在のスプリント - タスクの状態] レポート

現在実行中のスプリントのタスクの進捗状況を表示します。タスクボードのステップごとのタスク数などがグラフで表示されます。

[現在のスプリント - 作業の状態] レポートを表示する

1
[レポート] タブで、[タスクボード] をクリックして [現在のスプリント - 作業の状態] をクリックする。

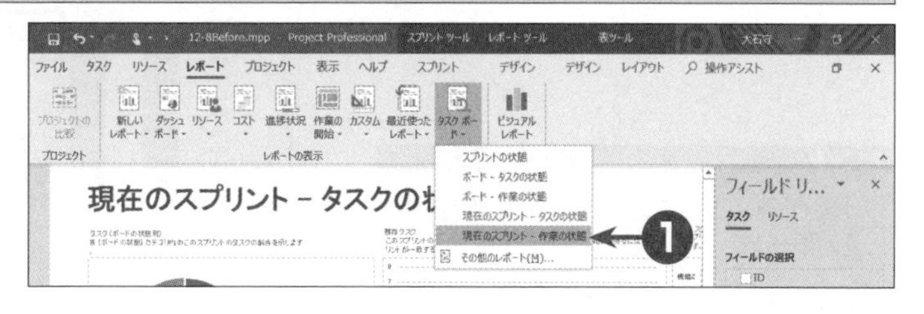

➡[現在のスプリント - 作業の状態]レポートが表示される。

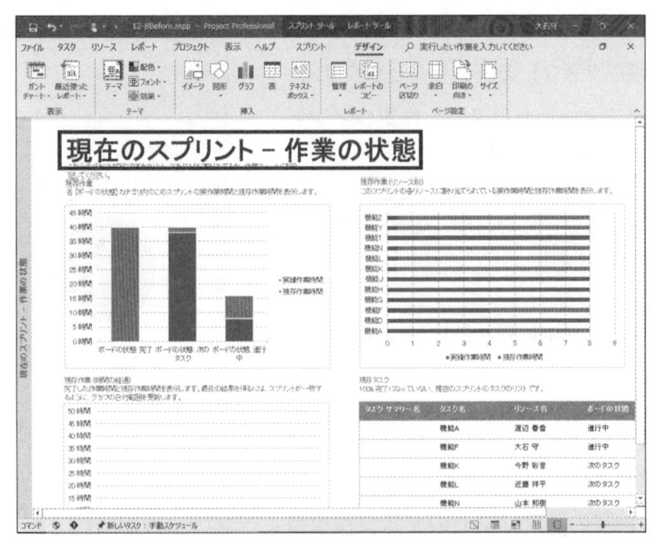

❷

[残存作業（リソース別)] のグラフをクリックする。

➡[フィールドリスト] 作業ウィンドウが表示される。

❸

[リソース] タブをクリックする。

➡グラフがリソースごとの作業時間に変わる。

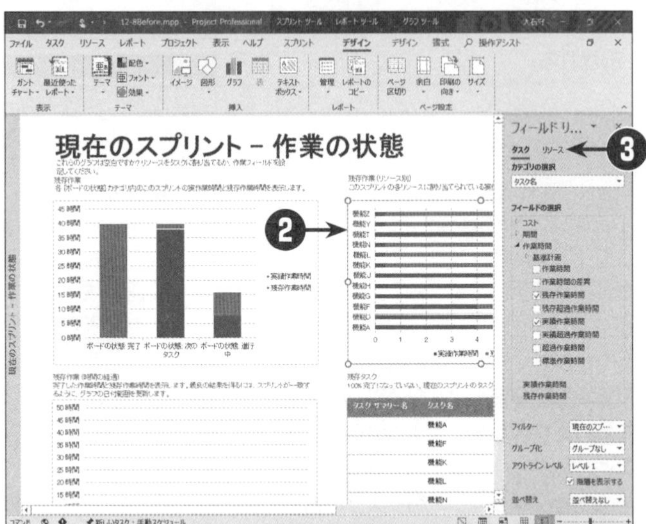

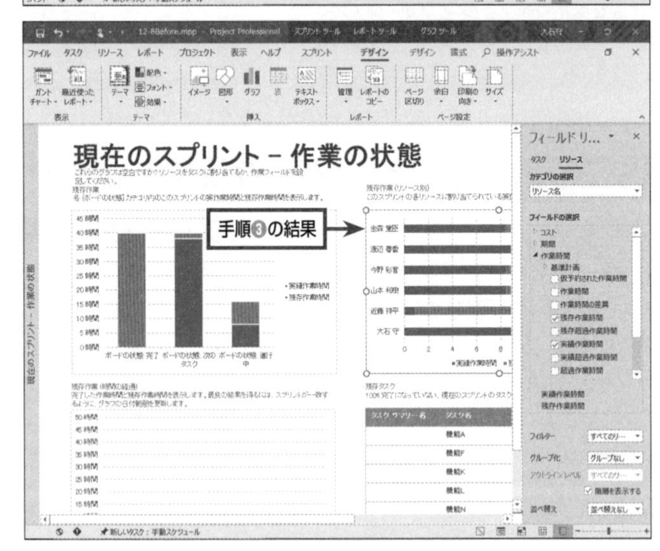

ヒント

[現在のスプリント - 作業の状態] レポート

現在実行中のスプリントのタスクの作業状況を表示します。タスクボードのステップごとの実績作業時間や残存作業時間などがグラフで表示されます。

9 Plannerと連携するには

Microsoft Planner（以下Planner）は、チームでプランを共有したり、ファイルを共有したり、タスク管理を行うことができるOffice 365のツールです。チームで行う作業を効率よく管理することができます。さらにPlannerで作成したプランをProjectのタスクとリンクすることによって、大きなプロジェクトの一部として組み込むこともできます。ここでは、Project Onlineデスクトップクライアントを使用して、PlannerのプランをProjectのタスクとリンクする方法を解説します。

Project Onlineに接続する

❶ ［ファイル］タブをクリックし、［情報］をクリックする。

❷ ［情報］画面で［アカウントの管理］をクリックする。

➡［Project Web Appアカウント］ダイアログが表示される。

❸ ［追加］をクリックする。

➡［アカウントのプロパティ］ダイアログが表示される。

❹ ［アカウント名］に接続先のProject Onlineの識別するための任意の名称を入力する。

❺ ［Project ServerのURL］に接続先のProject OnlineのURLを入力する。

❻ ［OK］をクリックする。

➡［Project Web Appアカウント］ダイアログにアカウントが追加される。

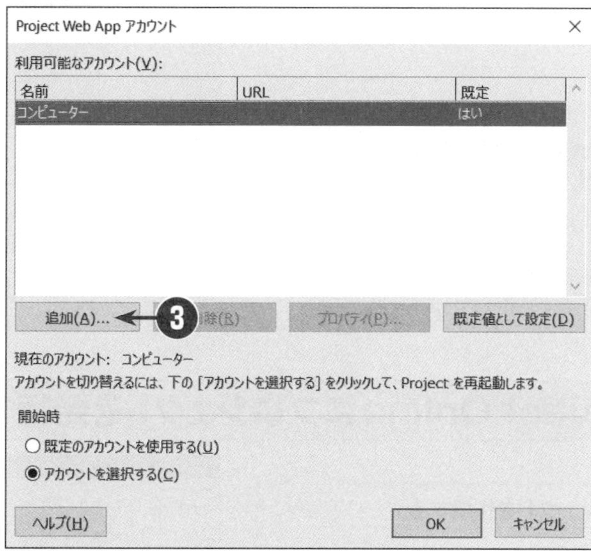

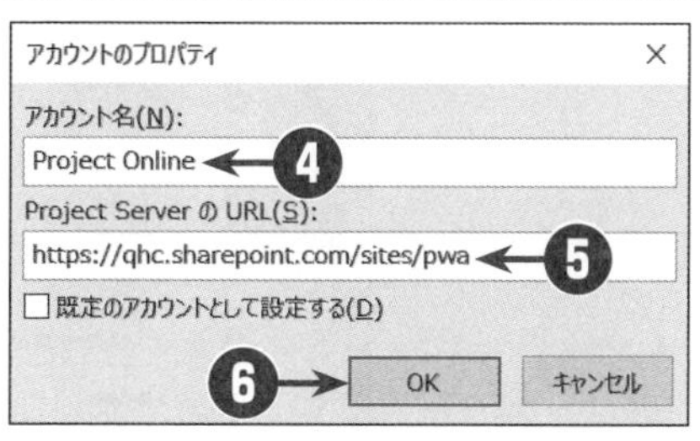

ヒント

Project Onlineの接続先URL

Project OnlineデスクトップクライアントにProject Onlineの接続先を設定する際は、次の形式で入力します。
https://＜アカウント名＞.sharepoint.com/sites/pwa

❼ [開始時] で、[アカウントを選択する] を選択する。

❽ [OK] をクリックする。

❾ Project Onlineデスクトップクライアントを再起動する。

❿ [ログイン] ダイアログで、Project Onlineのアカウントを選択して [OK] をクリックする。

⓫ Escを押し、[ガントチャート] ビューで、画面左下に地球のアイコンが表示されていることを確認する。

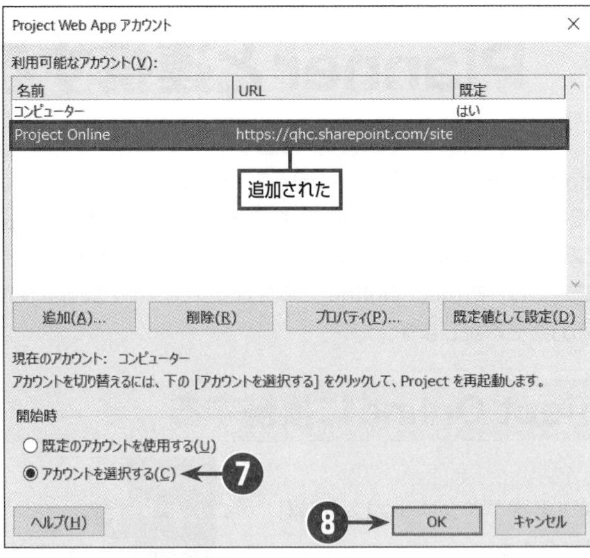

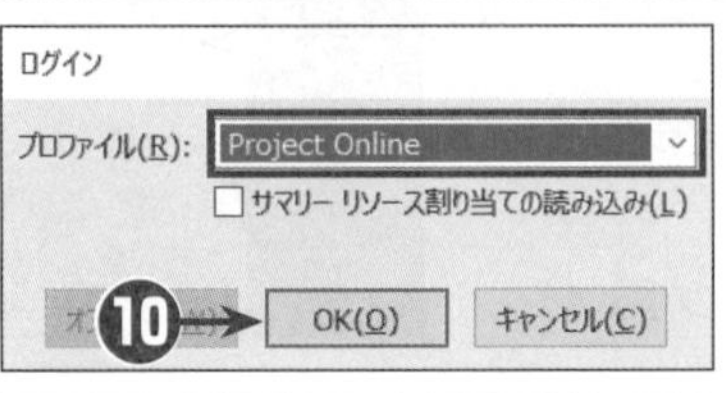

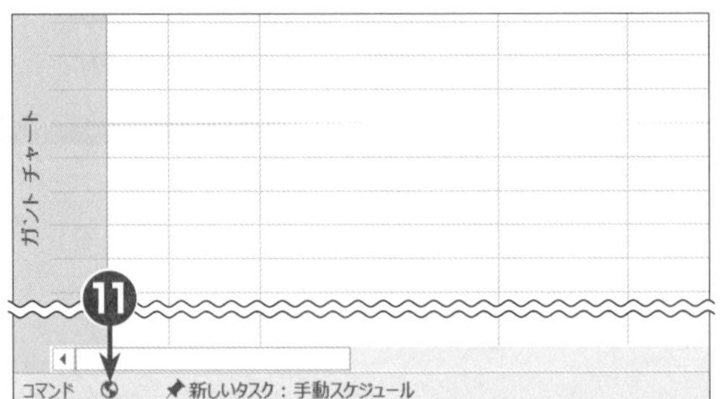

注意

Project Onlineの契約があらかじめ必要

Project Onlineのアカウントにサインインするには、あらかじめOffice 365のサイトでProject Onlineを契約し使える状態にしておく必要があります。

Project Onlineにプロジェクトを発行する

❶ プロジェクトを作成する。

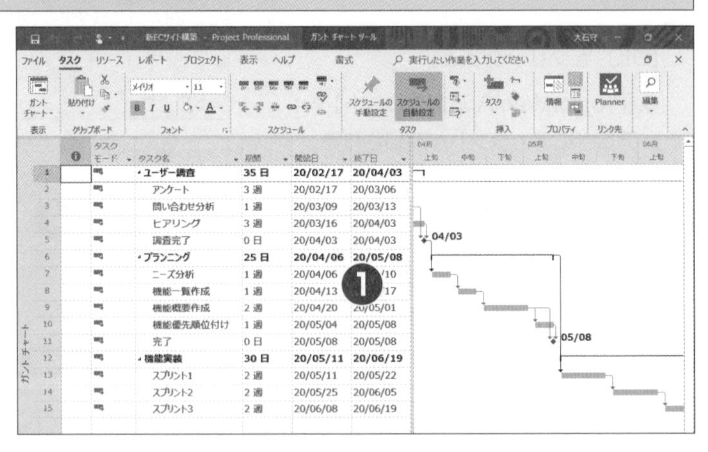

❷
［ファイル］タブをクリックし、［情報］の［発行］をクリックする。

➡Project Onlineにプロジェクトが発行され、完了するとステータスバーに［発行は正常に完了しました］と表示される。

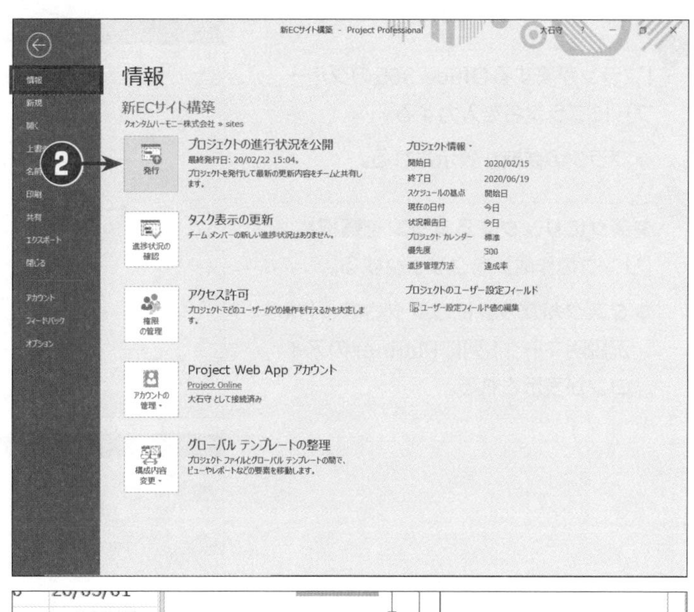

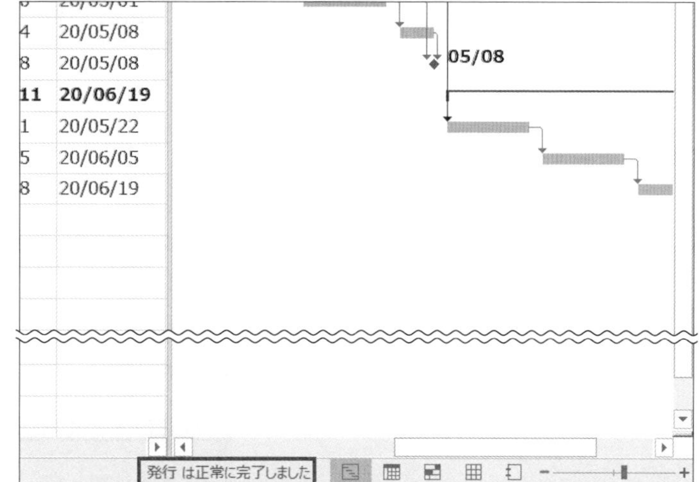

注意

Project Onlineデスクトップクライアントを利用するには

Project Onlineデスクトップクライアントを利用するには、Project Plan 3またはProject Plan 5の契約が必要です。

ヒント

Plannerのプランとタスクをリンクするには

ProjectのタスクをPlannerのプランとリンクするには、ここで行ったように、あらかじめProject Onlineにプロジェクトを発行しておく必要があります。

タスクをPlannerのプランにリンクする

❶
Plannerのプランにリンクしたいタスクを選択し、［タスク］タブの［Planner］をクリックする。

➡［プランにリンクする］作業ウィンドウが表示される。

❷
［既存のPlannerプランにリンクする］をクリックする。

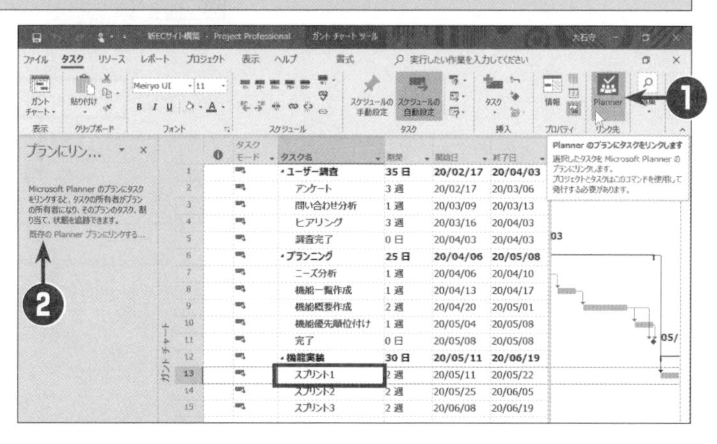

3 [プランが属するOffice 365のグループ] にプラン名を入力する。

➡プランの候補が表示される。

4 タスクにリンクするプランを選択し、[リンクの作成] をクリックする。

➡タスクがプランにリンクされ、[状況説明マーク] 列にPlannerのアイコンが表示される。

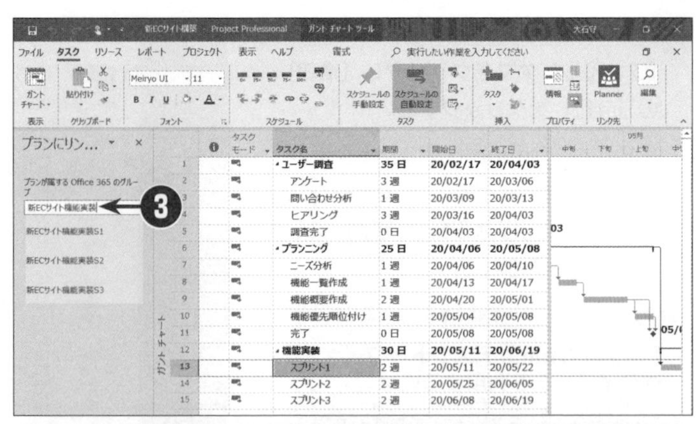

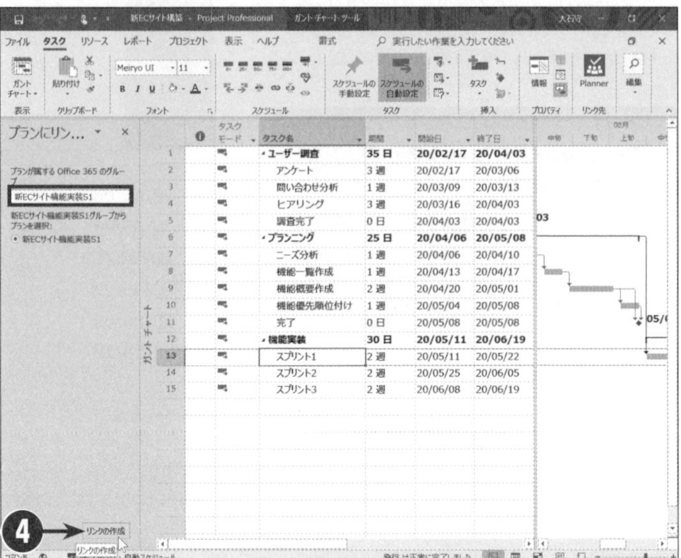

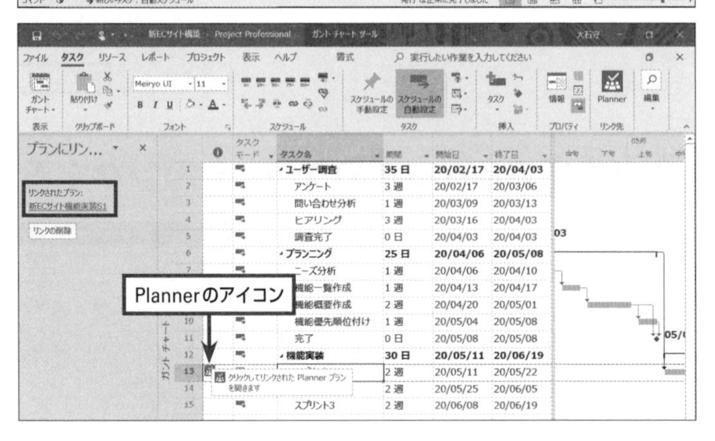

Plannerのプランを表示する

❶ タスク行のPlannerのアイコンをクリックする。

❷ Plannerが起動したら、左側のメニューから［Plannerハブ］をクリックする。

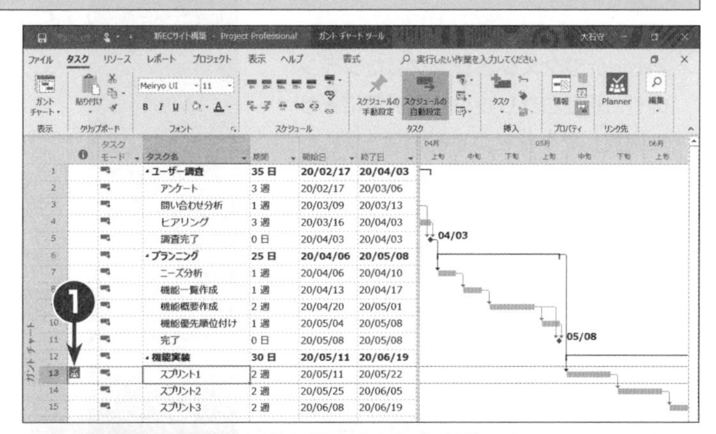

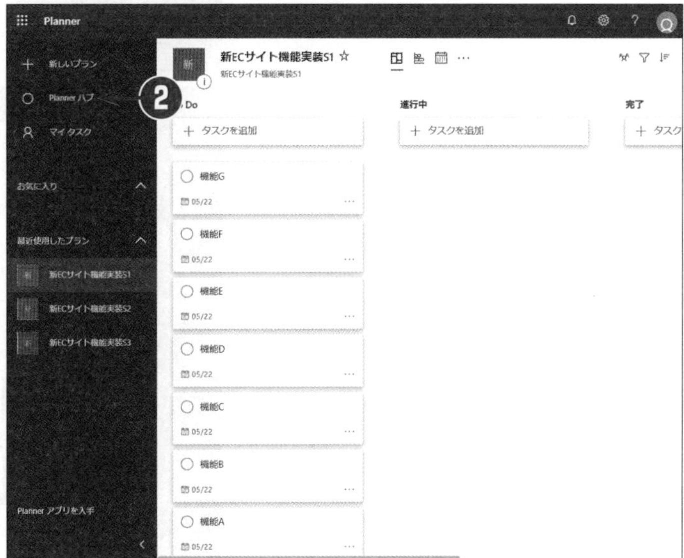

ヒント

Plannerを利用するには

Plannerの利用には、Office 365 Enterprise（F1、E1、E3およびE5）、Office 365 Education（A1、A3およびA5）、Office 365 Business Essentials、Office 365 Business Premiumのいずれかのサブスクリプションが必要です。ただし、組織のポリシーによっては利用を制限されていることがあります。

➡Plannerに作成されたプランが表示される。

❸ Projectのタスクとリンクしたプランの［...］を右クリックし、［お気に入りに追加］をクリックする。

➡［お気に入りのプラン］に追加したプランが表示される。

アジャイル型プロジェクトとProject

世間ではMicrosoft Project（以下Project）は、ウォーターフォール型のプロジェクト向きだと言われてきました。もともとプロジェクトマネジメントの手法自体が、そこから発展してきたという経緯があるためです。この手法では、WBSを定義し、タスクの見積りを行い、タスクにリソースを割り当て、クリティカルパスメソッドを活用するためにタスクのネットワークを作成し、プロジェクトのスケジュールが完成したところで基準計画を保存します。そして、プロジェクトを開始したら、実績を入力し、ダイナミックスケジューリングによる進捗管理を行います。現在でも多くのプロジェクトにおいて有効な方法です。

このように、Projectはウォーターフォール型プロジェクトのための機能が多く実装されているため、これまでアジャイル型プロジェクトには向いていないと言われることもありました。ご存知の読者も多いでしょうが、昨今はソフトウェア開発を筆頭にアジャイル型のプロジェクトを管理するための手法が一般的になってきています。そのような背景から、Projectにもアジャイル型プロジェクトのための機能が追加されることになりました。アジャイルの手法としては、スクラムやカンバンの手法を組み合わせた機能が実装されています（第12章と第13章を参照）。第12章では、Project Onlineデスクトップクライアントにおけるアジャイル向けの機能、第13章では、Project for the Webにおける同様の機能について解説しています。

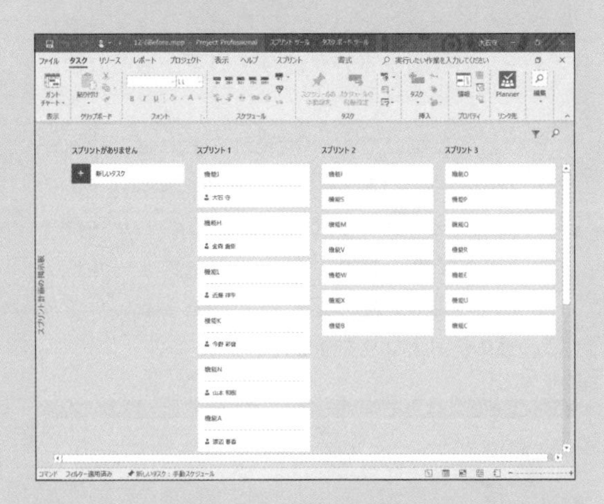

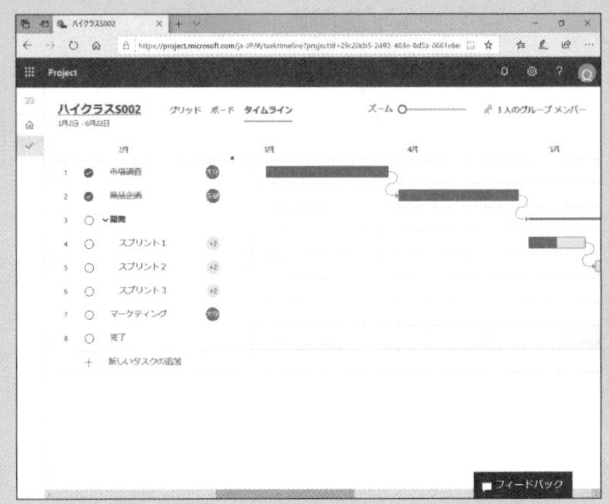

現在では、アジャイル型プロジェクトに特化したツールが世の中に多く出回っています。世間では、「ウォーターフォール vs. アジャイル」のように対立的に語られることもありますが、どちらか一方だけが優れていると言うわけではなく、それぞれ向き不向きがあります。

確かにアジャイル向けの機能のみを使用するのであれば、Project Onlineデスクトップクライアントはいささかオーバースペックと言えるかもしれません。しかしながら、1つのプロジェクトの中でもウォーターフォールが適したプロセスとアジャイルが適したプロセスの両方が含まれることも多いはずです。たとえば、ソフトウェア開発プロジェクトを例にとってみても、純粋な実装のプロセスはアジャイルで行うかもしれませんが、その前後の製品企画やマーケティングといったプロセスはウォーターフォールで計画する方が適しているかもしれません。

そのような場合でも、Projectであれば、ウォーターフォール型プロジェクトの一部にアジャイルのプロセスを組み込むことで対応することが可能です。これまで使い慣れたウォーターフォールにアジャイルの要素を組み込むことができるわけです（この章の7および9を参照）。

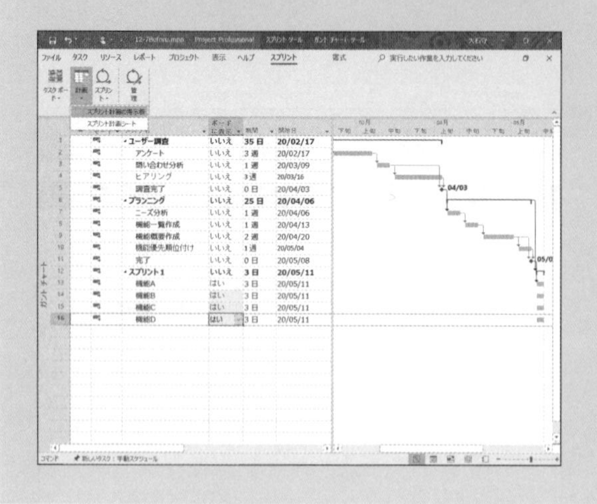

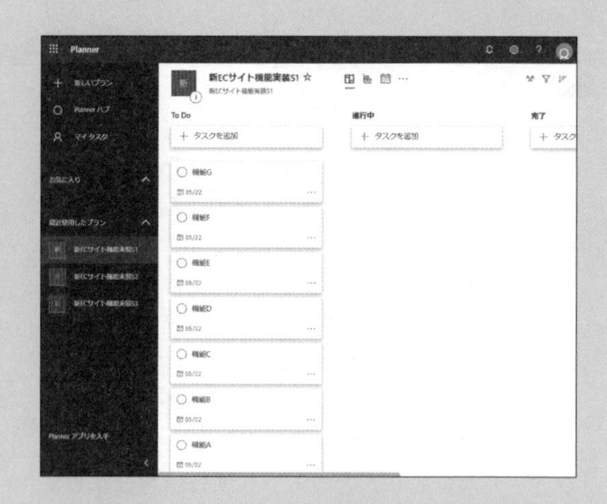

本書ではデスクトップクライアントの機能を中心に紹介していますが、従来からあるProject OnlineとProject for the Webを組み合わせて使用することもできます（第13章の2を参照）。ぜひさまざまな使い方にチャレンジしてみてください。

クラウド版Projectの活用

第13章

Projectには、組織のプロジェクトの統合的な管理、分析を可能にするプロジェクトポートフォリオマネジメント（PPM）をすることのできる、Office 365と統合されたProject Onlineというクラウドサービスが従来から提供されています。2019年の秋、Project Onlineに加えて、よりシンプルかつ容易にプロジェクトを管理することができる「Project for the Web」の機能が追加されました。この章では、新たに追加された「Project for the Web」の機能について解説します。

1 Project for the Webに接続するには

2019年秋にMicrosoft ProjectのサブスクリプションにProject for the Webが追加されました。Project for the Webでは、Web上でプロジェクトを作成し、簡単にチームメンバーと情報を共有することができます。またビジネスのロードマップを作成し、Project for the Webで作成したプロジェクトやProject Onlineのプロジェクトをロードマップにマッピングすることができます。ここでは、Project for the Webへ接続する方法を解説します。

WebブラウザーでProject for the Webに接続する

❶ Webブラウザーを起動し、アドレスバーにOffice 365のサイトのアドレス（https://www.office.com）を入力する。

➡ Office 365のサインインページが表示される。

❷ ［サインイン］をクリックする。

❸ アカウントを選択し、パスワードを要求された場合は入力する。

➡ Office 365のホームページが表示される。

注意

Project for the Webを利用するには

Project for the Webを利用するには、Project OnlineのProject Plan 1、Plan 3、Plan 5のいずれかの契約が必要です。

4

［Project］アイコンをクリックする。

➡ Project for the Webのページが表示される。

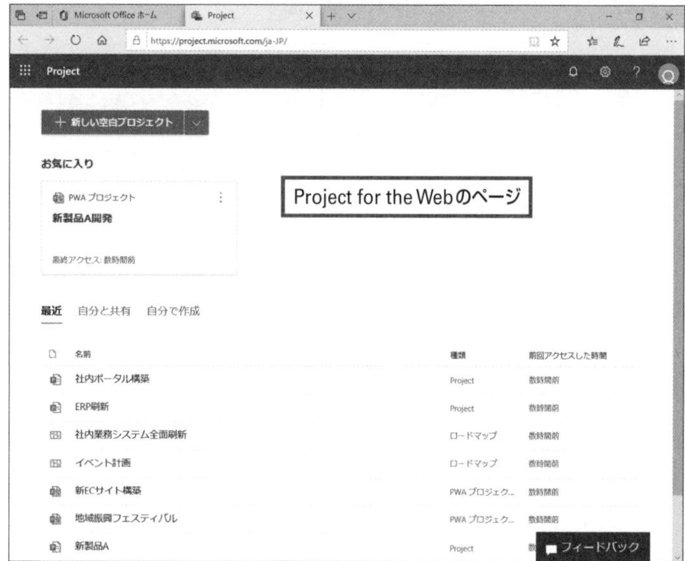

ヒント

Project for the Webを試すには

Project for the Webの機能を試すには、次のサイトからProject Plan 3の試用版を申し込むことをお勧めします。30日間無料で使用できます。
https://products.office.com/ja-jp/project/compare-microsoft-project-management-software

2 ロードマップを作成するには

ロードマップは、新たに追加されたProject for the Webの機能です。ロードマップは、組織のさまざまなプロジェクトのスケジュールと進行状況をまとめて一覧することで、ビジネスの未来予想図として使用します。従来のProject Onlineで言えば、[プロジェクトセンター] の [タイムライン] ビューと位置付けが近いものです。ロードマップには、Project for the Webで作成したプロジェクトに加えて、Project Onlineのプロジェクトを追加することができます。ここでは、ロードマップを作成し、プロジェクトを接続する方法を説明します。

ロードマップを作成する

1. Webブラウザーを起動し、アドレスバーにProject for the Webのサイトのアドレス（https://project.microsoft.com）を入力する。サインインを要求された場合はサインインする。
   - Project for the Webのページが表示される。
2. [＋新しい空白プロジェクト]の▼をクリックし、[新しいロードマップ] をクリックする。
   - 空白のロードマップが作成される。

注意

ロードマップの作成・編集にはPlan 3以上が必要

ロードマップを作成し編集するには、Project Plan 3以上のサブスクリプションが必要です。Project Plan 1では閲覧のみ可能です。

3

「無題のロードマップ」と表示されている部分をクリックする。

➡右側に詳細ウィンドウが表示される。

4

ロードマップの名称を入力し、[×] をクリックしてウィンドウを閉じる。

➡ロードマップの名称が変更される。

ロードマップに行を追加する

❶ [+行を追加] をクリックする。

➡空白行が追加され、右側に詳細ウィンドウが表示される。

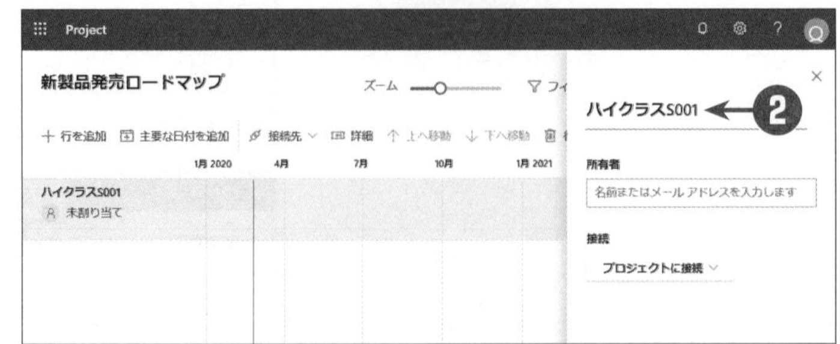

❷ 詳細ウィンドウで、行の名称を入力する。

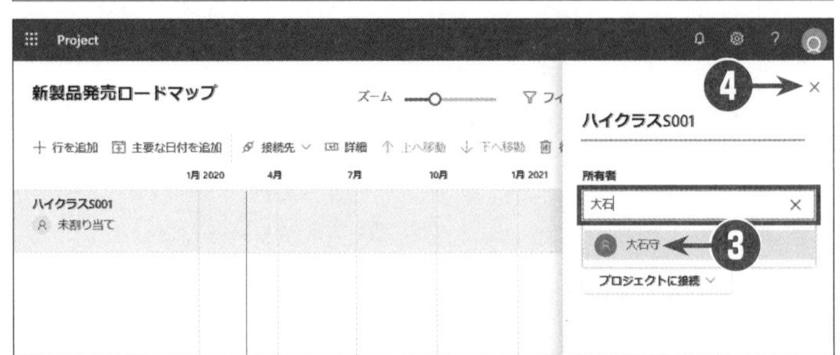

❸ [所有者] に、行に定義する対象の責任者の名前を入力し、選択肢が表示されたらクリックする。

➡所有者が割り当てられる。

❹ 詳細ウィンドウの [×] をクリックしてウィンドウを閉じる。

ヒント

ロードマップの行と所有者とは

ロードマップの行には、プロジェクトのほか、製品リリースの計画、中期経営計画の策定マイルストーン、四半期の売上レビューといった、さまざまな計画やイベントを定義します。ロードマップの行に設定する所有者とは、行に定義する対象の責任者を意味します。

ロードマップの行とプロジェクトを接続する

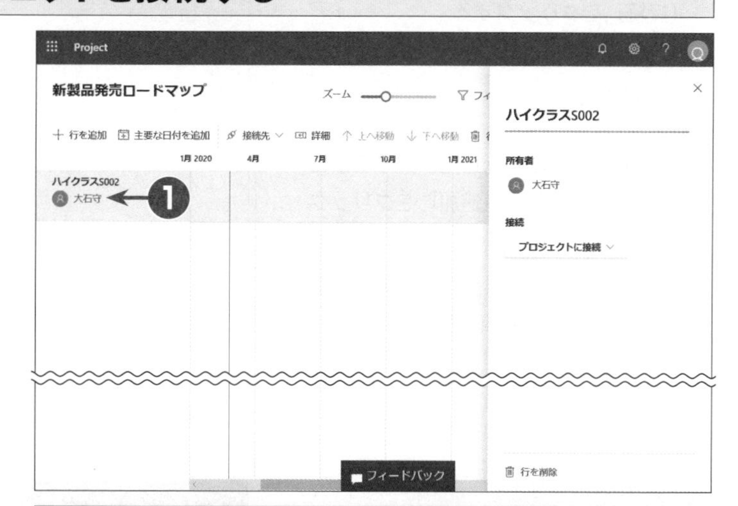

❶ ロードマップの行のプロジェクトをクリックする。

➡右側に詳細ウィンドウが表示される。

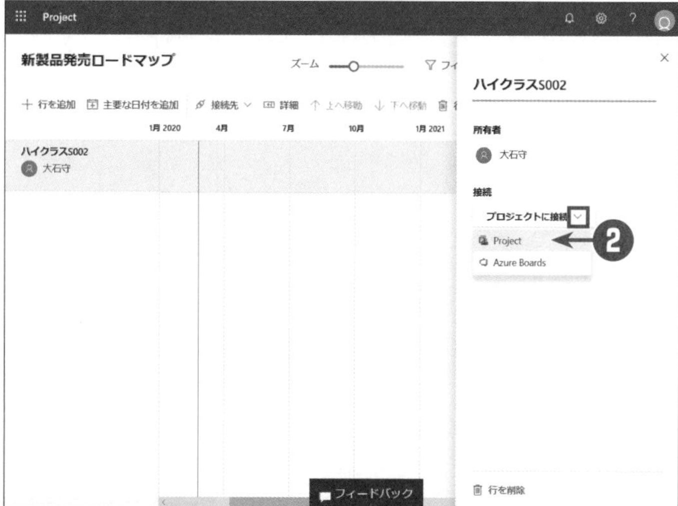

❷ [プロジェクトに接続]の▼をクリックし、[Project]をクリックする。

➡[プロジェクトに接続]ウィンドウが表示される。

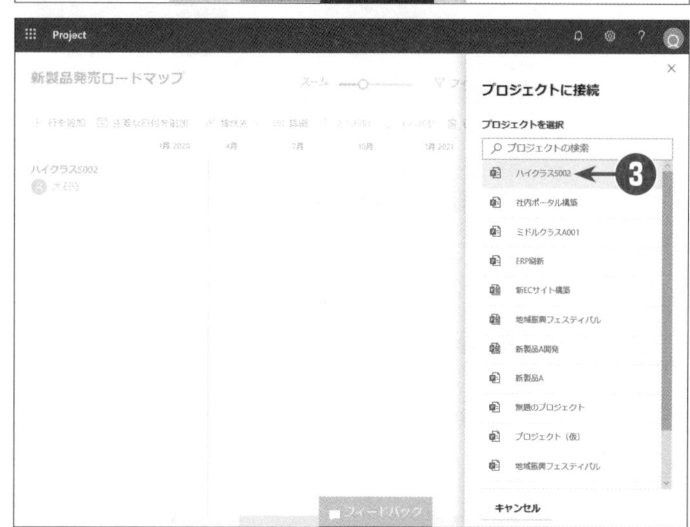

❸ [プロジェクトを選択]から、接続したいプロジェクト名を選択する。

ヒント

[プロジェクトに接続]ウィンドウに表示されるプロジェクト

[プロジェクトに接続]ウィンドウには、Project Web App（PWA）に発行済み、もしくはProject for the Webで作成済みのプロジェクトが表示されます。それぞれのプロジェクトは、アイコンの形状で区別することができます。

4 ［接続］をクリックする。

➡［アイテムの追加］ウィンドウが表示される。

5 ロードマップに表示したいアイテムにチェックを入れて、［追加］をクリックする。

➡ロードマップの行にプロジェクトのアイテムが追加される。

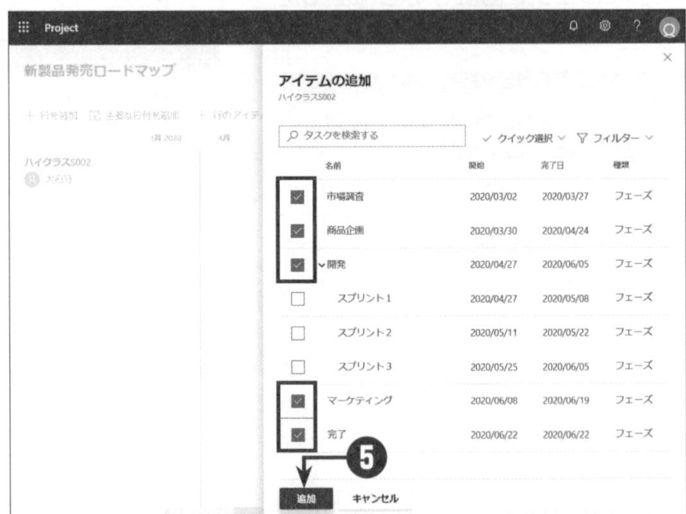

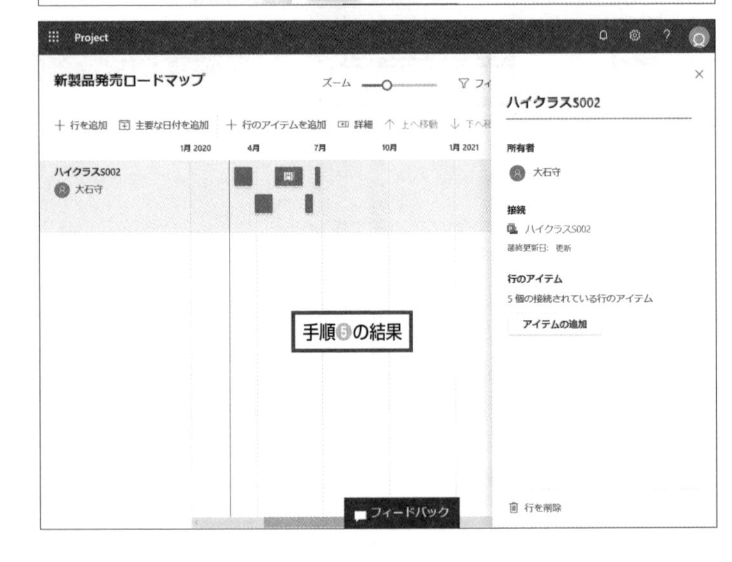

ヒント

ロードマップとプロジェクト

ロードマップの行には、Project for the Webのプロジェクトに加えて、Project Onlineのプロジェクトも関連付けることができます。ロードマップ行を作成した後、プロジェクトを作成し、そのデータと接続することができます。

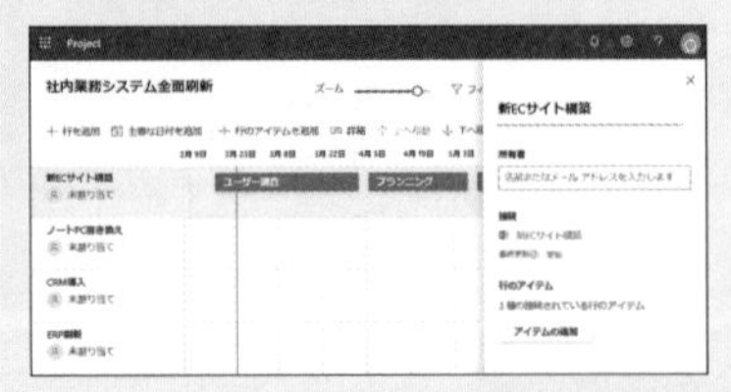

3 プロジェクトを作成するには

Project for the Webでは、簡単なプロジェクトを作成できます。作成したプロジェクトは、ロードマップから接続することができます。ここでは、プロジェクトの作成とプロジェクトのメンバーを追加する方法を解説します。

新しいプロジェクトを作成する

1. Project for the Webのページを表示する。
2. [＋新しい空白プロジェクト]をクリックする。
   ➡空白のプロジェクトが作成される。
3. 「無題のプロジェクト」と表示されている部分をクリックする。
4. 詳細ウィンドウでプロジェクト名と開始日を入力し、[×] をクリックする。

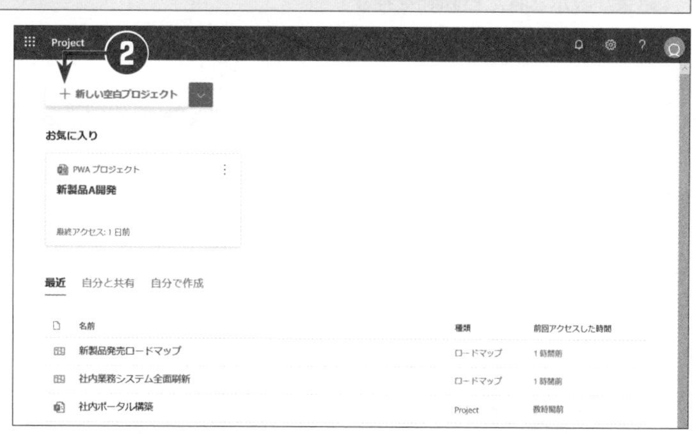

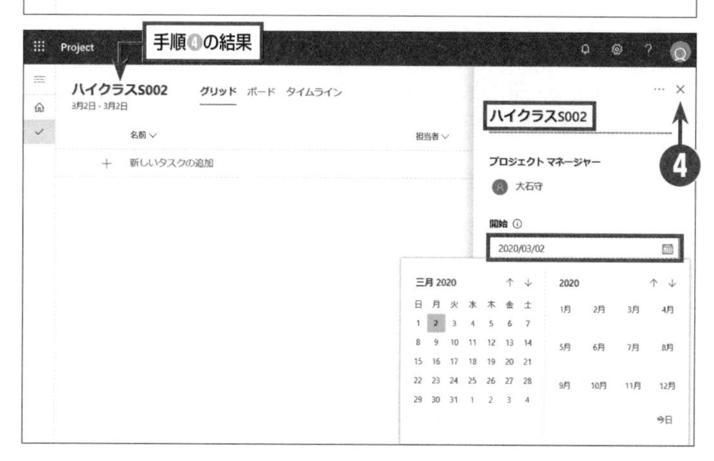

ヒント

プロジェクトを削除するには

プロジェクトを削除するには、[ホーム] のロードマップとプロジェクトの一覧から ⋮ アイコンをクリックし、[一覧から削除] をクリックします。

注意

「無題のプロジェクト」のままでもプロジェクトが作成される

[無題のプロジェクト] のままプロジェクト名を入力しなくても、しばらくするとプロジェクトが作成されます。

プロジェクトにメンバーを追加する

❶ [グループメンバー] をクリックする。

❷ [グループの作成] タブで、[名前を入力してメンバーを追加します] にメンバーに追加したい名前を入力し、検索結果が表示されたらEnterを押す。

➡メンバーが追加される。

❸ 必要に応じて手順❷を繰り返し、メンバーを追加する。

❹ [作成] をクリックする。

❺ [N人のグループメンバー]をクリックする。

➡グループメンバーが追加されているのが確認できる。

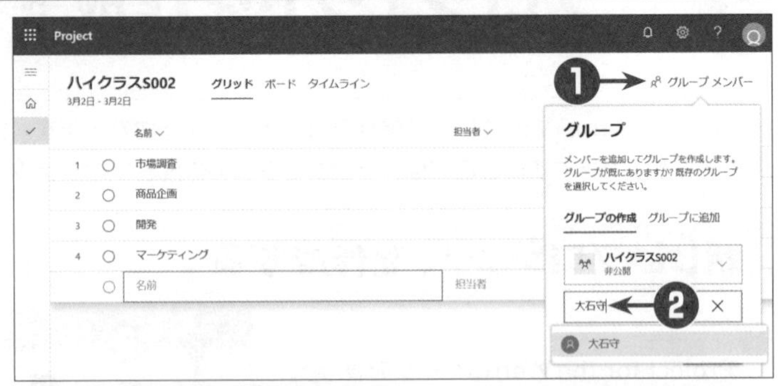

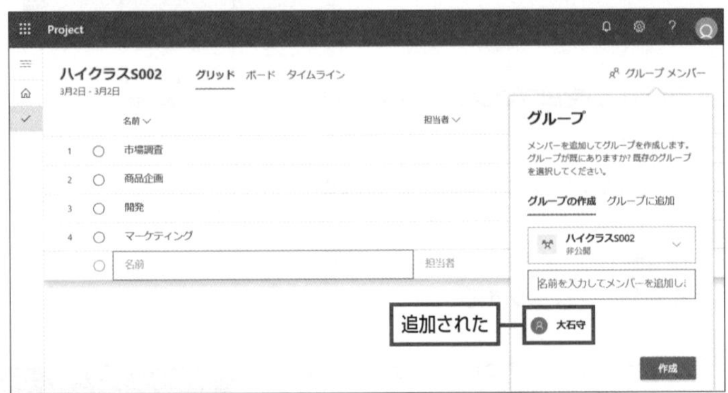

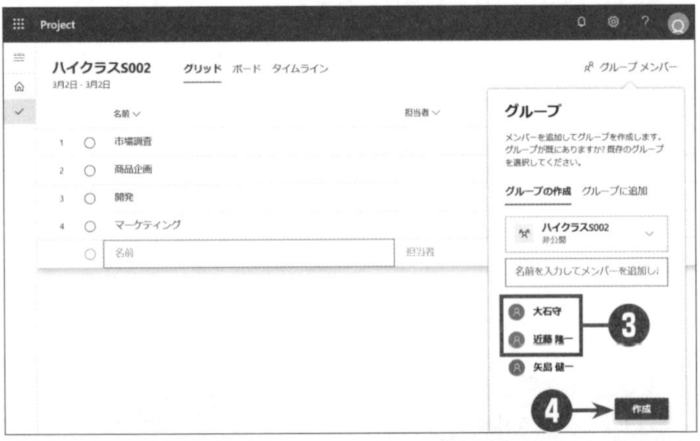

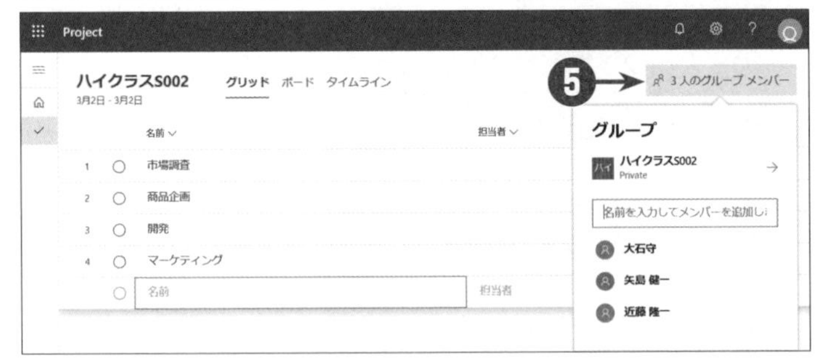

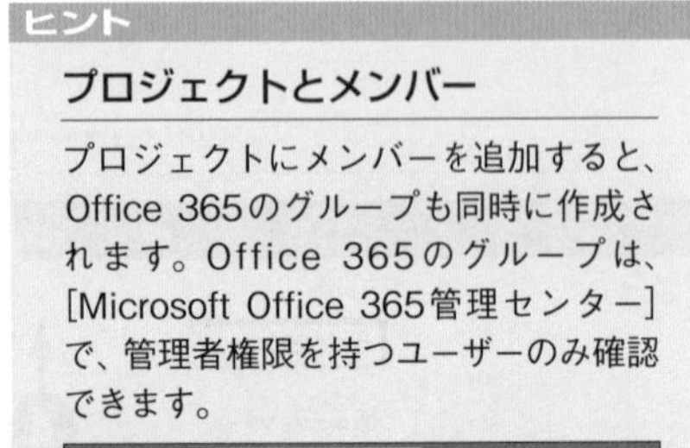

ヒント

プロジェクトとメンバー

プロジェクトにメンバーを追加すると、Office 365のグループも同時に作成されます。Office 365のグループは、[Microsoft Office 365管理センター]で、管理者権限を持つユーザーのみ確認できます。

プロジェクトのタスクを作成するには

タスクを入力することで、プロジェクトのタスクが作成できます。ここではグリッドやボードでタスクを作成する方法、さらにタスクにメンバーを割り当てる方法を解説します。

グリッドでタスクを作成する

1. プロジェクトのページで［グリッド］タブをクリックする。
2. ［＋新しいタスクの追加］をクリックする。
3. タスク名を入力してEnterを押す。
   ➡グリッドにタスクが追加される。

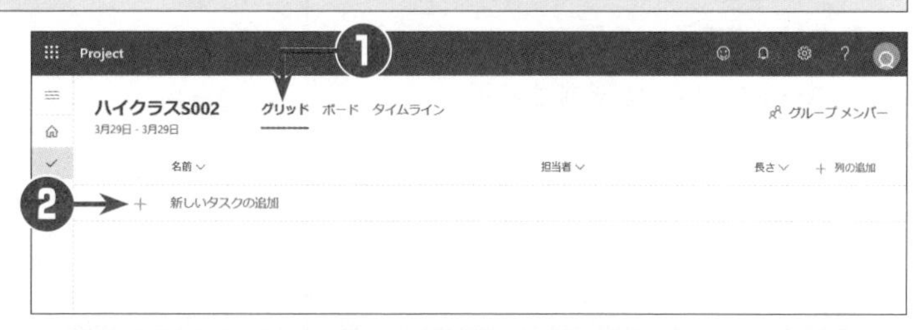

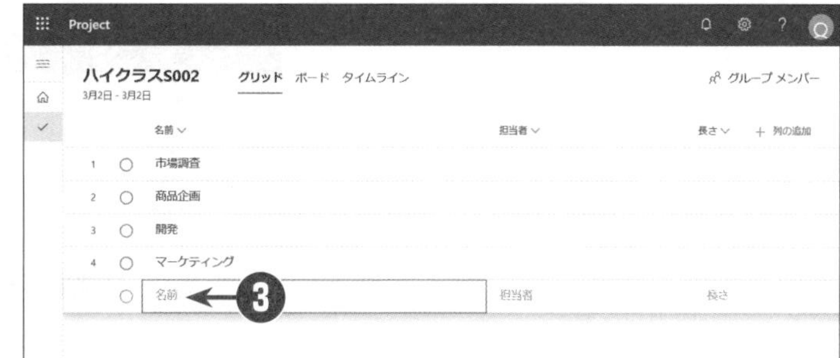

ヒント

タスクを削除するには

タスクを削除するには、［グリッド］ビューのタスク名の横の ⋮ アイコンをクリックし、［タスクの削除］をクリックします。

ボードでタスクを作成する

1. プロジェクトのページで［ボード］タブをクリックする。
2. ［＋タスクを追加］をクリックする。
3. タスク名を入力して［タスクを追加］をクリックする。

➡ボードにタスクが追加される。

タスクにメンバーを割り当てる

1. プロジェクトのページで［グリッド］タブをクリックする。
2. メンバーを割り当てたいタスク行の［担当者］列の人型アイコンをクリックする。
3. ［その他のチームリソース］で、割り当てたいメンバーをクリックする。
   - ➡［担当者］セルと［割り当て済み］にメンバーが表示される。

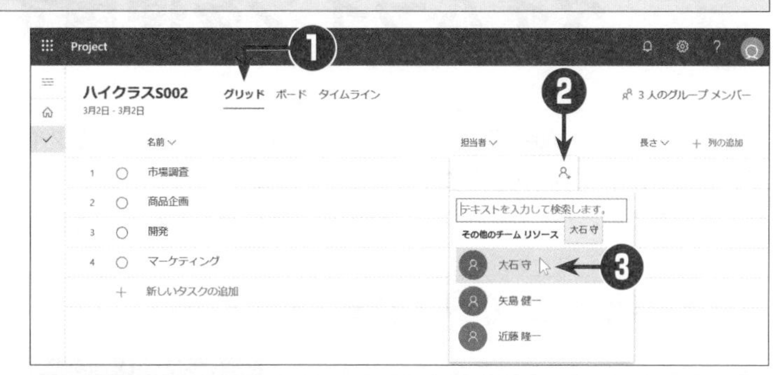

ヒント

ボードでのメンバーの割り当て

タスクカードの［…］アイコンをクリックして［タスクを割り当てる］をクリックすると、メンバーをタスクに割り当てることができます。

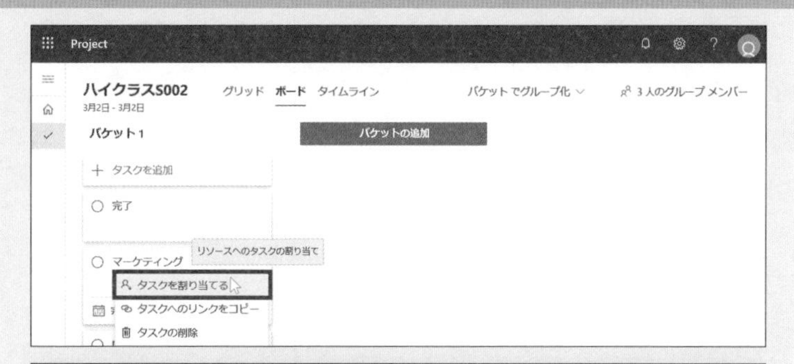

5 タイムラインを使用するには

Project for the Webでは、グリッド、タスクボードに加えてタイムラインを使用することができます。タイムラインは、Project Onlineデスクトップクライアントのガントチャートの簡易的なものと言えます。タスクを時系列にバー表示することができ、タスク同士の依存関係を表現することもできます。

タイムラインでタスクを表示する

❶ プロジェクトのページで［タイムライン］タブをクリックする。

➡ タイムラインが表示される。

❷ タスク名の右の［i］アイコンをクリックする。

➡ タスクの詳細が表示される。

❸［長さ］にタスクの期間を「20日」のように入力し、［×］をクリックする。

➡ タスクのバーが表示される。

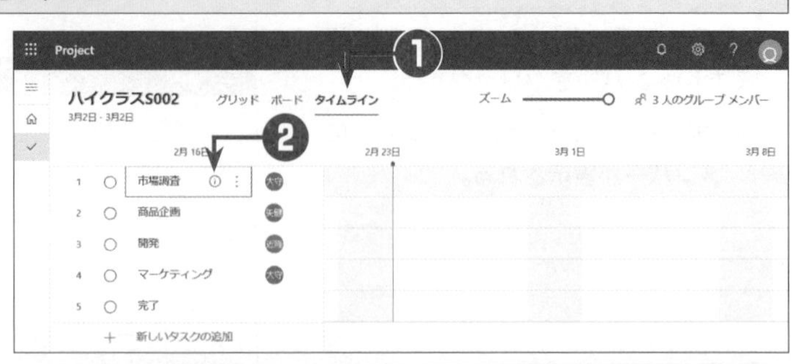

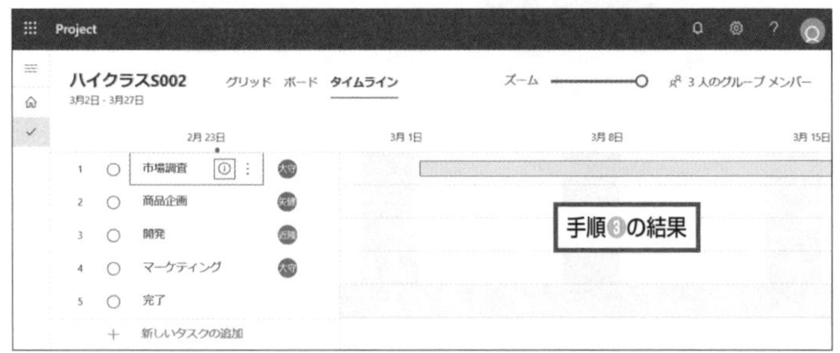

タスクの依存関係を設定する

❶ 後続タスクにしたいタスクの［i］アイコンをクリックする。

➡タスクの詳細ウィンドウが表示される。

❷ ［依存関係を追加］をクリックする。

❸ 表示された［推奨タスク］の候補から、先行タスクにしたいタスクをクリックする。

➡タスクの依存関係が設定される。

❹ ［×］をクリックして、タスクの詳細ウィンドウを閉じる。

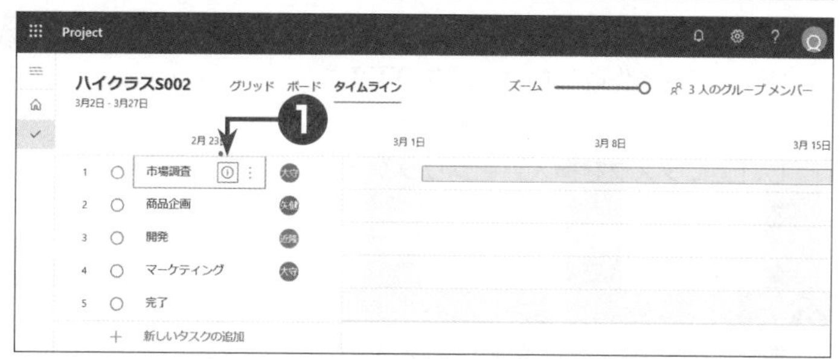

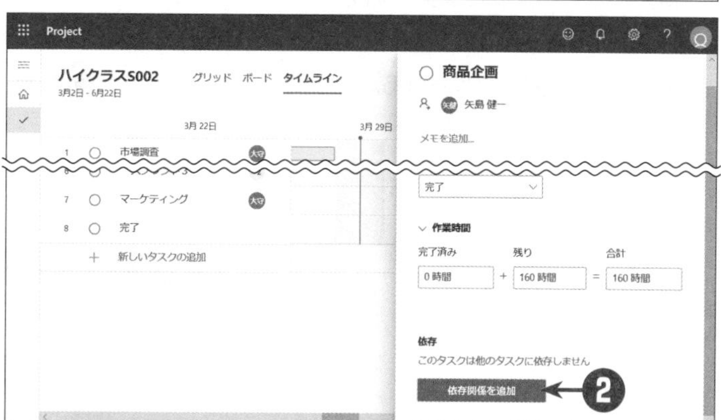

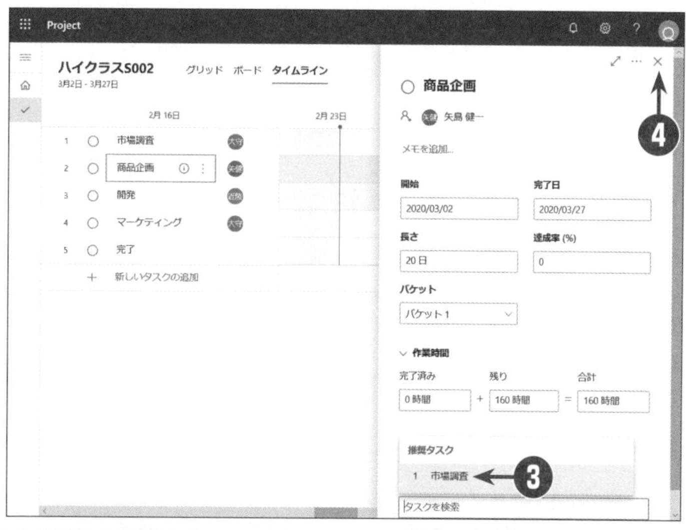

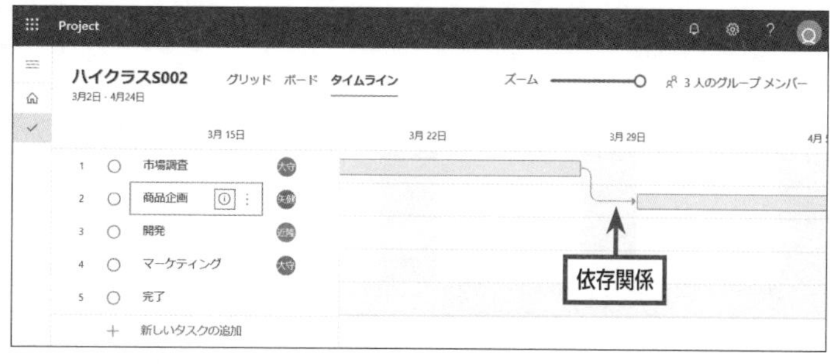

ヒント

タスクの依存関係を削除するには

タスクの依存関係を削除するには、タスクの詳細ウィンドウの［依存］に表示されるタスク名の右の［×］をクリックします。

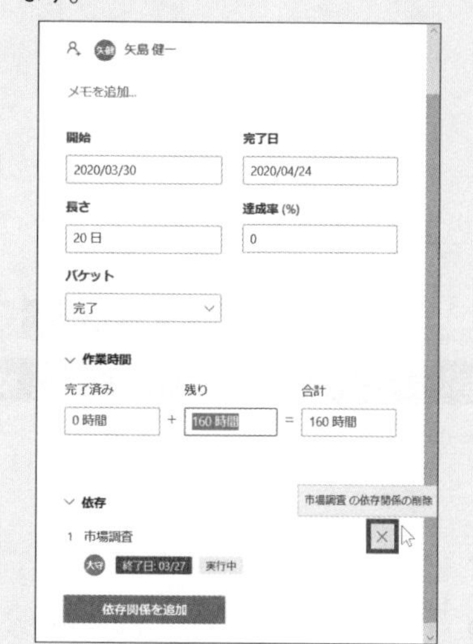

ヒント

連続的に依存関係を設定するには

タスクの詳細ウィンドウを表示した状態で、グリッドでタスクを選択すると、連続的に依存関係を設定することができます。

サブタスクを設定する

❶ サブタスクを作成したいタスクの下の行のタスクの［⋮］アイコンをクリックし、［上にタスクを挿入］をクリックする。

➡ タスクが挿入される。

❷ 挿入されたタスクにタスク名を入力し、Enterを押す。

➡ タスクに名前が付けられる。

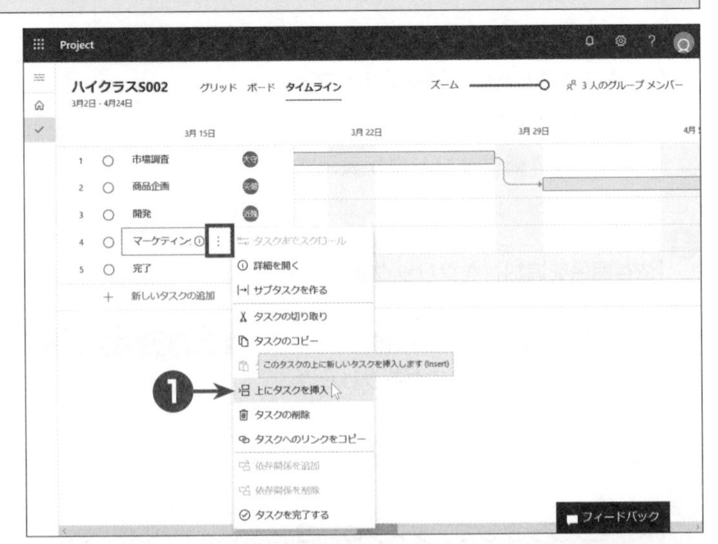

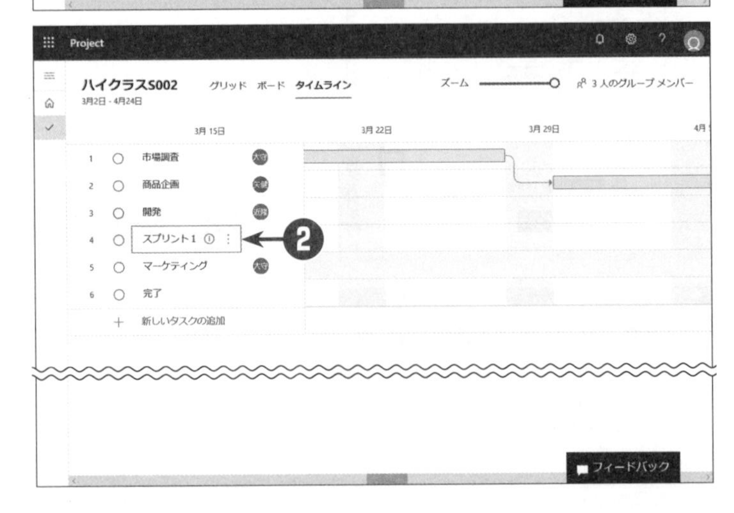

3 挿入したタスクの［⋮］アイコンをクリックし、［サブタスクを作る］をクリックする。

➡タスクが階層化されてサブタスクになる。

4 サブタスクの人型アイコンをクリックし、任意のメンバーを割り当てる。

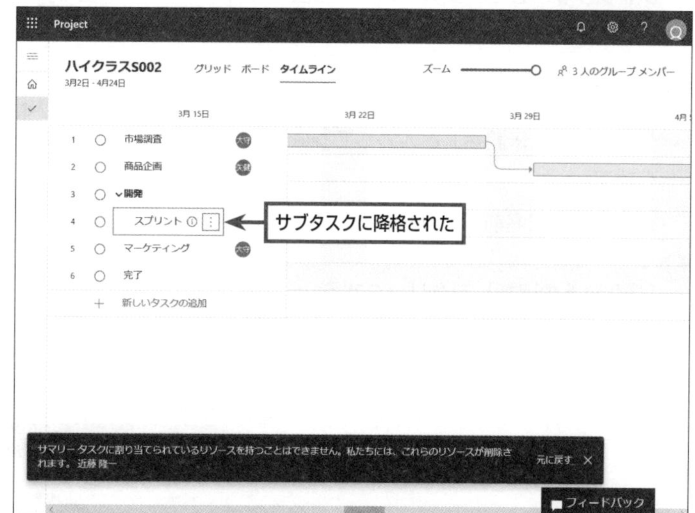

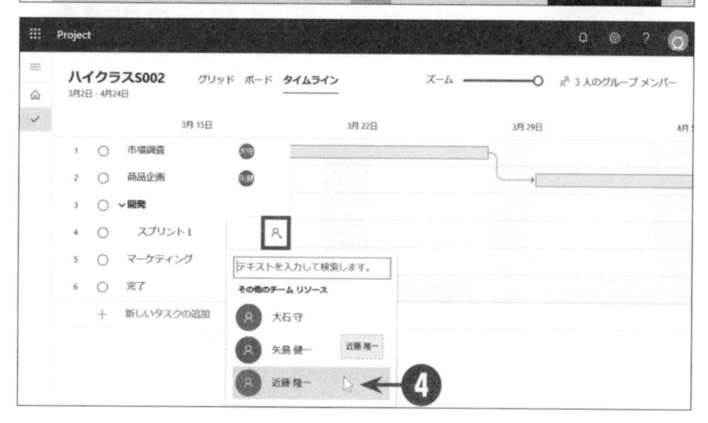

ヒント

サブタスクを昇格するには

サブタスクを昇格するには、タスク行の［⋮］アイコンをクリックし、［サブタスクを昇格する］をクリックします。

注意

サマリータスクにはリソースを割り当てられない

メンバーが割り当てられたタスクがサマリータスクに設定されると、メンバーの割り当てが削除されます。

6 タスクボードを使用するには

タスクボードを使用すると、タスクの進行状況を視覚的に管理することができます。Microsoft Plannerの機能とほぼ同様のものです。Project for the Webでは、グリッドとボードに加えてタイムライン（ガントチャート）でプロジェクトのスケジュールを確認できるのが大きなメリットです。ここでは、タスクボードでタスクの進捗を管理する方法を解説します。

ボードのバケットを設定する

1. プロジェクトのページで［ボード］タブをクリックして、タスクボードを表示する。
2. 「バケット1」と表示されている部分をクリックし、「未開始」と入力してEnterを押す。
   ➡バケットに名前が付けられる。
3. ［バケットの追加］をクリックする。

> **用語**
>
> **バケット**
>
> バケットは、タスクを分類するための入れ物のことです。タスクの種類、担当部署、フェーズなど、タスクの分類に役立つものを定義します。

4

表示された入力欄に「進行中」と入力して[Enter]を押す。

➡次のバケットが追加される。

5

さらに［バケットの追加］をクリックし、表示された入力欄に「完了」と入力して[Enter]を押す。

➡次のバケットが追加される。

ヒント

バケットを削除するには

バケットを削除するには、バケットの名前の右の［…］アイコンをクリックし、［削除］をクリックします。

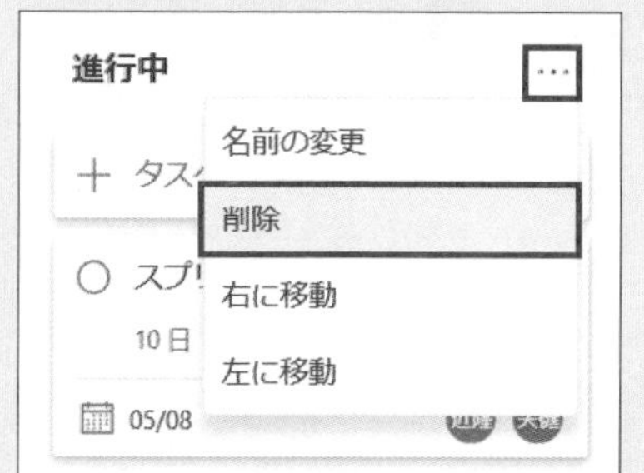

ヒント

Project Onlineデスクトップクライアントの［タスクボード］との違い

Project OnlineデスクトップクライアントとProject for the Webの両方に［タスクボード］があります。どちらもほぼ同じ目的で使用する機能ですが、Project Onlineデスクトップクライアントの［タスクボード］では、バケットを新しく追加することはできません。［スプリント計画の掲示板］では、スプリントを追加するとスプリントのバケットも追加されます（第12章を参照）。より柔軟に［タスクボード］にバケットを追加して使用したい場合は、Project for the Webをお勧めします。

タスクの進行状況を設定する

❶

[未開始]バケットの中から着手済みのタスクを［進行中］バケットに、完了したタスクを［完了］バケットに、それぞれドラッグアンドドロップする。

➡［進行中］もしくは［完了］バケットにタスクが移動する。

❷

[進行中]バケットのタスクをクリックする。

➡タスクの詳細情報が表示される。

❸

［達成率（%）］に「50」と入力し、[×]をクリックして詳細情報を閉じる。

➡タスクカードに50%と表示される。

❹

［完了］バケットのタスクの［◯］をクリックしてチェックを入れる。

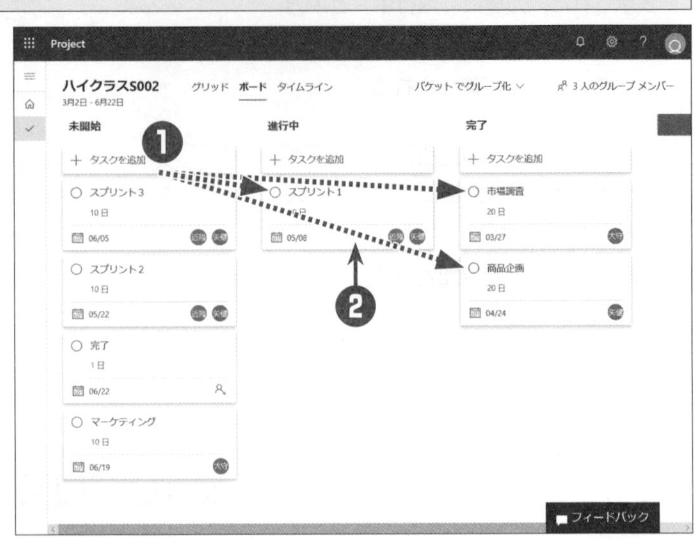

➡タスクが折りたたまれて［完了済み］と表示される。

5

［タイムライン］タブをクリックする。

➡完了したタスクのタスク名に取り消し線が引かれ、完了状態で表示される。

ヒント

タスクボードのグループ化

タスクボードは、既定では［バケット］でグループ化されています。このほかにも［進捗状況］や［終了日］でグループ化することができます。

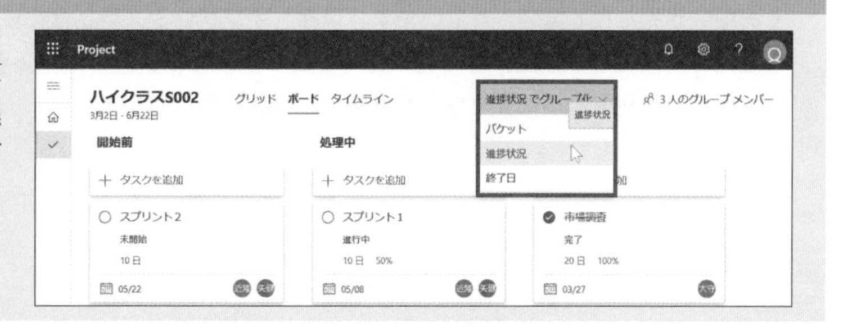

Microsoft Projectのサービスの種類とその特徴

この章では、Project for the Webの機能を説明してきました。これらの機能は、Project Onlineのサブスクリプションを契約することで利用できます。またProject for the Webは、従来のProject Online（Project Web App）やProject Onlineデスクトップクライアントを使用しなくても単独で使用できます。したがって、プロジェクトの作成や進捗管理が比較的容易で、プロジェクトメンバーとの共有がしやすいという特徴があります。よりシンプルなプロジェクトの管理に適していると言えるでしょう。言い方を変えれば、Project for the Webはシンプルなアジャイル型のプロジェクト向け、従来からのProject Web Appは大規模なウォーターフォール型プロジェクト向け、とも言えます。またProject for the WebからProject Web Appのプロジェクトに接続することはできますが、その逆はできません。またProject Onlineデスクトップクライアントで、Project for the Webのプロジェクトを作成、および編集することはできず、データの接続性としては一方通行になっています。

マイクロソフトによれば、従来のProject Onlineのサービスは継続して提供されるようです。ただし、今後はProject for the Webの機能拡張が優先的に行われる可能性もあり、本書の執筆時点では、Project Web Appを使用する従来のProject Onlineと新しいProject for the Webの関係がどのようなものになっていくのかについては、不明な部分が多いのが実情です。

現在のところ、Projectには以下の製品とサービスが存在しています。

利用形態	機能	内容
サブスクリプション	● Project for the Web	● Webのみで使用可能 ● シンプルなプロジェクトの作成、進捗管理、共有
	● Project Online （Project Web App）	● Office 365サービスとの連携 ● プロジェクトポートフォリオマネジメント（PPM） ● 大規模かつ複雑なプロジェクトの管理と分析 ● Project Web Appでの利用
	● Project Onlineデスクトップクライアント	● Project Onlineに接続可能なデスクトップクライアント
オンプレミス	● Project 2019 Standard	● スタンドアロン利用のデスクトップクライアント
	● Project 2019 Professional	● Project Serverに接続可能なデスクトップクライアント
	● Project Server 2019	● プロジェクトポートフォリオマネジメント（PPM） ● 大規模かつ複雑なプロジェクトの管理と分析 ● Project Web Appでの利用

Office 365のサービスが主流になる以前は、オンプレミスの製品として「Office 201x」という呼び名が一般的でした。近年は、Office 365の機能拡張が優先的かつ継続的に行われており、オンプレミス製品よりも多くの機能が先んじて実装されています。現在もオンプレミス製品は存続していますが、Office 365サービスとの連携が前提となる機能はオンプレミス製品では利用できません。必要な機能やサービスを十分見極めてから、どちらを利用するか決めることが望ましいと言えるでしょう。

記号

英字

あ

か

さ

た

な

は

ま

や

ら

わ

●著者紹介

大石 守（おおいし まもる）

株式会社インフィニットコンサルティング コンサルタント。1996年から2007年まで11年間、マイクロソフト日本法人のMicrosoft Office開発グループにて、Project 98からProject 2007の日本語版のプログラムマネージャーを務める。特に日本市場向けの機能の実装に注力してきた。現在は、PMO支援をはじめとしたITコンサルティングを行うほか、Microsoft Projectの導入支援やトレーニングなどの活動を行っている。

●本書についてのお問い合わせ方法、訂正情報、重要なお知らせについては、下記Webページをご参照ください。なお、本書の範囲を超えるご質問にはお答えできませんので、あらかじめご了承ください。

https://project.nikkeibp.co.jp/bnt/

●ソフトウェアの機能や操作方法に関するご質問は、ソフトウェア発売元または提供元の製品サポート窓口へお問い合わせください。

ひと目でわかるProject 2019 & Project Onlineデスクトップクライアント

2020年5月25日　初版第1刷発行

著　　者　大石 守
発 行 者　村上 広樹
編　　集　生田目 千恵
発　　行　日経BP
　　　　　東京都虎ノ門4-3-12　〒105-8308
発　　売　日経BPマーケティング
　　　　　東京都虎ノ門4-3-12　〒105-8308
装　　丁　コミュニケーションアーツ株式会社
DTP制作　株式会社シンクス
印刷・製本　図書印刷株式会社

ISBN978-4-8222-8656-9　Printed in Japan